ALBERT SPEER

L'EMPIRE SS

Traduit de l'allemand par Guy Fritsch-Estrangin
et Jeanne-Marie Gaillard-Paquet

ÉDITIONS ROBERT LAFFONT
PARIS

Titre original : DER SKLAVENSTAAT
Meine Auseinandersetzungen mit der SS

ISBN 2-221-00900-2
(édition originale :
3-421-06059-2 Deutsche Verlags-Anstalt GmbH, Stuttgart)

Himmler est appelé à devenir un jour le plus grand chef d'entreprise.

A. Hitler : *Monologues*

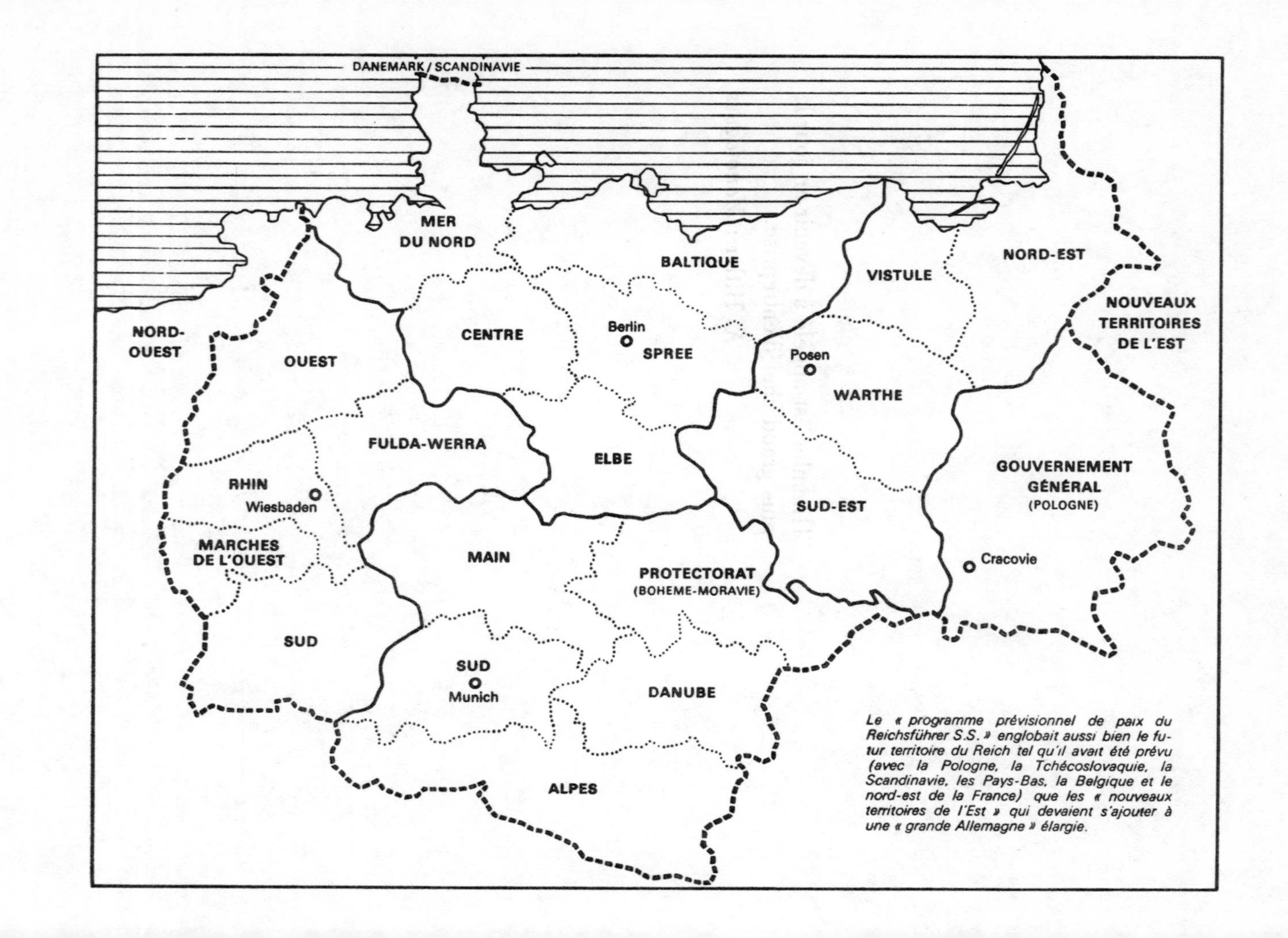

Le « programme prévisionnel de paix du Reichsführer S.S. » englobait aussi bien le futur territoire du Reich tel qu'il avait été prévu (avec la Pologne, la Tchécoslovaquie, la Scandinavie, les Pays-Bas, la Belgique et le nord-est de la France) que les « nouveaux territoires de l'Est » qui devaient s'ajouter à une « grande Allemagne » élargie.

Sommaire

Avant-Propos

Tout d'abord, j'avais l'intention d'écrire un livre sur l'armement allemand pendant la Seconde Guerre mondiale. Je pensais que le mieux serait de commencer par le chapitre le plus difficile, celui du rôle joué par les S.S. en la matière, ainsi que dans l'économie de guerre en général. Or, en préparant ce travail, je découvris dans les archives fédérales de Coblence les écrits du *Reichsführer* S.S. A ma vive surprise, tous les documents, dont j'avais en son temps pressenti l'existence, étaient conservés là, dans un ordre parfait : les procès-verbaux relatifs aux efforts déployés par Himmler, d'une part pour imposer ses créatures à l'économie de guerre, de l'autre pour mettre sur pied son propre empire industriel. Les matériaux étaient si abondants que les limites d'un chapitre furent très vite dépassées. Ce fut ainsi que je me décidai à écrire moi-même un livre sur l'échec des S.S. en matière économique.

Jusque-là, j'avais toujours examiné les choses dans la perspective de mon ministère et du quartier général du Führer ; mon point de vue était influencé par mon intimité avec Hitler. Toutefois, après avoir pris connaissance de la correspondance de Himmler, je devais me placer non plus au cœur, mais à proximité de l'événement. Je me contraignis avec répugnance à un retour à ce monde du IIIe Reich. Je ne peux prétendre que ce fut là une opération pénible, car, au cours des trente dernières années, ces documents ont perdu pour moi une grande partie de leur caractère personnel. Je jugeai en tout cas qu'il pouvait être utile d'exploiter ces matériaux sous une forme quelconque.

Certains allégueront peut-être que, témoin oculaire, je n'apprécie pas toutes choses comme l'aurait fait un historien abordant la situation avec objectivité. Involontairement des souvenirs ont repris vie, des antipathies ou des sympathies se sont manifestées à nouveau envers des personnages qui jouèrent un rôle dans les événements relatés. Souvent, au cours de mon travail, j'ai pris conscience du refoulement bienfaisant qui, jadis, m'avait empêché de ressentir un sentiment de culpabilité. En présence de ces documents, j'essaie aujourd'hui de faire face aux événements auxquels j'ai été mêlé.

Un homme de science de la génération suivante aura de la peine à imaginer l'atmosphère de l'époque, car les archives ne peuvent en rendre compte qu'imparfaitement. La tâche lui sera plus difficile encore s'il n'est pas familiarisé avec les tentations et les périls inhérents à toute situation de puissance et il est certain qu'en se consacrant au même thème il arrivera à une appréciation différente de la mienne. Car il vit dans le présent et il lui est donc à peine possible d'accéder à ce passé qui fut modelé par l'ambiance à peine compréhensible de l'époque.

Dans ma présentation, j'ai conservé intentionnellement le langage sobre, factuel, froid des documents cités. Je n'ai pas voulu m'en désolidariser, car je ne l'avais pas fait à l'époque. J'ai tenté de ventiler le thème traité bien que la masse de matériaux apparût confuse et chaotique, non seulement dans le fatras des documents, mais dans leur réalité. Ainsi, mon livre se présente-t-il comme un kaléidoscope de ces images très diverses. En fait, le désordre de l'*imperium* d'Himmler et l'absence de système dans la présentation des matières correspondent à la nature des choses, elles ne résultent pas d'un manque de méthode de ma part. En bref, le désordre des matériaux dans ce livre est la conséquence du désordre qui était partie intégrante de l'organisation du IIIe Reich.

La seule articulation reste la bouffonnerie avec laquelle Himmler s'est efforcé de pénétrer dans des domaines auxquels il ne comprenait absolument rien, courant alors après les utopies les plus folles, comme, par exemple, cette idée fixe de produire de l'essence à partir de racines de sapin.

15 août 1980

Albert SPEER

Première Partie

S.S. et industrie autoresponsable

Le dossier

Au printemps de 1944, Hitler donna son accord à la proposition de Himmler visant à créer un konzern économique appartenant en propre aux S.S. afin de rendre cette milice à jamais indépendante du budget de l'État. Invoquant des raisons analogues, Hitler me pria de soutenir le projet de Himmler.

Ainsi les efforts déployés depuis des années par le chef des S.S. avaient atteint leur but. En dehors de cela, cette autorisation de Hitler montrait clairement qu'il ne prévoyait pas une autorité rigide de l'État, même pour le temps de paix. Depuis 1933, il avait miné l'appareil de l'État en montrant que le Parti était l'élément déterminant de la politique et de l'administration. Cependant, nous avions toujours supposé qu'au fond il s'agissait pour lui d'affirmer la primauté du Parti sur l'État et qu'il ne tolérerait pas ce qui était de nature à affaiblir le Parti. Or, il apparaissait à présent qu'il voulait assurer à la milice des S.S. une position indépendante de l'État et du Parti. Pour le cas où son successeur aurait voulu utiliser le budget officiel pour restreindre le pouvoir des S.S. et de la Gestapo, il voulait assurer aux S.S. leurs propres ressources. De telles conceptions supposaient une idée extrêmement floue, qui lui était propre, de la construction du Reich.

Ce projet d'une milice S.S. indépendante du budget trouvait lui aussi son origine dans la tendance de Hitler à créer des forces opposées sur le plan de la politique intérieure en encourageant sans cesse des antinomies qui, dans un avenir lointain, pourraient être utilisées les unes contre les autres. Le système avait fait ses preuves, l'organisation d'un État dans l'État faisait partie, depuis longtemps, de la structure politique du Reich. Le ministre de l'Alimentation faisait face à une organisation de la paysannerie autonome ; financièrement indépendant, le Front du travail allemand formait un pôle opposé au ministère du Travail comme aux fonctionnaires de l'État chargés de la politique de l'éducation ; enfin, depuis 1942, les industriels les plus importants avaient pris la relève de l'État en assumant la prépondérance administrative dans le domaine de la production. La soif de pouvoir de Himmler n'expliquait pas à elle seule la création d'un « État dans l'État » :

d'autres considérations politiques y contribuèrent et, en particulier, cette théorie des autorités autonomes qui, en fait, équivalait à une négation de l'État.

Je me souviens des années avant 1933, quand mon action se déroulait dans les sphères les plus subalternes du Parti : dès ce moment, je notai avec surprise le bas niveau mental de ses membres et l'absence, parmi eux, d'intellectuels. Le Parti m'était apparu alors comme une bande organisée qu'il était facile de diriger, précisément parce que les chefs subalternes ne possédaient aucune des qualités du commandement. Si, après la prise du pouvoir par Hitler, ces médiocres chefs avaient également assumé la direction de l'économie, le résultat aurait été aussi insignifiant que celui auquel aboutit Himmler en voulant créer des konzerns économiques dans les camps de concentration. Avec ses seuls camarades du Parti, Hitler n'aurait jamais pu gouverner. Ses succès qui, durant un temps, étonnèrent le monde entier ne doivent pas être attribués aux éléments venus du Parti qui pénétrèrent les gouvernements du Reich et des *Länder.* Par leur esprit borné, ces « vieux combattants » ont, au contraire, entravé le développement en de nombreux domaines.

L'épanouissement économique enregistré après 1933 fut déterminé avant tout par l'action de ces éléments formés au temps du Kaiser et de la République, qui, soit sous la contrainte, soit par zèle, continuèrent à accomplir leur service. Un corps d'excellents fonctionnaires et de technocrates de premier ordre s'étaient mis à la disposition du gouvernement en 1933 et, à maints égards, c'est à eux qu'incombe le mérite du succès de Hitler sur le plan économique et administratif.

Les autostrades constituent à cet égard un exemple probant : les plans en furent conçus par les spécialistes de la *Reichsbahn,* ce furent eux aussi qui les exécutèrent quand Hitler, dans le but d'éliminer le chômage, donna l'ordre de procéder à leur construction. Seule cette équipe d'ingénieurs qualifiés — et non les « vieux camarades » du Parti — pouvaient exécuter avec une technique parfaite une entreprise de pareille envergure. A la différence de ce qui se serait passé à l'époque de la république de Weimar, Hitler octroya à ces spécialistes de la *Reichsbahn* comme à ceux de l'industrie tous les moyens financiers nécessaires ; sur le plan de l'organisation et même, détail important, sur celui de la politique, il leur donna la possibilité d'utiliser pleinement leur savoir-faire.

Dix ans plus tard, j'ai dû, moi aussi, mes succès au fait que je puisai dans la réserve de spécialistes de l'industrie qui avaient percé avant 1933 ou qui, après 1933, avaient fait leur chemin dans les diverses entreprises au cours d'une sélection relativement libre.

La direction des S.S. adopta le chemin inverse. Dans le processus d'industrialisation des camps de concentration, elle utilisa comme dirigeants ces cadres qui avaient adhéré à la milice avant 1933 ou peu après. Leur incapacité de créer de grands complexes industriels provenait précisément du fait que, pour diriger leurs entreprises, ils ne réussirent pas à gagner le concours de collaborateurs qualifiés en provenance de l'industrie proprement dite. Par exemple, l'*Obergruppenführer* Oswald Pohl qui avait émergé de la masse des vieux camarades du Parti n'était qualifié en aucune manière pour créer un empire économique. Les autres mandataires de Himmler, porte-parole de ses idées industrielles, étaient des féaux du Parti, des profanes sans qualification.

L'exemple de Buchenwald illustre l'incapacité de la bureaucratie concentrationnaire. Lorsqu'il s'agit d'aménager la fabrication des carabines à Buchenwald, il fut impossible d'accomplir cette tâche pourtant simple au point de vue industriel, parce que les responsables du processus se révélèrent totalement inaptes, de même que le commandant du camp appelé soudain à devenir chef de fabrique.

Contrairement à ce qu'alléguait occasionnellement Himmler en guise d'excuse, le fiasco économique des S.S. ne fut pas provoqué par la malveillance de l'industrie, même si celle-ci observait avec satisfaction les défaites de ses concurrents politiques. Une opposition de l'industrie de l'armement n'aurait jamais empêché les S.S. d'atteindre leurs objectifs, car la milice était trop dangereuse. Son manque d'efficacité provenait de l'incapacité du commandant S.S. de procéder à l'analyse des phénomènes économiques et de mettre en pratique les conséquences qui en découlaient. Ce fut ainsi qu'en dépit des pouvoirs exorbitants dont ils disposaient, les S.S. ne jouèrent qu'un rôle marginal dans l'armement et la production de guerre. Dans sa tentative de créer son propre empire économique, Himmler n'approcha jamais du but. Ses méthodes étaient à la fois trop brutales et trop marquées d'amateurisme.

Cette tentative manquée de créer un grand konzern montre bien comment Hitler aurait échoué si à l'époque les intellectuels, politiquement tièdes, ne s'étaient pas mis à sa disposition. Il aurait été contraint en effet d'assigner un objectif différent aux médiocres éléments que rassemblait son Parti dans la période d'avant 1933 : au lieu de les appeler à lutter, éventuellement par des moyens violents, contre la république de Weimar et les autres partis, il aurait dû les mobiliser pour la construction de l'économie, de la Wehrmacht ou de l'État. L'inaptitude des fonctionnaires nationaux-socialistes aurait entraîné une baisse catastrophique du rendement dans l'industrie.

A la fin de 1941, Himmler projeta de créer son empire industriel avec l'aide de la main-d'œuvre juive et d'autres déportés de camps de concentration. Mais Hitler fit échouer ce plan : pour lui deux objectifs s'imposaient dans la seconde phase de la guerre : il voulait vaincre la Russie et éliminer les Juifs ou, pour se servir de son invariable terminologie, les « exterminer ». Cependant, ce deuxième objectif s'opposait à la réalisation du premier. Car l' « extermination » des Juifs entravait nécessairement les projets de Himmler aussi bien que la poursuite de la guerre. Du fait de cette décision de Hitler, des millions de Juifs furent perdus pour l'industrie de l'armement, en outre les prisonniers de guerre soviétiques qui moururent par centaines de mille dans des camps allemands auraient pu résoudre notre problème le plus pressant, celui de la main-d'œuvre. Il faut encore ajouter que du fait de leur intelligence, les Juifs auraient pu être utilisés plus facilement au tour que les femmes russes dont on ne pouvait même pas se faire comprendre. En présence de ce dilemme, Hitler se décida cependant en faveur de l'assassinat des Juifs ! Au cours d'une réunion des *Gauleiter* à Posen * en octobre 1943, Himmler promit aux chefs supérieurs du Parti qu'avant la fin de l'année, les Juifs seraient anéantis jusqu'au dernier. A cette occasion, il polémiqua avec ceux qui, pour diverses raisons, demandaient que l'on fît des exceptions. Pourtant, quelques semaines plus tard, il affecta lui-même des dizaines de milliers de travailleurs juifs aux propres entreprises des S.S. dans les territoires de l'Est. Ce comportement contradictoire de l'homme qui était partisan de l'assassinat total et qui lui-même apportait de constantes exceptions à la politique d'extermination me permet de supposer que, dans ce domaine, Himmler n'était pas le levier agissant, mais que celui-ci se trouvait plutôt manœuvré par Hitler, Goebbels et Bormann, animés tous trois d'une haine fanatique des Juifs. Tel que nous le révèlent ses journaux intimes, Himmler devait être plutôt timide dans sa jeunesse. Quelques années plus tard, sous l'influence de Hitler, son irrésolution fit place à un comportement énergique et décidé. En quelque sorte, d'un jour à l'autre, il devint le zélateur fanatique du Führer, combattant inébranlablement pour lui et pour sa cause. L'exemple de Himmler m'a fait comprendre le résultat que Hitler pouvait obtenir en agissant comme un catalyseur. Hésitant, voire indécis, l'élève de l'école d'agriculture considéra soudain que son seul devoir était de se conformer exactement aux directives du Führer. A cela vint s'ajouter le fait que cette ligne de conduite s'harmonisait dans une certaine mesure avec sa tendance tatillonne. Dès lors, un ordre de Hitler compta davantage pour lui que toutes les considérations humaines, d'autant que celles-ci avaient été étouffées depuis longtemps par les années au service du national-socialisme et ses nombreuses devises du genre « tout ce qui profite au peuple doit être tenu pour bon ».

Hitler était tellement l'incarnation de son idéal et tous ses partenaires avaient si largement renoncé à faire usage de leur propre volonté que, désormais, ce n'étaient plus les considérations politiques qui primaient, mais la personne même du Führer. Ainsi, dans la question de l'antisémitisme, l'homme aurait-il pu sans inconvénient décréter un changement radical d'orientation sans provoquer une rébellion de ses partisans. A l'appui de cette affirmation, le meilleur exemple est l'acceptation sans la moindre objection du pacte avec l'Union soviétique qui était en contradiction avec les

* Aujourd'hui Poznań.

doctrines prêchées officiellement depuis de nombreuses années. Ce reniement de principes sur lesquels Hitler avait fondé son combat pour le pouvoir fut accepté spontanément, c'était la volonté du Führer qui déterminait le cours du destin.

Le 18 juillet et le 25 août 1956, dans mon *Journal de Spandau*[1], j'ai abordé le problème de l'accoutumance.

Quand un nouveau geôlier prend son service, écrivais-je, il commence par être très impressionné par notre monde de souffrance, alors que, par suite d'une sorte d'endurcissement de notre sensibilité, nous pouvons à peine comprendre ou percevoir sa compassion, voire son émotion. Mais c'est précisément cet endurcissement qui nous a permis de supporter la vie de détenu pendant des dizaines d'années. A force d'habitudes, le nouveau geôlier devenait bientôt indifférent, lui aussi. Il s'adaptait à notre groupe composé à égalité de geôliers et de prisonniers. « Au cours d'une journée, les contacts mutuels ont cessé désormais d'être considérés par les geôliers et les prisonniers comme quelque chose d'extraordinaire. Au nombre de cinq, nous, les prisonniers, nous nous sommes habitués depuis longtemps à nos activités impuissantes et à notre aspect minable, mais il en va de même pour les geôliers. Ce processus s'intensifie de part et d'autre. Et nous ne sommes nullement conscients de cette adaptation. Personne parmi nous ne se lève pour proclamer notre absence de morale ; au contraire, chacun renforce l'opinion du voisin selon laquelle le mal n'est nullement mauvais, mais bon au meilleur sens du mot. On mentionne, par exemple, que les geôliers nous protègent, nous les cinq prisonniers, contre tout contact nuisible avec le monde extérieur. Tout cela montre le niveau très bas de notre groupe commun " prisonniers-détenus ". »

Ces observations de Spandau s'appliquent de manière beaucoup plus prononcée au régime de Hitler. Le geôlier bienveillant ne remarquait plus à quel point il était attaché à sa tâche pénitentiaire. Le haut fonctionnaire du Parti ne pouvait plus se dérober à son propre système, il en était lui-même prisonnier. Il ne comprenait plus la déformation morale dans laquelle il était tombé par l'effet de la vie quotidienne dans l'entreprise carcérale légale du Reich. Considérant l'*apparente* légalité du régime, il n'arrivait pas à prendre conscience du caractère totalement illégal de l'ensemble de la situation. Peu à peu la sensibilité morale de l'individu s'était étiolée. A Spandau, j'avais souvent l'impression que rien n'était changé et que je faisais encore partie du même monde. Avec une différence : jadis j'étais geôlier, à présent, j'étais prisonnier.

En 1937, dans son roman *The General,* l'écrivain anglais Cecil Forester a montré comment, à l'état-major d'une division britannique, l'on discutait objectivement de questions militaires et l'on élaborait les ordres relatifs à l'engagement de corps de troupes. Le Grand Quartier général de l'armée agit objectivement, sans cela il ne peut faire du bon travail. Ainsi à l'état-major d'une division décide-t-on de la souffrance et de la mort de milliers d'hommes, loin de la véritable réalité, face à des problèmes stratégiques et techniques abstraits. L'auteur passe ensuite au lieu d'exécution de ces ordres objectifs. Des soldats sont blessés, ils souffrent et ils meurent.

De toute évidence, les décisions prises par Hitler au cours des conférences sur la situation générale, de 1942 à 1945, furent souvent erronées. Du fait de leur longue appartenance aux grades les plus élevés de l'appareil militaire, les participants à ces réunions avaient tellement perdu contact avec la réalité de la guerre qu'ils ne désiraient et ne pouvaient plus projeter les conséquences de leur déraison à l'échelon auquel avait lieu le meurtre collectif. Mais on parlait froidement d'unités « hors de combat », l'un de ces mots magiques qui occultaient la réalité avec laquelle on ne voulait pas être confronté. Dans la guerre l'un des phénomènes les plus effrayants est précisément le style impersonnel dans lequel on constate au cours de conférences que « tant et tant de divisions ont été anéanties » ou bien « qu'il est préférable que des divisions soient saignées à blanc et remplacées par de nouvelles unités recrutées dans le pays ».

Il arrive partout que les sentiments moraux soient étouffés. Dans le domaine de l'armement qui était le mien, l'être humain était dégradé au rang de facteur de production. On le recensait comme s'il s'était agi d'une statistique de blindés, de tonnes d'acier ou de munitions. Partout, certes, l'élément humain est dégradé par la technique. Mais, dans l'État totalitaire du IIIe Reich, l'homme a été abaissé de manière extrême au rang de marchandise chiffrée. Qu'il s'agît de Juifs ou de non-Juifs, les êtres humains représentaient tous, sans exception, des destinées insignifiantes déterminées dans les bureaux dans l'intérêt de l'armement. La situation résultant de la dictature et de la guerre a intensifié ces symptômes.

Les villes allemandes furent détruites par les bombardements aériens. Des milliers de femmes et d'enfants furent brûlés vifs ou asphyxiés dans les ruines. L'une de mes tâches consistait, aussitôt après les attaques, à examiner avec les entreprises concernées les mesures nécessaires pour une reprise de la production. Du fait des événements, l'endurcissement à l'égard de la réalité s'accroissait. Inversement, du côté allié, à la suite des rapports sur les crimes commis dans les camps de concentration allemands, on n'eut plus de scrupules à bombarder des villes peuplées de civils. De la sorte, les sensibilités se desséchèrent de part et d'autre. Aujourd'hui, après une époque de paix qui dure depuis trente-cinq ans, on peut à peine comprendre les conditions différentes dans lesquelles on prenait les décisions. L'accoutumance à l'horreur s'intensifiait en fonction de la situation de détresse provoquée par une guerre menée de façon inhumaine par tous les belligérants. Les discours et les agissements de la partie adverse, tels qu'ils nous ont été présentés par Churchill, par Roosevelt ou par leurs collaborateurs, ne doivent pas servir d'arguments à une justification. Cependant, lorsque je lis aujourd'hui de pareils documents, je ne puis me défendre de l'impression que, là aussi, une indifférence technocratique a pris le pas sur les considérations humanitaires. On voit, par les lettres et les comptes rendus de conversations téléphoniques figurant dans les journaux intimes de Morgenthau[2], avec quel sang-froid on parlait de la possibilité que des millions d'Allemands meurent de faim, comme si c'était là en quelque sorte la chose du monde la plus normale. Certes, je ne voudrais pas donner l'impression que les deux mondes soient comparables. Je souhaite seulement poser la question de savoir comment une pensée aussi inhumaine a pu se développer. Ce problème essentiel subsiste tel quel dans notre société de rendement. Aujourd'hui encore, il y a un étiolement de l'éthique dans la bureaucratie comme dans la technocratie, indépendamment de tout système de gouvernement. Possédé par l'idée de rendement, par l'ambition personnelle, on incline également à notre époque à considérer les phénomènes humains dans la perspective technocratique de l'efficacité.

Le système hitlérien donnait une considérable chance aux gens capables. Les dons pouvaient s'épanouir en toute direction, dans la bureaucratie du Mal comme dans l'architecture. Tout était possible lorsque, presque toujours par hasard, on mettait la main sur un collaborateur qui paraissait à même d'accomplir quelque chose d'extraordinaire. Quiconque était entré de bonne heure dans le Parti pouvait de toute manière choisir à son gré parmi les tâches les plus diverses. En fait, Hitler m'a également découvert plus ou moins par hasard.

A cause de lui, je suis devenu malgré moi le manager de toute l'industrie de presque un continent entier, et cela à l'âge de trente-sept ans. A la suite d'une idée soudaine de Hitler, je fus appelé à une tâche à laquelle je ne m'étais nullement préparé ; je fus aussitôt possédé par ma mission et par les succès qui en résultèrent. Mais j'étais aussi la proie d'une ambition personnelle qui a pu être renforcée par ma jeunesse. Cependant j'étais également dominé par la crainte constante de perdre la bienveillance du Führer et ainsi le mandat qui m'était donné. Ce même Hitler m'avait confié des responsabilités qui furent à l'origine de nos rapports personnels, elles constituèrent pour moi un formidable défi et me donnèrent d'incroyables satisfactions. En une telle situation, chacun parmi les collaborateurs de Hitler encaissait bien des désagréments, parfois même des humiliations, pour ne pas perdre sa tâche.

Bien que de manière limitée, il était cependant possible dans le IIIe Reich lui-même d'agir de manière autonome et sous sa propre responsabilité. Si, en vertu de la mécanique de ce système, les ordres devaient être exécutés, il existait souvent des variantes possibles, qui donnaient à chacun une certaine liberté d'agir dans un sens plus rigoureux ou plus modéré. Même un Eichmann dans sa situation subalterne aurait pu donner des ordres qui eussent entraîné des conséquences moins graves, d'autant que l'appareil de commandement chez les S.S. n'avait pas été doté de moyens de contrôle efficaces, surtout aux instances inférieures et moyennes. Ainsi, la position particulière de tout un chacun permettait-elle une interprétation bonne ou mauvaise des ordres reçus. Les améliorations qui intervinrent au camp de concentration d'Auschwitz, quand le commandant Höss fut remplacé par Liebehenschel, illustrent le bien-fondé de cette affirmation. Quand Höss reprit son ancien poste, on retrouva bientôt les conditions catastrophiques qui existaient antérieurement[3]. Toutefois, on peut aussi, il est vrai, se demander si ce ne fut pas précisément la conduite plus douce du camp par Liebehenschel qui détermina Himmler à rappeler Höss à ce poste.

A l'âge de soixante-quinze ans, des dizaines d'années après ces événements, je suis encore bouleversé à la pensée que j'aurais pu prendre en quelques minutes des décisions qui eussent amélioré la situation des malheureux déportés. Sans doute aurais-je pu avec de simples moyens accroître les chances de survie d'un grand nombre d'entre eux. Je songe par exemple qu'au cours d'inspections d'entreprises je vis des déportés qui travaillaient dans nos fabriques au milieu d'un personnel allemand. Sans doute n'étaient-ils pas près de l'épuisement, mais ils n'étaient pas en bon état. J'aurais pu contribuer sérieusement à l'amélioration de leur sort si j'avais seulement indiqué au directeur chargé de nous accompagner qu'il devrait aider à cette tâche. En l'encourageant, je ne me serais pas mis en danger. Mais je fis taire la voix de ma conscience au nom des innombrables problèmes qu'il me fallait trancher en de telles heures. En outre, j'étais toujours pressé. Je disposais à peine de cinq ou de dix minutes pendant lesquelles j'aurais pu aborder tranquillement une conversation ; l'une après l'autre, des décisions s'imposaient.

Peut-être, grâce à un entretien avec mon ami Hans Joachim Riecke, secrétaire d'État au ministère de l'Alimentation, aurais-je pu faire augmenter les rations dans les camps de concentration ? De même, à la fin de la guerre, ayant été chargé de réorganiser le trafic menacé de paralysie, peut-être aurais-je dû utiliser mes pleins pouvoirs pour acheminer assez de vivres et de médicaments dans les camps de concentration et contribuer ainsi à éviter la famine et les épidémies ? Peut-être enfin aurais-je même été capable d'amener maints chefs d'armée à prendre, au moment où s'approchaient les Alliés, les mesures stratégiques ou tactiques qui eussent empêché l'évacuation des camps et évité les longues marches de la mort ?

Pourquoi ai-je laissé passer l'occasion d'aider, pourquoi l'idée ne m'est-elle pas venue que j'agissais avec légèreté en oubliant une responsabilité supérieure et en considérant au contraire ma tâche ministérielle comme prioritaire ? Prisonnier de considérations relatives à l'entreprise et absorbé par ma tâche particulière nationale, je négligeai un impératif d'humanité et n'accomplis pas la petite étape qui me séparait de la véritable connaissance du bien. En me dérobant à ma responsabilité concernant les travailleurs forcés, je donnai la preuve de l'endurcissement qui s'était emparé de moi depuis longtemps.

Certes, j'ai pu parfois aider à combattre le Mal. Ce fut le cas par exemple à Lódź, lorsque le *Gauleiter* Greiser voulut liquider le ghetto. Peut-être pourrais-je même dire qu'en contribuant à rendre possible la survie des victimes, je n'obéissais pas seulement à des considérations rationnelles. Mais je ne peux prétendre que les soucis d'humanité aient eu le pas sur les intérêts de l'économie de guerre. Quand je pouvais aider, j'éprouvais, il est vrai, un sentiment apaisant; lorsque je ne pouvais le faire, je me détournais de la détresse, dans la mesure où je l'apercevais. Ma motivation se trouvait déséquilibrée, car, pour moi, la rationalité l'emportait sur tout le reste. Même si l'on a souvent réussi à imposer un traitement plus humain des déportés, il reste qu'ils ont été brutalement exploités. Nous savons aujourd'hui que même l'apparence d'une relative humanité est loin d'être suffisante, il s'agit là d'une question de principe que j'ai considérée essentiellement sous l'angle de la rationalité. L'optique de l'exploitation primait. Nous n'avons pas fait ce que nous aurions pu et dû faire pour sauvegarder des vies humaines!

Le piège était impitoyable et l'on ne pouvait s'en libérer. Peut-on alors parler de considérations humanitaires?

Bien que la question de l'inhumanité du travail forcé dans les camps de concentration ne soit pas le thème central de ce livre, on ne doit pas faire le silence sur le rôle qu'elle a joué en marge des événements; de même, les efforts déployés pour maintenir en vie, grâce à un meilleur traitement, les déportés aptes au travail ne doivent pas faire oublier qu'en même temps des millions d'êtres humains ont été méthodiquement assassinés dans des camps d'extermination.

Ce livre ne tend pas à une autojustification consistant à déclarer : nous n'étions pas si mauvais que cela, les méchants c'étaient les S.S. En fin de compte, tout cela formait *un* système et nous en faisions tous partie. Pour la question de la responsabilité, il est sans importance que les centres du pouvoir n'aient pu se souffrir. Aussi, est-ce une erreur de présenter les S.S. comme la seule incarnation du Mal.

Certes, j'ai fait partie de ces collaborateurs de Hitler, que l'on nomme aujourd'hui « technocrates ». Il arrivait aussi que des spécialistes de la Wehrmacht leur fussent adjoints. Ce fut le cas, par exemple, du stratège sans doute le plus important de la Seconde Guerre mondiale, le feld-maréchal von Manstein[4]. Or, celui-ci ne s'intéressait en aucune manière à ce qui était étranger au domaine purement militaire. Les commandants de l'arme aérienne, et en premier lieu le feld-maréchal Erhard Milch, faisaient eux aussi partie de cette société des technocrates. Mais, naturellement, il y eut aussi les autres, le groupe de ceux qui furent moralement inattaquables. Précisément dans l'armée, on est frappé par le grand nombre de ceux qui incarnaient l'intégrité morale. Le groupe d'officiers qui furent associés à la conspiration du 20 juillet se signala par son opposition. Grâce à des instructions supplémentaires, qui laissaient une certaine marge d'initiative personnelle, ils firent perdre une partie de leur rigueur aux ordres de mort émanant du commandement suprême de la Wehrmacht (O.K.W.), sans toutefois pouvoir empêcher leur acheminement [5]. En qualité de commandant en chef des Forces armées, dans le Gouvernement général de Pologne, le général Curt von Gienanth fit également partie de ce groupe. Il fut limogé par Keitel en raison de la résistance active qu'il opposa à la politique juive de Hitler. Il en alla de même pour le colonel Freter qui lutta contre les projets de Himmler et fut mis en accusation pendant le soulèvement de Varsovie, en août 1944, par ordre du *Gruppenführer* Stroop, ou du commandant de Przemysl, qui ayant accordé aux Juifs la protection de l'armée eut de sérieux conflits avec les autorités S.S. à l'échelon local. Il faudrait mentionner également Oskar Schindler qui, avec l'aide des représentants de la Wehrmacht et de l'Armement auprès du Gouvernement général, réussit à évacuer en Tchécoslovaquie quelques milliers de Juifs polonais.

Il est donc suffisamment prouvé que l'on pouvait éviter de sacrifier sa conscience aux prétendues contraintes technocratiques. Une vivante foi dans les lois de l'humanité dut, par exemple, mettre les hommes du 20 juillet à l'abri de la dégradation morale. Je les connaissais pour la plupart et nous nous estimions mutuellement, mais j'ignorais la mesure de leur force d'âme.

Je suis stupéfait quand je pense à quelles extrémités la contrainte apparente des choses a conduit Keitel, Jodl et les autres généraux. Car ils étaient de la même origine bourgeoise que moi et, encore au début de la guerre, ils n'auraient pas cru qu'ils pourraient perdre totalement leur équilibre moral et leur conscience. Je pense particulièrement à Keitel qui au cours des dernières années paraissait livré, pieds et poings liés, à la volonté de Hitler et donnait l'impression d'un épuisement psychique total. Rétrospectivement il paraît froid et brutal. Pourtant je le revois devant moi, gentil, amical, souvent désireux de rendre service aux autres. Ou bien Kammler. Je le connaissais déjà au temps où il dirigeait la section de la construction au ministère de l'Air. C'était un obscur fonctionnaire, très méticuleux et d'un commerce agréable, dont personne n'aurait cru possible qu'il devînt un jour l'un des collaborateurs les plus brutaux et les plus grossiers de Himmler. C'était inimaginable et il en fut pourtant ainsi.

Et Himmler lui-même. Il donnait l'impression d'être à la fois aimable et réservé, il avait de bonnes manières et, dans ses contacts personnels, il évitait de recourir au vocabulaire violent qu'il employait dans ses discours, surtout lorsqu'il s'agissait de l'anéantissement des Juifs. Plus je pense à lui, plus je me dis que ni ses origines ni son éducation ne le prédestinaient à être devant l'Histoire le responsable de l'un des plus grands génocides de l'humanité. Était-il criminel-né ? Ou sa vocation d'assassin n'était-elle pas plutôt la conséquence d'une morale corrompue, pervertie ? Car, vraisemblablement, elle ne résultait même pas du fanatisme et j'irais même jusqu'à dire qu'il aurait souscrit sans hésiter à une idéologie contraire à celle de Hitler. Le fait que ce bourgeois bien élevé, de bonne famille, ait pu devenir le meurtrier de millions de Juifs reste pour moi une énigme psychologique qui touche non seulement la personne de Himmler, mais la méthode de travail de tout ce système. Et, finalement, l'on a tort de parler d'énigme quand l'on considère l'influence monstrueuse exercée par la volonté de Hitler sur les dirigeants dans le cadre de cette organisation.

Aujourd'hui encore, je me pose la question de savoir jusqu'à quel point nous étions interchangeables, nous qui nous trouvions soumis non seulement à l'influence de Hitler, mais à la fascination technique des mass media, dont nous avions nous-mêmes conçu les mots d'ordre. Où m'aurait entraîné le courant si la faveur de Hitler m'avait poussé encore plus avant ? Y aurait-il eu chez moi des barrières que des inhibitions intérieures m'eussent empêché de franchir ? Que se serait-il passé si Hitler m'avait obligé à prendre des décisions qui eussent exigé la plus extrême dureté, mais auxquelles je n'aurais pu me dérober parce que le Führer aurait allégué qu'elles étaient nécessaires pour l'Allemagne ? Jusqu'où serais-je allé ? Je ne peux répondre à cette question ni à beaucoup d'autres concernant ma vie sous Hitler mais je ne veux pas m'y dérober par lâcheté. La question reste posée. Placé à un autre poste, dans quelle mesure aurais-je fait exécuter des actes de cruauté si Hitler les avait ordonnés ? Regardant aujourd'hui derrière moi, je vois surgir l'image d'un monde à la fois romantique et sauvagement cruel, mais qui, certes, ne se présente pas sous les traits bonhommes de l'époque louis-philipparde.

Je me souviens à ce propos des anabaptistes de Knipperdolling * à Münster : Là, comme dans le IIIe Reich, des idées romantiques de salut, des cruautés, un altruisme religieux s'unissent à de grotesques bizarreries ; le dévouement se mêle à la brutalité, une obéissance débridée s'associe à un dilettantisme enthousiaste dans cette fresque d'une communauté qui, au XVIe siècle, conduisit une petite ville de Westphalie au bord de la ruine et, au XXe, précipita le monde dans le chaos.

* Les anabaptistes, issus du protestantisme, prêchaient au XVIe siècle le communisme et la bigamie. Leur centre d'action se trouvait à Münster, en Westphalie, où leur chef, Knipperdolling, fut exécuté en 1536. Son cadavre fut exposé dans une cage de fer suspendue au clocher de la ville. (N.d.T.)

Des idées euphoriques

La scène se passa le 26 janvier 1942, exactement deux semaines avant ma prise de fonctions comme ministre de l'Armement et six jours après la conférence de Wannsee au cours de laquelle furent adoptées les mesures destinées à éliminer les Juifs dans l'Europe allemande, à savoir « la solution finale de la question juive ». Ce jour-là, Himmler informa le *Brigadeführer* Richard Glück, inspecteur en chef de tous les camps de concentration, que l'on ne pouvait escompter l'arrivée de prisonniers de guerre russes dans un proche avenir[1] et que, en conséquence, il enverrait dans les camps « un grand nombre de Juifs qui *auront émigré* (*sic*) d'Allemagne ». « Prenez donc les mesures nécessaires pour accueillir dans les camps de concentration, au cours des prochaines semaines, 100 000 Juifs et 50 000 Juives. De vastes tâches seront assignées sous peu en matière économique aux camps de concentration. Le *Gruppenführer* Pohl vous communiquera les détails utiles[2]. » Quinze jours auparavant, tirant avec beaucoup de retard les conséquences de la défaite devant Moscou, Hitler avait rendu la priorité à l'équipement de l'armée sur celui de l'aviation. En même temps, il avait exigé le maximum d'efforts sur le plan de l'armement[3].

Himmler se gargarisait volontiers de mots et il témoignait d'une imagination débordante. Cette fois cependant, ses projets relatifs à la création d'un vaste konzern industriel semblaient réellement près de se réaliser. Dans son autobiographie, Höss rapporte que presque un an auparavant, au cours d'une inspection d'Auschwitz en mars 1941, Himmler lui déclara qu'il voulait faire de ce camp une centrale de l'armement où travailleraient 100 000 déportés[4]. « Dans mes rapports, écrivait Höss, j'ai constamment abordé cette question (l'assassinat des déportés), mais je ne pouvais rien faire devant la pression de Himmler qui voulait sans cesse affecter plus de déportés à l'armement[5]. » « Il fallait traiter avec ménagements les déportés spéciaux (terme par lequel Höss désigne les Juifs) qui étaient du ressort de Himmler. On ne pouvait renoncer à cette importante source de main-d'œuvre, surtout pour ce qui concernait l'industrie de l'armement[6]. » Les mots, il faut le dire, n'ont qu'une valeur relative. Ainsi ce que Höss entend par « ménagements » prend son véritable sens lorsqu'on le situe dans le contexte d'Auschwitz, où Höss dirigeait techniquement l'appareil d'anéantissement et où fut exécuté l'assassinat de 2,5 millions de Juifs. On ne peut tirer au clair cette opposition entre les objectifs de Himmler et une force qui n'est pas nommée. On peut supposer que l'Office central de la sécurité du Reich réclamait l'assassinat de tous les Juifs, soutenu en cela par Bormann qui était mandaté par Hitler.

Intervenu quelques semaines plus tard, un changement fondamental dans la structure des S.S. reflète les projets de Himmler qui voulait tirer un profit de la grave situation militaire en créant un konzern économique contrôlé par sa milice. Le 16 mars 1942, par suite de la fusion de divers offices de direction, Oswald Pohl devint le chef responsable des S.S. dans toutes les questions économiques et administratives[7]. Comme le constate le jugement rendu contre lui, il n'était responsable ni de l'internement des déportés ni de leur transfert, ni même de leur exécution[8]. Ses « pleins pouvoirs légaux commençaient à l'arrivée des déportés aux portes du camp de concentration ». Étaient dans ses attributions, et dans celles de l'office économico-administratif des S.S. qu'il dirigeait, « tous les détails des rémunérations, de la production et de l'affectation des déportés. Il lui incombait de veiller à l'approvisionnement et à l'habillement des déportés. Cette tâche s'appliquait aux derniers échelons de la répartition, elle comportait l'obligation de s'assurer que les déportés recevaient les rations nécessaires[9] ».

Exagérant sans doute son rôle pour des raisons tactiques, un tribunal allemand certifia que « Pohl se révéla le chef expérimenté, actif et compétent de l'une des ramifications les plus importantes de la machine de guerre du Reich[10] ». Ailleurs le tribunal va jusqu'à parler du « grand génie de Pohl[11] » : « Aucune erreur n'a été commise dans les prévisions ou la construction de l'immeuble affecté à l'Office général de l'administration de l'économie. La planification a été habile et la construction a été l'œuvre d'experts. C'était un bon immeuble, mais il abritait des agissements criminels. Il était mal utilisé. Ainsi arrive-t-il qu'une noble cathédrale soit le rendez-vous des voleurs, des kidnappeurs et de faussaires[12]. »

Mon jugement sur les capacités de Pohl était plus négatif. Je l'avais toujours considéré comme un homme peu intelligent et je suis arrivé à la même conclusion en juillet 1945 au cours des premiers mois de ma captivité[13]. En fait, sous sa direction, les S.S. n'ont pas été à même de créer un appareil économique bien organisé.

Depuis le début de mes fonctions, le Dr Walter Schieber, un chimiste, était l'un des neuf chefs de service auxquels incombait la responsabilité de livrer dans les délais voulus d'importantes pièces détachées, comme des roulements à billes et des pièces de fonte, mais aussi des produits chimiques, dont les explosifs. J'appris, seulement à l'expiration de ma peine de vingt années de prison, que Schieber avait été l'homme de confiance de Himmler dans mon ministère. Ainsi lui fit-il parvenir le 17 juin 1941 la copie d'un rapport destiné au Dr Fritz Todt, ministre du Reich, pour l'équipement en armes et en munitions. Il y rendait compte du voyage de six jours qu'il avait fait à Moscou et à Rostov-sur-le-Don où, à l'époque du pacte germano-soviétique, il avait été invité par le gouvernement de l'U.R.S.S. à visiter des établissements industriels[14]. Quelques jours après l'ouverture de la campagne de Russie, le 24 juillet 1941, Schieber envoya à Himmler un autre rapport au sujet d'un voyage en Italie. Ce document parut si important au chef des S.S. qu'il en fit envoyer une copie au *Gruppenführer* Heydrich[15], chef du S.D. (Service de sécurité). Enfin, dès le 8 octobre 1941, Pohl fut prié par le *Gruppenführer* Kammler, son chef de l'Office de construction, d'intervenir en faveur d'une promotion de Schieber. Pohl transmit cette proposition au *Gruppenführer* Wolff, chef de l'état-major personnel de Himmler, avec la remarque suivante : « Pour ma part, j'estime vivement Schieber. Et je crois qu'il est également bien considéré par le *Reichsführer* des S.S.[16]. »

Le 16 mars 1942, Pohl fut investi d'un nouveau mandat. Il recevait de pleins pouvoirs pour agir au nom des S.S. dans toutes les affaires économiques et administratives, et, en même temps, il était chargé de l'affectation industrielle des détenus dans les camps de concentration. Or, le jour même de sa nomination, Pohl se présenta dans le bureau de Saur, le chef de service le plus important de mon ministère. C'est à lui qu'incombait la responsabilité de la production proprement dite de l'armement, alors limitée, il est vrai, à l'armée. Ce fut seulement en juillet 1943 que fut ajoutée celle de l'armement naval et, en juillet 1944, de l'armement de l'aviation.

Au cours de cette conférence avec mes chefs de service et autres collaborateurs, la demande de Himmler relative à la production d'armement dans les camps de concentration fut entérinée sans autres formalités. « Les firmes chargées de cette collaboration devront transférer leur production dans la zone du camp de concentration et mettre provisoirement à notre disposition des ingénieurs et des contremaîtres chargés de l'apprentissage des détenus. Non seulement pour l'usinage, mais aussi sur le plan économique, ces ateliers transférés dans les camps de concentration seront gérés par la firme d'origine. Les machines nécessaires seront fournies par le ministère de l'Armement. Le conseiller d'État Dr Schieber assume la tâche d'ensemble visant la mobilisation des camps de concentration pour l'armement. Il mettra en pratique deux exemples aussi vite que possible en commençant par les camps de Buchenwald, près de Weimar, et de Neuengamme, près de Hambourg[17]. »

La mobilisation de 25 000 détenus fut prévue dans 5 fabriques incorporées à des camps de concentration :

Buchenwald devait fournir environ	5 000 hommes aptes au travail
Sachsenhausen devait fournir environ	6 000 hommes aptes au travail
Neuengamme devait fournir environ	2 000 hommes aptes au travail
Auschwitz devait fournir environ	6 000 hommes aptes au travail
Ravensbrück devait fournir environ	6 000 femmes aptes au travail[17].

Le lendemain, soit le 17 mars 1942, en vertu de son mandat, Schieber donna l'ordre de transférer des ateliers d'usinage dans les camps de concentration. Les Gustloff-Werke, une grande manufacture d'armes, qui dépendait du *Gauleiter* de Thuringe, Fritz Sauckel, reçurent l'ordre de transférer à Buchenwald la production de 15 000 carabines et 2 000 fusils (destinés à la préparation militaire de la jeunesse hitlérienne). L'entreprise d'origine était responsable de l'usinage. « Le transfert commencera immédiatement et devra être terminé dans un délai de trois mois, au maximum quatre[18]. » Je découvris cette ordonnance ministérielle du chef de mes services parmi les documents de l'état-major personnel de Himmler. Ainsi Schieber avait-il transmis sans autre formalité une affaire intérieure au commandement des S.S. En vertu des usages administratifs, mon cabinet ministériel aurait dû avoir son mot à dire.

Le même jour, Himmler nota, au paragraphe 10 de sa conférence avec Hitler : « Travail avec Speer. Carabines[19]. » Une indication qui montre avec quelle rapidité il avait été mis au courant de cette innovation. Deux jours plus tard, à mon tour, au cours d'une conférence sur l'armement comportant 52 points, j'informai Hitler : « Fait au Führer un rapport sur la fabrication d'armes dans les camps de concentration. » Hitler approuva les plans qui devaient être appliqués tout d'abord à Buchenwald. Il était d'accord « avec la production de carabines qui était prévue » et il précisa « qu'il fallait absolument se conformer aux chiffres donnés pour la main-d'œuvre, soit 25 000 déportés pour commencer[20] ».

Le zèle de Schieber fut aussitôt récompensé. Après un délai de réflexion de cinq mois, la proposition d'avancement transmise par Pohl le 9 octobre 1941 fut entérinée.

L'*Obergruppenführer* Wolff félicita cordialement le « camarade Schieber de sa promotion bien méritée au grade d'*Oberführer*[21] ». A peine quelques semaines plus tard, soit le 22 avril, l'*Obergruppenführer* Gottlob Berger, intime de Himmler et chef de l'Office principal des S.S., adressa au *Reichsführer* une lettre autographe dans laquelle il signalait que Schieber souhaitait « travailler avec nous de toutes les manières ». Il sollicitait dans ce but qu'une « brève audience du *Reichsführer* lui fût accordée ». Berger suggérait en outre que « Schieber fût bientôt promu à l'état-major personnel de Himmler[22] ». Cette fois, l'affaire ne dura pas cinq mois. Six jours plus tard, Himmler fit savoir qu'il était prêt à recevoir Schieber et à le prendre dans son état-major personnel[23].

Être devenu « membre de l'état-major personnel » signifiait pour Schieber que, désormais, il pouvait se présenter officiellement comme une sorte de subordonné de Himmler et, naturellement, sans que j'en eusse connaissance. Cet épisode me paraît important parce qu'il montre comment Himmler s'entendait non seulement à encourager des ambitions personnelles par des moyens simples, mais également à attirer à lui des collaborateurs occupant des positions clés dans d'autres services.

Le 21 juin, Schieber fut l'objet d'une nouvelle promotion : trois mois à peine après son dernier avancement, il fut nommé *Brigadeführer.* Cette fois, c'était Pohl qui avait suggéré cette promotion, aussi fut-il avisé personnellement par le chef du personnel S.S. afin de lui permettre d'apporter lui-même la nouvelle à Schieber.

Des considérations analogues ont pu déterminer Himmler à m'offrir, au printemps de 1942 par l'entremise de son chef d'état-major personnel, l'*Obergruppenführer* Wolff, le grade de général honoraire de S.S. Or, non seulement cette nomination aurait fait de moi une sorte de vassal inofficiel de Himmler, mais, en l'acceptant, j'aurais sérieusement compromis les relations confiantes que j'entretenais avec le commandement de l'armée. Aussi refusai-je aimablement. Ce fut seulement quatre ans plus tard, au cours du procès de Nuremberg, que je me pris à songer qu'avec un grade honoraire aussi élevé dans les S.S., mes chances de survie eussent été nulles.

Deux expériences devaient être tentées avec la fabrication de carabines à Buchenwald et à Neuengamme. Schieber avait annoncé que dans le premier de ces deux camps la production mensuelle de 15 000 carabines serait pleinement atteinte en l'espace de trois ou quatre mois au maximum[25]. Ce n'était pas un objectif exagéré, mais un essai plutôt modeste, car la fabrication de carabines exige un savoir-faire réduit. Et de toute manière, les machines et les connaissances techniques devaient être fournies par les Gustloff-Werke.

Un abondant échange de lettres permet de suivre la manière dont se déroula cette première tentative de fabrication d'armes dans un camp de concentration. Le délai fixé de quatre mois était déjà dépassé lorsque, le 11 juillet 1942, Pohl put annoncer à Himmler que tous les *préparatifs* « pour l'édification de la fabrique des fusils sur les terrains du camp de Buchenwald près de Weimar étaient terminés, et que la construction commencerait le 13 juillet 1942 ». Cette lettre ajoute qu'un accord particulier entre l'office administratif des S.S. et les Gustloff-Werke précisera les conditions de mobilisation des détenus pour la production[26]. On peut conclure de cette remarque que les S.S. considèrent les Gustloff-Werke comme l'entreprise chargée de la fabrique de fusils.

Himmler, qui se servait volontiers de phrases ronflantes, adressa quelques jours plus tard à Sauckel une lettre dans laquelle il se félicitait que « le travail eût commencé à Weimar-Buchenwald le 13 juillet 1942 ». Il omettait intentionnellement de préciser que cette date technique se référait de manière générale à l'ouverture des travaux et non au commencement de la construction des hangars de la fabrique. Démentant également son intention de créer un konzern économique, il assurait Sauckel qu' « en temps de paix, l'entreprise ne représenterait en aucun cas une concurrence pour les

Gustloff-Werke. Je ne songe pas à exercer une activité personnelle dans ce domaine qui est tout à fait étranger à mes tâches et à mes curiosités ».

A l'expiration du délai de quatre mois au cours duquel pas une seule carabine n'avait été fabriquée, on ne pouvait précisément prétendre que Buchenwald fût un succès. Mais Himmler réclamait déjà l'extension des mesures relatives à la production d'armement. Une lettre adressée à Pohl le 7 juillet 1942 déclare :

« J'ai eu aujourd'hui l'occasion de m'entretenir avec le *Brigadeführer* Dr Schieber. Il s'est montré très satisfait du développement général de notre entreprise dans les camps de concentration. » Une flagrante contrevérité, car Schieber devait savoir qu'à cette date les travaux de construction pour Buchenwald n'avaient pas même commencé. En dépit de tous ses indéniables succès, Schieber, dans ses fonctions de chef de service, était une faible personnalité, il inclinait à une vue euphorique de la situation et, à coup sûr, se gardait bien de décevoir Himmler.

Celui-ci tomba vite d'accord avec le *Brigadeführer* pour décider de nouvelles mesures : parallèlement à la prochaine fabrication de carabines à Buchenwald, on produirait le pistolet 08 au camp de concentration de Neuengamme et, sur une grande échelle, le canon de D.C.A. de 3,7 cm à Auschwitz. Enfin à Ravensbrück, on aménagerait une grande fabrique de matériel de transmission et à Buchenwald, au lieu de la fabrique prévue pour la production de 12 000 carabines, on en construirait une qui serait capable de sortir 55 000 armes et qui devrait fonctionner aussi vite que possible. Himmler attira l'attention de Schieber sur le fait « qu'il s'intéressait vivement à la fabrique de camions de la firme Opel... Celle-ci devrait être aménagée dans le voisinage de Kattowitz en haute Silésie... Je tiens à ce que cette fabrique soit construite et gérée par nous[28] ». Jamais un point quelconque de ce programme ne fut exécuté. Himmler désirait déjà depuis des mois mettre la main sur la production de camions, car, depuis l'ouverture de la campagne de Russie, on manquait de ces véhicules, nécessaires à l'équipement des divisions motorisées. Dès le mois de mai, il en avait parlé à Hitler. L'agenda de Himmler porte au point 5 la mention laconique : « Fabrique Opel. Speer[29]. » Le surlendemain, le *Reichsführer* pouvait me faire savoir par l'*Obergruppenführer* Wolff que Hitler avait approuvé son plan ; en même temps il transmettait la même information au *Gruppenführer* Jüttner, responsable de l'armement des divisions S.S.[30].

Pourtant, il ne se passa rien pendant deux ans. Ce fut seulement au début de juillet 1944 que nous arrêtâmes, Hitler et moi, le décret suivant : « Afin d'assurer l'accroissement de la production de camions d'environ 2 000 véhicules par mois réclamé par le chancelier, le *Reichsführer* fournira les 12 000 ouvriers nécessaires. Dans ce but, une ou plusieurs entreprises spécialisées dans la production de camions devront être transférées dans les ateliers aménagés dans les camps de concentration[31]. » M'adressant le 3 août 1944 aux *Gauleiter*, je parlai dans le même sens. Car « il nous serait facile, dis-je, de produire de 10 à 11 000 camions par mois (au lieu de 7 000 en juillet 1944) si quelques-unes des conditions requises étaient remplies, et, du reste, entre-temps, grâce au dévouement du camarade Himmler, des mesures dans ce sens sont déjà en cours d'exécution [32] ».

Cependant, en fait, ce fut seulement à partir d'octobre que la production enregistra une lourde baisse provoquée par les terribles attaques aériennes contre notre réseau de communications. Elles se manifestèrent tout d'abord dans la production fortement mécanisée de l'automobile. Il n'y eut pas accroissement, mais diminution du rendement. Le projet avait définitivement échoué.

Quand Himmler me fit part de ses propositions, le 9 septembre 1942 [33], je me déclarai d'accord avec l'attribution aux S.S. de vastes tâches en matière d'armement. Himmler confirma aussitôt cette bonne nouvelle dans une lettre à Pohl [34]. Six jours plus tard eut lieu sous ma présidence une conférence qui parut apporter une solution définitive au problème de l'emploi des déportés en provenance des camps de concentration. Prirent part à cette réunion : pour les S.S. Pohl et Kammler, pour mon département Schieber, Saur et deux représentants du secteur de la construction, les conseillers ministériels Steffens et le Dr Briese. La chronique du ministère note à propos de cette séance : « D'accord avec le S.S. *Obergruppenführer* Pohl et le Dr Kammler, il a été décidé que des déportés internés en camps de concentration seront mis à la disposition des entreprises à titre de main-d'œuvre [35]. »

Pohl adressa un rapport plus détaillé à Himmler. Il lui confirma triomphalement qu'à l'avenir de grandes fabriques d'armements, capables d'utiliser de 10 à 15 000 déportés chacune, seraient construites à neuf hors des villes. Dans les cas où elles disposeraient d'un nombre insuffisant d'ouvriers, leurs effectifs seraient désormais composés entièrement de déportés et les travailleurs allemands ainsi libérés pourraient être employés dans d'autres entreprises du même genre.

En vertu de cet accord, 50 000 Juifs travailleraient sous peu dans les entreprises en question. Leur logement était déjà assuré. « En conséquence, écrivait Pohl, les Juifs aptes au travail qui devaient émigrer à l'est auraient l'obligation d'interrompre leur voyage et de travailler à l'armement [36]. » Il évitait, même dans cette lettre à Himmler, d'utiliser le mot d'anéantissement ou d'élimination. Naturellement, la version originale de son projet ne me fut pas communiquée. De même pour ce qui concernait le sort des Juifs. Pohl nous laissa dans le vague, nous qui avions participé à la conférence.

Comme convenu, Saur désigna, trois jours plus tard dans une lettre à Pohl, les trois entreprises qui pourraient être attribuées aux S.S. comme fabriques d'armements avec main-d'œuvre juive :

« 1. la nouvelle fabrique de canons antiaériens de 3,7 cm, créée à Riga avec un personnel devant finalement compter 6 000 hommes ;

2. la fabrique de canons lourds antiaériens, déjà en activité près de Kattowitz * avec des effectifs appelés à totaliser 5 000 hommes ;

3. la nouvelle fabrique de boîtes de vitesses, en construction, de la firme Z.F. Friedrichshafen à Passau avec une main-d'œuvre appelée à compter de 3 à 4 000 hommes. »

« Pour assurer dans les meilleures conditions une production intensive, ajoutait Saur, j'ai fait procéder à un sondage dans les fabriques allemandes, afin de trouver les ouvriers spécialisés dans la même branche qui seraient également miliciens ou *Unterführer* (sous-officiers) dans les S.S.[37]. »

L'autorisation était donc accordée : fabrication de carabines à Buchenwald avec 5 000 déportés environ, fabrication de pistolets 08 à Neuengamme avec 2 000 déportés, de canons antiaériens de 3,7 cm à Auschwitz avec 6 000 déportés, production de matériel de transmission à Ravensbrück avec 6 000 femmes déportées, production de camions près de Kattowitz avec 12 000 déportés, une fabrique de canons antiaériens de 3,7 cm à Riga avec 6 000 déportés, une fabrique de canons antiaériens de 8,8 cm à Kattowitz avec des effectifs de 5 000 hommes, enfin la fabrique de boîtes de vitesses de Passau avec 3 à 4 000 déportés. On avait donc besoin de 46 000 déportés. Or, on ne disposait que d'un effectif de 110 000 dont la majeure partie était malade ou affaiblie. Sur ce nombre, 39 700 moururent en ce même mois des suites de l'alimentation insuffisante[38].

En septembre 1942, des représentants de l'industrie avaient eu vent de l'intention de transformer des fabriques entières en entreprises de camps de concentration et de concéder au commandement S.S. une grande influence dans leur direction. Ils m'implorèrent, moi le néophyte du ministère de l'Armement, d'empêcher l'aboutissement de tels projets[39]. Six mois plus tard, je déclarai à Himmler : « Vous connaissez vous-même la position de l'industrie qui ne souhaite pas organiser une concurrence sous le patronage des S.S.[40]. »

De même, le général Fromm, chef de l'armée du territoire et, à ce titre, responsable de l'armement militaire, se présenta à mon bureau en compagnie du général Leeb, chef du bureau des armements. C'était le 18 septembre, c'est-à-dire le jour où devaient être discutées les allocations de fer pour le prochain trimestre[41] et tous deux me firent des remontrances sur les conséquences de la création au profit des S.S. d'entreprises industrielles d'armement. Fromm fit valoir qu'il avait toujours approvisionné équitablement en armes les divisions S.S., comme Hitler lui en avait donné le mandat. Hitler, dit-il, veillerait de toute manière à ce que les divisions S.S. reçoivent en priorité les blindés et les armes les plus modernes. Cependant il était possible qu'une partie incontrôlée des armements destinés à l'équipement de l'armée fût détournée au profit des troupes S.S. à partir des camps de concentration. Car, comment pourrait-il vérifier ce qui était réellement

---

* Aujourd'hui Katowice.

produit dans les fabriques des S.S. ? En fait, le système en vertu duquel les armes livrées sous le contrôle de l'armée étaient examinées et réceptionnées dans les fabriques permettait une vue d'ensemble irrécusable. Bien que, pour d'autres raisons, Saur fût également hostile au principe d'une production autonome des S.S. Il craignait qu'une immixtion du commandement de la milice ne compromette la prépondérance incontestée que nous exercions dans la direction de l'industrie. Après la séance fondamentale du 16 septembre 1942, Pohl avait déjà attiré l'attention de Himmler sur le fait que son projet de prendre en charge « des entreprises d'armement de grande envergure » s'était achoppé à une résistance imprévue : « A ma grande surprise, j'ai découvert que celle-ci se trouvait dans le très proche entourage du professeur Speer lui-même. Mais à l'occasion je vous informerai verbalement à ce sujet. Le nom de Saur joue là un rôle curieux[42]. »

Dans le IIIe Reich, une décision était valable pour autant que Hitler n'avait pas exprimé une opinion contraire. C'est pourquoi, me conformant totalement à cette idée, je me rendis deux jours plus tard au quartier général, sans avoir avisé Himmler de cette démarche. Là, avec l'énergique soutien de Saur, j'obtins une décision de Hitler qui annulait tout ce qui avait été conclu antérieurement.

Notre nombreuse délégation se composait de représentants du bureau des équipements de l'armée, des directeurs des principales commissions et membres de mon ministère. Le *Gauleiter* Sauckel, plénipotentiaire général, chargé de la mobilisation de la main-d'œuvre, était présent lui aussi. Nous nous étions munis de plans et de statistiques concernant la production de canons d'assaut et le nouveau programme de blindés, car nous savions que l'examen de cette seconde question devait figurer au premier rang de la discussion. En tout, quarante-neuf points devaient être traités au cours de la conférence qui se déroula du 20 au 22 septembre 1942.

A la fin de l'une de ces séances, j'attirai l'attention de Hitler sur le fait que j'avais encore un problème difficile à discuter pour lequel seuls Saur et Sauckel devaient être présents. Hitler congédia amicalement le reste des participants et se tourna vers Saur et vers moi. J'avais demandé à Saur de prendre le premier la parole, car, ayant été de longues années l'expert du Dr Todt, il jouissait auprès de Hitler d'un prestige plus considérable que moi, dont l'apprentissage ministériel était inférieur à sept mois.

En pareil cas, il était indiqué d'avouer en toute franchise de quoi il s'agissait réellement, car il était certain que Bormann mettrait sous peu Himmler au courant et le chef des S.S. ne manquerait pas, pour sa part, de faire valoir ses arguments. C'est pourquoi nous déclarâmes ouvertement à Hitler qu'à la suite d'un accord passé avec Pohl nous étions contraints à une orientation que nous tenions pour inopportune. Naturellement nous évitâmes de mentionner les réserves formulées par les tenants de l'industrie ou par Fromm. Elles n'auraient fait qu'indisposer Hitler et une fois qu'il s'était engagé sentimentalement dans un sens, il était difficile de le faire revenir à la solution souhaitée. Nous savions aussi que Himmler avait déjà persuadé Hitler de transférer l'innombrable main-d'œuvre potentielle des camps de concentration dans de nouvelles fabriques d'armements que l'on devait construire dans leur voisinage immédiat pour des raisons d'opportunité. L'argument de Himmler, qui n'avait pas manqué d'agir sur Hitler, était qu'il fallait de toute façon construire de nouvelles fabriques et qu'il était préférable de les aménager immédiatement dans les zones où l'on disposait d'une vaste quantité de main-d'œuvre inutilisée.

Saur fit alors état des échecs enregistrés jusque-là et, exploitant l'animosité de Hitler contre la bureaucratie, il décrivit les obstacles inextricables que nous n'avions pu surmonter au cours des essais de production à Buchenwald et à Neuengamme. A Buchenwald, on n'avait même pas commencé la construction des ateliers de la fabrique. On n'avait reçu aucune information de Neuengamme, pas plus que des demandes de machines-outils. Saur souligna à ce propos les méthodes de travail rapides et simples de l'industrie, qui aurait atteint depuis longtemps les augmentations prévues si elle avait seulement disposé de main-d'œuvre. J'ajoutai à ce discours quelques phrases sur l'insuffisance de la direction économique de la bureaucratie S.S. qui, avant la guerre, avait promis à Hitler de mettre à bref délai à sa disposition des briques et du granit pour ses édifices, une promesse qui n'avait été tenue que pour une minime partie.

A notre vive surprise, Hitler réagit gaiement à nos discours ; il déclara en riant que les déportés devraient plutôt fabriquer des pantoufles et des sacs en papier. Mais pour le reste, dit-il, le problème de la main-d'œuvre a été réglé au mieux par Sauckel. De manière imprévue, nous avions trouvé en lui un allié dans cette affaire ; pour des raisons de profit à l'intérieur des districts nationaux-socialistes, il voyait d'un œil peu favorable le transfert à Buchenwald de fabrications des Gustloff-Werke. C'est pourquoi Sauckel assura Hitler qu'il amènerait toute la main-d'œuvre nécessaire sur les lieux de travail. On pourrait renoncer sans déplaisir à l'offre de Himmler.

Malheureusement, cette solution n'était pas celle que nous souhaitions. Saur reprit alors la parole et assura avec vraisemblance que les déportés provenant des camps de concentration pourraient représenter une aide précieuse s'ils étaient intégrés dans le processus de production des entreprises existantes. Celles-ci devaient seulement être agrandies par des constructions nouvelles et recevoir des machines supplémentaires. On disposait déjà sur place d'équipes d'ouvriers qualifiés et d'ingénieurs qui avaient fait leurs preuves. Hitler se déclara tout de suite d'accord avec cette thèse de l'économie privée et, à ce moment, je pris la parole. Afin de devancer de futures objections, je déclarai que des armes supplémentaires pourraient être données à Himmler en échange de la main-d'œuvre fournie. Car il avait dû nourrir l'espoir de tirer des entreprises travaillant sous son contrôle quelques armes pour ses S.S. « Ça, vous pouvez en être sûr, s'écria Hitler particulièrement jovial : quand il s'agit d'un meilleur équipement de ses divisions S.S., Himmler est capable de tout, même d'une escroquerie ! »

Sauckel intervint à nouveau afin de donner à Hitler l'assurance du succès de son action. Cependant il avait besoin d'un ordre rigoureux du Führer aux organes de l'administration civile et militaire dans les territoires occupés, qui se montraient souvent hésitants dans leurs réactions. A cette condition près, il garantissait que toute la main-d'œuvre demandée serait fournie. Et dans ce cas, il ne serait nullement nécessaire de faire travailler 50 000 Juifs à l'intérieur du Reich, comme le prévoyait le plan de Himmler. « Sauckel, interrompit Hitler, je vous signerai bien entendu tous les pleins pouvoirs dont vous avez besoin. Ce soir même, Lammers me présentera pour signature un décret énergique. Vous savez à quel point est primordial le recrutement de la main-d'œuvre, qui nous manque pour le programme complémentaire d'armements[43]. » Cependant, ajouta Hitler, « je tiens, moi aussi, pour tout à fait impossible de faire travailler 50 000 Juifs à l'intérieur du Reich, surtout maintenant que nous nous en sommes débarrassés. Au contraire, veillez à ce que les Juifs qui travaillent encore à Berlin soient remplacés au plus vite. Goebbels s'est déjà plaint de ce scandale à plusieurs reprises auprès de moi, en termes véhéments[44] ». En effet, l'habile ministre de la propagande et *Gauleiter* de Berlin qu'était le Dr Goebbels se livrait à une fanatique campagne d'excitation à la haine contre la présence de Juifs dans la capitale du Reich. Il ne cessait pas son harcèlement : le 12 mai 1942, il mentionnait dans son journal intime comme un état de choses insupportable le fait que des dizaines de milliers de Juifs continuassent à travailler dans l'industrie de l'armement à Berlin[45].

En fait, sept mois plus tard, dans son rapport du 15 avril 1943, Sauckel pouvait déclarer à Hitler qu'en 1942 il avait amené en Allemagne 3 638 056 hommes et femmes dont 1 568 801 travaillaient aux armements. Même si mes collaborateurs les jugeaient exagérés, ces chiffres montrent cependant de quel ordre de grandeur il s'agissait. En comparaison, la proposition de Himmler d'employer 50 000 Juifs au réarmement était pratiquement de peu de poids. Ainsi, ses ambitieux projets de créer un konzern de l'armement appartenant en propre aux S.S. avaient échoué.

Au paragraphe 36 du protocole relatif à cette séance, on nota de manière lapidaire que j'avais attiré l'attention du Führer sur le fait « qu'en dehors de quelques travaux peu importants, il ne serait pas possible d'organiser une production d'armements dans les camps de concentration, pour deux raisons : 1. les machines-outils nécessaires y faisaient défaut ; 2. il en allait de même pour les bâtiments, indispensables eux aussi. Or, les uns comme les autres étaient encore disponibles dans l'industrie de l'armement grâce à l'utilisation de la deuxième équipe de travailleurs ». Hitler accepta ma proposition aux termes de laquelle les entreprises transférées hors des villes en raison des attaques aériennes devraient transférer la main-d'œuvre dont elles disposaient dans d'autres fabriques pour leur permettre de compléter leur deuxième équipe.

En contrepartie, « les premières recevraient des camps de concentration la main-d'œuvre nécessaire pour composer deux équipes ». A ce propos, j'avais fait remarquer que Himmler voudrait exercer une influence déterminante sur ces entreprises. D'après le protocole, Hitler ne considérait pas, lui non plus, qu'il fût « nécessaire de satisfaire cette aspiration ».

Afin de pouvoir offrir à Himmler un petit dédommagement, je proposai de lui allouer « une participation supplémentaire à la livraison de matériel de guerre correspondant en pourcentage aux heures de travail fournies par ses déportés ». On parla d'une participation de l'ordre de 3 à 5 pour 100 et Hitler déclara qu'il était disposé à donner l'ordre « d'allouer ce supplément aux S.S.[46] ».

Cette conversation, qui devait sceller le destin d'innombrables malheureux au cours des deux années et demie à venir, se déroula sur un plan technocratico-réaliste totalement déshumanisé. Les souvenirs ne permettent guère de reconstituer l'atmosphère de la conférence et l'on peut se demander si les participants eurent même le sentiment qu'ils ne parlaient pas seulement de chiffres de production, mais aussi de destins humains (*cf.* appendice I).

Himmler avait-il perdu la partie ? Je l'aurais sous-estimé en supposant qu'il ne poursuivrait pas avec ténacité ses efforts pour atteindre ses objectifs. Mais c'eût été de ma part une erreur de penser qu'il ne respecterait pas la décision de Hitler, car il attendrait plutôt qu'elle tombât dans l'oubli. A la vérité, il accepta ce choix qui faisait échouer ses projets. Il ne tenta pas de le combattre pour l'invalider[47], mais, ainsi que nous le verrons plus loin, il ne participa qu'avec la plus extrême réserve aux mesures édictées par Hitler en septembre 1942. Il était rare que Himmler accrût ses responsabilités en recourant à de laborieuses querelles de compétence. Il se tenait patiemment aux aguets et pouvait soudain faire preuve d'une extrême activité quand il apercevait une chance favorable à son dessein. Bientôt il réussit, en effet, à imposer la création de nouvelles entreprises d'armement sous l'autorité propre des S.S.

Menaces au lieu de réalisations

La décision prise par Hitler en septembre 1942 de confier à l'industrie privée la production de l'armement n'avait donc pas modifié les objectifs de Himmler ; il poursuivait inlassablement ses efforts en vue de créer au profit des S.S. un *imperium* de l'armement dans les camps de concentration. Quelques chiffres, que me communiqua Schieber le 7 mai 1944, suffisent à montrer que la décision de Hitler était demeurée lettre morte. « Les heures de travail fournies à l'industrie de l'armement par les déportés n'avaient pas même atteint le chiffre de 8 millions par mois, ce qui permettait de conclure avec certitude que nos usines d'armements n'employaient pas plus de 32 000 hommes et femmes en provenance des camps de concentration. Ce chiffre était constamment en régression. »

Schieber s'était entretenu à différentes reprises avec le délégué de Pohl, l'*Obersturmbannführer* Maurer. Il avait attiré son attention sur le fait que « l'on pouvait obtenir un bien meilleur rendement de la main-d'œuvre concentrationnaire grâce à une répartition plus avisée des déportés, en les nourrissant mieux et en les logeant plus convenablement. Les Juives, de même que les déportés en général, travaillent bien et font tout pour n'être pas renvoyées dans les camps..., lorsqu'on leur donne une alimentation comme celle que les chefs d'entreprises réussissent toujours à se procurer malgré les restrictions, enfin quand on les traite convenablement et humainement. Ces faits nous commandent en fait de transférer un nombre plus considérable de déportés dans l'industrie de l'armement ». Dans sa lettre, Schieber rapportait que Maurer [1] formulait les objections suivantes : « Les S.S. ne possédaient pas assez de gardes pour assurer la surveillance d'une main-d'œuvre dispersée en de nombreuses petites sections ; le ministère de l'Armement ne livrait pas assez de barbelés pour clôturer le terrain des fabriques ; enfin il ne fallait pas sous-estimer le danger d'un sabotage secret dans les entreprises non concentrationnaires où la surveillance et la discipline n'étaient pas assurées aussi sévèrement. Il était nécessaire également que nous fournissions les ouvriers qualifiés et les contremaîtres appelés à constituer le personnel de direction de l'armement géré par les S.S. [2]. »

Schieber répondit que « l'on ne pouvait remettre en question la mobilisation et l'administration de la main-d'œuvre destinée à l'armement. Il fallait au contraire s'en tenir rigoureusement à l'accord conclu antérieurement avec quelque succès : on devait laisser à l'industrie de l'armement la responsabilité des déportés en provenance des camps de concentration[3] ».

Himmler et son état-major pouvaient se permettre de sourire en présence de telles objections. Ce qui comptait essentiellement, c'était l'ancienneté. Un membre du Parti figurant parmi les premiers inscrits, comme Himmler ou Bormann, qu'il fût ministre du Reich ou *Reichsleiter**, occupait une situation plus élevée qu'un membre entré dans le Parti en janvier 1931, comme c'était mon cas. Ne fût-ce que pour cette raison, Himmler occupait dans la hiérarchie national-socialiste une situation plus considérée que la mienne. Aussi n'aurait-il jamais condescendu, par exemple, à se rendre à une conférence dans les locaux de mes services ou même à ma résidence privée. C'était toujours moi qui devais aller le trouver. Notre collaboration ne donna jamais lieu à des contacts personnels ; on maintenait constamment les distances. D'ailleurs dans l'appareil dirigeant du IIIe Reich, personne n'était disposé à entretenir des relations d'ordre privé avec un collègue.

Placé à un poste de premier ordre, un homme médiocre pouvait devenir très influent. Pour sa part, Himmler était à la fois un personnage solidement réaliste et un visionnaire aux excès souvent grotesques. Aujourd'hui encore, je ne m'explique pas comment cet individu sans relief a pu obtenir des pouvoirs aussi vastes et les conserver. Ce sera toujours une énigme pour moi. Mais, détail curieux, en dépit de tous ses efforts pour frapper les imaginations tant par la qualité de ses titres ou par ses uniformes étincelants que par les princes et les comtes dont il s'entourait, il donnait l'impression d'un petit-bourgeois soudain projeté à un niveau social supérieur au sien : en bref, il s'agissait d'une personnalité tout à fait insignifiante qui, de manière inexplicable, était arrivé à occuper une haute situation. Mais Himmler avait fait preuve, sans aucun doute, d'une incontestable habileté dans le choix de ses plus proches collaborateurs. L'ambition des S.S. de former une pépinière de chefs, même pour les différents ministères, remonte, à mon avis, à une date très ancienne. Mais il y avait entre eux une perpétuelle contestation. Comme je l'ai écrit, peu après mon arrestation en juillet 1945, dans mon étude sur « L'État de choses politiques », les S.S. « étaient le miroir du commandement du Reich, dans lequel presque chaque ministre avait une querelle à vider avec l'un de ses collègues. Kammler combattait Pohl et Jüttner et inversement, enfin Sepp Dietrich était brouillé avec tous trois.

* Mot à mot : conducteur du Reich, titre sans équivalent en français, qui fut conféré par Hitler à certains hauts fonctionnaires nationaux-socialistes. (N.d.T.)

Mais la personnalité de Himmler était telle qu'en dépit de tout il tenait parfaitement en main la conduite de son appareil[4] ». (*Cf.* appendice II.)

Il paraissait considérer ses collaborateurs uniquement comme les rouages, à l'aide desquels il manœuvrait un système inextricable d'instruments, de leviers et de tringles. Cependant il réfléchissait toujours longuement avant de prendre ses décisions, soupesant attentivement le pour et le contre.

Le prestige de Himmler reposait sur l'ampleur des pouvoirs qu'il détenait. Si on lui avait retiré le droit de vie et de mort sur autrui, la surveillance par la Gestapo et le S.D., il aurait été réduit du jour au lendemain à l'impuissance, comme le furent après le 30 juin 1934 les chefs survivants des S.A. A supposer qu'on lui eût laissé quelques pouvoirs en d'autres domaines, personne n'y aurait attaché plus d'importance qu'à ceux d'un Frick ou d'un Rust, qui paraissaient tous deux à peu près aussi incolores que Himmler.

Il dépendait tout autant de Hitler que tous les autres collaborateurs. Ainsi que l'a justement écrit Kersten dans son Journal, « il lui arrivait d'avoir peur lorsqu'il était convoqué chez le Führer. Ce n'était pas qu'il craignît la critique. Non, c'était une peur viscérale, conditionnée par son système nerveux. Ensuite, quand Hitler lui avait fait un compliment, il se réjouissait comme après avoir passé un examen avec succès[5] ».

Nous tous qui travaillions dans le proche entourage du Führer, nous réagissions de la même manière.

On devait bientôt constater à quel point les craintes que nous exposâmes à Hitler en septembre 1942 étaient fondées. Après une inspection à Buchenwald, Himmler m'adressa le 5 mars 1943 une lettre indignée : selon lui, mon ministère aurait donné l'ordre que l'on ne fabriquât pas de simples carabines dans ce camp, mais des carabines automatiques. Or, la livraison des machines nécessaires pour cette production ne pouvait être escomptée avant le début de 1944. Par ces faits, se plaignait Himmler, « vous pouvez voir à quel point il m'est difficile de représenter seulement une sous-agence d'une plus grande entreprise — en l'occurrence les Gustloff-Werke... Les dirigeants de cette industrie sont vos porte-parole et visiblement ils ne tiennent pas à voir prospérer ces nouveaux centres de fabrication. Je ne peux même pas affirmer que les données qui m'ont été fournies soient correctes ». En conséquence, ajoutait Himmler, « je vous prie d'examiner s'il ne serait pas tout de même préférable que les firmes transfèrent sous notre autorité la main-d'œuvre spécialisée et que nous puissions travailler à la cadence à laquelle nous sommes habitués, en tant qu'entrepreneurs autonomes ». Ainsi l'objectif de Himmler demeurait inchangé, il visait à obtenir une autonomie des centres de fabrication sous une direction des S.S.

Il poursuivait en exposant des arguments qui, eu égard au caractère imprévisible de Hitler, me parurent dangereux ou, à tout le moins, capables de saper mon prestige auprès de lui. « Le Führer attend de moi cette fabrication, disait-il. Je suis convaincu que sous peu il me demandera à quel niveau elle se trouve. Camarade Speer, je pense que vous comprenez mieux que personne que je ne désire pas assumer personnellement une responsabilité à laquelle je ne puis pratiquement faire face. D'autre part, dans ce cas également, je ne voudrais en aucune manière décevoir l'attente du Führer. Je vous demande donc de m'aider. »

Himmler ajoutait qu'il ne pouvait se défendre de l'impression « que cette entreprise (à Buchenwald) importunait les Wilhem-Gustloff-Werke qui avaient la folie de craindre que ce centre de fabrication pût un jour devenir une concurrence. J'ai pourtant déclaré une fois de plus à ces messieurs que j'avais d'autres ambitions pour le temps de paix que celle de devenir un concurrent dans ce domaine. Comme vous le savez, je considère que la tâche des S.S. pour le temps de paix portera sur la colonisation agricole, partout où ils pourront encourager la fondation de familles nombreuses dans une vie saine ».

Dans ma réponse à la lettre de Himmler, je négligeai tout aussi bien ses protestations que l'engagement pris par Hitler de se limiter dans les camps de concentration à des opérations de montage. Comme s'il s'était agi d'une affaire allant tout à fait de soi, je lui écrivis que j'approuvais pleinement que les S.S. eussent en propre, même en temps de paix, leur fabrique de carabines... J'ajoutai que j'aiderais volontiers à mettre sur pied la manufacture du camp de Buchenwald sous direction S.S.

« Je vous prie cependant de renoncer à cet objectif tant que la fabrication ne sera pas en marche. Etant donné l'organisation du travail à Buchenwald, je n'ai aucun argument à invoquer contre la création d'une entreprise autonome dans ce camp. Cependant, je tiens pour préférable le maintien de l'état de choses actuel afin de ne pas aggraver inutilement les difficultés de la mise en train en suscitant une résistance de la part des Gustloff-Werke. On a également attiré mon attention sur ce point à l'occasion de l'aménagement de la manufacture dans le camp de Buchenwald en raison de la *proximité géographique* (souligné dans le texte original) de la maison mère[7]. »

Himmler réagit un mois plus tard en donnant à Pohl l'instruction « de travailler à rendre notre entreprise autonome dès que la manufacture aurait commencé à fonctionner ». Dans le même ordre d'idées, il me dit combien il était heureux que je voulusse bien l'aider dans son entreprise[8].

Quelques jours après cet échange de lettres, les S.S. durent avoir constaté qu'une condition importante faisait défaut pour la mise en route de la production, à savoir le transport des matériaux dans le camp. Himmler donna l'ordre de construire une voie ferroviaire Buchenwald-Weimar. Cependant, en tant que *Gauleiter* compétent, Sauckel éleva des objections par un message envoyé par téléscripteur le 1er avril[9]. Sauckel, qui était également connu par son obstination et l'importance qu'il attachait à son prestige personnel, fit vraisemblablement part de son hostilité à la construction d'un chemin de fer au commandant du camp, Pister. Le 14 avril, en effet, Himmler fit savoir à Pister qu'il avait à obéir uniquement à ses ordres. « Le commandant d'un camp de concentration dépend des *Waffen S.S.* qui sont exclusivement soumis au *Reichsführer.* » Himmler envoya une copie de cet ordre à Sauckel en ajoutant la phrase caractéristique : « Je ne puis qu'être très étonné par votre comportement [10]. »

Ignorant tous les aspects techniques de la question, Himmler décida que la ligne de chemin de fer Weimar-Buchenwald devait être mise en service le 20 juin de la même année. On disposait ainsi d'un délai de deux mois environ pour construire une voie ferrée longue de 13 km et comportant des dénivellations de 300 m. La date fixée fut bien respectée, mais, dans son livre, Eugen Kogon révèle qu'au passage de la première locomotive les soubassements s'effondrèrent. Ce fut seulement six mois plus tard que la ligne put réellement fonctionner [11].

Afin de contrer les demandes de Himmler relatives à l'onéreuse création d'une centre de fabrication à Buchenwald, je pris les devants au cours d'une conférence avec Hitler le 6 mars 1943. Je lui déclarai qu'il ne « pouvait être question actuellement de créer de nouvelles fabriques compactes pour la production de carabines », comme le voulaient les S.S. à Buchenwald, « parce que l'on ne pouvait disposer des machines nécessaires. Il fallait tenter d'accroître la production en exploitant les établissements existants, ce qui était possible avec un stock de machines sensiblement plus réduit. Dans le cadre de cette mesure, on utilisera avant tout pour des *opérations de montage* les capacités des S.S. mises à notre disposition [12] ».

Cette conversation n'aboutissait en fait qu'à répéter la décision prise par Hitler en septembre de l'an passé : on confirmait que par suite du manque de machines-outils, il était impossible de créer des fabriques d'armements dans les camps de concentration. A vrai dire, nous avions parlé, Himmler et moi, de la manufacture et de la production des carabines K 98k, mais tandis qu'il avait en vue une fabrique complète, je pensais pour ma part au montage de divers éléments.

La décision de Hitler ne permit pas de répondre à la pression exercée par les S.S. Nous dûmes livrer de nouvelles machines tant à Buchenwald qu'à Neuengamme sans qu'elles fussent techniquement nécessaires à la production. Himmler visait en effet à une production autonome, indépendante des livraisons de divers éléments. Le montage seul n'était pas conforme à ses conceptions. Pister, le commandant du camp de Buchenwald, se plaignit à Himmler que les machines-outils ne fussent pas encore arrivées [13]. Mais, à peine trois jours plus tard, il pouvait constater avec satisfaction : « Apparemment, ma menace répétée de faire intervenir le *Reichsführer* explique l'octroi soudain de 2000 machines-outils saisies en France [14]. » Malgré nous et contrairement à nos plans, les 2000 machines-outils furent détournées sur

Buchenwald. Là, elles ne purent fonctionner utilement et elles firent défaut ailleurs.

On ne peut guère prétendre que Pister, le commandant du camp de concentration, ait eu les qualités voulues pour diriger une entreprise industrielle. Cependant, contrairement à toutes les notions de compétence, il conférait, tel un chef d'industrie, avec le directeur des Gustloff-Werke, Hornig, auquel il demanda un rapport intérieur sur l'entreprise. Il est facile d'imaginer la pression à laquelle durent être soumis les directeurs techniques au cours du véritable interrogatoire que leur imposa le redoutable commandant du camp de concentration voisin. On peut comprendre que, dans ces circonstance, ils aient finalement rejeté la responsabilité des tergiversations sur Schieber, le président du conseil de surveillance de l'entreprise[15].

Ayant reçu ce rapport de Pister, Himmler, visiblement irrité, dicta le lendemain même le projet d'une réponse qui devait m'être adressée[16]. Le message téléscripté ne fut pas envoyé. De toute évidence, Himmler s'était dit qu'il valait mieux donner l'ordre à Pohl de se faire confirmer par le directeur des Gustloff-Werke les informations défavorables concernant Schieber « et de convoquer aussitôt après ce S.S. *Brigadeführer*[17]. Ces chantages auxquels se livraient Himmler et Pister montrent à quel point il était difficile d'intégrer une entreprise S.S. dans notre système. Mes collaborateurs compétents avaient sans cesse à craindre une immixtion directe de Himmler. La direction de ces fabriques en camps de concentration devait demeurer un corps étranger au sein de notre organisation dans laquelle les techniciens se contentaient souvent d'accords téléphoniques pour éliminer des difficultés comme celles qui surgissaient à Buchenwald. Mes collaborateurs étaient habitués à prendre des dispositions nouvelles en fonction des modalités du programme à appliquer. Dans des cas semblables, les problèmes qui pouvaient se poser étaient résolus dans le cadre de l'autoresponsabilité de l'industrie par un collaborateur attaché à la commission spéciale compétente. Jamais je n'aurais eu à m'en occuper. En revanche, il était agaçant de voir comment là, à l'échelon le plus élevé, on se perdait dans les détails et combien d'efforts l'on dépensait pour résoudre cette question de la fabrication des carabines, malgré tout d'une importance secondaire au regard de l'armement et de l'ensemble de l'économie de guerre.

Bien qu'en mars 1942, Himmler eût annoncé qu'il pourrait affecter à l'atelier de montage de Buchenwald 5 000 déportés dans un délai de trois à quatre mois, à l'été de 1943, il n'y en avait que 1 000. Au bout d'un an, on ne pouvait certes parler de succès à ce propos. Himmler tenta de rejeter la responsabilité de cet échec sur les bureaux de mon ministère. En fait, cette accusation était peut-être relativement fondée, du fait que mes collaborateurs ne montraient sûrement pas d'enthousiasme quand il s'agissait de travailler au profit des centres de production des S.S. Eugen Kogon a attribué ces retards et ces lenteurs dans les opérations de montage au sabotage des déportés[18]. On peut admettre avec certitude l'existence d'un tel sabotage. Mais il est douteux qu'il ait pu se poursuivre pendant des années sans que les S.S. eussent trouvé les moyens d'y mettre fin. Mon ministère avait l'impression que l'échec incombait surtout à l'incapacité des S.S. (Cf. appendice III.)

Le 20 août 1943, Himmler avait réussi à obtenir de Hitler la promesse de lui confier la production des fusées V 2 [19]. Le jour même, il décida avec mon représentant, Saur, que la production de certains éléments de ces fusées serait transférée à Buchenwald. Or, exactement un an plus tard, le 24 août 1944, en un quart d'heure, de 12 h 30 à 12 h 45, 120 forteresses volantes américaines lancèrent sur Buchenwald 400 bombes d'une tonne chacune, 600 bombes de 900 kg et de 6 à 7000 bombes incendiaires à bâtonnets. 96 miliciens S.S. et 110 déportés furent tués, 200 S.S. et 300 déportés grièvement ou légèrement blessés [20].

Pour ce qui concerne le cours suivi par la production de carabines à Buchenwald, il faut se référer à une note figurant dans le protocole d'une conférence avec Hitler du 12 octobre 1944. Ce document précise que *malgré* la perte de Buchenwald il fallait maintenir la production prévue, soit 270000 carabines (y compris le fusil automatique G 43 [21]). Ainsi on ne peut connaître l'importance du montage des armes d'infanterie réalisé avant octobre 1944.

Le deuxième essai, le montage du pistolet Pi 38 à Neuengamme, témoigna du même amateurisme que celui de Buchenwald. Jusqu'à l'automne de 1943, les documents de Himmler gardent le silence sur cette fabrication, indication qu'il n'y avait pas eu de succès significatifs à enregistrer. Au cours de l'été 1943, il voulut comme à Buchenwald substituer à cette fabrication de pistolets, jugée secondaire, la manufacture d'une autre arme, à savoir le fusil à chargement automatique G 43 [22]. La troupe insistait depuis longtemps pour être pourvue d'une arme aussi efficace que le pistolet mitrailleur des soldats soviétiques. En dépit de la pression de l'état-major général de l'armée qui se faisait également sentir, Hitler hésitait. Entretemps, Himmler avait réussi à Neuengamme également à tourner l'instruction de Hitler lui enjoignant de ne pas créer une entreprise de montage. Le 7 septembre 1943, Pohl pouvait l'informer que l'on devait commencer à produire le fusil à chargement automatique G 43. Or, cinq bons mois plus tard, le 26 février 1944, le même Pohl était contraint de signaler dans une lettre à Schieber que finalement la production ne pouvait encore commencer à Neuengamme. A la vérité, les hangars de fabrication et même le bâtiment destiné à la forge étaient au point, mais, à Berlin, trois firmes n'avaient pas encore procédé au transport des machines prêtes à fonctionner, enfin quelque 200 machines n'avaient pas encore été allouées par la commission principale (du ministère de l'Armement). Pohl demandait à Schieber « de faire allouer d'urgence les machines manquantes à la firme en question afin que la fabrication pût enfin commencer ». Il concluait grossièrement ce message sur le ton d'un supérieur s'adressant à son subordonné. *L'Obergrup-*

penführer écrivait au *Brigadeführer :* « Je vous prie de m'informer de la suite donnée à cette affaire[23]. » Ainsi le ministère de l'Armement le traitait-il constamment en quantité négligeable, déclarait Pohl à Himmler en lui faisant parvenir une copie de cette lettre[24].

Himmler réagit avec colère : « Cher Pohl ! Qui est l'homme responsable qui a négligé de faire transporter les machines entreposées dans trois firmes ? J'ai l'intention de le faire arrêter pour sabotage dès que je serai en possession de votre réponse », déclara le *Reichsführer* dans un message exprès expédié par téléscripteur[25]. En même temps, Himmler communiquait le détail de l'affaire au colonel Suchanek, membre de son état-major, avec la note suivante : « Le *Reichsführer* des S.S. désire que... soit arrêté pour sabotage[26]. » Bien entendu Himmler voulait faire arrêter l'un de mes collaborateurs, car, à son avis, personne d'autre ne pouvait être responsable de cet échec. Neuf jours plus tard, il adressa un avertissement à Pohl : « Je n'ai pas encore reçu de réponse au message envoyé par téléscripteur le 7.3.1944 par lequel le *Reichsführer* demandait le nom de l'homme qui avait négligé d'assurer le transfert des machines à Neuengamme[27]. » Pohl fut alors obligé de reconnaître que ses accusations étaient sans fondements. Le retard a eu d'autres causes, écrivit-il dès le lendemain à Himmler. De nombreuses machines-outils destinées à Neuengamme ont été détruites par une attaque aérienne[28].

Cependant, aussitôt après avoir reçu cette information, Himmler fit parvenir par téléscripteur un message urgent à Schieber : « Je suis indigné par le fait que la fabrication de fusils à chargement automatique ne puisse encore commencer. Sauf quelques détails secondaires, nos préparatifs dans ce but étaient pourtant terminés. » Dans son approximation, il oubliait de mentionner que l'indispensable forge n'était pas encore construite. « Malheureusement, écrivait-il, la commission principale n'a pas encore procédé à l'allocation des machines nécessaires. Je vous prie d'agir dans le plus bref délai auprès de cet organisme pour qu'il prenne les mesures voulues. La cadence observée jusqu'ici est une honte, pour ne pas employer de mots plus énergiques. Je dois vous dire à ce propos que j'avais l'intention de faire arrêter pour sabotage l'homme qui avait négligé d'assurer le transfert des machines entreposées auprès de trois firmes berlinoises. Ma patience touche à sa fin. J'ai prié le S.S. *Obergruppenführer* Pohl de me communiquer régulièrement par téléscripteur la date d'arrivée des machines[29]. »

Schieber répondit par retour du courrier. Neuengamme faisait partie des entreprises groupées au sein de la commission principale intitulée « Armes ». Elles étaient du ressort de Saur. D'ailleurs toutes les machines contingentées avaient déjà été livrées ; il n'avait eu connaissance d'une réclamation quelconque[30].

Dix mois après l'envoi de la première lettre dans laquelle il exprimait l'espoir d'une rapide fabrication du fusil G 43, Pohl attribuait maintenant son échec à la fixation d'un degré d'urgence insuffisant. Il oubliait de dire que des entreprises industrielles opérant avec le même degré d'urgence avaient réussi à accroître des fabrications parallèles et à exécuter les programmes fixés[31]. Tandis que Pohl en était encore réduit à faire des promesses, dans l'industrie privée la production du G 43 avait passé de 15 013 fusils en janvier à 33 010 en juillet, soit plus du double.

Bien entendu, Himmler refusait d'admettre ses échecs. En maintes occasions, il noyait ses auditeurs dans un déluge d'informations sur les succès inouïs des S.S. en matière d'armement. Il procédait de façon pour le moins cavalière avec les chiffres lorsqu'en avril 1943 il annonçait à Hitler : « Main-d'œuvre dans les camps de concentration : 140 000 ouvriers[33]. »

Or, d'après une statistique de Pohl, le nombre des déportés affectés à ce travail spécial atteignait en tout 171 000[34], mais il fallait déduire de ce chiffre 22 pour 100 d' « inaptes au travail (malades, en quarantaine[35]) » et, en outre, 10 pour 100 devaient être affectés « aux entreprises de seize camps ». Il y avait donc lieu de retrancher 54 720 hommes du total indiqué et il en restait 116 300.

Dans le discours qu'il prononça le 6 octobre 1943 devant les *Gauleiter* et les *Reichsleiter* réunis à Posen, Himmler fanfaronna : « De 50 à 60 000 criminels politiques et de droit commun, auxquels s'ajoutent encore 150 000 autres déportés parmi lesquels figure un petit nombre de Juifs », soit, en tout, plus de 200 000 hommes, travaillent à l'armement[36]. Dans la phrase suivante il démontrait l'absurdité de ses déclarations en ajoutant complaisamment que « mensuellement les déportés accomplissaient en gros 15 millions d'heures de travail[37]. » Or, d'après les statistiques de Schieber, chaque déporté fournissant en moyenne 250 heures de travail[38], il pouvait s'agir de 60 000 hommes, et non d'effectifs représentant trois fois et demie ce chiffre. De même lorsqu'il parlait de ses réalisations en matière d'armement, Himmler se grisait de chiffres qui n'avaient rien à voir avec la réalité. Le 21 juin 1944, dans le discours qu'il prononça à Sonthofen devant les généraux, il déclara : « Je voudrais tout d'abord laisser parler les chiffres. En cette année de guerre, 40 millions d'heures de travail par mois sont consacrées à l'armement dans les camps de concentration. Là, neuf dixièmes des détenus, non allemands et criminels, fabriquent un tiers des avions de chasse du Reich. On fabrique dans ces mêmes camps un tiers des canons de fusil, et, à vrai dire, avec un contremaître allemand pour 90 déportés. On y produit d'innombrables autres choses, des meilleurs instruments d'optique aux munitions, à d'énormes quantités de lance-grenades et de canons antiaériens de 3,7[39]. » Pour la simple raison qu'il ne possédait pas les établissements industriels requis, il est impensable que Himmler ait produit 71 896 canons de fusils, soit un tiers du total de 215 690 fusils K 98k. De même, il est très loin du compte lorsqu'il prétend que sur un total de 1 372 avions de chasse, 472 appareils ont été produits dans les camps de concentration en mai 1944[40]. Cette allégation trouve sans doute son origine dans la lettre suivante adressée à Himmler le 14 juin 1944, soit une semaine auparavant, par Pohl : « Le maréchal Göring a fait parvenir à la direction, au personnel d'encadrement et aux ouvriers des usines Messerschmitt à Regensburg * le message téléscripté ci-joint : « Ainsi que me l'a signalé le directeur Linder, chef de l'entreprise Messerschmitt, il convient de reconnaître que les établissements industriels de Flossenbürg et de Mauthausen **, qui sont de mon ressort, ont participé à raison de 35 pour 100 à ce qui a été fait. » Ravi, Himmler nota en marge en gros caractères : « Très bien[41]. » Les Messerschmitt-Werke à Regensburg ne produisaient qu'une partie des cellules des avions de chasse. En dehors de cela, il y a les moteurs, les équipements électriques et mécaniques qui, eux aussi, font partie d'un avion. En juin 1944, 2 330 000 ouvriers travaillaient à l'armement de l'aviation[42]. Étant donné que les chasseurs représentaient 53,7 pour 100 de la production totale[43], on peut en déduire que plus d'un million d'ouvriers travaillaient à leur fabrication. L'allégation de Himmler selon laquelle la main-d'œuvre fournie par lui aurait non seulement contribué largement à l'armement des forces terrestres, mais aurait encore produit un tiers des avions de chasse est donc si absurde que je me suis toujours demandé comment Hitler, d'habitude méfiant, avait accepté de tels chiffres sans vérification.

Une autre comparaison fait ressortir le manque de sérieux des allégations de Himmler. Ainsi qu'il avait été décidé avec lui en septembre 1942, les S.S. devaient recevoir des armes supplémentaires à raison de 5 pour 100 de leur participation à la production[44]. En vertu de l'article 10 du protocole de la conférence avec le Führer du 1er mai 1943, cette participation de 5 pour 100 avait été fixée pour la période allant de septembre 1942 au début de mai 1943 à 17 000 carabines. On arrive ainsi pour 100 pour 100 à un total de 340 000 carabines.

En octobre 1943, quelque 60 000 déportés étaient affectés à la fabrication d'armements. Étant donné qu'au printemps de cette même année leur nombre était encore réduit et s'accroissait lentement de mois en mois, on peut supposer qu'en moyenne, dans les sept mois servant de base à ce calcul, 30 000 déportés travaillaient à la fabrication d'armements. Les statistiques montrent qu'au cours de cette période, ils manufacturèrent en tout 340 000 carabines. Or, au cours de la Seconde Guerre mondiale, dans une grande fabrique d'armes de Springfield (U.S.A.) 14 000 hommes et femmes en manufacturaient annuellement 1 800 000. Pour la période de sept mois qui nous intéresse, le résultat serait de 1 050 000 carabines. Mais les S.S. disposaient de 30 000 ouvriers et, sur la base de cette abondante main-d'œuvre, leur production aurait dû atteindre plus du double, soit 2 250 000 carabines.

Si l'on s'en tient aux calculs fictifs donnant une production de

* Ratisbonne.
** Deutsche Erd- und Steinwerke GmbH, Graritwerke Flossenbürg und Mauthausen.

340 000 carabines, le rendement de la main-d'œuvre des camps a été sept fois moindre que celui de Springfield.

Une autre estimation donne un résultat analogue : Ainsi un mémoire de novembre 1942 concernant la fabrication de carabines K 98k fixait à 25 le nombre des heures de travail nécessaires pour manufacturer l'une de ces armes. A supposer un travail de 250 heures par mois, un ouvrier devait fabriquer 10 carabines mensuellement. Or, pour manufacturer 340 000 carabines en sept mois, une industrie privée, comme par exemple Mauser, employait 4 857 ouvriers. D'après cette comparaison, le rendement de chacun des 30 000 déportés était donc six fois moindre que celui d'un ouvrier normal [45]. C'est là un parallèle écrasant pour la bureaucratie concentrationnaire.

En 1942, l'Office de l'armement des forces terrestres rémunérait à raison de 75 marks la fourniture d'une carabine K 98k [46]. Ainsi, au cours de ces sept mois, l'emploi de 30 000 déportés dans l'armement représentait une dépense de 25,5 millions de marks. Or, au cours de cette même période, on produisit en Allemagne 13,2 milliards d'armements divers [47]. Si l'on compare à ce total de notre production le résultat obtenu par les S.S., on voit à quel point leur participation à l'armement fut minime. En ces sept mois, elle n'a pas dépassé deux millièmes du total [48]. Peut-être cette proportion a-t-elle augmenté par la suite du fait de l'accroissement du nombre des déportés affectés à l'armement à partir de mai 1943, mais jamais la production de matériel militaire par les S.S. n'atteignit l'ordre de grandeur que lui attribuait l'imagination de Himmler.

Mais la rentabilité des entreprises concentrationnaires des S.S. était surtout déficiente du fait des dépenses occasionnées par leur surveillance et par la construction de baraquements. D'après une statistique de janvier 1945, il fallait 74 gardes pour 1 000 déportés [49]. En avril 1943, on prévoyait une surveillance exercée par un effectif de 12 664 soldats pour 171 000 déportés. Or le prix d'un garde s'établissait en moyenne à 1 500 marks par an, compte tenu du fait que la solde des soldats n'était guère élevée, mais que les allocations versées aux familles des mobilisés étaient plus généreuses et, enfin, que les officiers étaient sensiblement mieux rémunérés. On arriverait ainsi pour 12 664 soldats et officiers à une dépense annuelle de 19 millions de marks uniquement pour la surveillance.

A raison de 300 hommes par baraque, il en fallut 566 à l'automne de 1943 pour y loger 170 000 déportés. Y compris l'appropriation du terrain, chaque baraque coûtait 41 000 marks. Il fallait donc 23,5 millions de marks pour loger la totalité de ces déportés. En supposant que les baraquements pussent durer dix ans, la charge annuelle s'alourdissait de 21 350 000 marks, sans tenir compte des dépenses occasionnées par la bureaucratie concentrationnaire des S.S. et la subsistance des déportés. Or la production se traduisait par une recette de 43,7 millions par an dont presque la moitié était ainsi absorbée par les frais.

Les S.S. auraient pu réaliser de plus gros profits s'ils avaient sous-loué à la journée, à raison d'un tarif moyen de 4,70 marks par homme, ceux de leurs déportés qui étaient aptes au travail [50]. D'après les chiffres donnés par Pohl, leur nombre était de 107 730 sur un total de 171 000 déportés. La recette quotidienne aurait donc été de 506 000 marks, soit 184 millions par an. Mais les projets de Himmler visant à créer un empire économique au profit des S.S. n'admettaient pas de considérations aussi rationnelles.

Fiction et réalité, production et taux de mortalité

Pour les S.S., les déportés étaient une source de profits en espèces, mais cette main-d'œuvre alimentait aussi leur espoir de posséder un jour des fabriques appartenant en propre à la milice.

Tout comme des machines et des instruments, ces prisonniers étaient devenus des biens d'investissement. Il était donc tout naturel que Himmler attachât personnellement de l'importance à améliorer leur situation. Une série de décrets concernant l'alimentation des déportés montre que l'on s'est efforcé d'accroître leur potentiel de travail[1]. Ainsi, dès le 23 mars 1942, Himmler demanda à Pohl d' « en arriver peu à peu à une alimentation rappelant celle des soldats romains ou des esclaves égyptiens, riche en vitamines, à la fois simple et bon marché. Naturellement il vous faudra tenir compte de notre climat[2]. » Il convient de remarquer à propos de ces consignes à références historiques qu'elles sont dépourvues de toute considération humanitaire. Témoin l'ordre suivant, donné le 30 avril 1942, presque à la même époque : « La tâche doit être épuisante, au vrai sens du mot, afin d'obtenir le maximum de rendement. Le temps de travail n'est pas limité. Sa durée dépend de la structure du camp. C'est pourquoi il faut réduire à un minimum absolu tout ce qui pourrait contribuer à raccourcir les heures de travail, comme les repas, les appels, entre autres... Les déjeuners de midi prolongés sont interdits[3]. »

Peu après, Himmler revint à son thème favori, celui d'une alimentation saine grâce à un apport de vitamines. Le 15 décembre 1942, il proposa à Pohl d'acheter en 1943 « une grande quantité de légumes crus et d'oignons » pour la nourriture des déportés. Il recommandait de distribuer en abondance des carottes, des choux-raves, des betteraves blanches et d' « en stocker pour l'hiver une quantité suffisante afin que les déportés pussent recevoir quotidiennement ce qu'il leur fallait. Je pense qu'ainsi nous améliorerons sensiblement leur état de santé[4]. »

A la fin du mois d'octobre 1943, Pohl rappela une fois de plus aux chefs des camps de concentration le rôle important dévolu à leur main-d'œuvre. Il fallait traiter les déportés avec ménagement « non par une fausse sensiblerie, mais parce que nous avons besoin d'eux, de leurs bras et de leurs jambes, parce qu'ils doivent apporter leur contribution à la grande victoire du peuple allemand[5]. » Les rations fixées par le ministère de l'Alimentation du Reich pour tous les déportés dans l'ensemble des camps de concentration correspondaient déjà à un minimum ; cependant, comme le constate Hans Marsalek, interné pendant de longues années à Mauthausen, « les déportés ne reçurent *jamais,* fût-ce même pendant une semaine, un repas dont les éléments approchassent seulement les taux alimentaires indiqués dans les règlements. Tout d'abord les officiers, puis les sous-officiers, ensuite les effectifs subalternes des S.S. s'emparaient de tout ce qu'ils voulaient dans les magasins et dans la cuisine. Enfin, les déportés qui étaient affectés aux magasins, aux services de transport et aux cuisines *organisaient* le pillage à leur tour. Le personnel des baraques volait encore à l'occasion de la répartition de la margarine, de la marmelade, du pain, et retirait même des morceaux de viande et des pommes de terre des marmites. Des centaines de proches parents des S.S. et les familles de l'état-major de la *Kommandantur,* représentant à elles seules plus de mille personnes, ont amélioré leurs rations alimentaires par de la graisse, de la viande, du sucre, des produits divers et des pommes de terre prélevés sur les stocks destinés aux déportés[6]. »

Comment la direction de la milice, l'organisation chargée de combattre la corruption en Allemagne, ne parvint-elle pas à réprimer ces abus ? On peut s'en étonner, d'autant plus qu'ils mettaient en danger les objectifs politico-économiques de Himmler. Au point de vue administratif, tout était réglé. On avait aménagé dans la Ve section de la police criminelle du Reich un service dit de la « criminalité économique », dont le bureau Wi 4 était chargé de s'occuper de la « corruption dans la *Wehrmacht,* les S.S., la police et l'industrie de l'armement[7] ». Mais l'examen de la réalité montre qu'il s'agissait d'un labyrinthe inextricable. Toute tentative de faire la lumière sur les irrégularités dans les camps de concentration était mortellement dangereuse. Qu'il suffise de rappeler les difficultés que rencontra l'*Obersturmführer* Konrad Morgen lorsque, en qualité de haut fonctionnaire au service de la criminalité du Reich, il voulut enquêter officiellement sur les détournements commis par le commandant du camp de concentration de Buchenwald, Karl Koch. L'acte d'accusation dressé par Morgen le 17 août 1944 devant le tribunal de police des S.S. constate que Koch a assassiné « les déportés Fredemann et May parce qu'ils étaient cités comme témoins dans un procès en cours ». Comment une commission d'enquête de la Gestapo pouvait-elle espérer recueillir dans un camp de concentration des dépositions de déportés incriminant leurs geôliers ? Ils aimaient mieux rester en vie que témoigner contre leurs gardiens. Car ceux-ci restaient au camp, continuaient à les dominer, pouvaient les tourmenter ou les tuer. Kogon confirme l'existence de cette difficulté pour une autre raison qui n'est pas moins importante : « Chez les S.S. il y avait peu de choses qui ne fussent pas secrètes. Les aspects insolites de ce système (du secret) sont révélés entre autres par le fait que même les fonctionnaires de la Gestapo n'avaient pas le droit de pénétrer dans les camps sans une autorisation spéciale délivrée par l'Office général de la sécurité du Reich, IVe section. Et pourtant, c'étaient eux qui faisaient interner des milliers de gens dans les camps... C'est pourquoi un très petit nombre de fonctionnaires de la Gestapo savaient à quoi s'en tenir sur les détails de l'enfer auquel ils condamnaient leurs victimes. Les questions posées aux déportés libérés sur leur sort dans les camps étaient rarement destinées à étayer une accusation, le plus souvent elles partaient d'une simple curiosité[8] ! »

Il est certain que le détournement des vivres destinés aux déportés a sensiblement contribué à miner leur santé et à les acheminer vers la mort. L'impuissance et la léthargie des S.S. en présence de cet état de choses apparaissent dans le discours prononcé devant les *Gruppenführer* par Himmler, à Posen, le 4 octobre 1944 : « Nous sommes devenus un peuple très corrompu, mais il ne faut pas, il n'est pas nécessaire que nous prenions cette constatation au tragique comme s'il s'agissait d'un mal du siècle... Dans nos rangs également (les S.S.), nous ne réussirons pas à éliminer ce fléau appelé corruption si nous ne l'écrasons pas dans l'œuf, sans limitations d'aucune sorte ; nous devons sévir durement, dégrader l'homme corrompu, lui arracher ses titres et ses décorations, l'exposer sans pitié au mépris de ses subordonnés. Encore faut-il observer que ce qui mérite vraiment d'être appelé corruption ne va pas bien loin dans nos rangs. Mais il y a les petites choses, à propos desquelles on ne se fait guère de scrupules et pour lesquelles on dispose de l'expression " organiser quelque chose "[9] ! »

Cependant il y avait loin de la menace à la réalité ! Et force est de constater que, tout comme chez Hitler, les menaces de graves sanctions proférées par Himmler demeurèrent presque toujours lettre morte. Et, si dure qu'elle soit, une menace cesse vite d'être opérante lorsqu'elle n'est pas appliquée au propre entourage du chef. Goebbels, par exemple, déplorait, le 28 mars 1945, dans son journal intime : « Il faudrait souhaiter non seulement que le Führer eût une connaissance exacte " des graves sanctions à prendre contre de hauts fonctionnaires déficients ", mais aussi qu'il en tirât les justes conséquences. A mon avis, il se différencie fortement sur ce point de Frédéric II, qui sévissait si sévèrement contre les petits et les grands qu'il lui arriva souvent de susciter ainsi le mécontentement et la haine du côté de la troupe et de ses généraux[10]. »

Hitler, lui aussi, restait, par exemple, solidaire de Göring ; bien qu'il sût depuis longtemps qu'il était corrompu, paresseux et morphinomane, il ne lui retira jamais ses emplois grâce auxquels il joua un rôle important dans la conduite de la guerre. Il faisait toujours preuve de ménagements quand il s'agissait de réprimer la corruption de ses hauts fonctionnaires, il avait fait arrêter les poursuites, même lorsque dans les dures années de guerre Goebbels, pour des motifs de propagande, demandait que l'on sévît. Himmler, pour sa part, avait la réputation de se montrer minutieusement précis dans toutes les affaires personnelles et financières, néanmoins il manifestait un curieux laxisme quand, devant les chefs de S.S., il parlait de la corruption en Allemagne.

Il avait bien donné l'ordre de sauvegarder le potentiel de travail des déportés. Cependant les statistiques montrent que les S.S. étaient tout aussi incapables de se conformer à cette instruction qu'à celle de fabriquer des armes légères à Buchenwald et à Neuengamme. Par suite des conditions inadéquates de captivité, sur 109 861 déportés, 70 610 [11] moururent de juin à novembre 1942, encore que ces chiffres officiels soient peut-être encore très au-dessous de la réalité. En septembre, le nombre des décès dépassa même de 34 p. 100 celui des nouveaux internements, une proportion qui laissait entrevoir un dépeuplement rapide des camps. Seule, cette situation de crise explique l'ordre catégorique donné par Himmler en décembre 1942 en vertu duquel « le taux de mortalité devait être réduit à tout prix [12] ». Un *Brigadeführer* ajoutait : « Avec une mortalité aussi importante, on ne pourra jamais porter le nombre des déportés au niveau élevé exigé par le *Reichsführer* S.S. » Les médecins des camps, poursuit l'instruction, « devront agir par tous les moyens dont ils disposent pour réduire sensiblement le taux de mortalité dans les différents camps. Le meilleur médecin dans un camp de concentration n'est pas celui qui croit devoir se faire remarquer par une dureté inappropriée, mais plutôt celui qui maintient à un niveau aussi élevé que possible le potentiel de labeur grâce à la surveillance et à la relève dans les divers centres de travail. Plus qu'auparavant, les médecins doivent surveiller l'alimentation des déportés et, en accord avec l'administration, proposer au commandant du camp des améliorations. Celles-ci ne doivent pas rester théoriques, et leur application doit faire l'objet d'un contrôle régulier. Les médecins ont aussi à s'assurer dans la mesure du possible de l'amélioration des conditions de travail dans les divers centres. Pour cela, il faut qu'ils procèdent sur les lieux à une enquête personnelle [13] ». Ce décret s'adressait aux médecins des camps qui, en même temps, étaient chargés des mesures de sélection.

En septembre 1943, soit neuf mois plus tard, ces efforts appliqués avec une persévérance manifeste furent couronnés de succès, si l'on peut ajouter foi à la liste des décès dans les camps établie par Pohl. En tout cas, le résultat concorde dans sa tendance avec les sondages statistiques effectués par Langbein en tant que secrétaire du médecin de garnison d'Auschwitz [14]. Dans un long rapport daté du 30 septembre 1943, Pohl fut à même d'attirer l'attention de Himmler sur le fait que, de décembre 1942 à août 1943, la mortalité avait diminué d'un cinquième. Il souligna aussi que l'on avait appliqué les mesures d'hygiène réclamées depuis longtemps [15].

A l'occasion de conférences sur l'armement à Linz, j'avais appris que les S.S. se proposaient d'aménager à proximité du camp de Mauthausen une vaste installation portuaire sur le Danube, qui, après la guerre, devait permettre de transporter à Vienne, par la voie fluviale, les blocs de pierre provenant de la carrière située à proximité. C'était là véritablement une tâche de temps de paix que je ne pouvais autoriser en aucun cas. Je voulais arriver à ce que les déportés travaillant à cette entreprise fussent affectés aux aciéries de Linz, appelées à l'époque « Hermann-Göring-Werke ». Il s'agissait de diminuer la pénurie de main-d'œuvre compromettant leur production, car elles avaient une grande importance pour l'industrie de l'armement, non seulement parce qu'elles fournissaient de l'acier de qualité, mais aussi parce qu'elles manufacturaient les structures d'acier et les tourelles des canons pour les blindés.

Ce fut la raison pour laquelle, fin mars 1943, je visitai le camp de concentration de Mauthausen [16]. Là, j'eus la surprise de voir de coûteux murs de soutènement en granit sur lesquels on avait construit des baraques, également en pierre naturelle. On me montra l'intérieur de celles qui servaient à la cuisine, au blanchissage et au logement. Tout était propre, ordonné et correspondait dans l'ensemble au niveau moyen d'une baraque d'artillerie antiaérienne. Avec son portail de pierre, ses murailles et ses tours reconstruites dans le style d'une cour de château fort médiéval, le camp ou plutôt la petite partie du camp que je vis donnait une impression presque romantique. Je ne vis pas de déportés décharnés. Sans doute, à ce moment, se trouvaient-ils dans la carrière de sinistre réputation [17].

A Nuremberg, le témoin de l'accusation, Blaha, a déclaré que l'on présentait une image mensongère des camps de concentration aux visiteurs importants [18]. Marsalek rapporte également qu'à Mauthausen « on ne montrait en principe que la deuxième baraque contenant un choix de déportés triés sur le volet. Elle était d'une rigoureuse propreté, on mettait même des vases de fleurs sur les diverses tables... On ne présentait aux visiteurs que des déportés sélectionnés, propres, bien habillés, physiquement vigoureux [19]. »

Eugen Kogon, qui a passé de nombreuses années au camp de concentration de Buchenwald, enregistra des expériences analogues. Même lorsqu'il s'agissait des nombreuses visites de fonctionnaires S.S., la direction du camp dissimulait l'état de choses qui régnait. On montrait des objets particuliers de curiosité. On conduisait les visiteurs surtout à l'infirmerie, à la cuisine, à la bibliothèque, au magasin de ravitaillement ou à la blanchisserie. On leur montrait également le cinéma et le jardin potager. « S'ils pénétraient véritablement dans un bloc de logement, c'était habituellement le baraquement dit des " commandants ", où habitaient des coiffeurs des S.S., les hommes de corvée des S.S. ainsi que des déportés jouissant de privilèges particuliers ; pour cette raison l'endroit n'était jamais surpeuplé et il était toujours propre [20]. » Ces descriptions de Kogen et de Marsalek montrent qu'à l'occasion de ma visite à Mauthausen la direction du camp ne fit que suivre la routine habituelle.

Paru tout de suite après la fin de la guerre, un livre intitulé *Mordhausen** contenait le récit par des témoins oculaires d'une visite de Himmler et de Kaltenbrunner à Mauthausen. « Ceux qui étaient à demi morts de faim furent rassemblés comme du bétail avec les malades, et enfermés dans un bloc. A la porte on afficha un panneau portant l'inscription : " Attention, typhus ! " On montra à Himmler le bloc des privilégiés où vivaient les déportés affectés à la cuisine des S.S., au logement du commandant, à la cantine, etc. On leur avait donné à tous la possibilité de vivre un peu mieux. Ils étaient alignés, le torse nu — les plus vigoureux, naturellement —, quand Himmler pénétra dans le bloc. " Eh bien, comment ça va, les déportés ? Vous avez tous bonne mine. Une alimentation abondante, n'est-ce pas ? Ouvrez-moi vos paquetages ", s'écria-t-il. Dans les paquetages, il y avait un pain de trois livres pour chaque homme et une livre de saucisses pour trois. " Et qu'avez-vous à midi ? " demanda-t-il à la cuisine tout en faisant ouvrir les chaudrons. " Des pois au lard ! Ah oui, ce dur travail dans la carrière ! " On tendit à Himmler une assiette contenant de la soupe aux pois. " Le goût en est excellent ! " Point n'était besoin d'être grand clerc pour voir, d'après le jeu des physionomies, que Himmler et le commandant du camp se comprenaient parfaitement...

« A peine Himmler était-il sorti du camp que les coups de matraques se mettaient à pleuvoir. " Quoi, criaient les S.S., voulez-vous rapporter immédiatement le pain et les saucisses à la cuisine[21] ! " »

A première vue, ce récit paraît incroyable. Cependant, Höss rapporte qu'avant la visite de Himmler à Auschwitz, le 1er mars 1942, Glücks vint s'assurer que l'on présenterait une image en rose « aux huiles venues de Berlin[22] ». Himmler était-il réellement dupe ? Il est à peine imaginable qu'il n'ait pu percer à jour une mascarade aussi grossière. Au quartier général, à la table de Hitler, il lui arrivait de décrire sur un ton bonhomme les excellentes conditions de vie qui prévalaient dans les camps de concentration. A l'appui de son récit, il citait à titre d'exemples les championnats de football, les soirées musicales et les autres distractions qui s'y déroulaient. Jamais il n'était question de mauvais traitements ou d'exécutions ; on s'abstenait même de mentionner les taux élevés de mortalité. Cependant, en 1941, Himmler raconta à Hitler, visiblement amusé, que, de préférence, il chargeait des criminels de surveiller les déportés. Hitler l'approuva : « C'est là une idée particulièrement heureuse, dit-il, car ils n'éprouvent pas de pitié et ils veilleront à maintenir l'ordre et la discipline, ne fût-ce que pour ne pas perdre leur emploi. »

Le 5 avril 1943, une semaine environ après ma visite à Mauthausen, j'adressai à Himmler une lettre dont le texte avait été rédigé sur mes instructions par le bureau du « plénipotentiaire chargé de réglementer la

* Mot à mot : le séjour du meurtre. (N.d.T.)

construction », qui dépendait de mon ministère. Dans ce document, je déclarais : « Pour construire les fabriques d'armements nécessaires à la guerre, nous manquons non seulement de fer et de bois, mais aussi de main-d'œuvre ; or, à l'occasion de ma visite du camp de concentration de Mauthausen, j'ai dû constater que les S.S. exécutaient des plans qui, dans les circonstances actuelles, me paraissent témoigner d'une prodigalité à tout le moins excessive... Pour l'aménagement des camps de concentration, nous devons appliquer une nouvelle planification permettant de travailler avec le maximum d'efficacité et le minimum de moyens en vue de donner pleine satisfaction aux exigences *actuelles* (souligné dans le texte original) de l'armement. Ceci veut dire que nous devons passer immédiatement à un mode de construction primitif[23]. »

Dans une lettre de lecteur au *New York Times,* M. Erich Fried donna une interprétation fantaisiste à mon ordre. Selon lui, j'aurais exigé que les déportés creusent la terre avec leurs ongles pour construire leurs abris[24]. En réalité, je m'étais référé à un décret édicté par mes soins en mars 1943 : « Pendant la guerre, toutes les constructions doivent être faites dans les formes les plus simples. Les constructions de longue durée doivent être remplacées dans une très large mesure par des habitations de fortune. En règle générale, les bâtiments appelés à durer autant que la guerre sont amplement suffisants. Dans toute la mesure du possible, les murs intérieurs et extérieurs doivent être construits en matériau léger. En principe, il convient de renoncer au crépi tant à l'extérieur qu'à l'intérieur[25]. »

De toute évidence, Pohl, lui aussi, ne connaissait pas ces instructions, car il écrivit à Himmler que cette lettre du ministre Speer en date du 5 avril 1943 « était vraiment dure à avaler ». Mais, poursuivit-il, « je ne m'étonne plus de rien. Je me borne à maintenir qu'il est tout à fait erroné de passer aussitôt à un procédé primitif de construction dans les camps de concentration. Le ministre Speer ne paraît pas savoir que nous avons actuellement plus de 160 000 déportés et que nous luttons en permanence contre les épidémies et la mortalité élevée parce que l'habitat des déportés et les aménagements sanitaires sont tout à fait insuffisants. J'estime donc devoir faire remarquer dès maintenant que le retour à des procédés primitifs de construction déterminera vraisemblablement une hausse inouïe de la mortalité dans les camps[26] ».

Dans ma lettre du 5 avril, j'avais proposé à Himmler que l'un de mes fonctionnaires prenne rendez-vous avec l'un de ses collaborateurs et que tous deux procèdent sur place au contrôle de tous les camps de concentration. MM. Desch et Sandler furent désignés de mon côté, le *Brigadeführer* Himmler pour l'administration S.S. de la construction. La tournée d'inspection commença peu après. En fait, elle dut révéler l'existence à Auschwitz de conditions sanitaires catastrophiques. Mais, ainsi qu'en témoigne un additif à la main au rapport de Pohl à Himmler, on dut me communiquer en même temps « que l'inspection des autres camps de concentration avait autorisé des conclusions tout à fait positives[27] ». Les révélations relatives à Auschwitz m'avaient véritablement alarmé. Le 30 mai, l'allocation de fer pour les camps de concentration fut portée à 450 t par mois[28]. En supplément, pour améliorer l'état de choses à Auschwitz, je fis « attribuer à titre exceptionnel sous forme de droits d'obtention prioritaires 1000 t de fer pour la construction, environ 1000 t de tuyaux de fonte pour lesquels les S.S. devaient fournir des certificats de droits d'obtention afférents à 300 t de fer à prélever sur leur contingent total, environ 100 t de tuyaux de canalisation d'un demi-pouce en provenance de l'entrepôt général soumis au plénipotentiaire de la construction à Hamm, enfin la quantité nécessaire d'acier rond de 8 à 20 mm de diamètre à partir d'acier trempé. La fourniture des certificats d'obtention pour les 1000 t de tuyaux de fonte ainsi que l'expédition des tuyaux de canalisation sont déjà en cours d'exécution[29] ». Il s'agissait d'une mesure extraordinaire, car, d'une manière générale, les bénéficiaires de produits contingentés devaient les commander à l'aide des certificats spéciaux qui leur étaient donnés et il en résultait des délais de livraison susceptibles d'atteindre plusieurs mois.

A cette occasion, je soulignai expressément que « ces quantités de fer étaient destinées uniquement aux constructions des camps de concentration et, plus spécialement, à celles d'Auschwitz ». J'ajoutai : « Je ne vois malheureusement pas la possibilité d'allouer des quantités de fer supplémentaires pour la création de nouvelles divisions de Waffen S.S.[30]. » Il me parut nécessaire d'exprimer cette restriction pour l'allocation exceptionnelle, car on risquait de voir la direction des camps céder à la pression des généraux de S.S. chargés de mettre sur pied ces divisions.

Pohl transmit à Himmler le projet d'une lettre qui m'était destinée, mais qui ne fut jamais expédiée : on disposait maintenant, disait-elle, de 2400 t supplémentaires de fer. Elles dépassaient « de loin » la quantité mise trimestriellement à la disposition de toute la milice S.S. C'était là un résultat inattendu de l'inspection commune[31]. Cette lettre devait compter quatre pages. Himmler, lui, se contenta de cinq lignes pour exprimer, le 15 juin, des remerciements brefs mais cordiaux. Il ajouta ironiquement qu'il se sentait encouragé « dans la conviction qu'il y avait encore une justice[32] ». Quinze jours plus tard, Pohl pouvait informer Himmler « qu'une partie des contingents de fer promis avaient déjà été attribués et acheminés à leurs destinations[33] ». Compte tenu des difficultés de livraison au cours de l'été 1943, on avait agi extraordinairement vite dans le cas présent.

L'Office central de planification avait d'ailleurs mis à la disposition des S.S. et de la police 76800 t d'acier pour l'année[34]. Les quantités de fer allouées étaient surtout destinées à la police dépendant de Himmler, elles devaient servir à la construction de véhicules pour les sapeurs-pompiers chargés de lutter contre les vastes incendies provoqués par les attaques aériennes. On tenait donc depuis longtemps pour raisonnable un dépassement de 70 t par mois et une allocation exceptionnelle de 2500 t en vue de mettre fin aux conditions sanitaires déplorables dans les camps S.S. Mais, même pour mon département, cette augmentation des contingents alloués aux S.S. était une bagatelle, lorsque je pense qu'en mai 1943 je fis attribuer à la totalité de l'économie de guerre 2 520 000 t de fer[35].

Je m'étonne après coup que Himmler n'ait pas mis à profit l'ampleur de ses pouvoirs pour exiger directement de l'un de mes collaborateurs, qui était membre de la milice S.S., les matériaux dont il avait besoin. Mais il faut toujours remarquer que, presque jusqu'à la fin du régime, dans la mesure où elles ne se chevauchaient pas, les sphères de compétence furent toujours respectées de manière quasi ridicule. Par exemple, au printemps de 1944, Göring se servant de papier à lettres à l'en-tête de « grand veneur du Reich » me priait encore de mettre des munitions à la disposition des chasseurs allemands afin de sauvegarder une précieuse source de ravitaillement supplémentaire. Par rapport à la totalité des munitions de l'infanterie, il s'agissait d'une quantité de cartouches dérisoire. Son représentant aurait pu à tout moment régler cette affaire en accord avec l'un de mes fonctionnaires subalternes[36].

Ces mesures pour la construction n'étaient pas conçues pour les camps d'extermination de Pologne et de haute Silésie, comme Sobidor, Treblinka et Auschwitz. Là, on tuait ceux qui avaient été sélectionnés. Ceux qui étaient aptes au travail étaient déportés dans des camps spécialement aménagés à cet effet où, par conséquent, végétaient les survivants. On avait intérêt à maintenir en vie les déportés pour des raisons d'efficience économique. Dans son rapport de septembre 1943, Pohl énumérait ces camps et cette liste, à elle seule, réveille en nous le souvenir de détails atroces : Dachau avec 17 300 déportés, Sachsenhausen avec 26 500, Buchenwald avec 17 600, Mauthausen Gusen avec 21 100, Flossenbürg avec 4 800, Neuengamme avec 9 800, Auschwitz-hommes avec 48 000, Auschwitz-femmes avec 26 000, Gross-Rosen avec 5 000, Natzweiler avec 2 200, Bergen-Belsen avec 3 300, Stutthof-hommes avec 3 800, Stutthof-femmes avec 500, Lublin-hommes avec 11 500, Lublin-femmes avec 3 900, Ravensbrück-hommes avec 3 100, Ravensbrück-femmes avec 14 000, Riga avec 3 000, Herzogenbusch avec 2 500, soit en tout 224 000 déportés désignés pour le travail.

La livraison rapide du matériel sanitaire ne tarda pas à donner des résultats. En décembre 1942, le taux de la mortalité était encore de 10 pour 100 de la totalité des déportés. Depuis, il n'avait cessé de baisser pour tomber à 2,23 pour 100 en juillet 1943 et 2,09 pour 100 en août 1943[37]. Dans une lettre à Himmler, Pohl confirma que la baisse de la mortalité dans ces camps était due essentiellement au fait qu'une grande partie au moins des mesures d'hygiène réclamées depuis longtemps avaient été appliquées. Quant à Himmler, il souligna dans sa réponse du 8 octobre que cette situation était due à l'aide donnée par mon ministère : « Je suis convaincu, ajoutait-il, que les dernières difficultés seront également aplanies dans la mesure où l'aménagement de canalisations et de meilleures installations sanitaires se révélera possible[38]. »

Il ne faut pas confondre les camps de travail d'Auschwitz avec le camp d'extermination de Birkenau qui se trouvait également dans cette localité. Dans les premiers, les déportés devaient être désormais mobilisés dans les grandes entreprises industrielles comme celle de I. G. Farben, édifiées autour de la ville. Comme l'écrivit Höss, ils devaient eux aussi être traités avec ménagement afin de contribuer à la création du konzern économique de Himmler. Le nombre des décès qui furent provoqués par les conditions sanitaires catastrophiques de cet ancien camp militaire apparaît d'autant plus grave. Il dépassait sensiblement la mortalité moyenne dans tous les autres camps de concentration. En mars 1943, la proportion de décès y était de 15,4 pour 100 ; en juillet, août, septembre 1943, en dépit de notre action de secours, le taux de mortalité au camp de travail d'Auschwitz était encore de 3,6 pour 100 contre une moyenne de 2,4 pour 100 dans le Reich. Les S.S. avaient néanmoins réussi à réduire d'un quart la mortalité [39].

Aurais-je dû refuser l'allocation de matériaux contingentés pour les camps de concentration parce que je ne voulais rien avoir à faire avec ces choses ? Que serait-il arrivé si j'avais refusé d'aider à l'aménagement des camps ? Ma conscience pourrait-elle être plus tranquille aujourd'hui ? En contribuant à l'élimination d'un état de choses déplorable, je participai activement à ce système S.S., mais si, pour des raisons de principe, je m'étais abstenu de toute réaction, la situation dans les camps serait devenue plus catastrophique encore.

En me transmettant le 9 juin 1943 le projet déjà mentionné d'une lettre à Himmler, Pohl s'efforça de me dissimuler la vérité. Pas un mot sur les taux élevés de mortalité ne figurait dans ce document. Il parlait seulement « d'inaptes au travail, de malades, de déportés en quarantaine entre autres, estimés à 22 pour 100 [40] ».

Après les chantages auxquels nous fûmes soumis, mes collaborateurs et moi, à l'occasion des projets relatifs à Buchenwald et à Neuengamme, on comprendra que nous ne fussions pas animés du désir d'accroître le nombre des déportés affectés aux entreprises industrielles des camps de concentration. Nous y étions d'autant moins enclins que les résultats ne concordaient nullement avec ce que notre expérience sur le plan industriel nous permettait d'escompter. Cependant, dès septembre 1942, Pohl voulait consacrer 13,7 millions de marks à l'agrandissement du camp d'Auschwitz [41]. Cela aurait signifié une capacité de logements supplémentaires pour 120 000 déportés. Cette demande ne reçut pas satisfaction, ainsi que le montre le devis fourni par mon ministère pour les constructions en 1943 de baraques destinées aux camps de concentration, document daté du 5 avril 1943, soit six mois plus tard. On n'autorisa pour Auschwitz qu'un investissement de 3 081 000 marks, soit moins d'un quart [42]. Par la même lettre j'informai Himmler que 7 151 000 marks avaient été prévus pour l'agrandissement de tous les camps de concentration en Allemagne pour 1943 et 5 985 000 marks pour 1944. Ces montants correspondaient à un nombre de 157 baraques pour 1943 et 131 pour 1944. Chaque baraque pouvant recevoir 400 déportés, ce programme de construction devait permettre d'augmenter de 115 200 la capacité de logement des camps de concentration[43].

Toutefois à ce même moment, je doutai de la possibilité d'appliquer ce programme. Je mis Himmler en garde : « Vous ne réussirez pas, à mon avis, à exécuter les plans de cette année (1943), ne fût-ce que parce que vous ne recevrez pas à temps les livraisons nécessaires pour les constructions, sans parler du fait que la situation du marché du fer et du bois va très prochainement s'aggraver beaucoup plus qu'elle ne l'a fait jusqu'ici (...) Par vos projets de construction, dont personne aujourd'hui ne saurait affirmer l'opportunité à long terme (donc aussi pour les années de paix), vous faites peser une hypothèque sur l'année prochaine (1944) et même sur l'année 1945[44]. » Cette indication ne laissait pas subsister le moindre doute sur la divergence de nos conceptions. Onze jours après, j'adressai à Himmler une lettre presque identique : « Il a été établi que dans leur plus grande partie, les projets de réorganisation des camps de concentration ne pourront être exécutés comme on le souhaitait. Les raisons de cette incapacité viennent non seulement des difficultés d'approvisionnement en matériaux, mais encore de la pénurie de la main-d'œuvre nécessaire pour exécuter ces aménagements[45]. »

Quand, en avril 1943, j'invitai Himmler à ne pas surestimer les possibilités de réaménagement des camps de concentration, le nombre des déportés était de 171 000. Les constructions autorisées par moi pour tous les camps de concentration représentaient un accroissement de la capacité d'hébergement de 115 000 à 286 000 déportés. Cependant, les statistiques montrent qu'au cours de la période allant jusqu'au 15 août 1944 le nombre des déportés atteignit 523 286, soit presque le double.

Pendant les cinq mois suivants, il y eut presque 200 000 déportés de plus. D'après un état du 15 janvier 1945, il y avait alors 714 211 déportés sur le territoire du Reich[47], d'après une liste de Marsalek, 643 290[48]. Dans son ouvrage sur *L'État S.S.*, Eugen Kogon confirme l'existence de cette situation de détresse. Le nombre des déportés, dit-il, était quatre fois supérieur à celui que pouvaient héberger les baraquements[49]. Cette surpopulation des camps explique au moins en partie l'augmentation chaque mois du taux de mortalité, après l'automne de 1943. Le risque d'épidémie s'en trouva accru. En fait une épidémie de typhus exanthématique dans le camps de femmes d'Auschwitz contribua sensiblement à la rapide hausse de la courbe de mortalité[50] (*cf.* appendice IV). En Pologne on résolut le problème posé par la pénurie de baraques avec un sang-froid particulièrement atroce. Ainsi que le rapporte Simon Wiesenthal dans son livre *Die Sonnenblume* *, à l'arrivée de nouveaux transports, « on liquidait les vieux déportés par baraques

* *Le Tournesol.*

entières pour donner de la place aux nouveaux. Nous vivions cela tous les deux mois[51] ».

En tant que ministre de l'Armement, j'avais des raisons de me montrer méfiant lorsque des données peu claires dans les rapports statistiques tendaient à dissimuler certains faits. Ainsi, par exemple, un rapport de Pohl, daté du 30 septembre 1943[52], sur les décès dans les camps de travail concentrationnaires n'explique-t-il pas pourquoi le total des déportés, qui était de 110 000 en septembre 1942, passe à 85 000 en octobre de la même année avec un nombre officiel de morts s'élevant seulement à 11 205. Les 12 995 déportés manquants auraient-ils été libérés ?

Cette lacune dans le précédent relevé des S.S. est expliquée par une autre statistique, mais malheureusement celle-ci ne permet de comparaisons que pour la période allant de juillet à novembre 1942.

La juxtaposition des chiffres fait ressortir les contradictions suivantes :

	Nombre total des déportés [1]	*Accroissement net sans cas de mort* [1 2]	*Décès signalés à Himmler* [3]	*Différence par rapport au mois suivant*	
				plus	*moins*
Juillet 1942 ...	98 000	26 246	8 329		– 917
Août 1942	115 000	24 519	12 217		– 17 302
Sept. 1942	110 000	15 600	11 206		– 28 594
Oct. 1942	85 800	5 841	8 856	+ 715	
Nov. 1942	83 500	13 672	8 095		– 3 077
Déc. 1942	86 000				

1. Chiffres empruntés à un état de l'Office administratif de l'économie du 28 décembre 1942. Document de Nuremberg I. 469 S.
2. Déduction faite des transferts, exécutions et libérations apparaissant dans le rapport du 28 décembre 1942.
3. Rapport de Pohl à Himmler du 30 septembre 1943 (N.O.-1010).

Compte tenu des 48 703 décès signalés à Himmler pour ces cinq mois, Pohl en avait par conséquent dissimulé 49 175 pour une période de six mois[52]. D'après cette statistique, on signalait à Himmler, pour août 1942, un taux de mortalité de 10,6 pour 100 de l'ensemble des déportés en camps de concentration, mais, en fait, le total atteignait plus du double, soit 25,6 pour 100. En septembre, la mortalité était de 36,2 pour 100 soit plus de trois fois le chiffre communiqué à Himmler. Enfin, en novembre 1942, alors que le pourcentage réel des décès était de 13,35 pour 100, on feignit une diminution de plus d'un tiers (*cf.* appendice V). De toute évidence, on avait l'intention de dissimuler la vérité. De même, Korherr, le statisticien des S.S., expliqua à Himmler qu'un rapport de *Lebensborn** sur la mortalité infantile était mensonger. Ce document déclarait que dans cette maternité la mortalité infantile était de 4 pour 100 contre une moyenne de 6 pour 100 pour le reste du Reich. En réalité, selon l'enquête de Korherr, elle était de l'ordre de 8 pour 100[53].

Pourquoi les S.S. s'efforcèrent-ils de dissimuler les taux de mortalité ? Pourquoi falsifièrent-ils les statistiques ?

Dans ses notes autobiographiques intitulées *Commandant à Auschwitz,* Rudolf Höss a sans doute voulu évoquer les efforts déployés par Himmler au cours de l'été de 1942, lorsqu'il écrivait : « Himmler déclare à l'industrie des armements : Créez des camps de travail et par l'entremise du ministère de l'Armement faites venir chez moi la main-d'œuvre nécessaire, il y en a suffisamment ! Il se promet déjà des dizaines, voire des centaines de millions de déportés à la suite d'actions qui n'ont même pas commencé et dont on ne peut prévoir les résultats finaux. Ni Pohl ni Kaltenbrunner n'osent dissuader Himmler de se livrer à des promesses de Gascon relatives à des contingents, encore inconnus, de déportés. Par les rapports mensuels minutieusement détaillés et complets qui lui sont adressés sur les camps de concentration, Himmler est tout à fait au courant des déportés et de la capacité de main-d'œuvre qu'ils représentent. Néanmoins, il continue à s'agiter et à insister : Armement ! Déportés ! Armement ! Pohl lui-même se trouve influencé par cette campagne et, de son côté, il presse les commandants, l'inspecteur des camps et D 11 (Maurer) de consacrer désormais toutes leurs forces à cette tâche essentielle, qui consiste à mobiliser les déportés au service de l'armement ; il leur demande de tout mettre en œuvre pour aller de l'avant dans ce domaine[54]. »

Je suis convaincu, écrivait en janvier 1944 le directeur général du konzern de l'industrie chimique Brabag, Kranefuss (on trouvera au chap. VI des détails à son sujet), au chef d'état-major de Himmler, que « le S.S. *Obergruppenführer* est très désireux d'aider à la solution du problème, mais j'ai l'impression qu'il ne dispose pas d'une main-d'œuvre aussi nombreuse que le suppose peut-être le *Reichsführer*[55] ». Himmler voulut remédier à cette pénurie en recourant à une action de grande envergure.

Les taux catastrophiques de mortalité, les absurdes promesses d'Himmler, son ambition de mettre sur pied un empire économique qui n'existait que dans son imagination, tout cela doit avoir conduit à ces nouvelles arrestations arbitraires de 30 000 à 40 000 par mois, dont mon collaborateur Schieber m'informa le 7 mai 1944 dans les termes suivants : « Sur l'important pourcentage d'ouvriers étrangers, particulièrement russes, qui travaillent

---

* *Lebensborn :* sorte de haras humain où les nazis facilitaient la procréation entre S.S. et femmes allemandes dont le type physique répondait aux normes de la race germanique. (N.d.T.)

dans nos usines d'armements, un nombre non négligeable passe dans les entreprises des S.S. et se trouve perdu pour nous. Vous savez que lorsqu'elle est traitée raisonnablement, la main-d'œuvre russe, surtout féminine, nous donne satisfaction. Parmi ces ouvriers, nombreux sont ceux qui, pour des raisons compréhensibles, font preuve d'instabilité et, à l'occasion de n'importe quelle irrégularité, la police les transfère dans les entreprises S.S. et ils ne retournent plus à leur ancien lieu de travail. Ces pertes sont causées par l'accroissement du grand konzern économique de la milice. » Et Schieber de conclure : « Il y a là un péril très sérieux pour notre production d'armements[56]. » A la première occasion, c'est-à-dire au cours de la conférence que nous eûmes du 3 au 5 juin 1944, j'attirai l'attention de Hitler sur le fait que « chaque mois l'ensemble de l'économie perdait de 30 à 40 000 ouvriers ou prisonniers de guerre. Profitant de ce qu'ils se trouvaient en situation irrégulière, les organismes de la police les arrêtaient et ensuite ils étaient mobilisés comme déportés au service de l'entreprise des S.S. Cette situation n'était pas tenable pour moi, dis-je, car il s'agissait en majeure partie d'ouvriers qualifiés ou de spécialistes, qu'il fallait rendre aussi vite que possible à leur activité initiale. Je ne pouvais supporter une diminution de la main-d'œuvre de l'ordre de 500 000 travailleurs par an, aussi était-il nécessaire que nous fussions chargés, Sauckel et moi, de la répartition de cette main-d'œuvre. C'était d'autant plus important qu'une grande partie de ces travailleurs qualifiés avaient été formés avec beaucoup de peine ». Hitler promit qu'il prendrait une décision favorable à ma thèse une fois que nous aurions eu, Himmler et moi, un entretien[57]. Cette conférence exigée par Hitler se déroula quelques jours plus tard dans la villa de Himmler près de Berchtesgaden. Arborant une mine impénétrable, le *Reichsführer* promit de remédier à la situation[58]. J'informai Hitler du résultat et lui demandai de reparler à Himmler à ce sujet.

Je ne pouvais contrôler l'acceptation de Himmler, mais je n'avais aucune raison de me méfier de cette promesse[59]. Ce fut seulement en examinant ses archives personnelles que j'appris qu'il avait donné l'ordre de cette vaste campagne d'arrestations dès la fin décembre 1942 (*cf.* appendice VI).

Une intrigue modèle

Himmler collaborait encore étroitement avec Schieber à la création de fabriques d'armements au profit des S.S., mais déjà le *Brigadeführer* Otto Ohlendorf, chef du S.D. (Service de sécurité), préparait la chute du second. Le 26 août 1942 il transmit à Himmler un rapport négatif concernant Schieber[1]. Eu égard à la confusion des fonctions au sein du commandement S.S. il n'est pas étonnant que trois semaines après les accusations d'Ohlendorf, le 16 septembre 1942, Kaltenbrunner ait soutenu son collègue du Service de sécurité en déclenchant à son tour une attaque massive.

Futur chef de la Gestapo, Kaltenbrunner était encore, à l'époque, chef du district S.S. du Haut-Danube. En cette qualité il adressa à l'*Obergruppenführer* Wolff, « chef de cabinet à l'état-major personnel du *Reichsführer*[2] », un rapport aux termes duquel Schieber « serait impliqué et même sérieusement compromis dans une sombre affaire de fraudes sur les produits alimentaires au profit de la *Lenzinger Zellwolle A.G. Oberdonau* *[3] ». Malgré les objections du *Gauleiter* Eigruber, Speer avait réussi, selon le document cité, à maintenir Schieber au poste qu'il occupait à la tête de cette entreprise[4].

« A mes yeux, poursuivait Kaltenbrunner, il n'est nullement à sa place. » Et de conclure comme suit cette accusation accablante : la direction générale de la Sécurité du Reich possède déjà un rapport détaillé sur les affaires Schieber[5]. Quelques jours plus tard, Wolff demanda ce document pour son information[6]. Quelque deux ans plus tard, Himmler me donna l'assurance que le bien-fondé des accusations formulées contre Schieber n'avait jamais été démontré.

Si les rapports de Kaltenbrunner et d'Ohlendorf témoignaient déjà d'une immixtion massive dans le domaine de mes attributions, Himmler alla plus loin encore. Il ne s'adressa pas à moi, mais donna l'ordre à Ohlendorf, à la date du 5 octobre 1942, d'obliger Schieber « à éloigner tous ses parents de sa sphère d'activité. Il devait également congédier un certain Pollack du

---

* Société lainière cellulosique de Lenzing.

poste important qu'il occupait au ministère de l'Armement. Car cet ancien gérant du Parti dans le district de Thuringe avait été exclu des S.S. Eu égard aux tâches importantes qui lui étaient confiées, eu égard aussi au ministre Speer, au *Gauleiter* Sauckel et à tous ceux qui lui témoignaient une pleine confiance, ce limogeage s'imposait ». Himmler jugea la lettre d'Ohlendorf assez importante pour en transmettre une copie à Bormann [7], mais il s'abstint de le faire pour moi, alors que j'étais le supérieur de Schieber.

Celui-ci était sans aucun doute un être instable bien que très travailleur et, ainsi qu'il le prouva plus tard, un chef de service dévoué et fidèle. Grand de taille, il avait une tendance à l'obésité. Il donnait une impression de timidité, un peu comme s'il avait été la victime d'un destin trop lourd et, en effet, deux de ses frères étaient des bons à rien.

Je tiens à souligner qu'entre-temps j'étais moi-même devenu méfiant à l'encontre de Pollack et, par voie de conséquence, de Schieber. Mais le système ne permettait pas de pertes de prestige. L'adversaire était à l'affût partout, prêt à interpréter une concession comme un premier signe de faiblesse et, dans mon cas particulier, comme l'indication d'un relâchement des faveurs dont Hitler m'avait si largement comblé. Je devais m'opposer de toutes mes forces à ce que l'on portât atteinte à ma position. D'autres détenteurs de hautes fonctions n'étaient pas en meilleure posture. De ce fait, chacun se raidissait dans sa politique personnelle. Il était pratiquement impossible d'abandonner un homme à son sort sans perdre soi-même la face. Afin d'agir en sens contraire, pour renforcer la position de Pollack et, ainsi, celle de Schieber, quelques mois plus tard, au début de février 1943, j'obtins de Hitler, « non sans avoir tout d'abord rencontré une certaine résistance de sa part, l'octroi au fondé de pouvoir Pollack de la croix du mérite de guerre de 1re classe [8] ». En fin de compte, comparées aux cas de corruption que l'on tolérait des *Gauleiter* à Göring, les accusations formulées par Himmler contre Schieber étaient parfaitement insignifiantes.

Celui-ci se doutait d'ailleurs que l'on intriguait contre lui. Alors, nous, pour renforcer sa position, je profitai de la première occasion — en l'occurrence l'établissement d'un bilan comptable — pour attirer l'attention de Hitler, le 13 mai 1943, sur les résultats atteints par les industries de transformation soumises à Schieber [9]. Je lui signalai qu'en un an la production de tubes, de barreaux, de rubans et de fils d'acier avait augmenté de 45 pour 100, celle d'acier moulé de 48 pour 100, enfin celle de fonte malléable de 42 pour 100. Sous la direction de Schieber la production de pièces à matricer s'était accrue de 55 pour 100, celle de vilebrequins de 30 pour 100, celle de roulements à billes de deux tiers environ. La production de pistons et de garnitures de pistons dépassait de 100 pour 100, celle de segments de pistons dépassait de 67 pour 100 les résultats enregistrés l'année précédente.

A la suite de cet étalage de services, Hitler, en septembre 1943, promut Schieber à l'échelon le plus élevé de la distinction accordée à titre civil : il le décora de la croix de chevalier du service de guerre. De la sorte le prestige de l'intéressé se trouvait rétabli aux yeux de l'opinion publique du Parti. En fait, Himmler fit transmettre par téléscripteur à son *Brigadeführer* Schieber « ses cordiales félicitations pour sa haute distinction » et il ajouta à l'intention de son état-major que cette déclaration bienveillante de sa part devait être jointe au dossier S.S. Schieber [10]. On était en droit de penser que de cette manière l'intrigue ourdie derrière mon dos avait fait long feu.

Willi Liebel, mon principal chef de service, étant tombé malade, à l'automne de 1943, j'avais prié mon vieil ami Karl Hanke, *Gauleiter* de basse Silésie, d'assumer temporairement ses fonctions. L'homme avait guidé mes premiers pas comme architecte du Parti et je pensais avoir en lui un allié fidèle. Mais bientôt il me reprocha l'indifférence de mes collaborateurs envers le national-socialisme. Celui-ci, dit-il, ne disposait dans mon ministère ni d'une influence suffisante ni du contrôle nécessaire. Un jour il alla jusqu'à insinuer que Schieber se rendait coupable de trahison, qu'il mettait à profit ses pourparlers avec des fournisseurs suédois et des industriels suisses [11] pour nouer des contacts interdits. En outre, il se faisait ouvrir des comptes à l'étranger et préparait sa fuite en un pays neutre. Je fis valoir l'énergie dont il avait témoigné et les succès qu'il avait remportés, enfin je réclamai des preuves à l'appui de ces accusations, mais elles ne vinrent pas.

Néanmoins les reproches de Hanke ne troublèrent pas notre bonne entente. Aussi, dans une lettre du 21 juin 1944, je le remerciai cordialement de sa collaboration en tant que chef temporaire de mon principal service [12]. Je ne me doutais pas que mon ami avait depuis longtemps commencé à intriguer contre moi. Ce fut seulement à une date récente que j'appris par la biographie de l'architecte Giessler que Hanke avait demandé en mars 1944 à ce familier de Hitler de lui obtenir une audience du Führer auquel il voulait communiquer des informations importantes. Hanke, rapporte Giessler, avait eu connaissance de faits suspects au ministère de l'Armement. « Il se méfiait particulièrement de deux proches collaborateurs de Speer, dont il citait les noms. Je les connaissais tous deux ; ils avaient des grades élevés, l'un dans les S.A., l'autre dans les S.S. [13]. » Or Schieber était un important chef de S.S. et Liebel avait un grade honorifique élevé dans les S.A.

De toute évidence, Giessler ne réussit pas à mettre sur pied un rendez-vous avec Hitler. Aussi Hanke choisit-il de s'adresser au *Reichsleiter* Bormann auquel il fit part de ses soupçons : Le 6 mars 1944, il lui adressa une lettre à laquelle était joint le rapport d'une certaine Frau von Johnston [14]. Vingt-quatre heures plus tard Bormann écrivait à Himmler : « Le Führer auquel j'ai présenté la copie de ce document ignore encore la suite qu'il convient de donner à l'affaire. Il se demande en particulier de quelle façon cette trahison du conseiller d'Etat Schieber pourrait être prouvée. Du fait de son activité, l'homme est initié aux fabrications les plus secrètes, il sait à quoi s'en tenir sur les goulets d'étranglement, sur les dépôts de matières premières, etc. Il peut donc trahir d'innombrables manières. » A en croire cette correspondance, Hitler déclara que « de tout temps Schieber lui avait été fort peu sympathique ». Selon Bormann, mon adversaire, le *Gauleiter* Sauckel, avait attiré mon attention « sur le manque de caractère de Schieber au moment où je l'avais pris dans mon ministère. Mais j'avais fait valoir que l'homme était très capable dans sa spécialité et que, pour cette raison, je ne pouvais m'en passer [15] ». Cette lettre de Bormann est caractéristique de la mesquinerie avec laquelle agissait Hitler lorsqu'il voulait influencer les affaires du Reich. Elle révèle également comment Bormann et Hitler conspiraient par-dessus la tête d'un collaborateur qui était malgré tout l'un de mes fondés de pouvoir, elle montre enfin comment Himmler fut aussitôt mis au courant de ces agissements, alors que j'étais tenu dans l'ignorance de tout, moi qui étais le ministre dont l'affaire dépendait. Encore n'est-il même pas certain que Bormann ait exprimé fidèlement l'opinion de Hitler, il se peut qu'il ait exagéré, conformément à son habitude, afin d'inciter Himmler à prendre de nouvelles mesures [16].

Fin avril 1944, j'allai trouver Hitler à propos d'une autre affaire et il me confia que Schieber était soupçonné de préparer sa fuite à l'étranger. De plus, Liebel suscitait, lui aussi, la méfiance de hauts fonctionnaires du Parti, enfin le général Waeger, chef du bureau de l'Armement, avait la réputation d'être peu sûr. Mais, en même temps, Hitler minimisait toutes les accusations formulées contre ces trois chefs de service dont j'avais déjà escompté le limogeage à la suite de toutes les rumeurs qui m'étaient rapportées. L'information qu'il me donnait ainsi à la légère n'était sans doute destinée qu'à me tranquilliser. Car il était dans le caractère de Hitler de se dérober aux difficultés en laissant dans le vague les aspects désagréables d'un problème, afin d'éviter ainsi une discussion. Après s'être montré silencieux à mon égard, il chargea Bormann, quelques jours plus tard, le 8 mai 1944, de réclamer à Himmler « un rapport sur l'évolution de l'affaire Schieber [17] ». La veille, c'est-à-dire le 7 mai 1944, Schieber avait attiré mon attention sur les sinistres méthodes auxquelles recourait Himmler pour se procurer de la main-d'œuvre. Sans longues circonlocutions, il m'avait signalé que l'on procédait à d'innombrables arrestations uniquement dans le but de se procurer des travailleurs pour les camps de concentration. Il m'avait également mis en garde en termes relativement clairs contre les projets de Himmler visant à la création d'un vaste konzern économique au profit des S.S. [18]. Il était bien certain que le *Reichsführer* ne pouvait plus compter sur la fidélité de son vassal.

A peu près au moment où Bormann déclenchait son offensive contre Schieber, je reçus un message d'Albert Hoffmann, le *Gauleiter* de Westphalie du Sud. Il avait joint à sa lettre un mémoire du parquet de Dortmund [19], qui annonçait l'arrestation prochaine de Werner Schieber, frère de mon chef de service. Or, une réponse de mon ministère montre que je déconseillai cette arrestation, étant donné que Kehrl, à ce moment rapporteur général au ministère de l'Économie, procédait à une vérification. Les conclusions ne justifiaient pas une arrestation immédiate. Walter Schieber, qui, en réalité, était visé par ces accusations, avait quitté depuis longtemps le Conseil de gestion [20], et n'avait plus rien à voir personnellement avec cette entreprise [21]. Deux mois plus tard Schieber en appela directement à l'aide de Himmler. « Depuis des mois, écrivait-il, je sais que mon activité industrielle et ma vie personnelle sont étroitement surveillées par la direction de la Sécurité du Reich. Mon collaborateur Pollack a été arrêté, sa femme qui s'occupait de mes affaires financières a été interrogée, mes archives et mes valeurs personnelles ont été saisies. Dans cette situation, en tant que chef de S.S., je demande à comparaître devant un tribunal d'honneur, car il m'est impossible de continuer à travailler comme le fondé de pouvoir de Speer si je ne possède pas votre pleine confiance. » Il résulte de cette phrase que, s'agissant de la politique de mon propre département, l'opinion de Himmler était plus importante que celle du ministre compétent. Et Schieber de conclure : « Vous comprendrez, je pense, qu'à cette heure grave, il m'est impossible de poursuivre mon activité à la tête de l'industrie et d'être responsable des affaires les plus importantes, si, en même temps, la direction de la Sécurité du Reich prend contre moi des mesures de surveillance, sans que j'aie jamais eu la possibilité de répondre aux accusations formulées contre moi [22]. » De toute évidence Schieber ignorait encore à ce moment l'accusation de haute trahison dont il était menacé. Pour ma part, je ne pouvais l'informer des éléments de suspicion dont m'avait parlé Hitler. Ils auraient suscité son inquiétude et, du reste, Hitler lui-même n'en avait-il pas minimisé l'importance ?

Quelques jours plus tard, j'avais demandé en termes prudents à Kaltenbrunner « de sonder le *Reichsführer* afin de savoir s'il n'estimait pas préférable en fin de compte de clarifier toute l'affaire... Pour ma part, dis-je, je tiens le conseillet d'État Schieber pour un collaborateur dont la fidélité à notre cause est absolument sûre. C'est pourquoi je pense que l'ouverture de poursuites régulières à propos des points qui lui sont reprochés l'innocentera. Toutefois si des soupçons sérieux devaient subsister, je ne pourrais plus, au stade actuel de la guerre, assumer la responsabilité de collaborer avec lui, si lourde que fût cette perte pour l'ensemble de l'armement [23] ». On me remit peu après un nouveau rapport aux termes duquel le frère de Schieber avait un casier judiciaire chargé. Schieber lui-même avait donné mandat à un individu de mauvaise réputation, déjà condamné dix-neuf fois, de spéculer pour son compte en achetant des terrains dans la région de Linz [24].

Le 7 août 1944, je sollicitai l'octroi des épées à la croix de chevalier du mérite pour services de guerre en faveur de Rohland, Saur et Schieber, afin de souligner ainsi les mérites spéciaux de ces trois collaborateurs. On devait interpréter cette demande comme une nouvelle preuve de confiance de ma part, on pouvait y voir aussi un effort de réhabilitation.

Soudain un apparent revirement se produisit. Le chef de la Gestapo, Kaltenbrunner en personne, avait clos son enquête concernant les accusations formulées contre Schieber. Il concluait que l'on ne pouvait soulever d'objections quant à l'utilisation par mon ministère de ce conseiller d'État car le bien-fondé des accusations n'était nullement démontré. Avec quelque satisfaction, j'envoyai aussitôt un message par téléscripteur à Himmler en le priant d'informer Hitler. En effet, « une remarque de M. le *Reichsleiter* Bormann m'avait donné à conclure que jusqu'ici le Führer n'avait pas encore été informé par celui-ci[25] ». Certes, je n'ignorais pas que de tels silences avaient souvent été à la base de la tactique utilisée par Bormann. En m'adressant à lui, je continuais à méconnaître que pour le *Reichsleiter* la chute de Schieber, de Liebel, de Waeger n'était qu'une étape sur la voie de mon limogeage.

Bormann avait été informé du résultat de l'enquête ouverte par la Gestapo alors que Hitler, de toute évidence, l'ignorait encore. Aussi réussit-il quelques jours plus tard à obtenir de lui la décision « d'interdire à Shieber de porter sans autorisation l'uniforme de *Gauwirtschaftsführer** [26] ». Les conseillers économiques dépendaient directement de Bormann et, depuis des années, Schieber exerçait ces fonctions dans le district de Thuringe. Bien que son innocence fût démontrée, il était donc disgracié et congédié.

Entre-temps Hitler avait manifesté sa répugnance à octroyer à Schieber les épées qui devaient orner sa croix de chevalier du mérite pour services de guerre. Après coup, je comprends à quel point je me montrai naïf en demandant précisément à Bormann d'informer Hitler, ce que Himmler s'était abstenu de faire en dépit de la promesse qu'il m'avait donnée de longue date. Lorsque le collaborateur d'un ministère était compromis de cette manière, il ne servait à rien que le ministre intéressé communiquât à Hitler le résultat de l'enquête d'un organisme des S.S. Dans le cas présent, seule une déclaration de Himmler aurait pu clore l'affaire, car elle concernait un épisode interne et confidentiel, mettant en cause le commandement suprême des S.S. C'est pourquoi je rappelai une fois de plus au *Reichsführer* sa promesse de mettre Hitler au courant : « Je vous demande de me faire savoir si vous avez communiqué au Führer le résultat de l'enquête ouverte à propos de l'affaire Schieber[28]. » Mais rien ne vint. Je compris à ce moment que l'on avait décidé intentionnellement de tenir Hitler dans l'ignorance.

Fin octobre, Bormann m'appela au téléphone pour me communiquer que Hitler avait donné l'ordre de limoger Schieber. Le 31, je dus le convoquer et lui faire savoir que « la pression des divers *Gauleiter* sur Bormann était devenue si forte » que je ne pouvais plus le garder[29].

Quelques heures plus tard, il me fit parvenir sa réponse écrite : « On ne peut assumer avec succès de lourdes charges sans avoir toute la confiance de la direction suprême... Après des années de dur labeur et de succès, je ressens l'obligation de me retirer comme une humiliation imméritée. Mais j'ai décidé de m'incliner devant la raison d'État et de démissionner[30]. »

---

* Conseiller économique du district.

Schieber, qui s'était toujours montré naïvement crédule, se rendit le soir même auprès du chef de l'Office central des S.S. Gottlob Berger. Il ne se contenta pas de lui faire part de la teneur de notre conversation, mais lui annonça également que « Liebel et Hettlage quitteraient, eux aussi, le ministère[31] ». Je m'étais livré à cette supposition à la suite du triomphe remporté par Bormann sur Schieber. Berger, qui rapporta aussitôt ces confidences à Himmler, cita également l'une de mes déclarations : « Speer a précisé que sa propre situation était extrêmement précaire. » Et il conclut laconiquement : « Je communique tout cela au *Reichsführer* pour information[32]. » Himmler répondit dès le lendemain : « Il faut que nous restions tout à fait en dehors de cet imbroglio[33]. » Il convient pourtant de noter à ce propos que la collusion Bormann-Himmler avait été la première cause de la chute de Schieber.

Il est symptomatique qu'un mois plus tard, Lorch, chef du bureau de presse du ministère de l'Économie, ait rapporté confidentiellement que « l'élimination de l'un ou l'autre des trois chefs de service du ministère de l'Armement ou même de tous trois devait être attribuée à Ohlendorf ». Mais le fonctionnaire ajoutait avec assurance : « Cette information peut être également interprétée comme l'indication qu'Ohlendorf, l'homme fort qui a le vent en poupe, ne considère pas l'élimination des trois chefs comme conditionnant son entrée en action. » Lorch répète un peu plus loin : « Ohlendorf a fait ce qui était nécessaire pour éliminer les trois chefs de service. » Ce rapport confidentiel apporte une explication supplémentaire des machinations qui avaient été organisées dès le printemps de 1944 par Himmler avec la complicité de Bormann. Elles intéressaient aussi Hitler et, en fin de compte, elles avaient affaibli ma position de manière décisive[34].

Saur assuma à ce moment la majeure partie des tâches de Schieber. Officiellement, je déclarai que j'avais décidé de supprimer le Bureau de livraison de l'armement afin de simplifier ainsi l'organisation de mon ministère. Je fis savoir que « l'Office technique » de Saur aurait désormais dans ses attributions toutes les livraisons qui incombaient auparavant à Schieber. Il était chargé de la planification des moyens de fabrication et des investissements, il avait aussi dans son ressort les organismes assurant l'autoresponsabilité de l'industrie chargée de la production de l'acier, des pièces de fonderie et des pièces forgées, du polissage du matériel et des éléments des machines. Il devait enfin s'occuper de la technique de la soudure et, également, des commissions chargées de l'organisation industrielle pour l'électrotechnique, la mécanique de précision et l'optique, pour la production de l'acier, du fer, et de l'outillage de l'armement[35].

Le lendemain du limogeage de Schieber, le 1er novembre 1944, je fis valoir de nouveau à Hitler que l'homme avait été congédié bien que son innocence eût été prouvée. Hitler rejeta mes arguments à l'aide de quelques remarques froides et désagréables. De nombreux collaborateurs, dit-il, surtout Bormann, l'avaient convaincu depuis longtemps de l'absence de caractère et du manque de sérieux de Schieber. Il parla également en termes inamicaux et même méprisants de Liebel et de Waeger[36].

Ainsi, la lutte avait-elle abouti à une décision après une année d'intrigues intenses. Il était désormais vain de vouloir conserver mes chefs de service contre la volonté de Hitler. Je dus également abandonner Waeger et Liebel. Je les informai des résultats de ma visite au quartier général et, peu après, ils me demandèrent de les relever de leurs fonctions. Ce fut seulement le 6 novembre, une fois que la partie était jouée, que Himmler jugea bon de rendre compte à Hitler de l'affaire Schieber. « J'ai informé le Führer qu'aucune des accusations lancées contre le Dr S. n'avait pu être prouvée. Bien sûr, j'ai dû mentionner que les charges relevées contre ses frères étaient fondées. Le Führer m'a dit que vous lui aviez parlé à ce sujet à l'occasion de votre dernière entrevue et que désormais Schieber ne serait plus utilisé que pour des missions exceptionnelles. Mais son licenciement reste honorable. » Contrairement à son habitude, Himmler fit précéder sa signature des mots autographes « toujours vôtre[37] ». Il savourait son triomphe.

Je pris occasion de cette démonstration d'amitié de sa part pour lui demander d'accorder une sorte de réparation d'honneur à Schieber qui, en tant que S.S. *Brigadeführer,* était soumis à son commandement. Pour justifier ce souhait, je fis valoir « qu'au cours des deux dernières années, le conseiller d'État s'était acquis d'extraordinaires mérites en réussissant à maintenir intégralement le rythme de la livraison d'armements nécessaire pour maintenir le volume de la finition confiée à Saur, comme il le fallait pendant cette période[38] ».

En fait, les mérites de Schieber pour ce qui était de l'accroissement de l'armement étaient considérables. Aussi, le même jour, dans une lettre de remerciements, je résumai comme suit ce qu'il avait accompli : « Sur mes instructions, il y a maintenant deux ans, vous avez créé l'Office de livraison de l'armement et, en peu de temps, vous l'avez développé et remarquablement organisé. Grâce à vos exceptionnels dons d'organisateur, vous avez excellemment résolu cette tâche difficile et, en dépit de toutes les difficultés, vous avez réussi à assurer la création et la consolidation de notre armement actuel au poste décisif que vous occupiez. Vous assumiez en cette qualité la lourde responsabilité de l'un des domaines les plus importants dans le cadre de tout l'armement et de la production de guerre et votre tâche était rendue plus ardue encore par les attaques aériennes répétées. Vous n'avez pas ménagé votre santé et vos efforts quand il s'agissait de rendre possible ce que l'on tenait jusque-là pour impossible et pour atteindre des objectifs qui paraissaient inaccessibles[39]. »

Finalement, Himmler ne répondit pas à ma lettre du 10 novembre. Quinze jours plus tard, je lui demandai à nouveau de me faire parvenir au moins une note écrite, « rédigée de telle manière que je pusse en faire état vis-à-vis de tiers. Inutile d'y mentionner votre entrevue avec le Führer. Je serais désireux d'avoir un tel document pour être à même de le montrer aux services qui m'ont adressé des reproches au sujet du conseiller d'État Dr Schieber[40] ». Cette lettre resta elle aussi sans réponse. Schieber ne fut jamais réhabilité par Himmler.

En revanche, je réussis à obtenir que Hitler donnât finalement son accord à l'octroi des épées à la croix de chevalier décernée à Schieber. Je lui remis cette haute distinction de guerre décernée à titre civil au cours d'une cérémonie solennelle. Quelques jours plus tard, à la suite de mon intervention, Hitler autorisa Walter Schieber[41] à participer à un concours ouvert entre les meilleurs chimistes allemands pour la mise au point de nouvelles sortes d'explosifs et de poudre. Le lauréat devait recevoir 2 millions de marks libres d'impôt[42]. Mais c'étaient là de fausses victoires ; la vraie bataille était perdue. Le 7 décembre 1944, à la suite de mes demandes répétées concernant la réhabilitation de Schieber, Himmler nota à la main en marge de ma lettre : « Parlé avec Speer, affaire réglée. » A la suite de ma lettre du 24 novembre 1944, il avait déjà inscrit la note : « Affaire réglée. 7. XII. 44[43]. »

Dans cette entrevue au cours de laquelle l'affaire avait été prétendument réglée, Himmler avait fait valoir la gravité des temps que nous vivions ; nous avions autre chose à faire que de continuer à nous occuper d'une histoire depuis longtemps classée. En outre Schieber avait reçu publiquement satisfaction du fait de la distinction accordée par Hitler. Ces arguments paraissaient plausibles. Mais il exprima sa véritable opinion dans une lettre qu'il fit adresser le 22 décembre à Kranefuss par le chef de son état-major personnel, Brandt : « C'est en partie à juste titre et en partie à tort que Schieber se réfère au jugement du *Reichsführer* selon lequel son innocence serait démontrée. Il sera difficile dans ce cas de faire la juste distinction. Peut-être convient-il que vous laissiez les choses suivre leur cours en vous abstenant de soutenir en quoi que ce soit le S.S. *Brigadeführer* Schieber[44]. » Pour les S.S., Schieber restait un pestiféré.

Au sein de tout appareil de gouvernement, il y a, bien sûr, des intrigues. Mais si l'on procède à des comparaisons, il faut se souvenir que le parti hitlérien avait, bien avant 1933, axé sa propagande sur la promesse de mettre fin, après avoir pris le pouvoir, à la corruption, à la malveillance et au manque d'esprit de camaraderie. Tout cela devait être remplacé par l'idée de communauté national-socialiste avec la devise : « L'intérêt commun prime l'intérêt particulier ». Or, rien de tel ne se passa. Chacun était l'ennemi de son prochain et s'efforçait de s'emparer de son poste, même dans la situation désespérée de la guerre au cours des dernières semaines. Bien entendu, Hitler lui-même a encouragé ces controverses par son système de chevauchement de compétences. Mais il n'est pas douteux que même sans l'application de cette méthode, les mêmes symptômes de désagrégation se seraient manifestés. Les querelles et les frictions auraient été nécessairement engendrées par l'autoritarisme et l'ambition des différents groupes au sein du gouvernement. Les dirigeants des grandes sphères du pouvoir, comme Bormann, Himmler, Ley, Sauckerl et Goebbels, entravaient sciemment par leur sabotage le travail de leurs collègues.

Les ambitions illusoires de Himmler au ministère de l'Économie

Déjà, au cours des années qui précédèrent immédiatement la guerre les ministres technocrates parlaient souvent de la milice des S.S. comme d'un État dans l'État. Mais on attribuait tout aussi bien des ambitions de domination au Front du travail dont on connaissait les vastes ramifications et la puissance financière due aux énormes recettes provenant des cotisations de tous les travailleurs affiliés. Cependant les S.S. ayant pénétré l'administration de plus en plus profondément, Hitler lui-même se mit à considérer cet accroissement de leur puissance avec une méfiance grandissante. Le *Gauleiter* Lohse, commissaire du Reich pour les pays de l'Est en juillet 1944, constatait avec raison que le Führer n'était nullement d'accord avec l'influence de plus en plus considérable prise par les S.S. dans le ministère du Reich pour les pays occupés de l'Est [1].

Si Hitler avait concédé une priorité à Himmler dans l'appareil de l'État, il aurait mis en danger l'application de son principe essentiel qui était de diviser pour régner. Keitel devait occuper une position égale à celle de Himmler, tout comme Bormann, Goebbels et moi-même. Himmler le savait et il était contraint de s'incliner. Alors, très adroitement, il indroduisait ses chefs de S.S. dans les administrations et les postes de direction, lorsqu'il ne lui paraissait ni possible ni opportun de s'emparer directement du pouvoir. De toute évidence, Hitler ne pouvait agir contre ce noyautage. Il laissait faire. Peut-être se disait-il aussi que toutes ces infiltrations dans l'appareil de l'État détermineraient des frictions avec les S.S. et pourraient en fin de compte engendrer une opinion unanimement hostile à Himmler, qui limiterait son pouvoir devenu dangereux pour lui, Hitler.

Ceux qui étaient la cible de ces tendances à l'hégémonie, c'est-à-dire les ministres techniques, ne pouvaient que se livrer à des suppositions sur l'ampleur de cette pénétration des S.S. dans les rouages de leur pouvoir exécutif. On savait, il est vrai, que dans chaque ministère un ou plusieurs hommes de confiance de Himmler occupaient des postes importants et, à l'époque, je tenais pour naturel qu'il fût rapidement informé des événements importants au sein de mon ministère. Je n'en étais même pas désagréablement affecté, je n'éprouvais pas le sentiment d'être menacé, car, finalement, les enquêtes faites par les autres ou l'appréciation de mon efficacité par les services de Himmler importaient peu. Seule comptait la mesure de la confiance et du soutien que m'accordait Hitler et, précisément sur ce point, on était en droit de supposer que Himmler était parfaitement informé par ses officiers d'ordonnance détachés au quartier général du Führer de l'estime que me valaient mes succès. Avant le 20 juillet 1944, je n'eus jamais l'occasion de me plaindre d'un manque de soutien de la part de Hitler et c'est pourquoi les enquêtes menées par les S.S. dans mon domaine m'étaient relativement indifférentes : elles ne pouvaient être exploitées contre moi.

Himmler passait généralement pour loyal et je le supposais aussi. Mais cette loyauté demeurait superficielle. Ce fut seulement près de quarante ans après ces événements en examinant pour la rédaction de ce livre les archives désignées comme les « documents de l'état-major personnel du *Reichsführer* » que je tombai sur des informations qui me stupéfièrent. Quand j'étais ministre, je ne me doutais pas de la désinvolture avec laquelle Himmler disposait de ses officiers de S.S. à l'intérieur de l'administration économique. Ainsi, pour citer un exemple, rabroua-t-il le délégué gouvernemental Reeder, chef de l'administration allemande dans le nord de la France et la Belgique, parce que, disait-il, étant Führer honoraire de S.S., il avait le devoir de faire une politique conforme aux intérêts de ceux-ci[2]. Partout où il pouvait agir à l'avantage des S.S., il exerçait la pression maximale sur ses *Führer* honoraires qu'il considérait comme ses vassaux, bien qu'il rappelât sans cesse que les grades honorifiques dans les S.S. ne comportaient pas d'obligations.

Lorsque, quelques semaines après ma nomination de ministre du Reich, Himmler m'offrit le grade de *Oberstgruppenführer* dans les S.S., je pus refuser amicalement. J'étais sûr en effet d'être approuvé par Hitler qui considérait avec méfiance toutes les tentatives de Himmler d'acquérir de l'influence sur ses proches collaborateurs en leur octroyant de tels grades. Cependant le Führer s'abstint de prendre position et se comporta avec une indifférence caractéristique de son attitude quand il s'agissait d'une affaire mettant en cause ses compagnons de la période de lutte pour la prise du pouvoir ; à plus forte raison en était-il ainsi lorsqu'il était question de distribuer des grades honorifiques au moyen échelon de commandement. Les péripéties de l'affaire Schieber nous ont montré avec quelle brutalité les proches collaborateurs de Himmler, poussés par lui, étaient capables d'anéantir moralement et professionnellement un important chef de S.S., même lorsqu'il se trouvait sous ma protection, alors que j'étais ministre du Reich. Le cas Kranefuss est tout aussi instructif, il permet de voir l'autoritarisme avec lequel Himmler décidait du rôle que devait jouer celui-ci au sein du ministère de l'Économie.

Depuis le début de mon activité ministérielle, je collaborais étroitement avec le président Kehrl, rapporteur général au ministère de l'Économie du

Reich. Je l'estimais, considérant surtout qu'il avait échappé au moule de la bureaucratie et, certes, les rapports qu'il entretenait avec Himmler représentaient, eux aussi, une exception. Bien qu'il fût S.S. *Oberführer,* comme Kranefuss, il ne donnait aucun signe d'une dépendance quelconque à l'égard de l'appareil de Himmler. Kranefuss vantait « son savoir-faire et le courage avec lequel il prenait ses responsabilités ». Je souscris aujourd'hui encore à ce jugement[3]. Ainsi qu'il le communiqua à l'*Obergruppenführer* Wolff le 24 juillet 1942, Kranefuss devait assumer au ministère de l'Économie la direction d'un « Service général du contingentement » qui s'articulerait en cinq domaines distincts :

1. Incidences sur l'organisation de la production, le contingentement des matières premières et la répartition : Incidences sur le développement de l'économie.
2. Incidences sur les prévisions de la production, la coordination des mesures de mobilisation de la main-d'œuvre et de la production, la coordination de la répartition du charbon et de la production de l'énergie.
3. Contrôle des bureaux, des associations du Reich et des délégués du temps de guerre, collaboration à leurs ordonnances.
4. Questions essentielles d'orientation de l'économie régionale. Collaboration aux mesures d'organisation et d'ordre personnel de ces instances moyennes.
5. Questions essentielles en matière de circulation, de planification des transports, de réglementation et de suspension de la circulation.

Dans cette activité, il fallait considérer que la tâche la plus importante et la plus difficile concernait la simplification et la réorganisation du contingentement des matières premières. A cet égard Kehrl lui avait confié « un travail aussi vaste que difficile et lourd de responsabilités ». En fait, il s'agissait d'une position clé.

Écrivant à son ami Wolff qu'il tutoyait, Kranefuss ajoutait : « Je n'accepterai cette tâche difficile que si le *Reichsführer* est pleinement d'accord ; je ne remplirai mon mandat que comme l'homme de confiance et le délégué de Himmler. Je te prie de me faire connaître sa décision aussi vite que possible. « Cette soumission inconditionnelle était d'autant plus étrange qu'il s'agissait d'une mission économique donnée dans le cadre du ministère compétent et qui, de plus, s'adressait à un industriel indépendant (*cf.* appendice VII). Car Kranefuss était président du Conseil de gestion de l'importante société Braunhohlen-Benzin A.G. *, appelée par abréviation Brabag. Il se proclama plus nettement encore le mandataire de Himmler en demandant à Wolff dans la même lettre « qu'il lui soit permis de considérer cette activité de même que sa tâche à la Brabag comme un commandement

* Société par actions de lignite et d'essence.

du *Reichsführer*[5] ». Une définition parfaite du sens qu'un chef de S.S. devait donner à la tâche particulière qui lui était confiée dans un ministère !

Bien qu'elle englobât une grande partie de mes tâches les plus importantes pour l'accroissement de la production d'armements, cette mission donnée à Kranefuss par le ministre de l'Économie Funk n'avait pas été discutée avec moi. Le nouveau directeur se serait vraisemblablement efforcé de se faire valoir vis-à-vis de mes chefs d'industrie, impulsifs et non conformistes, qui étaient conscients des pleins pouvoirs dont ils bénéficiaient tacitement grâce à mon prestige auprès de Hitler. « Kehrl m'a donné mandat de collaborer étroitement avec Speer et son ministère », écrivait Kranefuss dans la même lettre adressée à Wolff. Sans doute pressentait-il que des difficultés l'attendaient, car il demandait à son correspondant « de le recommander au ministre Speer avec lequel il aurait de multiples occasions de coopérer[6] ». Cette remarque laisserait supposer qu'une recommandation du chef de l'état-major personnel de Himmler pouvait et devait influencer un ministre du Reich. Aussi me dis-je que si j'avais accepté l'offre de Himmler, transmise par Wolff, de me conférer le grade de *Oberstgruppenführer* de S.S. à titre honorifique, la collaboration entre Kranefuss et moi-même aurait été placée sous le signe de la camaraderie entre chefs de S.S. Il en serait allé de même des désirs de Himmler qui m'auraient été communiqués par l'entremise de Kranefuss. Celui-ci déclarait du reste dans le même document qu'il assumait sa tâche au ministère de l'Économie par camaraderie envers le S.S. *Oberführer* Kehrl.

L'intention de Himmler d'étendre son influence sur mon ministère ressort d'ailleurs d'une note envoyée par Kranefuss à Wolff quinze jours auparavant : « Le *Reichsführer,* écrit-il vous a déjà recommandé d'avoir un entretien utile avec le ministre Speer. Le moment présent est favorable car l'activité de celui-ci et le choix de certains de ses collaborateurs permettent d'espérer, voire d'escompter que notre attitude coopérative sera plus appréciée que ce ne fut le cas dans le passé[7]. »

Le désir de Kranefuss de nouer des contacts étroits ne semble pas avoir reçu satisfaction, car le 18 septembre, il relança son ami Wolff : « Dans l'intérêt de ma tâche au ministère de l'Économie du Reich et pour d'autres raisons que tu comprends certainement, je te serais reconnaissant de profiter de la prochaine occasion pour parler au ministre Speer et égalemant au *Reichsleiter* Bormann de la manière à la fois gentille et heureuse qui est la tienne. Je pense que de ce fait bien des choses me seraient rendues plus faciles dans l'avenir[8]. » Le 26 août 1942, Otto Ohlendorf, chef du Service de sécurité, transmit à Himmler un rapport « sur l'interpénétration par les mêmes personnes de l'autorité de l'État et des intérêts économiques privés ». D'après la lettre qui accompagnait ce document[9], il semble qu'il se soit agi d'une vive attaque contre l' « autoresponsabilité de l'industrie » qui venait d'être proclamée officiellement. Car cette organisation avait pour principe essentiel de confier la solution des questions importantes afférentes à l'orientation de la production à des non-fonctionnaires et à des techniciens. On admet généralement aujourd'hui qu'en faisant appel aux industriels les plus capables et en éliminant la bureaucratie militaire et civile jusque-là chargée des responsabilités, on franchit le tournant décisif qui devait conduire entre 1942 et l'automne 1944 à une substantielle augmentation de la production d'armements.

Si l'on en croit la déposition d'Ohlendorf au cours de son procès à Nuremberg, ce rapport contenait les déclarations « qu'il avait faites contre ce que l'on a appelé l'autoresponsabilité de l'économie, c'est-à-dire l'état de choses en vertu duquel les chefs de l'entreprise privée assumeraient désormais la place de l'État. Car ainsi, non seulement on avait ouvert la porte à la corruption, mais, poursuivait-il, on avait créé la condition essentielle nous préparant à perdre notre guerre sur le plan économique [10]. » Ainsi qu'il le précisa à Nuremberg, Ohlendorf avait également transmis ce rapport à Funk qui en avait approuvé la teneur. Il faut toutefois admettre qu'à ce moment on n'apercevait pas encore les effets révolutionnaires du mode de travail consécutif à l' « autoresponsabilité de l'industrie [11] ». Je n'étais pas certain, moi-même, que mon initiative relativement audacieuse aurait les succès attendus.

Himmler attendit plus de cinq semaines pour répondre, mais en fin de compte, le 5 octobre, il déclara dans une lettre à Ohlendorf « qu'il fallait absolument pallier les dégâts ». En même temps il le chargeait de s'entretenir de ces choses avec le chef de mes services, le conseiller d'État et *Brigadeführer* Dr Schieber, ainsi qu'avec l'*Oberführer* Kehrl. « Comme je suis fondé à supposer que tous deux ont une position de principe décente, je considère, écrivait-il, que j'ai l'obligation de leur exposer les choses franchement et sans détour, de leur montrer les dommages et de leur donner la possibilité d'y remédier eux-mêmes. » Tel est le langage habituellement employé par le patron pour définir le travail de ses subordonnés.

Himmler jugeait sans doute qu'il était normal pour lui de disposer ainsi de ses chefs de S.S. Schieber et Kehrl. Aussi insistait-il dans la suite de sa lettre : « Je vous prie d'informer ces deux messieurs que je tiens pour absolument nécessaire qu'ils remédient aux dommages subis [12]. » C'est là un exemple de la manière dont le *Reichsführer* manipulait son État dans l'État en ignorant le ministre compétent. En même temps, il autorisait Ohlendorf, chef du Service de sécurité à transmettre son rapport au *Reichsleiter* Bormann. Mais il n'y avait pas un mot pour indiquer qu'il fallait m'informer moi aussi, en tant que ministre responsable.

La transmission du rapport d'Ohlendorf à Bormann équivalait à déclencher également l'intervention de l'appareil du Parti. C'était un signe. Himmler cherchait des alliés dans la lutte engagée contre la direction de l'industrie revalorisée par la restructuration de l'organisation. Dans cette perspective, il faut se souvenir qu'avant 1933, à la différence de l'opportuniste Hitler, le Parti était hostile à l'industrie. Cependant, même si j'avais eu connaissance de cette intrigue, je n'en aurais guère été affecté. Hitler lui-même était tout à fait de mon côté. Ohlendorf paraît avoir trouvé un encouragement dans la réaction de Himmler, en tout cas quelques jours plus tard, le 6 octobre 1942, il adressa une nouvelle lettre au *Reichsführer*. Si l'on croit ce document, le vieux secrétaire d'État Landfried, très prussien dans son comportement, aurait proposé « que toutes les questions fondamentales et, avec elles, toutes celles qui intéressaient la politique du ministère de l'Économie à l'échelon d'un sous-secrétaire d'État lui fussent soumises ». Cette obséquiosité à l'égard des S.S. ne l'empêcha pas du reste d'être limogé un an plus tard. De son côté, le ministre de l'Économie, Funk, approuva le projet de Landfried et, peu après, il reçut Ohlendorf en audience. Au cours de cet entretien celui-ci renouvela ses attaques contre « l'autoresponsabilité de l'industrie ». Dans le rapport qu'il adressa sans tarder à Himmler, il précisa qu'il avait exposé à Funk que la mauvaise orientation politique du ministère de l'Économie avait de fâcheuses répercussions dans les différentes ramifications de l'activité économique. « Il avait souligné en particulier les difficultés qu'avait suscitées le transfert de souveraineté à des personnes et à des organisations de l'économie privée. » Funk s'était montré d'accord sur ce point avec Ohlendorf et il avait fait sienne l'idée de nommer le chef du Service de sécurité sous-secrétaire d'État dans son ministère.

« Seul le *Reichsführer* peut décider de cette désignation de ma personne », répondit Ohlendorf au ministre Funk, si l'on en croit la lettre citée ci-dessus. « Je serais d'accord pour qu'on lui pose la question à la condition expresse qu'il soit admis *a priori* que je conserverai ma tâche actuelle auprès du *Reichsführer*. » Ce cumul ne gênait nullement Funk. « Le ministre Funk a l'intention de se mettre immédiatement en contact avec le *Reichsführer*. Comme je lui répétais que la condition essentielle de mon acceptation était que rien ne fût changé à ma situation à l'Office de la sécurité du Reich, Funk m'a répondu qu'il tenait précisément ce cumul pour extraordinairement heureux[13]. »

Il est possible que la réaction de Funk doive être considérée comme une riposte à la fougueuse activité dont fit preuve la nouvelle organisation que j'avais mise sur pied. En entretenant des contacts directs avec ses collaborateurs, principalement avec son rapporteur général Hans Kehrl, je contrevins, moi aussi, au cours de cette période, à la règle selon laquelle un ministre ne doit discuter des problèmes qu'avec son collègue ministre ou en cas de nécessité avec son secrétaire d'État. Ainsi Funk put-il supposer qu'Ohlendorf, le chef influent du Service de sécurité des S.S., après avoir installé ses hommes de confiance dans toutes les ramifications de l'industrie et même au ministère de l'Économie, une fois qu'il serait lui-même dans la place, se montrerait assez puissant pour interdire les contacts des collaborateurs de son ministère avec un autre ministre.

Bien qu'en ma présence Funk eût toujours parlé avec enthousiasme de la nouvelle organisation économique fondée sur « l'autoresponsabilité de l'industrie », il approuva constamment et sans réserves les véhémentes attaques des S.S. qui étaient précisément dirigées contre ce principe. Telle fut la découverte que je fis à mon vif étonnement en examinant les archives conservées par la République fédérale.

Funk se montrait toujours faible quand il s'agissait d'affaires intéressant les S.S. On murmurait que ceux-ci possédaient un volumineux dossier sur les désordres de sa vie amoureuse et il est certain que ses mœurs le rendaient vulnérable. Dans la continence forcée de sa vie de prisonnier à Spandau, il parlait avec délices de ses escapades érotiques à Casablanca, où il se rendait de temps à autre pour faire l'expérience de nouvelles variantes amoureuses[14].

Un tel dossier devait être conservé dans les archives de Heydrich ou de Kaltenbrunner. Aussi, lorsque Funk répondait qu'il tenait la nomination du chef du Service de sécurité à un poste dirigeant de son ministère de l'Économie pour extraordinairement heureuse, son comportement avait apparemment une motivation banale. Intelligent et malin comme il l'était, il ne pouvait guère douter que l'énergique Ohlendorf serait devenu en fait le chef du ministère de l'Économie. Aussi bien Funk que le vieux secrétaire d'État Landfried, faible politiquement, lui auraient abandonné sans résistance les leviers de commande.

Quand Bormann eut terminé la lecture du rapport relatif au prétendu échec des industriels, il attira apparemment l'attention de Himmler sur le fait que le moment de déclencher des attaques contre notre système de gouvernement était aussi mal choisi que possible. C'était en effet Hitler lui-même qui m'avait donné le conseil d'utiliser l'industrie pour mener ma tâche à bonne fin, car, disait-il, c'était là que se trouvaient les forces les plus précieuses. A cette époque, le 13 février 1942, il était d'avis que c'était seulement en attribuant une pleine responsabilité aux chefs de l'industrie que l'on pouvait ranimer notre production désespérément basse en matière d'armements. Je lui avais donné l'assurance en présence de Bormann que, de toute manière, j'avais l'intention de confier surtout aux chefs d'industrie l'exécution de ma tâche. Au cours de cette conférence, Hitler décida même, sur ma demande, qu'aucune enquête ne serait faite concernant l'appartenance au Parti des collaborateurs de l'industrie.

En octobre 1942, Bormann savait lui aussi que Hitler appréciait à sa valeur la tâche accomplie avec un succès croissant par les industriels ; les premières réussites étaient déjà visibles et d'autres plus importantes apparaissaient déjà à l'horizon. D'après les statistiques de l'*Index des manufactures de l'armement allemand*, en septembre 1942, la production de munitions avait presque doublé par rapport à celle de février, la fabrication d'armes plus difficile à augmenter s'était cependant accrue de 41 pour 100 pendant cette période, celle des blindés de 22 pour 100[15]. Le total des armements avait augmenté de 58,8 pour 100[16].

Très vraisemblablement, ce fut à la suite d'une telle mise en garde de Bormann que soudain, le 21 octobre 1942, Himmler rejeta lui-même la proposition d'Ohlendorf. Il lui défendit « d'accepter le poste au ministère de l'Économie du Reich[17] ». Le même jour, il dicta pour son dossier personnel une note précisant qu'il n'approuvait pas les projets d'Ohlendorf, car « pendant la guerre, il n'était pas possible de modifier fondamentalement notre économie capitaliste ».

Himmler ajoutait qu' « un chef de service à l'Office de la sécurité qui aurait été nommé directeur ministériel au ministère de l'Économie » ne pourrait que se heurter à ce qu'il appelait cette « impossibilité » de l'économie capitaliste. Sans donner d'autres arguments à l'appui de son refus, il poursuivait sa mise en garde : « Ohlendorf susciterait une levée de boucliers et tout échec de l'économie lui serait imputé ou, éventuellement, aux S.S. » On dirait qu'il avait nui à l'économie de guerre. Enfin, s'il ne s'efforçait pas « de modifier fondamentalement le système capitaliste et s'inclinait devant l'état de choses existant, en quelques mois il serait comme tous ses prédécesseurs un homme fini[18] ». De toute évidence Himmler considérait alors que le moment de procéder à une modification radicale de la politique économique n'était pas encore venu. Mais il avait toujours montré qu'il était capable d'attendre son heure.

Ainsi, pour dissimuler son recul, Himmler opéra-t-il une volte-face : Schieber et Kehrl ne devaient plus pallier immédiatement les dégâts infligés à l'économie, ainsi qu'il l'ordonnait encore deux semaines auparavant. Aujourd'hui, il se contentait de demander « que l'on nommât à ce poste (que Funk avait choisi pour Ohlendorf) n'importe quelle personnalité honnête qui pourrait être soit Kehrl soit Hayler. Sans soulever avec trop d'insistance des questions de principe, l'homme devrait se comporter en fidèle vassal de Funk ainsi que de Himmler et il devrait considérer comme son devoir de mettre au moins un terme aux saloperies les plus scandaleuses de l'économie[19] ».

Le jour même où il rejetait les projets d'Ohlendorf, le 21 octobre 1942, Himmler modifia également son attitude concernant la nomination de Kranefuss qu'il venait pourtant d'approuver. Tout d'un coup, il déclara « que la nouvelle selon laquelle le S.S. *Oberführer* Kranefuss devait jouer un rôle très actif dans l'économie ne lui causait aucune satisfaction ». Il téléphona aussitôt à ce sujet à l'*Obergruppenführer* Wolff qui fut chargé de faire part de cette opinion à l'intéressé[20]. La note rédigée par Himmler à l'issue de sa conversation téléphonique avec Wolff a un ton plus cassant : « Interdiction à Kranefuss d'exercer une activité politique au ministère de l'Économie[21]. »

Cette nouvelle dut stupéfier l'intéressé. Neuf jours après cette décision, il s'adressa directement à Himmler : « L'*Obergruppenführer* m'a informé que vous n'approuviez pas mon activité au ministère de l'Économie ou tout au moins sa forme. » Et d'ajouter aussitôt avec empressement : « Il va de soi que je ne ferais rien qui n'eût votre plein accord. » Il ne restait rien d'autre à faire à Kranefuss que d'attirer l'attention de Himmler sur les conséquences que pouvait avoir pour son camarade Kehrl cette « discrimination », car c'était bien le terme qui convenait pour désigner l'interdit soudain qui frappait le S.S. *Oberführer :* « Si mon limogeage après un travail de peu de mois jetait sur moi une lumière douteuse ou même défavorable, je n'en serais pas autrement touché. Mais je considère qu'il est de mon devoir absolu d'éviter tout ce qui pourrait avoir une répercussion désavantageuse sur la situation de l'*Oberführer* Kehrl ou rendrait plus difficile encore son activité véritablement dévouée. » Afin de souligner davantage encore sa docilité, Kranefuss exprima dans la même lettre le malaise qu'il ressentait en présence de la situation régnant dans le poste qu'il occupait jusque-là. « Ce que j'ai trouvé, ce que je constate chaque jour au ministre de l'Économie dépasse de loin mes pronostics les plus sombres[22]. »

Ainsi un important fonctionnaire mandataire du ministère de l'Économie se conformait sans hésitation à une instruction de Himmler concernant une tâche dans un domaine qui n'était en rien de son ressort. Il aurait cependant suscité la colère de Himmler s'il n'avait pas accepté cet ordre catégorique.

Kranefuss resta le confident de Himmler grâce à cette obéissance. Comme le révèle une page du calendrier du *Reichsführer* du 25 mars 1943, il fit avec lui une promenade de deux heures et demie, de 16 h 30 à 19 heures, qui constituait une exception dans le rythme quotidien de la vie de Himmler[23].

Il semble que j'aie eu vent de cette méfiance à l'égard de mes collaborateurs en provenance de l'industrie, car à l'occasion de ma prochaine conférence avec Hitler, soit le 7 ou le 8 novembre 1942, j'obtins de lui la confirmation expresse qu'il avait pris connaissance « avec une vive satisfaction des succès remportés par l'organisation de l'autoresponsabilité de l'industrie et se félicitait de la participation étendue qu'y avaient les ingénieurs et les techniciens des entreprises[24] ».

Six mois plus tard Himmler devait prendre l'initiative de confier à Ohlendorf toutes les attributions au ministère de l'Économie qu'il avait refusées tant au chef du Service de sécurité qu'au rapporteur général Kranefuss. En un tournemain, le 26 juillet 1943, j'avais obtenu l'accord de Hitler pour que l'ensemble de la production de guerre fût soumise à mon ministère. La responsabilité des productions essentielles comme celles du charbon et de l'acier devait également être retirée du ministère de l'Économie et incomberait désormais à mon département. Il en allait de même pour la production des biens de consommation et pour celle de l'industrie alimentaire. Mon ministère devait en même temps assumer la direction de l'Office des matières premières, de la planification et de la production des biens de consommation. C'était le couronnement des efforts que j'avais déployés pour prendre personnellement en main l'ensemble de la production allemande. Kehrl, l'*alter ego* de Funk, devait lui aussi quitter le ministère de l'Économie et passer en tant que chef de l'Office de la planification et des matières premières au ministère de l'Armement. De toute manière, au cours des derniers mois, il était devenu de plus en plus mon collaborateur direct.

Après cette nouvelle répartition des responsabilités, Funk n'avait plus dans ses attributions ministérielles que les questions relatives à l'économie monétaire et au commerce extérieur. Il devait aussi s'occuper de la répartition dans la population des biens de consommation dont la production était régie par mon département. Dans tout cela il n'y avait d'important qu'un seul point : Funk avait compétence pour trancher *toutes les questions* de principe en matière de politique économique.

Il y eut, bien entendu, des intrigues et des ripostes qui retardèrent l'application de la décision de Hitler jusqu'en septembre 1943 [25]. Ce transfert de responsabilités représentait en fait pour moi un accroissement important de pouvoir, que Bormann et Himmler devaient considérer avec méfiance. C'est sans doute ce fait qui amena le *Reichsführer* à renouer le contact interrompu avec Landfried et Ohlendorf. Quelques semaines après la décision de Hitler de doubler le domaine de mes attributions, le 20 août 1943, à son quartier général de Hochwald, Himmler s'entretint pendant une demi-heure avec Funk et tout aussi longtemps avec le secrétaire d'État Landfried [26]. Cette affaire trouva sans doute sa conclusion le soir suivant, au cours du dîner que Himmler et Lammers prirent avec Funk [27].

Peu après, à la mi-septembre 1943 [28], Funk m'invita à dîner dans les salons du président de la Reichsbank, qui, avec leurs sièges dorés, leurs tapis moelleux et leurs magnifiques gobelins évoquaient la richesse du temps où fut fondé le célèbre institut. C'est à partir de là que d'une main en apparence désinvolte il dirigeait le ministère de l'Économie placé sous son autorité.

Une ordonnance du ministère de l'Alimentation avait exempté de rationnement toutes les volailles, le menu et gros gibier ainsi que les poissons d'eau douce. C'est pourquoi à Berlin durant toute la guerre, dans le luxueux restaurant Horcher, on trouvait à des prix élevés des faisans aussi bien présentés que le homard ou le caviar provenant des stocks saisis en France.

Comme toujours chez Funk, le repas, servi par des domestiques en livrée, rappelait les menus du temps de paix. Après un bouillon de faisan, on nous apporta un civet de chevreuil à la crème. Un excellent vin de Moselle, puis un léger bourgogne accompagnaient le repas et, avec le sorbet, un champagne millésimé.

Nous nous retirâmes dans un salon contigu dont les murs étaient tapissés de cuir repoussé et le plancher recouvert de tapis anciens. Les meubles de style baroque en bois doré étaient sculptés à la main. Tous les accessoires de l'ère wilhelmienne, dans laquelle la Reichsbank participait encore à la finance mondiale. Pour ma part, je me serais sans doute abandonné au charme de ce monde illusoire, fier en tant que fils de grands bourgeois de dîner au centre de la puissance financière et de pouvoir y jouer un rôle.

A cette occasion, le ministre, toujours affable et liant, raconta comment, sans avoir rien fait pour cela, il avait été brusquement convoqué au quartier général du Führer. Là, Bormann lui avait révélé inopinément que Hitler avait désigné un nouveau secrétaire d'État au ministère de l'Économie, le Dr Landfried étant trop âgé et fatigué. Il avait choisi pour ce poste le Dr Franz Hayler, *Brigadeführer* de S.S., et, pour représenter celui-ci, le *Brigadeführer* Otto Ohlendorf.

En mai 1942 j'avais, moi aussi, proposé à Hitler[29] d'adjoindre au Dr Julius Dorpmüller, le ministre des Transports, âgé et fatigué, le jeune et énergique Theodor Ganzenmüller, qu'il ne semblait pas avoir remarqué parmi les nombreux hauts fonctionnaires de son département. Hitler avait alors présenté inopinément son nouveau secrétaire d'État à Dorpmüller. Me souvenant de ce procédé, je tenais la déclaration de Funk pour tout à fait vraisemblable. De même il me paraissait évident que Bormann devait avoir vu d'un œil défavorable l'extension de mes pouvoirs au détriment de vastes domaines jusque-là du ressort du ministère de l'Économie[30]. Mais je ne me doutais pas que Funk me débitait de purs mensonges et qu'en réalité on avait déjà discuté un an auparavant de projets de cette nature auxquels il avait expressément souscrit. Même au cours de nos douze années de détention commune à Spandau, il ne m'a jamais donné d'explication sur ce point. Pour ma part, je l'ai toujours considéré comme un collègue loyal, en dépit de son goût un peu trop prononcé pour l'alcool, et j'estimais que c'était par jalousie que Milch me mettait souvent en garde contre lui.

Par suite de la nouvelle répartition des compétences économiques, l'équilibre des forces en matière de production s'était déplacé à mon profit. Il est possible que cette impression ait dissipé la crainte qu'éprouvait Himmler de placer ses créatures à des postes vulnérables. A peine dix mois plus tôt, il craignait qu'Ohlendorf fût dévalorisé en tant que chef de S.S. si le bilan de l'armement se révélait positif. Il était évident à présent qu'un bouleversement de tous ses projets était intervenu. Il fallait renforcer l'épine dorsale de Funk, connu pour sa souplesse et sa nonchalance. Ceci se passait le 20 août 1943, le jour même où Himmler en obtenant que la fabrication de fusées fût confiée à son département réussit une percée victorieuse au détriment de mes compétences, le jour même où il fut nommé ministre de l'Intérieur du Reich. Il estimait que son heure avait sonné et qu'il pouvait maintenant étendre sa puissance au ministère de l'Économie.

Lorsqu'en ces premiers jours de septembre Funk revint en compagnie de son nouveau secrétaire d'État Franz Hayler et du personnage politiquement beaucoup plus important qu'était Ohlendorf, il fut évident à mes yeux que ce double succès de Himmler marquait en réalité l'échec définitif de ma politique d'expansion. Ohlendorf et Hayler faisaient partie de l'entourage de Himmler. En la personne d'Ohlendorf, le *Reichsführer* disposait à présent d'un garant important à un poste de direction (*cf.* appendice VIII). Mais il était surtout devenu lui-même un facteur décisif au ministère de l'Économie si seulement il le désirait. Toutefois, ainsi que le montrera le cours ultérieur des événements, Himmler avait de toute évidence d'autres soucis et il s'en remettait à son collaborateur Ohlendorf pour lui frayer un chemin.

Il faut reconnaître qu'en déléguant Hayler et Ohlendorf au ministère de l'Économie, Himmler avait fait un bon choix. Tous deux appartenaient à l'élite intellectuelle dont les représentants étaient plus nombreux dans le haut commandement des S.S. que dans le Parti ; en revanche, dans leurs rangs subalternes, la médiocrité prédominait.

Agé de quarante-trois ans, le Dr Franz Hayler, après avoir fait ses humanités, avait passé un doctorat de sciences politiques. En 1934, il avait été nommé à titre honorifique directeur du groupe économique représentant le commerce de détail et, depuis 1938, il dirigeait le groupe représentant le commerce de tout le Reich. Il avait déjà pris part à la marche à la *Feldherrnhalle* de novembre 1923 et, à ce titre, il était décoré de ce que l'on appelait l'ordre du sang. Toutefois il n'était devenu membre du Parti qu'en 1931 avec le numéro 754 131. On souligna l'importance pour les S.S. de sa situation dans l'économie en lui octroyant le rang de *Brigadeführer*[31]. Après avoir été nommé secrétaire d'État auprès de Funk, il fut promu *Gruppenführer* par Himmler.

Ohlendorf, lui, était entré dès l'âge de dix-huit ans, en 1925, dans le Parti, il avait reçu le numéro 6 531 et bénéficiait à ce titre d'une considération particulière. A l'époque de sa nomination au ministère de l'Économie, il était âgé de trente-cinq ans, soit deux ans de moins que moi ; tout comme Hayler après ses humanités, il avait étudié le droit et l'économie politique. Deux ans après avoir passé l'examen de la magistrature d'État, il était devenu magistrat stagiaire et, peu après, chef de service à l'Institut berlinois de sciences économiques appliquées qui bénéficiait d'un grand prestige. En 1936, il commença une rapide carrière à l'Office principal de la sécurité du Reich (Gestapo). Trois ans plus tard, donc en 1939, promu aux fonctions toutes-puissantes de « chef du S.D. intérieur », il était l'homme le plus important des organes de surveillance de Himmler opérant dans le silence. Fonctionnant sous l'étiquette inoffensive de « Service de sécurité », cette redoutable organisation de S.S. entretenait un vaste réseau de mouchards qui possédait des agents dans pratiquement tous les bureaux et toutes les entreprises. En cette même année 1939, Hayler avait chargé son plus proche collaborateur Otto Ohlendorf de prendre la direction générale du groupe représentant le commerce du Reich. De juin 1941 à juillet 1942, Ohlendorf avait commandé un groupe de S.S. dans les territoires de l'Est[32]. D'après ses aveux devant le tribunal de Nuremberg, 90 000 hommes, pour la plupart des Juifs, furent assassinés sur ses ordres. Il fut condamné à mort à Nuremberg et exécuté.

Il était prévisible que la situation se durcirait. Cette évolution est mise en lumière par une note de la « chronique » du 19 septembre 1944. Ce jour-là, le secrétaire d'État Hayler, le premier bourgmestre Liebel et le Dr Fränk, chef de l'office administratif de mon ministère, se présentèrent chez moi. La chronique note à ce propos : « Les hommes nouveaux du ministère de l'Économie du Reich et principalement Ohlendorf, le compagnon de Hayler, ont mis fin au morcellement de ce département. Ce qui en reste sera défendu avec la dernière énergie et le ministère s'efforcera de reconquérir le terrain qu'il a perdu. Dans cette lettre, il peut compter sur l'appui du ministre de l'Intérieur (Himmler). Malgré ces frictions, le ministre et les fonctionnaires de l'Agriculture ont d'excellents rapports. »

Au cours de cette conférence, Hayler parla avec optimisme de la situation générale. Pourtant depuis que les alliés occidentaux avaient pénétré sur le sol de l'Allemagne et possédaient la maîtrise absolue de l'air, l'évolution de la situation militaire était imprévisible. C'est pourquoi il semble que je me sois moqué de l'optimisme de mes interlocuteurs. La chronique poursuit avec une certaine ironie : « A titre de récompense pour services rendus le ministre remet une cravate verte au secrétaire d'État Hayler. Cette nouvelle distinction doit son existence à un échange de propos sur les nombreux coloris des cravates et la nécessité de récompenser publiquement l'optimisme. La cravate verte déposée dans un coffret fourni par l'Office de la production est attribuée par le ministre à ceux qui ont fait preuve d'un optimisme inébranlable. Cette décoration se situe tout de suite au-dessus ou au-dessous de la croix de chevalier, selon le grade occupé dans l'ordre par le récipiendaire[33]. »

Bientôt, on apprit que « les changements de personnes intervenus au ministère de l'Armement et de la Production de guerre avaient donné naissance à des rumeurs ». On escomptait l'entrée d'Ohlendorf au ministère de l'Armement où il occupait le poste de secrétaire général[34]. En fait, au cours des premiers jours de novembre 1944, la lutte pour le pouvoir entra dans une phase nouvelle. Ohlendorf m'avait demandé une audience au cours de laquelle il me présenta le projet suivant : L'autonomie des divers ministères devait être supprimée dans une large mesure et, en leur lieu et place, on créerait une vaste organisation unifiée groupant l'économie, la production, l'armement, le travail et l'alimentation ; Sauckel, qui possédait les pleins pouvoirs pour la mobilisation de la main-d'œuvre, pourrait être incorporé dans la nouvelle création. Ohlendorf prévoyait que je dirigerais ce ministère-mammouth. Un document que je mis au point quelques semaines après ma captivité relève qu'il avait l'intention d'assumer les fonctions de secrétaire général et de rapporteur personnel auprès de Funk ; en revanche, Hayler, après avoir succédé à Liebel, qui venait d'être limogé, devait être le seul secrétaire d'État de mon vaste ministère et, de la sorte, mon représentant permanent.

Funk continuait donc à être seul responsable dans toutes les questions de principe de l'économie. En outre, il conservait depuis le début des hostilités le poste de « délégué général pour l'économie de guerre ». C'était là une institution qui, légalement solide, n'avait cependant jamais joué un rôle actif en raison de l'ambition de Göring et de la mollesse de Funk. Je fus donc à même de prévoir, que, intelligent et sans scrupules, Ohlendorf agissant comme représentant de Funk se serait approprié toutes les décisions relatives à l'orientation de l'ensemble de l'économie de guerre. L'assurance donnée par l'intéressé que jamais les fonctions de délégué général pour l'Économie ne seraient renouvelées ne me firent pas changer d'avis. Étant donné que Hayler et Ohlendorf collaboraient étroitement depuis des années, ils se seraient incontestablement imposés dans mon ministère, l'un comme mon secrétaire d'État, l'autre comme le secrétaire de Funk, tous deux étant en outre investis par celui-ci de pleins pouvoirs et protégés par Himmler. Ils auraient réussi en dépit de l'ampleur de mes pouvoirs en tant que superministre [35]. Je fis semblant d'accepter ce plan hypocrite afin de ne pas provoquer une solution de force, que l'affaiblissement de ma situation rendait possible.

A peine quelques mois plus tôt, dès septembre 1944, on avait examiné à la demande d'Ohlendorf comment mettre sur pied un Office de l'économie de guerre grâce à une fusion à l'échelon moyen de l'alimentation, de la mobilisation de la main-d'œuvre, de l'économie et de l'armement. Cette mesure eût été opportune si, là aussi, il ne s'était pas agi uniquement du transfert de tout le pouvoir au profit d'Ohlendorf. Celui-ci assurait, il est vrai, que les décisions de la nouvelle instance m'appartiendraient, mais cette autorité devait se servir aussi des droits reconnus à Funk en tant que délégué pour l'économie de guerre, un domaine dans lequel Ohlendorf aurait exercé des fonctions dirigeantes à titre de secrétaire de Funk. Le 11 septembre 1944, mon représentant, Liebel, remit à Hayler une « brève analyse relative au projet de fusion des bureaux à l'échelon moyen [36] ». Le document n'abordait pas les projets d'Ohlendorf ni de Hayler. Il s'agissait de toute évidence d'une action de retardement menée à l'aide de moyens bureaucratiques.

D'après un autre projet d'Ohlendorf, Funk voulait atteindre son but par un détour qui consistait à se servir des pleins pouvoirs donnés à Göring. Il avait déjà eu toute une série d'entretiens avec lui ainsi qu'avec Lammers. Sa stratégie visait à obtenir que le maréchal lui déléguât les fonctions dictatoriales qu'il occupait en tant que directeur du plan de quatre ans. En vertu de ce projet, Funk devait également figurer au premier rang, mais en tant que son représentant, Ohlendorf aurait pratiquement pris toutes les décisions d'ordre économique. Ce plan fut lui aussi examiné avec soin en octobre/novembre 1944 [37]. Mais nous disposions depuis longtemps pour une telle tâche du bureau de planification de mon ministère, de sorte que toute l'opération était superflue.

Au cours de sa déposition devant un tribunal de Nuremberg, Ohlendorf mentionna ses projets passés qu'il désigna à ce moment comme le « plan de réforme de l'administration de l'économie », élaboré par ses soins à l'automne de 1944. Ce plan visait « à établir au moins dans le domaine de l'économie une administration normale et un état de choses conformes à la Constitution[38] ».

Himmler paraît avoir formé un homme qualifié de son état-major pour assumer chaque compétence importante. En tout cas, on avait l'impression de se trouver en présence d'une succession méthodiquement préparée, même dans les domaines qui ne concernaient en rien les S.S. A titre d'exemple sur ce point, il faut mentionner Kammler, mais aussi Ohlendorf. Dès ce moment, il me parut être l'homme auquel Himmler avait songé pour le ministère de l'Économie du Reich.

Une note inscrite au dossier est caractéristique du secret qui entourait les plans confidentiels. Bormann l'a dictée le 3 novembre 1944 avec la mention « sous pli particulier » à l'intention de son secrétaire d'État Klopfer : « Concerne entretien avec ministre Speer. D'après les déclarations du membre du Parti Speer, je ne crois pas que le ministre Funk ait été mis au courant par Hayler et Ohlendorf de leur projet de transmettre les dernières compétences du ministère de l'Économie au ministre Speer. Bien entendu celui-ci n'a rien révélé de *ses* (souligné dans le texte original) objectifs[39]. » Toujours méfiant à mon égard, Bormann n'était par conséquent nullement informé des intentions poursuivies par Ohlendorf.

Contre tous les projets de celui-ci, j'avais mis au point une action qui par sa réussite était appelée à rassurer Bormann quelques jours plus tard : depuis la création de mon ministère, en mai 1943, le Dr Theo Hupfauer collaborait dans la Ruhr, en qualité de représentant du « Front du travail allemand », au personnel chargé de réparer rapidement les dommages causés par les bombardements aériens. Membre de longue date du Parti, Hupfauer était sans doute le plus intelligent des collaborateurs du Dr Ley, ce qui en soi ne voulait pas dire grand-chose. Je me suis souvent entretenu avec lui des insuffisances politiques du régime et, à cette occasion, j'ai trouvé un homme sympathique et compréhensif. Au cours de ces journées de novembre 1944, j'invitai Hupfauer à avoir un nouvel entretien. Au jour fixé, nous partîmes dans ma voiture à la nuit tombante et nous nous engageâmes dans les bois aux portes de Berlin. Là, je lui exposai franchement les tâches qui allaient inéluctablement nous incomber. Je considérais que désormais j'aurais pour premier devoir d'empêcher les destructions d'établissements industriels, afin de conserver la substance économique de la nation. Hupfauer approuva mes arguments et me promit son concours inconditionnel sans considération pour le danger personnel auquel il s'exposait. Il a pleinement tenu parole. Sous l'effet de cet entretien, je tentai un « coup d'État ». Au cours des derniers jours de novembre, je sollicitai l'accord de Bormann pour la désignation de Hupfauer comme successeur de Liebel. Je m'attendais à une longue discussion, mais il fut tout de suite d'accord, une fois que je lui donnai l'assurance que d'autres incursions dans les compétences du ministère de l'Économie n'étaient pas prévues. Peut-être se doutait-il que la désignation de Hupfauer aux fonctions de chef de mon service central équivalait en même temps au rejet définitif des projets du groupe Ohlendorf-Hayler, car dans mon ministère spécialisé ce service passait pour être le bureau politique.

Au cours des premiers jours de décembre 1944, Hupfauer assuma, outre le service central, l'Office de l'armement dirigé par Waeger. Après avoir reçu l'assentiment de Bormann, je fis part de cette nomination aux deux intéressés, Ohlendorf et Hayler.

L’idéologie économique des S.S.

Ohlendorf et Hayler avaient prétendu simplifier la production de guerre au moyen d’une coordination et d’une réforme de l’administration économique. De fait, à l’échelon subalterne, il y aurait eu avantage à réduire à un dénominateur commun les nombreuses administrations de toutes sortes, séparées les unes des autres ; c’était le cas pour la mobilisation de la main-d’œuvre, l’alimentation, l’artisanat, la répartition de l’énergie, charbon et carburant.

Mais, en réalité, Ohlendorf poursuivait d’autres buts. Il avait en vue pour l’après-guerre un changement fondamental de la politique économique ; dès maintenant au moment le plus dramatique de la guerre, il lui fallait préparer les voies à cet effet. Pour comprendre ses ambitions, il faut se souvenir des idées quelque peu nébuleuses sur le fonctionnement de l’économie, qui étaient formulées avant 1933 dans les premières théories idéologiques national-socialistes. Ainsi, au cours d’un entretien avec son conseiller économique Otto Wagener, Hitler déclarait-il que « l’industrialisation avait fait perdre toute liberté à l’individu, devenu l’esclave du capital et de la machine ». Elle était « un moulin dans lequel toute autonomie, tout individualisme se trouvaient impitoyablement broyés ». Seul « notre socialisme nous ramènera à l’individualisme en éliminant radicalement toutes les erreurs de l’industrialisation au cours d’une évolution qui ressuscitera et les notions de service de l’humanité, et l’individualisme [1] ».

A partir de l’automne 1943, Ohlendorf reprit ces idées de Hitler, qui, du fait de Schacht, de Funk et de Göring, avaient cessé depuis longtemps d’avoir cours dans la pratique de la politique économique. Plus récemment, ces théories étaient d’autant plus abandonnées que j’avais introduit dans l’organisation de l’économie un américanisme qui avait relativement réussi. Il a marqué, en tout cas, pour l’industrie allemande, une étape décisive sur la voie de la « révolution des managers ».

Ohlendorf, qui était sans conteste l’un des penseurs les plus brillants du national-socialisme, déclara le 15 juin 1944 devant les conseillers économiques du Parti [2] : « Nous devons considérer et mettre à l’épreuve toute structure économique en nous demandant en même temps si elle permet aux qualités fondamentales de l'homme allemand de s'épanouir dans toute leur plénitude. Nous devons être sûrs de pouvoir faire triompher totalement dans l'économie les éléments de notre conception du monde : honneur, liberté, autoresponsabilité, honnêteté et authenticité. » Rejetant le principe de rendement qui avait été introduit par mon organisation, il ajouta : « La quantité de biens que nous produirons après la guerre importe peu, en revanche, il est essentiel que nous conservions, que nous développions la substance de nos valeurs spécifiques et qu'ainsi nous puissions gagner la paix. »

Selon lui, mes principes en matière de production mettaient cet objectif en péril, car ils correspondaient à un raisonnement selon lequel la conscience de liberté de l'homme allemand était mise sur le même pied que les possibilités du consommateur de satisfaire ses besoins. Et pourtant n'était-ce pas un propos parfaitement normal que de vouloir, après la guerre, couvrir au moyen d'une production aussi élevée que possible nos vastes besoins longtemps insatisfaits ?

Ohlendorf opposait à cette thèse des arguments d'ordre philosophico-historique : « Si nous imposons pleinement notre conception du monde dans le domaine de la direction de l'économie, nous acquerrons enfin cette organisation qui, en dernier ressort, identifie l'épanouissement de la force humaine avec les obligations de l'homme envers son Dieu[3]. »

Ohlendorf prononça son discours le 15 juin 1944. Je lui avais déjà répondu six jours auparavant, le 9 juin, devant tous les collaborateurs de l'industrie et les chefs d'entreprise de grandes fabriques d'armements réunis à Essen. J'avais précisé que « quiconque attaque l'autoresponsabilité de l'industrie doit pouvoir justifier ses critiques. Quiconque discrédite mes collaborateurs par des insinuations doit savoir qu'il peut infliger les plus graves dommages à l'un des instruments essentiels dans la lutte menée par le peuple allemand pour son existence... ». Et j'ajoutai dans un autre passage de mon discours : « En aucun cas, je ne tolérerai que, par des allégations déshonorantes qui ne peuvent être approuvées, l'on jette le discrédit sur des hommes qui se sont mis volontairement au service de l'armement et de la production de guerre allemande. Le travail que ces hommes doivent fournir est en vérité trop sérieux et le fardeau qu'ils ont assumé volontairement est trop lourd pour cela... L'exécution de vastes tâches industrielles ne peut être dirigée que par des hommes ayant fait leurs preuves dans l'industrie elle-même. »

J'avais cependant fait une concession aux préoccupations d'Ohlendorf en déclarant dans ce discours que la forme de notre organisation économique pour l'après-guerre devrait être déterminée ultérieurement. « Nous tous, dis-je, qui avons été volontaires pour pousser au maximum la production de l'Allemagne dans ces années décisives pour le destin de notre peuple, nous estimons que cette tâche est uniquement conditionnée par la guerre. Tant qu'elle durera, ajoutai-je, l'autoresponsabilité de l'industrie devra être renforcée et l'on devra la doter de pouvoirs encore plus étendus. Nous ne pouvons plus abandonner le chemin sur lequel nous nous sommes engagés[4]. » Peu après, je fis passer dans la presse des extraits de mon discours avec des articles commentant notre système, ce qui contribua à aggraver les divergences. (*Cf.* appendice IX.)

La doctrine de l'autoresponsabilité de l'industrie tenait pour l'un de ses objectifs évidents la notion de l'entreprise optimale, c'est-à-dire de l'entreprise capable d'atteindre le rendement maximal avec une main-d'œuvre et un matériel réduits. « La notion souvent utilisée d'entreprise optimale appelle des réserves, objecta Ohlendorf. Il faut se représenter les conséquences d'une modification de structure à cette échelle de grandeur. Pour l'artisanat, 77 pour 100 des ateliers ne correspondent pas à l'idée d'entreprise optimale... Avec ce système, des millions de gens seraient contraints au travail anonyme ; après avoir produit un tout, ils devraient produire des pièces détachées. En outre, une telle modification de l'économie artisanale entraînerait une nouvelle accumulation de capital et, ainsi, une aggravation de l'antagonisme entre riches et pauvres. Enfin, l'abandon de la petite entreprise, l'abandon de l'atelier par son propriétaire créeraient une séparation entre le travail et l'espace vital, d'une manière générale, elle équivaudrait à éloigner les intéressés de leur lieu d'occupation ce qui, à son tour, aurait nécessairement des répercussions sur leur travail[5]. »

On trouve encore des idées analogues dans l'article d'Ohlendorf du 28 décembre 1944 intitulé « Bilan économique » : « J'ai dit précédemment combien nous sommes influencés par les idées de rationalisation et d'entreprise optimale. Elles nous amènent à considérer la grande entreprise comme un idéal parce qu'elle nous permet d'utiliser aussi bien que possible la technique et l'organisation. C'est pourquoi nous assistons partout à la mort des petites et moyennes affaires en une course à la grande entreprise qui n'a peut-être jamais connu une telle ampleur. Nous constatons une concentration du capital qui n'eût pas manqué de susciter l'envie de Karl Marx. Il ne s'agit pas pour nous d'un phénomène indifférent[6]. »

Ailleurs Ohlendorf souligne : « Les nombreuses existences indépendantes représentent l'une des couches sociales les plus précieuses et les plus fécondes de toute l'économie allemande. Or, nous ne devons pas nous dissimuler que du fait de la guerre, de graves atteintes lui ont été portées, par exemple, l'élimination de 500000 artisans indépendants au profit de l'armement. » Bien sûr, l'économie de guerre a sensiblement modifié le nombre des petites entreprises, mais aucune statistique ne fait ressortir des conséquences de cet ordre de grandeur.

A la différence du capitalisme et du bolchevisme, l'ordre économique allemand projeté par Ohlendorf « vise intensément à maintenir autant que possible de nombreuses entreprises individuelles autoresponsables. Tout comme le bolchevisme, le capitalisme tardif a atteint un stade de développement qui ne laisse aucune autoresponsabilité à l'individu et ne lui permet pas de s'épanouir dans le cadre de son activité économique. Mais la dignité de l'homme ne peut être sauvegardée qu'au sein d'un ordre économique lui permettant de vivre et d'agir au sens humain du mot[7] ». En proie au doute, Ohlendorf s'interrogeait : « En nous contraignant à une production de masse des armes, cette guerre n'a-t-elle pas inauguré une époque sans précédent de la production de masse en général ? Sommes-nous à la veille d'une ère industrielle tout à fait nouvelle qui a été engendrée par les dures exigences de la guerre et qui donnera son visage à l'époque d'*après*[8] la guerre ? (En fait, c'étaient bien les préoccupations qui inspiraient nos idées relatives à une production de paix.) Mais après avoir appris de main de maître à produire en série des armes et des munitions, l'industrie ne développera-t-elle pas également une capacité de rendement tout à fait nouvelle dans la fabrication en série de vêtements ou de produits alimentaires ? » C'était aussi, en partie, notre but et nous savions que nous pouvions l'atteindre en réduisant sensiblement les prix d'avant-guerre. Nous voulions nous servir de la différence entre les prix d'avant-guerre et les prix de revient pour commencer à amortir les dettes de guerre.

Pour Ohlendorf nos méthodes de production mettaient véritablement en péril ses idéaux nationaux-socialistes et, comme nous l'avons vu, ses idées en la matière étaient rigoureusement en accord avec celles qu'exprimait Hitler avant 1942 : « L'après-guerre sera une époque où l'on pensera en termes de grands espaces avec une inclination à jongler avec des chiffres mammouths. On peut imaginer qu'après avoir joué un rôle aussi important dans la guerre, la fabrication de masse, la production en série s'imposeront aussi à l'après-guerre. L'Europe peut-elle concurrencer sur le plan mondial la fabrication en série de type américain ou asiatique ? Si devait s'engager une *course au gigantisme dans la production,* dont les résultats seraient décisifs pour sauvegarder la vie et la position du peuple allemand, alors l'Allemagne devrait prendre en temps voulu les mesures destinées à l'empêcher d'être vaincue dans cette course. On pourrait même aller jusqu'à prétendre que, pour un temps limité, elle devrait mettre en veilleuse ses préoccupations relatives à l'homme allemand, à sa vie personnelle et à son bonheur. »

Le théoricien Ohlendorf ne pouvait prévoir que les succès économiques allemands après la guerre donneraient une réponse positive à cette question. Il écrivait alors : « Quelle que soit l'issue de la guerre, s'il devait adopter l'idée de la production de masse, le peuple allemand devrait concurrencer sur ce plan soit le Japon, soit les États-Unis. Il est évident qu'il n'est pas possible de les affronter tous deux sans détruire les fondements de l'existence du peuple allemand. Cependant si nous ne pouvons opposer la masse à la masse, il ne nous reste plus d'autre solution que d'opposer la qualité à la masse. » Ce point de vue était aussi le nôtre. Seule une qualité supérieure dans la production de l'armement nous donnait une chance de compenser la productivité souvent bien supérieure de l'adversaire. Mais ces chars, ces armes ou ces avions à réaction — qui, soit dit entre parenthèses, arrivèrent toujours trop tard — furent produits bien entendu par nos méthodes de rationalisation et de fabrication en série. »

Ohlendorf poursuivait : « La force du peuple allemand, ses possibilités futures dépendent du maintien et de l'exploitation de ses aptitudes qualitatives ainsi que de leurs fondements[8]. » Tout cela paraissait très convaincant et donnait même l'impression qu'il cherchait à tirer un argument des expériences de la production de guerre. Pourtant il aurait dû savoir que le produit hors classe de la qualité allemande était le moteur d'avion B.M.W. à grand rendement. Or celui-ci avait été fabriqué en série à l'aide de machines-outils travaillant automatiquement et desservies par des prisonniers de guerre russes, formés en quelques semaines, qui, naturellement, étaient aidés par des techniciens et un personnel de surveillance spécialisé. En moyenne, la production de masse est mieux à même d'assurer une qualité supérieure qu'une production individuelle. Autant dire que la théorie d'Ohlendorf était empreinte d'un pur romantisme.

« *L'Allemagne peut-elle réellement mener jusqu'au bout une industrialisation mammouth ?* » demandait-il encore tout en invoquant l'argument relatif à la supériorité de la mentalité paysanne sur celle des travailleurs de l'industrie. « Où donc, s'écriait-il, trouvera-t-on les aliments nécessaires à l'industrialisation et aux populations qui viendront s'établir dans les villes, et d'où tirera-t-on ces gens lorsque la source intérieure de la force du peuple allemand, le paysannat, aura été tarie par la totale industrialisation[9] ? »

Pourtant Dieu sait que ce n'était pas là notre intention. Nous savions que les nouvelles méthodes de production impliquent un nombre réduit d'ouvriers. Aussi entrevoyions-nous les difficultés que susciterait le retour à la vie civile de millions de soldats qui, auparavant, collaboraient à la production industrielle.

« Dans l'ensemble, nous nous trouvons en présence d'un formidable nivellement de masse », constatait Ohlendorf à une autre occasion. La détente de l'être humain après la fatigue du travail ne peut être obtenue uniquement par un repos collectif organisé, comme le pratique le Front du travail allemand. Des bains et des plaisirs collectifs organisés ne peuvent être les bases du développement des hommes avec lesquels nous nous proposons d'édifier un Reich millénaire. »

Ce propos visait directement les activités de l'organisation créée par Ley sous le nom de *Kraft durch Freude* (La Force par la joie) qui s'attaquait à de tels objectifs. « La détente ne peut consister seulement en un repos collectif organisé, elle doit aussi, par exemple, se trouver dans le travail lui-même et dans la joie qui en est le fruit, comme chez le paysan qui, le soir, la tâche accomplie, passe en revue ce qu'il a fait durant la journée et réfléchit au programme du lendemain[10]. »

Je m'étais également attardé à des idées analogues au temps où j'étais assistant du Pr Tessenow. Avec Damaschke, le réformateur foncier, Tessenow et d'autres universitaires de ce même milieu avaient élaboré des théories de ce genre. Je vois aujourd'hui à quel point tout cela est tourné vers le passé, je sais que l'on ne peut conduire une économie moderne en parlant de tels principes patriarcaux, mais, malgré tout, ces déclarations d'Ohlendorf continuent à trouver un écho en moi en raison de l'intérêt que je porte à l'être humain.

Dans une conférence de travail sur les questions sociologiques qui eut lieu le 1er décembre 1944 au ministère de l'Économie, Ohlendorf développa ses idées : « Il est indubitable, dit-il, que dans la politique économique actuelle, c'est-à-dire l'autoresponsabilité, l'utilisation rationnelle du travail est l'un des points essentiels du programme. Il consiste à donner pour objectif à l'économie de produire le maximum à un coût minimal. » A l'époque nous considérions que c'était exact ; aujourd'hui encore, j'estime que cela va de soi.

Ohlendorf exprimait ainsi sa mise en garde : « Si nous tentons d'appliquer ce principe sans tenir compte des autres impératifs du racisme, si, par une simplification peut-être superficielle, nous les mettons sur un pied d'égalité avec les meilleurs aménagements de l'entreprise rationalisée, si nous considérons uniquement la technique sans tenir compte des aspects politiques de l'activité, en d'autres termes, si nous permettons à la technique d'élaborer l'ultime forme possible en matière de construction ou d'organisation, si nous acceptons qu'elle soit la règle du développement économique, alors il ne reste plus d'autre choix aux législateurs que de se soumettre à cette construction ou à cette organisation technique. Mais attention, concluait Ohlendorf. Dans ce cas, l'épanouissement de l'existence humaine cesserait de déterminer la forme de l'économie ; seules compteraient l'organisation, la méthode solidement fondée, l'utilisation aussi efficace que possible de la technique ! »

Après avoir ainsi stigmatisé l'idéal de notre stratégie de succès, il lui opposait le sien : « Le peuple est conditionné par la vitalité, le devenir et la mort et aussi bien par les ancêtres, le présent et les petits-enfants. C'est pourquoi je ne puis considérer l'économie uniquement comme telle, pour moi elle n'existe qu'en fonction des données de la société et de la race[11]. » La naïveté dont témoignent ces dernières phrases a de quoi étonner surtout quand on songe que leur auteur, rapporteur au ministère de l'Économie, travaillait pour le compte des S.S. (cf. appendice X). D'autre part, Ohlendorf était un intellectuel hautement qualifié, aux vastes ambitions. Il montrait de la compréhension pour les problèmes humanitaires, il voulait sauvegarder les valeurs individuelles et, d'autre part, en tant que chef d'un groupe d'intervention, il prenait sur lui de faire assassiner 90 000 personnes[12].

Il défendait ses idées avec l'entêtement d'un fanatique et, malgré son intelligence et sa logique, il ne put et ne voulut jamais renier le romantisme de son attitude fondamentale. Cette qualité, il la partageait avec Himmler ainsi qu'avec de nombreux chefs de S.S. de grade supérieur. En tant que premier idéologue du secteur économique, il se faisait véritablement un devoir de nier l'évolution technique de notre siècle et de projeter dans l'analyse du développement des guerres modernes des conclusions qui pouvaient encore avoir cours à l'époque de la Révolution française. « Finalement, disait-il, il faudrait peut-être souligner que cette guerre n'est pas seulement une guerre de production, mais aussi une guerre des idées, et l'histoire abonde en exemples donnant la preuve que les idées se sont révélées plus fortes que les chiffres des productions [13]. » Ces phrases datent de la fin janvier 1945 quand la défaite finale n'était plus qu'une question de semaines. Elles sont caractéristiques des idées utopiques et véritablement euphoriques qui avaient cours à la veille de l'effondrement. Mais cette conclusion surprenante était nécessaire dès le moment où Ohlendorf lui-même avait dû constater que la production du bassin de la Ruhr ayant cessé, l'industrie allemande ne pouvait plus fabriquer des armes qu'en utilisant des pièces détachées provenant des stocks restants.

Quelques mois auparavant Ohlendorf anticipait déjà les guerres futures. Il avait certainement entendu parler des projets exposés en privé par Hitler qui, après sa victoire en Europe, comptait se lancer dans une nouvelle guerre contre les États-Unis afin d'atteindre enfin son objectif ultime, cette domination mondiale en vue de laquelle il avait fait construire dès 1925 des édifices triomphaux.

Ce projet, Hitler l'exposa en 1941 dans l'un de ses monologues au quartier général : « Berlin deviendra un jour la capitale du monde (...). Celui qui pénètre dans la chancellerie du Reich doit avoir le sentiment de se présenter aux maîtres du monde (...). Car une fois maîtres de l'Europe, nous occuperons une position dominante dans le monde. Avec les autres États de l'Europe nous arriverons à un total de 400 millions d'hommes (dont 230 millions d'Allemands). Avec une telle population, nous affronterons 130 millions d'Américains [14]. »

Ces propos sont à rapprocher d'un article d'Ohlendorf intitulé : « L'Amérique est-elle l'adversaire futur [15] ? » « Nous devons tous commencer par une civilisation matérielle, mais, en attendant, nous devons être à même de mobiliser les valeurs culturelles anciennes et de puiser en elles des virtualités faisant défaut à ceux qui se cantonnent dans la civilisation matérielle [16]. » Il faut noter que ces idées naïves de l'été 1944 font partie de théories concernant la manière dont les guerres futures devront être menées par-delà les continents.

En mars 1963, dans mon journal de Spandau, je suis encore revenu sur ces idées [17] : « Ma conclusion, qui, à l'époque, fut si largement approuvée par la presse, était-elle justifiée ? Peut-on parler d'un danger technique provoqué tout d'abord par Hitler ? N'a-t-il pas été véritablement antimoderne ? En fin de compte, pour symboliser l'idéologie national-socialiste, il n'a pas choisi la machine à semer, mais le semeur, non le tracteur, mais la charrue. On préféra le toit de chaume au toit en Éternit et, pour exprimer notre époque de technique, on substitua des chants folkloriques à la musique moderne. Hitler était capable de polémiquer contre la « machine sans âme ». En se plaçant à un point de vue pessimiste sur le plan de la culture, on peut comprendre certaines de ces tendances. Mais cette hostilité envers la modernité empêcha Hitler de se rapprocher de la victoire : Toit de chaume, conceptions archaïques en matière de fabrication artisanale, répartition du sol en fermes paysannes, tout cela s'opposait dans la pratique à l'utilisation rationnelle de la production allemande mais l'obstacle était encore plus sensible du fait de son arrière-plan idéologique. Quand, en 1942, j'abordai ma tâche en tant que ministre de l'Armement, j'eus continuellement à affronter de telles difficultés, je me heurtai à une résistance qui prenait les formes les plus imprévues. Par exemple, lorsque je demandai que l'on utilisât tous les moyens pour arriver à la fission nucléaire, on m'opposa un article paru dans *l'Observateur raciste,* organe du Parti, sous le titre : « La physique juive s'agite de nouveau. »

On trouve un exemple caractéristique de ce pseudo-romantisme idéologique dans le refus, opposé par Hitler, Göring et Sauckel, de laisser pendant la guerre les femmes allemandes travailler à l'armement, comme cela se fit tout naturellement dans les pays anglo-saxons. Le motif invoqué à l'appui de cette décision fut que le travail en usine leur serait moralement nuisible et léserait leur fécondité. Des conceptions aussi naïves ne s'accordaient évidemment pas avec les projets de Hitler de faire de l'Allemagne la nation la plus puissante du globe. Jusqu'en 1942 le Reich ne fut gouverné qu'en apparence sur une base à la fois technique et rationnelle.

A bien réfléchir, Hitler était antimoderne jusque dans ses décisions sur l'armement. Il ne s'opposa pas seulement à la fabrication du pistolet mitrailleur, sous prétexte que celui-ci encourageait la lâcheté des soldats et rendait impossible le corps à corps ; il rejeta l'avion à réaction parce que son extrême rapidité gênait le combat. Jusqu'en 1943, il manifesta aussi peu de compréhension pour la propulsion par réaction que pour les fusées. Il se méfiait même de nos timides efforts en vue d'arriver à une bombe atomique par la fission nucléaire et, dans ses entretiens privés, il déclara que c'était le produit de la scatologie scientifique juive. Ainsi Hitler, tout comme Ohlendorf et avec eux la majorité des grands du Parti, nourrissait-il en apparence des idéaux philanthropiques. Il fallait recourir à la technique pour gagner la guerre mais en soi, la technique était à ses yeux le Mal.

Pour ma part également, dans la conclusion que j'exposai à Nuremberg, je défendis la thèse selon laquelle la technique était le « Menetekel » de notre époque. Au lieu de me soucier de ma défense, je mis en garde contre les conséquences de la technique moderne : « Le régime de Hitler a été la première dictature d'un État industriel en cet âge de technique moderne, une dictature qui a pleinement utilisé les moyens techniques pour arriver à dominer son propre peuple. » J'ajoutai que « le cauchemar de beaucoup de gens qui craignaient de voir un jour la technique dominer les peuples avait presque été réalisé dans le système autoritaire de Hitler. Presque chaque État du monde se trouve exposé aujourd'hui au danger d'être terrorisé par la technique. Mais dans une dictature moderne ce péril me paraît être inévitable. Aussi plus le monde deviendra « technique », plus sera nécessaire, en contrepartie, l'aspiration à la liberté individuelle et à la conscience particulière de chacun de nous. »

Me rendais-je bien compte à l'époque que j'avais moi-même imposé la prépondérance de la technologie en Allemagne ? Jusque-là, la production de masse avait été en contradiction avec le programme idéologique national-socialiste. Dans les idées saugrenues d'Ohlendorf, on peut retrouver presque mot pour mot l'influence du personnage qu'était Hitler au cours de sa première époque. A maints égards ses raisonnements furent empruntés à la substance idéologique du national-socialisme des premières années.

En fait, les contradictions qui nous ont mis aux prises, Ohlendorf et moi, reflètent des conflits qui se sont exprimés jusque dans la révolte des étudiants. Les craintes de notre temps se font l'écho d'émotions analogues, et de nombreuses affirmations d'Ohlendorf semblent exprimer le pressentiment des problèmes que la société industrielle des États modernes nous pose. Aujourd'hui, je défends des positions qui sont semblables à celles d'Ohlendorf. Mais j'ai été quelque peu troublé en découvrant à présent ce parallèle entre ses idées et les miennes. De tels rapprochements ne nous invitent-ils pas à réfléchir ?

Deuxième Partie
Menaces et intrigues

Querelles de compétences dans le Protectorat (Tchécoslovaquie)

Depuis la chute, en septembre 1941, du baron Constantin von Neurath, protecteur du Reich en Bohême et Moravie, les S.S. considéraient comme leur domaine propre l'industrie de tout le territoire tchèque désigné sous le nom de « Protectorat ». Jusqu'à son assassinat en juin 1942, Reinhard Heydrich fut donc le maître incontesté de cette région, agissant dans une large mesure indépendamment de l'administration berlinoise. La tradition en vertu de laquelle les affaires du gouvernement étaient confiées à des chefs S.S. ayant fait leurs preuves fut maintenue après sa mort sous le mandat donné à l'insignifiant Karl Hermann Frank. Il n'est donc pas étonnant que Himmler et son état-major aient cherché à exploiter la forte industrie de l'ancienne Tchécoslovaquie au profit de l'armement de la milice. Quand, dans les premiers mois de mon activité ministérielle, il mit la main, sans autre forme de procès, sur la production perfectionnée des usines Skoda, auxquelles appartenaient également les manufactures de Brünn [1], il considérait, de toute évidence, qu'il agissait en vertu d'un droit légitime. Pour parer à la critique, il avait réussi en mars 1942 à convaincre Hitler qu'à l'avenir « les usines Skoda et les manufactures d'armes de Brünn devraient mettre au point leurs nouveaux développements en collaboration avec les Waffen S.S.* ».

Pendant de nombreux mois, cet ordre d'Hitler me demeura inconnu ; il s'agissait de l'une des nombreuses duplicités dont il se rendait coupable continuellement en donnant des instructions à l'un ou à l'autre sans se soucier du prestige de ses ministres ou de ses généraux et sans même les mettre au courant de son action. Il est vraisemblable que cet ordre trouvait son origine dans la méfiance ressentie par Hitler à l'encontre du bureau de l'armement des forces terrestres qui, pensait-il, était trop enclin à la routine et se montrait hostile aux innovations. Sans pouvoir me douter de cette conséquence, le 16 mars 1942, j'avais dissipé les craintes de Hitler, qui jusque-là

[1] Aujourd'hui Brno. (N.d.T.)

estimait qu'avec des ingénieurs tchèques les travaux de mise au point dans ces usines ne présentaient pas toutes les garanties de secret désirables. A l'époque il donna l'ordre de se borner tout d'abord à livrer aux usines Skoda pour les exploiter techniquement des armes prises à l'ennemi. Il précisa que cette décision devrait être communiquée à Heydrich[2].

Il était parfaitement conforme à la situation de fait que Voss, le chef des usines Skoda, qui était en même temps *Standartenführer* à titre honorifique, donnât l'assurance dans son premier rapport à Himmler « qu'il s'efforçait de satisfaire à tous égards les désirs des Waffen S.S. ». Dans un document qui comprenait de nombreuses pages tapées à la machine, il donnait des précisions sur le développement des obusiers de montage, d'un lance-mines de 8 cm pour 48 grenades autopropulsées conçu sur le modèle des orgues de Staline, sur un pistolet mitrailleur pour S.S., sur des grenades à fusil, sur une mitrailleuse capable de tirer 1 000 coups à la minute, et enfin sur un fusil automatique. Pour une grande part, écrivait-il, les essais étaient très avancés et « les exigences formulées par le *Reichsführer* avaient reçu très largement satisfaction ». Voss terminait sa lettre à Himmler en signant « votre très obéissant *Standartenführer* de S.S.[3] ».

Himmler fut impressionné : « Votre rapport sur les travaux de mise au point m'a vivement impressionné. Je suppose qu'à présent la collaboration joue parfaitement », répondit-il quelques semaines plus tard[4].

Trois jours après cet éloge, le 11 mai 1942, Voss fut à même de confirmer le bien-fondé de l'opinion de Himmler : « Grâce au fait que nous avons chargé l'état-major de liaison[5] de centraliser toutes les questions relatives à la mise au point des armes pour les Waffen S.S. dans les manufactures de Skoda et de Brünn, et du fait qu'une collaboration systématique autant qu'intense a été instituée avec le Bureau de l'armement des S.S., le développement des armes nouvelles a progressé plus vite que prévu[6]. »

Le 4 juin 1942 Voss adressa à Himmler un nouveau rapport détaillé montrant qu'en effet la fabrication des armes pour les S.S. avait fait de réels progrès : le lance-mines de 8 cm était terminé, un prototype du canon capable de tirer simultanément 48 projectiles était prêt à être essayé, il en allait de même pour le pistolet mitrailleur des S.S. dernier modèle, la fabrication en série des grenades à fusil avait commencé, le tir du nouveau fusil mitrailleur avait été vérifié et des essais avaient eu lieu devant les représentants du Bureau de l'armement des S.S., enfin un modèle de nouveau fusil à chargement automatique avait été envoyé au Bureau de l'armement des S.S.[7].

La complète dépendance de Voss vis-à-vis des S.S. fut mise en lumière le 10 juin 1942. Ce jour-là, il jugea bon d'informer non pas le feld-maréchal Milch, responsable de l'armement aérien, mais Himmler que ses usines pouvaient fabriquer une bombe capable d'atteindre son objectif avec grande précision : « Cette idée est assez importante pour être examinée sans délai...

Avant de m'adresser au feld-maréchal Milch, je vous prie humblement de me donner votre accord[8]. » Voss se considérait comme le mandataire de Himmler pour tous les projets de l'industrie militaire, même lorsqu'il s'agissait de ceux qui intéressaient d'autres armes comme l'aviation.

Mon ministère parvint peu à peu à refouler la prépondérance exercée par les S.S. dans le protectorat en matière d'armement. Nous réussîmes à intéresser Hitler aux fabrications provenant des usines tchèques qui étaient encore loin d'être utilisées à plein. A cet égard, il est caractéristique que les protocoles du Führer donnent une place proportionnellement très considérable aux usines Skoda : elles sont mentionnées dix-sept fois, alors que les entreprises Krupp, de loin beaucoup plus importantes, le sont trente fois. Étant donné l'intérêt porté par Hitler aux questions de production, il était inévitable à la longue que nos rapports aboutissent à faire donner aux ingénieurs de Skoda, qu'il estimait vivement, des instructions appelées à renforcer notre influence au sein de ces établissements.

Quelques semaines après la décision de Hitler de céder aux S.S. le droit de développer les usines Skoda et celles de Brünn, il accepta nos directives pour la construction du blindé tchèque 38 t qui, sous le nom de blindé de chasse martre 38, devait remporter de grands succès dans les unités de l'armée[9]. De plus, huit jours plus tard, on commanda également pour l'armée un canon de 24 cm et un obusier de 42 cm[10].

Six semaines plus tard, Hitler, impatient, insistait pour obtenir une livraison accélérée de ces canons à l'armée. Quelques mois après, ce fut le Bureau de l'armement des forces terrestres et non les S.S. qui essayèrent en même temps qu'un modèle de Krupp-Rheinmetall l'obusier léger de Skoda. Des propositions de cette entreprise relatives à un affût de canon antichar de 8,8 cm furent présentées à Hitler qui donna l'ordre de procéder à des comparaisons avec le modèle construit par Krupp-Rheinmetall[11]. Au début de janvier 1943, il décida de continuer à construire le camion Tatra à refroidissement par air en raison « de ses résultats de premier ordre[12] ». Un mois après, l'on put prévoir une production initiale mensuelle de 150 blindés de chasse par la fabrique de machines de Bohême-Moravie[13]. De même, sur l'ordre de Hitler, on décida d'utiliser les expériences faites par Skoda pour la construction d'un double canon antiaérien de 3 cm destiné à armer les sous-marins[14]. Combien de virtualités étaient restées inutilisées jusque-là en Tchécoslovaquie !

Cette évolution de la situation me permit, à peu près au même moment, c'est-à-dire en avril 1943, de déclarer dans une lettre au S.S. *Gruppenführer* Jüttner que la fabrication dans le protectorat d'une arme mise au point par les S.S. devait être considérée comme utopique. En conséquence, je l'informai que son désir, exprimé dans sa lettre du 14 décembre 1942, « de fabriquer 10 000 pistolets mitrailleurs S.S. 42 dans ce pays » ne pouvait recevoir satisfaction. La raison de ce refus tenait au fait que le pistolet mitrailleur 40 commandé par l'armée utilisait les mêmes cartouches 08 et qu'il était impossible d'un point de vue technique d'en accroître la fabrication. La manufacture par les usines de Brünn entraînerait une sensible réduction de la production pour les autres engins, parmi lesquels la carabine 98k et le canon contre-avions de 3,7 cm, dont la fabrication avait été désignée comme très urgente par le Führer. « Dans ces conditions, disais-je, je tiens la fabrication de 10 000 pistolets mitrailleurs 42 pour S.S. pour indéfendable et je vous prie de ne pas revenir sur cette affaire [15]. »

A la mi-novembre 1943, je fus à même de communiquer à Hitler « les résultats remarquables enregistrés par les fabriques d'armements dans le protectorat » et je pus lui transmettre l'assurance des bureaux compétents et des directions d'entreprise que celles-ci étaient prêtes à prendre les mesures voulues pour arriver à doubler dans le délai d'un an le rendement actuel [16]. On ne parlait plus d'une production dirigée par les S.S.

Nous avions établi que, depuis le début de l'occupation allemande, la Tchécoslovaquie était à même de produire quelques centaines de blindés avec tous accessoires, y compris les moteurs. Ayant obtenu l'accord de Hitler, on allait enfin pouvoir se lancer pleinement dans la production du char 38 t mis au point des années auparavant. Par la suite, il se révéla un excellent véhicule que la troupe appréciait vivement. Grâce à ce blanc-seing donné par Hitler, nous pûmes, à partir de la fin novembre 1943, mobiliser l'industrie du pays pour la production de ce qu'on a appelé le blindé tchèque. Mais ce fut seulement à la mi-mai 1944 que l'on nous confia la production de tracteurs pour S.S. dans la fabrique de « machines Bohême-Moravie ». Hitler souscrivit à notre proposition de compromis prévoyant qu'en échange de 1000 blindés de chasse du type 38 t, les S.S. recevraient à titre de dédommagement 25 ensembles de châssis du 38 t pour leur usage propre [17]. Du fait de telles tergiversations, nous réussîmes seulement au bout de dix mois, en octobre 1944, à livrer 385 chars. Les destructions infligées par les attaques aériennes à partir des derniers mois de l'été 1944 avaient entraîné une baisse de la production des blindés dans le Reich. Elle était tombée de 1 540 en juillet 1944 à 754 en janvier 1945 (sans tenir compte de celle de 38 t).

Par contre, en dépit de tous les obstacles, nous pûmes augmenter la production du char 38 t qui de 107 en juillet 1944 passa à 434 en juillet 1945. On voit par cet exemple à quel point le potentiel de production de la Tchécoslovaquie avait été négligé [18]. Finalement, au printemps de 1945, l'arrêt des livraisons d'acier nous empêcha, bien sûr, d'atteindre le chiffre de 1 000 blindés 38 t par mois qui avait été fixé. Néanmoins les faits que nous rapportons font ressortir les pertes subies par la direction de l'armée du fait de la politique de l'armement suivie par la hiérarchie des S.S. en Tchécoslovaquie.

Après coup, il est à peine possible d'évaluer le nombre de chars supplémentaires qui auraient pu être livrés à l'armée au cours des années précédentes si l'on avait utilisé ce potentiel de production. Sans doute convient-il d'admettre qu'après l'invasion de la Tchécoslovaquie au printemps de 1939 une année était nécessaire pour éliminer les difficultés administratives initiales ; concédons encore une seconde année pour le délai de mise en marche avant de pousser la production à son maximum. Toutefois si l'on se contente d'examiner rétrospectivement la période allant de 1941 à 1943, on peut considérer que deux années de production furent perdues, qui correspondent en fait à la perte d'environ 20 000 blindés de ce type léger et maniable. C'est là un exemple typique de l'amateurisme des S.S. mais aussi de leur incapacité à utiliser le potentiel de l'industrie tchèque à leur profit. Car Hitler lui-même ne craignit jamais pour des raisons de principe d'exploiter les ressources d'armement de la Tchécoslovaquie ; tout comme, après avoir hésité au début, il recommanda toujours d'exploiter au profit de la force armée allemande le potentiel industriel des pays occupés (France, Belgique, Hollande)[19].

A la mi-mai 1944, les dernières influences clandestines des S.S. au sein des usines Skoda avaient été bannies : « J'ai fait un rapport au Führer sur l'heureux progrès des chiffres de production des usines Skoda. A l'appui de cette constatation, j'ai présenté la juxtaposition de la production en janvier 1943, janvier 1944 et mars 1944. Le Führer nous a priés d'exprimer ses remerciements aux usines tout en soulignant son appréciation des remarquables résultats obtenus. Il a appris avec satisfaction que des mesures analogues sont introduites dans les manufactures d'armes de Brünn afin de permettre à cette entreprise d'arriver au même niveau de rendement[20]. » Ce rapport montre bien qu'avant notre intervention, la production propre des S.S. au sein de Skoda dut être faible.

Hitler fut particulièrement impressionné par la tâche accomplie par les techniciens qui travaillèrent d'abord pour les S.S. et ensuite pour mon organisation. Au début de novembre 1944, il parla en termes extrêmement élogieux des propositions faites par des ingénieurs tchèques concernant un mécanisme automatique de tir à répétition pour le lance-grenades de 8 cm[21]. Le même jour, j'informai Hitler que dans un concours de différents modèles d'obusiers lourds de campagne organisé par le Bureau des armements des forces terrestres, c'était le modèle de Skoda qui avait accompli les meilleures performances. A cette occasion Skoda avait présenté une nouvelle balle perforante dite « Sognapf ». Plein d'enthousiasme, Hitler donna l'ordre de faire bénéficier d'une forte dotation libre d'impôt l'inventeur tchèque de ce projectile nouveau[22].

De la sorte, au bout de deux ans, l'ordre de Hitler du 30 mars 1942 d'après lequel « les usines Skoda et les manufactures d'armes de Brünn devaient collaborer avec les S.S. pour ce qui concernait leur nouveau développement » se trouvait dépassé[23]. Mais on avait perdu des années et manqué l'occasion de fabriquer des milliers de blindés, de canons et d'armes d'infanterie.

La collaboration des ingénieurs et techniciens tchèques avait fait impression sur Hitler. C'est pourquoi dans les derniers jours de la guerre lorsque, au cours de ma visite à son bunker berlinois dans la nuit du 23 au 24 avril 1945, je lui proposai de donner l'ordre de les soustraire ainsi que les dirigeants de l'industrie tchèque à la vengeance des Russes en leur permettant de se réfugier par avion au quartier général américain, il donna sur-le-champ son accord[24]. Ainsi qu'on l'a établi récemment, ces hommes sont en effet arrivés en zone occidentale et, comme l'ont fait leurs collègues constructeurs en Allemagne, quelques-uns d'entre eux ont encore travaillé là-bas pendant des décennies.

Il faut noter avec quelque ironie que, sans doute, il s'est agi là de l'avant-dernière ordonnance de Hitler. Après elle, il n'y eut plus que le décret par lequel il instituait le grand amiral Dönitz comme son successeur.

On avait ainsi créé des conditions claires dans le domaine technique, mais sur le plan administratif on ne parvint pas à adapter les compétences respectives à cet état de choses. Cette absence de coordination tient sans doute au fait que je réussissais à obtenir des décisions de Hitler sur des questions de production, mais qu'il se dérobait dès qu'il fallait limiter les compétences administratives de ses délégués en Tchécoslovaquie, dans le Gouvernement général (Pologne) ou en Hollande[25]. Quand j'avais de pareilles demandes à présenter, je devais me contenter de m'adresser au chef de la chancellerie du Reich Lammers et, en règle générale, celui-ci cherchait à assurer ses arrières en sollicitant l'avis de Bormann qui, à son tour, s'entendait avec Himmler. Le résultat de mes efforts ne pouvait donc qu'être négatif.

Le général Hernekamp, inspecteur en chef de l'armement à Prague, était mon représentant dans cette ville et je l'avais chargé également de présider la commission de l'armement, c'est-à-dire qu'il était à la tête de l'organisme de coordination le plus élevé de tout ce qui concernait l'armement dans le Protectorat. Bien entendu, le commandement S.S. dans ce pays le combattait farouchement. A l'automne de 1943, une violente querelle éclata entre le centre administratif dépendant des S.S. et mon ministère. Le 8 octobre 1943 à l'issue d'une fatigante discussion à Berlin entre le S.S. *Obergruppenführer* Karl Hermann Frank et moi-même, on réussit à élaborer un accord satisfaisant concernant le protectorat. Encore convient-il de remarquer que la position de mon interlocuteur se révéla tout d'abord faible du fait qu'il ne pouvait se risquer à intervenir dans l'exécution des ordres donnés par Hitler en matière de production. La chronique de mon ministère prit note de l'épisode dans les termes suivants : « Le ministre obtint que Frank reconnût le droit à Speer de donner des instructions en matière d'armement. Et pour sauvegarder l'apparence d'autonomie politique de la Bohême et de la Moravie, on admit que les instructions en question seraient adressées par l'entremise de Frank[26]. »

Cet accord ne mit pas fin pour autant aux difficultés.

Dans le travail de détail de chaque jour, il arrivait de plus en plus fréquemment que les bureaux des S.S. ignorassent mon organisation. Afin de préciser ma ligne de conduite, le 2 mars 1944, j'informai Frank, chef de l'administration allemande à Prague, que « pour coordonner mes services dans le protectorat de Bohême et de Moravie, j'avais l'intention d'appeler le général de brigade Hernekamp à devenir mon mandataire à la tête de la commission allemande de l'armement dans ces pays[27]. Un projet de décret joint à ma lettre précisait que « en tant que président de la commission de l'armement, le général aurait vis-à-vis du ministère de l'Économie et du Travail tous les pouvoirs qui résultaient de mon décret du 29.10.1943 relatif à la répartition des tâches dans l'économie de guerre ». Je conclus : « Mon mandataire sera donc responsable de la coordination de mes services en Bohême et Moravie[28]. »

Un document montre que les S.S. n'étaient guère impressionnés par ces efforts de centralisation : un message envoyé par Kammler le 13 juin 1944 informe en effet Himmler que le Dr Frank, ministre d'État, lui avait fait savoir qu'il était à même « de prendre des mesures d'exception pour la création de manufactures souterraines d'armements dans le Protectorat[29] ». Pour ma part, je ne savais rien de pareils arrangements. Mais les résistances étaient évidentes. C'est pourquoi le 19 juin 1944, j'adressai à Lammers une lettre fondamentale dans laquelle je lui demandais de sauvegarder l'autorité du Reich et de ne pas permettre que des systèmes régionaux de gouvernement vinssent saper les ordres donnés directement par Berlin.

Cette sauvegarde était importante pour ceux de mes services qui étaient chargés de veiller à l'application du principe d'autoresponsabilité de l'industrie. En effet, tout comme un grand konzern, nous ne pouvions obtenir un rendement maximal que par une direction centralisée des diverses branches de production. A propos de cette question essentielle, j'adressai une plainte à Lammers : « Si je veux sauvegarder l'unité de commandement, il m'est impossible de renoncer à cette forme unifiée de l'organisation pour la totalité de l'armement[30] ». Mais cette intervention, elle aussi, n'eut pas de succès durable. Le 15 août 1944, je me plaignis de nouveau à Lammers, faisant valoir que « le général Hernekamp, mandataire du ministre de l'Armement et de la production de guerre pour la Bohême et la Moravie, n'avait pas, vis-à-vis des ministères autonomes, le droit de donner directement des instructions et qu'il était contraint, chaque fois, de se mettre en rapport avec le ministre d'État pour assurer leur exécution[31]. »

Bien sûr, certaines réactions du représentant du S.D. (Service de sécurité) à Prague et de son supérieur immédiat à Berlin (Seibert) s'expliquent par la réussite de mes initiatives contre la prépondérance des S.S. dans l'industrie tchèque de l'armement. Le S.D. de Prague soutenait les ambitions locales des S.S. que dérangeait l'action de mon ministère. Quand je tentai de faire admettre que mon mandataire, le général Hernekamp, donnât directement ses ordres aux instances gouvernementales, le S.D. ne pouvait que devenir de ce fait mon ennemi au plein sens du mot. Le S.D. rédigeait chaque semaine des rapports sur la situation économique et l'état d'esprit de la population. A l'occasion, on les présentait à Hitler. Ainsi que le déclarait Ohlendorf, le S.D. se servait de ces rapports à des fins politiques, en en faisant un choix tendancieux et en les distribuant à des personnalités influentes. Comme il me le déclarait en 1944, il fallait y voir une analyse de l'opinion publique ; ils devaient exprimer les dispositions véritables du peuple afin de les porter à la connaissance des milieux supérieurs. A l'occasion de son propre procès devant le tribunal militaire de Nuremberg, Ohlendorf rappela à nouveau : « On me donna exactement pour mission de mettre sur pied un service de nouvelles économiques, de créer une organisation qui fût à même de collecter dans ce domaine tout ce qui avait trait aux échecs que la direction national-socialiste avait intérêt à connaître[32]. » Il est vraisemblable que sous les ordres d'Ohlendorf, au stade initial, le S.D. se donna réellement pour tâche de renseigner objectivement sur les abus les organes du Parti et de l'État. Cette intention fut peut-être honorable. Mais, comme c'est si souvent le cas dans les administrations, cet appareil a consolidé peu à peu son indépendance et a fini par ne plus considérer que son propre intérêt. Au cours des années, il se trouva en quelque sorte contraint de présenter sans cesse de nouvelles réclamations pour ne pas exposer l'appareil bureaucratique au soupçon d'être devenu inutile. Il était fatal qu'il fût conduit à des exagérations.

En outre, la tentation était forte d'utiliser pareil instrument à des fins politiques, précisément pour ce qui était de l'armement. Ohlendorf ayant cherché à partir de septembre 1943 à imposer ses conceptions en matière de politique économique, les rapports du S.D. devaient servir à renforcer la nouvelle orientation qu'il souhaitait, ils devaient aussi préparer le terrain en vue de son ambitieux projet d'être promu secrétaire général de l'économie allemande. En même temps, ils justifiaient ses opinions quant aux insuffisances de mon organisation de l'armement.

C'est pourquoi quand à partir de l'été de 1944 le S.D. invoquait continuellement de nouveaux arguments contre la confiance accordée à l'industrie en général, les subalternes d'Ohlendorf savaient que les jugements négatifs sur l'industrie de l'armement trouvaient un accueil favorable à la direction de ce service. Cela représentait un danger. Dans presque toutes les administrations dirigées par des chefs d'un conformisme rigoureux, on se mit alors à rédiger des rapports teintés de propagande pour ne pas déplaire aux instances supérieures. Ainsi, par exemple, à l'occasion de ma visite à Madrid à l'automne de 1941, l'ambassadeur d'Allemagne Stohrer me raconta qu'il était contraint de rédiger ses dépêches dans un certain style qui ne suscitât pas aussitôt l'hostilité du ministre des Affaires étrangères Ribbentrop. Pour qu'elles fussent seulement lues, il fallait qu'elles fussent conformes aux exigences de la langue officielle.

A tout ceci venait s'ajouter la médiocrité des collaborateurs du S.D. Les choses se passaient comme si de petits employés des firmes industrielles agissant en même temps comme les organes subalternes du « Service de sécurité des S.S. » déchargeaient leur rancœur contre leurs supérieurs en émettant des suspicions transparentes. Il est probable qu'en raison de leur situation de délégués du S.D. dans l'entreprise, ils étaient devenus mégalomanes, ils se sentaient également tenus de consolider leur poste de confiance par des rapports. Nous étions d'avis à l'époque qu'ils considéraient comme de leur devoir de trouver à tout prix quelque chose de défavorable. On peut voir là, en tout cas, la caractéristique et le danger de tout système de mouchardage.

De la sorte on en arriva à rédiger des rapports si mesquins qu'ils ne mériteraient même pas d'être signalés s'ils n'étaient pas typiques d'une organisation où se reflètent les innombrables petites intrigues du S.D. ou d'autres ramifications du Parti. Naturellement, seul un petit nombre de ces rapports destinés à démontrer l'insuffisance de l'administration de l'armement ont été conservés. Mais ils suffisent à faire apparaître la tendance qui trouvait son inspiration en haut lieu. Heureusement pour moi, ni mes collaborateurs ni moi-même, nous n'eûmes connaissance de la plupart d'entre eux ; j'eusse dû consacrer beaucoup de temps à leur réfutation.

Quoi qu'il en soit, j'ai rarement lu une collection d'absurdités du genre de celles que nous allons résumer dans les pages qui suivent. Ainsi le chef du S.D. à Prague attira l'attention d'Ohlendorf sur le fait que « le ministre Speer doit arriver le 30 juin 1944 surtout pour inspecter les fabriques de machines Bohême-Moravie et éventuellement pour avoir des conférences au sujet du programme de blindés. Du côté de la fabrique B.M.M. (Bohême-Moravie) on prévoit que le ministre assistera à une soirée de camaraderie du personnel tchèque de la B.M.M. ou bien qu'il fera avec lui une promenade en bateau à vapeur ». C'était là certainement un projet inhabituel, même s'il était conforme aux rapports que j'entretenais avec mes collaborateurs tchèques. Il était compréhensible que « le ministre d'État (Frank) fît valoir des objections motivées par des considérations de sécurité, de sorte que ces manifestations ne purent avoir lieu ». En fait, ce projet ne put être réalisé, mais je visitai l'usine et, debout au milieu du personnel tchèque, sans avoir sollicité de protection particulière, je parlai du but de notre armement et remerciai l'industrie tchèque de sa contribution qui, dans les circonstances présentes, était étonnante.

Ce rapport du S.D. poursuit méchamment : « Dans les milieux autorisés, on rapproche exclusivement la visite du ministre Speer du programme de blindés. Il est particulièrement intéressant de noter le raisonnement auquel se livrent à ce sujet les milieux dirigeants de l'industrie : le directeur Saur aurait déclaré que le programme de blindés annoncé par lui pour la " Tchéquie " (il s'agit du blindé 38 t) ne pouvait être exécuté dans les modalités prévues. En conséquence, il devait se couvrir. Si, jusqu'à présent, la production avait pu être assurée au détriment d'autres fabrications, ce n'était plus le cas pour la production de juillet. Néanmoins à l'occasion de sa visite à Prague, le ministre Speer constaterait que tout était en ordre et vraisemblablement, il ferait un rapport au Führer dans ce sens. Mais ainsi, Saur serait libéré de sa dernière responsabilité, car il pourrait toujours prouver que Speer s'était convaincu en personne de la marche régulière du programme de blindés à Prague[33]. »

La sottise de cette allégation témoigne du niveau intellectuel de ces « maîtres ès calomnies » ainsi qu'on les désignait ironiquement à l'époque.

Dans une lettre du 16 août 1944, Frank se fit l'écho de craintes analogues. En fait, il y avait eu des difficultés. Sur mes instructions, Saur répondit le 28 août que « le centième véhicule (38 t) était sorti de l'usine le 1er juin 1944. De petits défauts comme il s'en produit pour tout blindé, même sur les modèles régulièrement adoptés, furent éliminés les jours suivants. Cependant le dernier des 100 véhicules de la production de juin ne quitta l'usine que le 7 août. De même, les derniers véhicules de la production de juillet ne purent être livrés, eux, qu'au début d'août, « en raison du manque de matériel de fabrication ». Pour la production afférente au mois d'août, « il semble qu'en raison de difficultés imprévues le chiffre de 200 ne puisse être atteint. Bien entendu on mettra tous les moyens en œuvre pour atteindre (en août) une production maximale. Elle sera vraisemblablement de 170 blindés ».

Il eût été à peine possible de tromper Hitler en lui présentant des chiffres erronés, ainsi que l'insinuait le S.D. Il s'occupait en effet personnellement de la répartition des blindés dont on lui signalait la livraison. Les protestations des unités auxquelles on aurait manqué de parole eussent été inévitables. Aussi allait-il de soi que Saur constatât en guise de conclusion à sa lettre que « l'on signalait en permanence au Führer les difficultés extraordinaires auxquelles on devait faire face[34] ». En même temps, le fait pouvait expliquer les résistances que suscitait contre nous l'incompréhension de l'administration de Prague.

Le directeur de la section III D-Est à l'Office principal de la sécurité, auquel était adressée cette lettre de Prague, se montra encore plus mécontent de notre politique en matière d'armement. Il exposa l'opinion négative qu'il professait au sujet du ministère et de son mode de travail dans un rapport sur son voyage de service dans le Protectorat du 24 au 31 octobre 1944. Il tenait nos méthodes pour catastrophiques. On pouvait lire ce jugement entre les lignes de ce qu'écrivait ce rapporteur du S.D. Est : « L'un des problèmes les plus graves dans le domaine industriel a pour cause le transfert d'entreprises de l'ancien Reich dans la région de Bohême-Moravie... Le transfert des usines d'aviation de Wiener-Neustadt dont nous avons parlé dans plusieurs rapports a déjà montré avec quelle absence de méthode il a été procédé. On n'a pas considéré certains facteurs importants comme les transports. Tant dans ce cas que dans le transfert de toute une série de fabrications, principalement pour la production d'avions et de blindés, des enquêtes verbales ont fait apparaître qu'il ne s'agit pas seulement là d'insuffisance et d'abus dans le cadre de la direction des entreprises, mais en premier lieu d'une absence totale d'instructions pour l'ensemble des mesures de transfert. » Ainsi c'était le but que poursuivait cette critique du S.D. Par la suite le rapport se montre plus méchant encore : « En pratique chaque firme agit à son gré et il en va de même pour la commission compétente. Sans se soucier de la production elle-même on cherche en une concurrence effrénée à accaparer les centres les plus favorables. Ce faisant, on considère seulement le contact le meilleur possible entre la direction de l'entreprise et les bureaux officiels berlinois qui, eux, se montrent totalement ignorants des conditions locales de travail. » C'est pourquoi, sans doute, on donna au sein de la centrale du S.D. des ordres véritablement chaotiques qui contrastent avec les résultats obtenus par l'industrie de l'armement en dépit des attaques aériennes et des autres obstacles. « Il faut constater à ce propos, poursuit le rapport, que l'on n'a pas pris en considération, ou à tout le moins, trop tardivement, les conditions de transport défavorables et aussi les questions relatives à la mobilisation du travail, au ravitaillement et au logement, et surtout le problème de la sécurité [35]. » Voilà un exemple de l'insolence avec laquelle ces subalternes de S.S. se permettaient de juger la tâche accomplie par des industriels réputés !

Cinq mois avant ce rapport du S.D., le 7 juin 1944, je fis déjà remarquer à Frank qui protestait dans le même sens : « Je ne pense pas que l'on ait transféré trop d'industries dans le protectorat. A mon avis, de ce côté, les principales difficultés proviennent moins du manque d'espace pour la fabrication et pour le logement de la main-d'œuvre que de la pénurie d'énergie. C'est la raison pour laquelle j'autorise en nombre aussi réduit que possible les transferts d'entreprises dans le Protectorat... Pour l'avenir, je m'efforcerai en cette matière de ne pas imposer au protectorat plus d'exigences qu'il n'en peut satisfaire, parfois même au prix de grandes difficultés [36]. »

Le rapport du S.D. croyait en outre devoir conclure de divers entretiens « qu'à la différence de ce qui se passait dans le Gouvernement général (en Pologne) et divers territoires incorporés à l'Est, l'inspection de l'armement et particulièrement ses divers délégués ne s'étaient jamais efforcés d'arriver à une coordination centrale et à une planification des transferts. Ils n'avaient même pas été capables d'entreprendre pareille tâche. D'une manière générale, on considérait que le personnel occupant les bureaux de l'armement était mauvais ». Ce réquisitoire visait essentiellement à discréditer l'action du général Hernekamp et ses services. Une telle tâche, disait-on, ne pouvait être exécutée par l'Inspection de l'armement placée sous mes ordres, mais seulement « par un service régional (pragois), car toutes les conditions politiques et structurelles ne peuvent être contrôlées de Berlin [37] ». La suite de ce récit nous montrera que l'on donna satisfaction quelques semaines plus tard à cette demande du Service de sécurité et qu'à partir de ce moment une organisation économique autonome, soumise à l'autorité de Prague, dut assumer la responsabilité de l'armement.

On attaqua également mes décisions et le bureau d'Ohlendorf, le S.D. III D-Est, critiqua farouchement mes projets : « Le ministre Speer a récemment suggéré de briser les liens qui unissaient à leurs konzerns d'origine les centres de production transférés dans le protectorat et de les rattacher à des konzerns du protectorat, plus particulièrement à la Waffen-Union (Skoda et manufactures de Brünn) et à la B.M.M. (Machines de Bohême et de Moravie). » En préconisant cette solution, je pensais faire bénéficier les firmes nouvellement transférées en Tchécoslovaquie des avantages que présentaient les structures administratives solides et efficaces des konzerns du protectorat. Il aurait permis d'améliorer le climat du travail et il aurait supprimé de nombreuses frictions. Malheureusement, pour raisonnable qu'elle fût, cette solution était contraire aux principes de l'occupation allemande. « Ce projet, déclarait donc le S.D., se heurte à d'importantes objections d'ordre politique et économique et il devra sans aucun doute être rejeté[38]. » Ce rapport reflète la haine et le mécontentement causés par nos succès en pays tchèque et l'on est fondé à supposer qu'il fut favorablement accueilli par la centrale berlinoise du S.D. et par Ohlendorf.

L'auteur de ce document est resté anonyme, mais à l'occasion de sa tournée dans le protectorat, on l'invita « à surveiller tout spécialement les agissements de mes services à Prague », d'autant plus qu'à côté de la suppression des insuffisances, on se proposait encore d'améliorer sur la base d'exemples positifs pris dans le protectorat l'administration économique dans les autres territoires occupés de l'Est. Le S.D. souhaitait donc élaborer à Berlin d'autres formes d'organisation économique, prouvant ainsi que son chef Ohlendorf nourrissait une ambition analogue pour toute l'économie allemande.

En même temps, mettant à profit la peur qu'il inspirait en tous lieux, le S. D. chercha à exercer à l'échelon moyen les fonctions qui eussent été celles d'Ohlendorf en sa qualité de futur secrétaire général de Funk. On ne peut guère douter de l'existence de connexions plus importantes et, vraisemblablement, il s'agissait même d'idées qui furent secrètement mises en circulation par Ohlendorf.

On en trouve la preuve dans une remarque figurant dans le même article du rapporteur du S.D. berlinois section Est du 6 novembre 1944, aux termes duquel « le projet du Dr Adolf, chef de la fédération de l'industrie (tchèque) visant à la création d'une chambre centrale de l'économie devait être réalisé ». Le document mentionne que ce projet est connu et qu'il a fait l'objet d'une lettre adressée au *Gruppenführer* Hayler[39].

Ainsi, selon ce projet, on devait créer pour la Tchécoslovaquie un organisme central qui eût été conforme à celui de l'économie allemande tout entière, tel qu'il figurait dans les prévisions de Hayler et d'Ohlendorf.

Données par la Centrale du S.D., ces directives concernant la politique économique en Tchécoslovaquie méritent, en dépit de leur longueur, une lecture attentive. Elles font valoir que « l'immixtion des bureaux berlinois dans le protectorat contrevient souvent à l'homogénéité, désirée autant que nécessaire, de l'administration allemande face au peuple étranger. En outre, ces interventions ne tiennent pas suffisamment compte des conditions politiques locales. Là aussi, c'est en premier lieu au ministre Speer et aux commissions officielles que l'on reproche une ligne de conduite qui néglige les nécessités de la politique générale et celles de l'économie de guerre telles qu'elles s'imposent aux dirigeants allemands dans le protectorat. Jusqu'à présent ces gisements ont été favorisés par le fait que l'Inspection de l'armement (dépendant du général Hernekamp tenu pour hostile) était la seule instance économique allemande pleinement alignée sur l'administration dirigée par le ministre d'État. En outre le général Hernekamp, chef de l'Inspection, fut également appelé à la présidence de la commission de l'Armement[40] ».

En novembre 1944, on pouvait considérer comme terminée la controverse relative au corps étranger que représentait un général de la Wehrmacht au sein de l'administration du Protectorat contrôlée par les S.S. Le chef de la section Est de la centrale berlinoise du S.D., poursuit le rapport, « a appris qu'à la suite d'un entretien entre Speer et l'*Oberführer* Bertsch, celui-ci remplacerait Hernekamp à la tête de la commission de l'armement, l'Inspection de l'armement dirigée désormais par un simple colonel n'aurait plus qu'un rôle subalterne. Un tel développement serait souhaitable, car il donnerait à penser que désormais les commissions, elles aussi, pourront être tenues en main avec plus de rigueur pour ce qui concerne leurs représentations à Prague[41] ». Dans l'ensemble, ce texte reflète l'affaiblissement de ma position, telle qu'elle apparaissait au cours de ces semaines après les événements qui suivirent le limogeage de Schieber. De toute évidence, les milieux S.S., à cette instance subalterne, espéraient exploiter ma faiblesse pour établir à nouveau leur contrôle sur l'industrie tchèque de l'armement.

Entre-temps le fer de lance des blindés soviétiques se trouvait déjà à la frontière de l'ancienne Tchécoslovaquie et, de mon côté, l'on continuait à lutter pour le maintien de certaines positions. Une fois que tout eut été décidé dans le sens négatif, je tentai de freiner le cours des événements en utilisant un moyen qui avait fait ses preuves dans le système national-socialiste : le débauchage. Le ministre Bertsch, qui détenait une position clé dans l'administration économique pragoise, aurait été enclin à accepter le poste important que je lui offrais dans ma centrale berlinoise. Mais le 1er novembre 1944, Hitler approuva « les objections formulées par le ministre Frank à propos de l'emploi du ministre Bertsch dans mon ministère[42] ».

Ces luttes pour le pouvoir qui se déroulaient sur une scène dont la toile de fond faisait apparaître l'imminente catastrophe évoquent un cauchemar de Franz Kafka. Elles n'étaient pas inhabituelles. Partout, jusque dans les dernières semaines, la querelle de compétences continuait à mettre aux prises les ministères et les moyennes instances, comme si le Reich ne pouvait jamais être vaincu. Un effondrement paraissait simplement inimaginable. Ce refus d'admettre les faits était une réaction typique au cours des douze années de la domination d'Hitler. Même arrivé au terme de l'aventure, on était incapable de considérer l'ultime conséquence comme une réalité. C'est ainsi, par exemple, que des malades inguérissables éludent leur sort. Ils ne peuvent concevoir que leur fin soit proche. Ce comportement se trouvait encore renforcé par la confirmation réciproque des fonctionnaires acculés à la défaite. Une autosuggestion semblable à celle qui anime un malade atteint du cancer se généralisa comme si toute la classe dirigeante avait été soumise à l'hypnose [43].

Une autre suggestion poussait mes collaborateurs de l'industrie de l'armement à ne pas abandonner la lutte pour le pouvoir en Tchécoslovaquie. En France, en Belgique et en Hollande, avec l'aide du commandement militaire, on avait appliqué une politique qui visait à sauvegarder toutes les valeurs industrielles. A mon avis, elle aurait été mise en péril en Tchécoslovaquie si le pouvoir dans le domaine de l'armement avait passé complètement aux mains des S.S. Cependant, ainsi qu'on le vit dans les semaines critiques de mars 1945, c'était là une erreur. Une conversation avec le ministre Frank aboutit rapidement à un accord en vue de ne pas s'incliner devant les ordres de destruction donnés par Hitler. En fin de compte, je gagnai également à cette politique le feld-maréchal Schörner, dont l'entêtement était bien connu.

Souhaitée depuis longtemps par les S.S., la réorganisation de la production à l'échelon moyen eut lieu dans le protectorat au cours des derniers mois de la guerre. La commission de l'armement cessait désormais d'être présidée par le général Hernekamp, dont le successeur était le ministre Bertsch. On mit sur pied dans le protectorat une organisation parallèle indépendante qui, avec ses commissions, était la contrepartie de l'autoresponsabilité de l'industrie. Tous ces rouages furent groupés en une « commission » soumise au ministre Bertsch. A la suite de cette réorganisation, la situation du général Hernekamp avait perdu toute importance [44]. Ainsi le rapport du S.D. avait-il deviné juste.

M. Fremerey fut appelé à la gérance de cette commission et je tentai également de l'arracher à l'influence de Frank en le recrutant pour mon ministère afin d'affaiblir ainsi la fronde contre Hernekamp. Le 6 janvier 1945, j'écrivis au Dr Bertsch, nouveau président de la commission de l'armement à Prague, que « je souhaitais prendre dans mon ministère le Dr Fremerey, afin de coordonner la tâche de mon département avec celle des autres bureaux chargés de l'armement et de la production de guerre ».

Au nom du principe de rendement maximal, nous avions maintenu que les entreprises devaient recevoir directement leurs instructions du ministère de l'Armement. C'était conforme à l'idée selon laquelle seul un grand espace économique unifié peut permettre un rendement élevé grâce à des possibilités d'accords rapides entre les divers centres de production, même par-delà les frontières. Du fait de cette défaite, le sort en était jeté, notre bureau berlinois dépendait pour son pouvoir exécutif des décisions d'organisations semi-autonomes dans les pays occupés. La solution trouvée pour le protectorat présentait une analogie avec celle qu'avait préconisée Goebbels en proposant de rendre les *Gauleiter* pleinement responsables pour toutes les questions concernant l'armement dans leurs districts[46]. La guerre continuant, cette solution aurait automatiquement conduit à une destruction de l'armement allemand sans même tenir compte des catastrophes causées par d'incessants bombardements aériens.

Eu égard à ce nouveau règlement, il n'est pas étonnant que le délégué du S.D. à Prague ait osé informer l'Office de la sécurité du Reich, par une lettre du 19 février 1945, de la quantité de charbon et de coke extraite entre le 7 et le 16 février dans le district houiller d'Ostrava et celui de Karvin[47]. En quoi cette activité regardait-elle le Service de sécurité ? Les sous-officiers de S.S. voulaient donner la preuve de leur zèle et jouer les importants, alors que leur présence au front eût été autrement utile, mais à qui ces informations pouvaient-elles servir ? Car, bien entendu, les instances subalternes avaient déjà transmis pour appréciation ces données de la production au service compétent de mon ministère.

Certes, il était remarquable que malgré la proximité du front les deux districts en question continuassent à extraire chaque jour environ 38 000 t de charbon contre 45 000 en période normale de l'année précédente, soit 84 pour 100. De même, malgré toutes les difficultés dans les transports, on avait fourni pendant ces dix jours un nombre de wagons correspondant à 93 pour 100 de l'extraction. Mais le S.D. savait-il que mes délégués en Tchécoslovaquie avaient promis au personnel et à la direction de ces entreprises de renoncer à toute destruction si l'on continuait à travailler jusqu'à la prise en charge par les Soviets ?

Mon mandataire pour les questions de production en Haute-Silésie et en Tchécoslovaquie était un Autrichien, le directeur général Hans Malzacher. Nous étions convenus que nous n'autoriserions aucune destruction dans les territoires de l'Est puisque l'on n'avait pas agi autrement à l'égard de l'industrie dans les pays occidentaux. Et pourquoi aurions-nous procédé à des destructions ? Il fallait de nombreux mois pour que la quantité d'acier produite sur place ou les produits semi-finis pussent être transformés en armements. Il était certain que d'ici là la guerre serait terminée. En outre, à la suite de la catastrophe subie par nos transports, il y avait une telle accumulation de stocks sur le carreau des mines qu'une nouvelle production ne pouvait présenter des avantages pour l'armement de l'adversaire. Dans la perspective de cette politique de non-destruction, il était logique que, dès leur entrée en Haute-Silésie, les Soviets évitassent de combattre à proximité des centres industriels. Il faut d'ailleurs remarquer que les ordres du général d'armée Heinrici précisaient qu'il n'y avait pas de soldats dans ces centres et que ceux-ci ne serviraient pas de nids de résistance. Ainsi, grâce à ces assurances, aussi bien en Haute-Silésie qu'en Tchécoslovaquie, les entreprises purent travailler jusqu'au dernier moment, pratiquement sans être dérangées, à portée de l'artillerie soviétique.

Dans son journal intime, à la date du 18 mars 1945, Joseph Goebbels a condamné cette entrave apportée à une destruction absurde. « Les Soviets se sont déjà remis au travail en Haute-Silésie. Les mines sont en pleine activité[48]. »

Le général Gotthardt Heinrici, commandant en chef de l'armée défendant ce secteur, le Dr Malzacher et moi-même, nous nous rendîmes par un soir de mars dans le district de Rybnik afin d'y inspecter une mine ainsi que les aciéries qui en étaient le complément. Les forces soviétiques n'étaient qu'à quelques kilomètres de distance. Heinrici attira mon attention sur les lueurs des bouches de feu de l'artillerie soviétique. Mais on était sûr que pas un obus ne serait tiré sur Rybnik, bien que la direction de l'entreprise n'eût même pas pris la peine d'obscurcir les lumières crues de l'établissement. C'était là une image de pacifique activité contrastant avec le sévère *black-out* pratiqué dans de semblables entreprises de la Ruhr. Heinrici, Malzacher et moi, nous nous tenions debout au milieu des ouvriers tchèques qui ne réagissaient pas de manière inamicale. On me donna à entendre que ces entreprises étaient sans doute l'endroit le plus abrité de tout le front.

Les industriels de l'armement sont diffamés

Les rapports du S.D. furent tout aussi méthodiques dans leurs attaques contre le travail accompli en territoire allemand par l'Inspection de l'armement, ils visaient à la discréditer. Ainsi semble-t-il, par exemple, que le S.D. ait agi par ordre lorsque, le 20 septembre 1944, à l'occasion de l'évacuation de l'industrie de la région de Lodz, il rapporta que mon ministère n'avait disposé d'aucune planification pour l'ensemble du transfert de l'armement et n'avait prévu aucune mesure dans ce sens. Des querelles de compétences, parfois des antinomies dans les hautes sphères du Reich auraient abouti, selon lui, aux conséquences suivantes : pas une direction générale ne possédait « une vue d'ensemble des centres de fabrication disponibles ; leur comportement ressemblait à du sabotage, tous les bureaux locaux s'efforçaient d'obscurcir le tableau de la situation en s'abstenant de signaler spontanément les centres disponibles ou en mettant inutilement à disposition des capacités de rendement surexploitées devenues des goulots d'étranglement [1] ». Cette critique fut peut-être justifiée. Nous-mêmes, à la direction générale, nous eûmes souvent l'impression que maintes mesures échouèrent du fait de leur insuffisance. Mais ce rédacteur inexpérimenté du S.D. était-il capable de mettre en œuvre une meilleure planification en un temps où les mesures d'évacuation devaient être prises en toute hâte ? Quel but poursuivait-il en émettant une suspicion de sabotage ?

De même, par une deuxième lettre datée du 11 octobre 1944, le S.D. Dusseldorf fit savoir à l'Office de la sécurité à Berlin « que la bureaucratie irresponsable des autorités paralysait l'initiative intelligente dont on disposait du côté des chefs d'industrie ». C'est pourquoi, déclarait le document, il importait de signaler sans cesse les excès de la bureaucratisation et de la surorganisation de l'économie. Les chefs d'entreprise se plaignent constamment « des graves dommages infligés à l'industrie de l'armement par les nombreux bureaux qui veulent tous être consultés et intervenir, mais ne veulent jamais assumer une responsabilité. De ce fait, ils n'acceptent pas de prendre l'initiative d'une aide réelle aux entreprises ». Ce reproche impliquait que l'organisation défectueuse de l'armement avait considérablement limité la production. Après cette sévère critique, on était en droit d'attendre qu'elle fût étayée par des exemples précis. Mais le rapporteur se contentait de citer trois ou quatre « bagatelles » paraissant justifiées. Or leur peu d'importance suffit à montrer que le travail des services du ministère de l'Armement ne méritait pas de reproches.

Pour le premier cas, un membre du S.D. s'efforçait en 1943 de justifier par cet exemple le reproche de bureaucratisation excessive adressé à l'autorité : le hangar d'une usine avait été détruit par l'explosion d'une mine aérienne, mais quatre mois plus tard il était reconstruit. Or, « le 1er avril 1944, deux délégués du commissaire général à la Construction à Cologne se présentèrent et menacèrent le chef de l'entreprise d'une amende de 100 000 marks et de trois mois de prison pour avoir construit sans autorisation. Il faut reconnaître toutefois que la plainte fut annulée par décision d'une autre instance de l'Armement. Bien qu'il soit établi que cette initiative déraisonnable d'une autorité en matière de construction n'ait pas eu d'effets sur la production, le S.D. en concluait que « de tels comportements d'importants bureaux de l'administration sont simplement incompréhensibles, car de ce fait la manufacture d'un précieux matériel de guerre a subi un retard prolongé ou même a été rendue pour longtemps impossible ».

Le deuxième cas est également d'une incroyable insignifiance : Vraisemblablement peu de temps après l'avance victorieuse des puissances occidentales, au cours de l'été de 1944 une firme de la Ruhr voulut faire transporter de Belgique à Mönchen-Gladbach dix-sept machines-outils toutes neuves, très utiles pour les fabrications d'armements. Le délégué de mon ministère dans la région aurait interdit la sortie des machines parce que les documents fournis pour justifier une telle opération n'étaient pas valables dans les territoires occidentaux occupés. Par suite de ce bureaucratisme, de précieuses machines avaient été perdues pour le Reich[2].

Environ six semaines après ce rapport, le S.D. protesta à nouveau : « Devant la progression de l'adversaire, en septembre 1944, l'importante aciérie Becker und van Hüller, dont les établissements se trouvaient sur la rive gauche du Rhin, fut transférée à Wengern dans la Ruhr, dans un hangar vide où la production reprit avec un personnel de 50 hommes. Or, le 12 novembre, des délégués de la fabrique de moteurs Klöckner-Humboldt-Deutz présentèrent une ordonnance de Berlin leur attribuant le même hangar. Ils constatèrent toutefois que ces locaux ne convenaient pas à leur type de production et ils y renoncèrent. » Voulant se donner de l'importance, le S.D. ajoutait : « Une autre firme ne pourrait-elle bénéficier à nouveau de cette attribution[3] ? » Le document posait la question de savoir si dans l'industrie de l'acier une entreprise de 50 ouvriers pouvait être considérée comme importante. Mais quoi qu'il en fût, le litige relatif à cette petite manufacture était déjà réglé lorsque le rapport fut envoyé.

Ainsi, par ces trois rapports, le S.D. tentait de prouver le bien-fondé des allégations selon lesquelles des erreurs avaient considérablement nui à l'augmentation de l'armement allemand[4]. Il faut noter cependant que d'une manière générale, ni le S.D. ni la Gestapo ne manifestaient de la dureté ou de la haine dans leurs relations avec l'industrie de l'armement. Ohlendorf avait fini par être convaincu que, pour le temps de guerre, l'autoresponsabilité de l'industrie devait être tenue pour utile et efficace. D'autre part, le S.D. et la Gestapo se considéraient comme des concurrents, au moins en Tchécoslovaquie. Le premier craignait que « de précieux informateurs du réseau III D du Service de sécurité dans le secteur industriel lui fussent peu à peu enlevés ». La police d'État, « dont on sait qu'elle s'est dotée d'un vaste appareil pour ce qui est du personnel », s'occupe « non seulement de questions purement policières ou intéressant la Défense, mais de plus en plus elle s'efforce de rédiger des rapports d'ordre technique ». Par exemple au sujet de la planification de la production dans les entreprises, un domaine qui m'avait été confié. La direction du S.D. avait donc à décider « s'il fallait protester immédiatement auprès du service IV de la Gestapo contre ces activités techniques ou s'il était préférable d'attendre l'évolution de la situation ; on pouvait supposer en effet que tôt ou tard des incidents se produiraient, le cas échéant avec le ministre Speer, car la Gestapo se montre relativement brutale dans ses arrestations ou ses menaces d'arrestation, même à l'égard de mandataires officiels du Reich[5] ». De tels incidents se produisirent en fait quand la Gestapo tenta arbitrairement d'intervenir dans mon domaine en arrêtant mes collaborateurs.

Ces litiges internes entre Gestapo (service IV) et S.D. (service II) constituent un exemple caractéristique des efforts auxquels se livraient toutes les organisations du Parti, même au sein des S.S., pour s'enrichir aux dépens de services parallèles. L'invitation de Himmler de s'approprier purement et simplement des compétences fut entendue également à l'intérieur des S.S. Pour l'intéressé, peu importait qu'il fût surveillé par le S.D. ou par la Gestapo. Les deux organisations S.S. étaient sous le même toit et faisaient partie du même Office de la sécurité du Reich. Il est certain que le reproche de sabotage, formulé par un collaborateur du S.D., était tout d'abord moins dangereux qu'une action engagée par la Gestapo pour le même cas. Mais, en pratique, il n'y avait qu'une étape minuscule à franchir pour passer d'un reproche du S.D. à une poursuite par la Gestapo.

A l'occasion de son procès devant une cour de justice de Nuremberg, Ohlendorf fit état des difficultés suscitées par Ley et par Bormann pour gêner le travail du S.D. En fait, parmi les dirigeants du IIIe Reich, personne n'aimait cette institution qui contrôlait et dénonçait imperturbablement. Bormann ne cessait jamais de reprocher aux ministres du Reich de prétendus abus dans leur sphère de compétence. Nous en étions réduits à supposer qu'il s'agissait d'informations collectées par le S.D. C'est pourquoi les suspicions de cet organisme plongeaient continuellement dans l'embarras les chefs du gouvernement, d'autant qu'en fin de compte Bormann mettait toujours à profit les rapports négatifs pour consolider dans toute la mesure du possible sa propre position.

Cependant, dans les derniers jours de la guerre, il vit dans les activités du S.D. une atteinte portée à sa prédominance sur le plan de la politique intérieure. Le 4 avril 1945, les Américains et les Anglais s'approchaient de l'Elbe, l'armée soviétique était aux portes de Berlin. A part quelques fragments de territoire, le Reich était déjà perdu. Face à cette situation, Bormann jugea important d'adresser une lettre personnelle à Kaltenbrunner, chef de l'Office de sécurité du Reich. « Le rapport que vous m'avez remis aujourd'hui est *typique* (souligné dans le texte) de l'activité du S.D. ! Typique parce qu'il généralise sans la moindre gêne des faits isolés. » Bormann était furieux parce que le rapport en question prétendait que le Parti dénigrait la Wehrmacht et que la Wehrmacht dénigrait le Parti. Après avoir donné libre cours à sa colère, il rendit son verdict : « Votre rapporteur n'a pas dû voir la situation de près, sans cela il ne se ferait pas l'écho d'accusations totalement dépourvues de fondements. Mais c'est là précisément ce que je reproche au S.D. : on recueille auprès de gens sans aucune responsabilité des allégations et des blâmes, alors que l'on n'interroge même pas les responsables[6]. »

Longtemps avant l'effondrement et même après l'extinction du Reich conçu par Hitler, tous ceux qui, durant ces années, exerçaient un pouvoir absolu inclinaient à perdre la notion des réalités. C'est ainsi qu'à ma grande surprise, quand je lui rendis visite à son quartier général le 24 avril 1945, Himmler se considérait comme l'indispensable collaborateur des futurs services alliés. « Sans moi, l'Europe future ne se tirera pas d'affaire. Elle continuera à avoir besoin de moi en qualité de ministre de la Police pour maintenir l'ordre[7]. » Il en allait de même pour Ohlendorf : en mai 1945, exerçant les fonctions de directeur ministériel pendant les vingt-deux jours du gouvernement Dönitz, il était encore convaincu que « la direction de l'État aurait besoin d'un service d'information sur les questions techniques ». Aussi proposait-il que l'on discutât officiellement avec les puissances d'occupation de la possibilité de maintenir cette fonction « telle qu'elle existait dans le cadre de l'actuel gouvernement du Reich ». Car, précisait-il, « avec [ses] collaborateurs du S.D. il pourrait aider la puissance occupante à juger objectivement de l'état de choses en Allemagne[8] ». Ces phrases peuvent paraître grotesques, d'autant plus qu'avec Ohlendorf il s'agissait d'un homme extrêmement intelligent qui s'entendait à utiliser les ressources de son esprit de manière aussi adroite que brillante.

Sa présence pendant de longues années à la tête du puissant S.D. avait-elle marqué et déformé son caractère ? On peut se poser la question. Il reste en tout cas que ce livre offre de nombreux exemples qui témoignent chez un fonctionnaire supérieur de la milice d'une absence du sens des réalités et il faut voir là la conséquence immédiate de l'idée de mission élitaire au sein de l'État S.S.

Le S.D. craignait à juste titre les difficultés qui pouvaient résulter des arrestations arbitraires de la Gestapo dans l'économie. Une ordonnance du Führer en date du 21 mars 1942 stipulait en effet qu'une action judiciaire pour dommages infligés à l'armement ne pouvait être intentée que sur ma demande[9]. Vers la mi-mai 1944, par exemple, Kammler déclara au cours d'une séance de l'état-major de l'aviation de chasse qu'il avait fait arrêter l'un de mes collaborateurs. A l'occasion du transfert d'une entreprise de B.M.W. dans une caverne alsacienne, celui-ci, par le retard apporté à l'opération, s'était rendu coupable de sabotage. Mais je n'acceptai pas cette décision arbitraire : ainsi que le rapporte la chronique, « le ministre refuse de s'incliner devant de pareilles arrestations et condamnations quand on n'a pas auparavant sollicité son accord ». Le même jour j'édictai des « directives pour la procédure à suivre en cas de fautes commises au sein de l'économie de l'armement » qui se référaient à mes droits découlant de l'ordonnance de Hitler. Ils précisaient « qu'un jury composé d'industriels devait prendre position au sujet des infractions avant que les tribunaux ou les S.S. pussent être saisis de l'affaire[10] ».

A peine quelques semaines plus tard eut lieu une nouvelle arrestation, celle du directeur général Egger von Büssing, décidée sans que j'eusse été consulté. Ainsi qu'il ressort de ma lettre du 28 juin 1944 à Kaltenbrunner, on lui reprochait d'avoir détourné pour son usage personnel des matériaux de construction de son entreprise et c'est pourquoi il avait été appréhendé par la Gestapo. Je précisai dans cette correspondance : « J'étais convenu avec le *Reichsführer* que toutes les actions judiciaires intéressant ma sphère de travail devraient se dérouler en accord avec vos mandataires. L'affaire Egger aurait dû être évoquée dans ce cadre, car on peut y voir une infraction aux interdits autant qu'aux obligations résultant de l'accord conclu verbalement avec le *Reichsführer* des S.S. Je refuse pour ma part d'établir un lien entre des procès de ce genre et les interventions officielles motivées par des considérations politiques[11]. » Egger fut aussitôt remis en liberté. Les accusations formulées contre lui se révélèrent sans fondement. Il faut dire toutefois que le succès de mes directives dépendait uniquement des positions de force occupées d'une part par les S.S. et de l'autre par moi. Tant que Hitler avait l'intelligence de se méfier de l'activité des S.S. dans le domaine de l'armement et tant qu'il encourageait la confiance des techniciens et des industriels en leur accordant une certaine garantie de sécurité personnelle, si vague fût-elle, l'assurance d'une protection juridique que je donnais par écrit à tout membre de l'organisation dite « d'autoresponsabilité » restait encore valable.

Toutefois, à la fin de la guerre, la confiance que Hitler mettait en moi avait définitivement disparu. Il se plaignait auprès de Goebbels du fait « que je me fusse lié trop étroitement aux intérêts de l'économie » et il souhaitait que je cesse enfin d'être le hochet des milieux industriels qui m'entouraient[12]. L'examen rétrospectif des documents de cette époque me permet de constater qu'à partir de 1944, les relations entre les S.S. et mon ministère ont commencé à changer, encore qu'à cette époque aucune sérieuse atteinte à ma sphère de compétence ne se fût encore produite. Toutefois les impertinents reproches qui m'étaient adressés en cette année contrastaient avec les pratiques en usage en 1942 et 1943, quand les S.S. se montraient encore relativement conciliants. En voici un exemple probant : Eduard Winter, un riche entrepreneur, très actif sur le plan commercial, était venu me trouver au début de l'été de 1942 et m'avait proposé d'assumer une tâche quelconque, même subalterne, au sein de mon organisation. Mais, malgré toutes ses qualités, en tant que commerçant il ne cadrait pas avec mon groupe de collaborateurs composé essentiellement de hauts techniciens et ingénieurs en provenance de l'industrie. Ce fut la raison pour laquelle je lui répondis de manière évasive.

Je ne me doutais pas que depuis quelque temps la Gestapo rassemblait des informations destinées à l'incriminer et que Winter cherchait à protéger ses arrières en exerçant une activité à mon service. Avant la guerre, il avait mis sur pied l'une des plus grandes représentations d'Opel en Allemagne. En tant que succursale allemande de General Motors, les établissements Opel avaient été saisis comme biens ennemis au début de la guerre. La production fut transformée et, très vite, Opel se mit à sortir des camions au profit de l'armement. On a vu à diverses occasions que Himmler s'intéressait vivement à la réorganisation d'une grande succursale d'Opel dans laquelle auraient travaillé des déportés concentrationnaires. La pression que le terrible chef de la Gestapo, le *Gruppenführer* Müller, exerça au printemps de 1942 sur le « manager » d'Opel, Eduard Winter, doit sans doute être considérée dans cette perspective.

« Winter s'est présenté à mon bureau », déclara Müller dans le rapport qu'il adressa à Himmler le 25 juin 1942. « A cette occasion, il a souligné qu'il ne pourrait assumer qu'avec un sentiment d'insécurité les importantes tâches auxquelles on avait songé pour lui (apparemment dans mon ministère). Diverses indications lui donnaient à penser, en effet, que la Gestapo collectait des informations à son sujet, avec l'intention d'agir un jour contre lui. Il demandait donc qu'on lui donnât l'occasion de s'expliquer et qu'on lui fît connaître les griefs que l'on avait contre lui. » Müller demandait à Himmler s'il devait « exposer à Winter, dans les limites prévues par le service, les charges que l'on avait réunies contre lui et l'interroger ensuite sur les diverses accusations ». Un additif à ce message envoyé par téléscripteur montre l'intérêt que présentait Winter pour les S.S. en raison de ses connaissances techniques et de ses relations avec Opel : « J'ai appris que l'approvisionnement en métaux [13] rares pour la commande de camions subit des retards et se heurte à de vives difficultés. De ce fait, la livraison des véhicules destinés aux S.S. est remise en question [14]. »

Après avoir obtenu de Himmler l'autorisation demandée, Müller fit savoir le 14 juillet 1942 que « les suspicions que l'on nourrissait contre Winter lui avaient été exposées dans la mesure compatible avec le règlement.

Les explications fournies par l'intéressé apparaissaient crédibles et même compréhensibles étant donné que l'on se trouve en présence d'un homme d'affaires complètement "américanisé"...

« Ses explications ont permis de classer les charges qui avaient été relevées contre lui. Cependant, du point de vue national-socialiste, il convient de faire des réserves à son sujet. C'est pourquoi nous sommes convenus avec Winter qu'à l'avenir, lorsqu'il conclura de nouvelles affaires et surtout lorsqu'il nouera de nouveaux contacts, il communiquera ses plans au préalable. Ce procédé évitera que je sois informé à leur sujet par des tiers, éventuellement de manière inexacte [15]. » C'est là une formule caractéristique : totalement indépendant et de plus richissime, Winter se voyait imposer l'obligation de discuter tous ses plans avec la Gestapo, c'est-à-dire d'aliéner son autonomie et sa liberté d'action. Il est probable que cette capitulation du manager de l'automobile aura profité aux intérêts de Himmler en matière de camions. Le 5 décembre 1942, le S.S. *Oberführer* Fritz Kranefuss, président de la Brabag, avait prié le chef de l'état-major personnel de Himmler de promouvoir dans les S.S. divers dirigeants de l'économie. La liste comprenait Otto Steinbrinck, Ewald Ecker, président du conseil de surveillance d'une grande aciérie, le baron Kurt von Schröder, le banquier qui avait aidé Hitler à devenir chancelier du Reich, le Pr Meyer et le Dr Karl Rasche, tous deux membres du conseil d'administration de la Dresdner Bank et, en fin de liste, le Dr Heinrich Bütefisch, un important collaborateur du konzern de I.G. Farben [16].

Le 11 janvier 1943, l'Office de la sécurité du Reich fit parvenir les renseignements demandés au sujet des candidats proposés et l'on retiendra seulement ceux qui concernent Bütefisch. En effet, ils mettent bien en lumière l'idée que se font les S.S. des qualités souhaitables ou critiquables d'un chef d'entreprise. « Chimiste et ingénieur, le Dr Bütefisch est, depuis 1928 environ, l'un des directeurs des *Leunawerke* et, en dehors de cela, il joue un rôle primordial dans la planification et l'orientation de la production de l'ensemble des I.G.-Werke. » Après cette introduction, le rapport poursuit : « Après la prise du pouvoir et la promulgation du plan de quatre ans, il a participé de manière importante à la planification et à la création de nouvelles entreprises pour la production d'azote et de carburant. En outre, il a contribué à la conclusion de contrats entre I.G. et des konzerns allemands et étrangers. »

Ce qui suit témoigne de l'hostilité de principe des S.S. envers l'industrie ; c'était d'ailleurs exactement le point de vue de Himmler : « Le Dr Bütefisch est fortement lié à I.G. et il faut le considérer comme la créature des konzerns... Quels que soient les facteurs susceptibles d'être invoqués en sa faveur, il faut toujours se souvenir qu'un homme de cette sorte est familiarisé avec tout le réseau de traités économiques à la création desquels il a largement contribué. Il possède donc une mentalité axée en premier lieu sur la collaboration internationale et l'échange de connaissances. A ses yeux, il est tout à fait naturel qu'un konzern soit un État dans l'État, possédant ses lois ainsi que ses droits propres et il est payé pour assurer leur défense. » Le document poursuit : « Une information puisée dans les milieux proches de I.G. éclaire les dessous psychologiques des faits rapportés. On sait que pour la traduction de ses contrats avec l'étranger, le Dr Bütefisch recourt en partie aux services d'un Anglais, Mr. Bridge, qui était professeur de langues à Leuna, sous prétexte qu'il lui importe de connaître toutes les nuances de l'anglais juridique. »

Impossible de déceler pourquoi un Anglais ne devrait pas être chargé de traduire des contrats qui, de toute manière, étaient destinés à des partenaires anglais ou américains. Mais cette remarque révèle à tout le moins une étroitesse d'esprit insurpassable. Aussi ne peut-on s'étonner de trouver un peu plus loin une remarque critique : « Bütefisch est membre de luxueuses associations locales comme, par exemple, le golf-club de Leuna. » Le rapport conclut sur un ton réservé, presque avec une nuance de regret : « Sur le plan du caractère, on n'a pas eu connaissance d'éléments négatifs le concernant. » Et l'on ajoute aussitôt : « On considère que sa qualité la plus marquante est une extraordinaire habileté personnelle doublée d'une vigoureuse ambition. A cet égard on le tient pour le directeur le plus actif de Leuna, qui veut toujours conserver le contrôle des contacts personnels. » Un seul élément véritablement positif dans ce portrait : l'auteur du rapport note que les deux filles du Dr Bütefisch occupent des fonctions dirigeantes au sein du B.D.M. [17] *.

Le véritable changement de dispositions à mon égard se manifesta à l'occasion de l'attentat du 20 juillet 1944. La découverte de l'appartenance à l'opposition d'importants industriels suscita une méfiance accrue au sein de l'Office de sécurité du Reich. Des dirigeants du Parti comme Ley, mais aussi Himmler lui-même, parlèrent d'un 20 juillet de l'économie, indiquant ainsi qu'avec une procédure accélérée du tribunal du peuple, il fallait maintenant déclencher une action d'épuration contre les industriels et autres tenants de l'économie.

On assistait chez eux à un retour des vieilles aspirations à une révolution socialiste qu'ils avaient été contraints de refouler après la prise du pouvoir par Hitler. Malgré cela, le caractère irremplaçable des grands industriels leur assura longtemps encore une protection. Lorsque Kaltenbrunner m'informa que toute une série de mes partenaires, mon ami Albert Vögler, président des Vereinigte Stahlwerke (aciéries réunies), les directeurs généraux de A.E.G. et Hoesch, de Bosch, de Man, Demag, Stinnes, Haniel s'étaient réunis pour discuter des possibilités de reconstruction économique après une guerre perdue, je n'eus pas de trop grandes difficultés à le convaincre que ces

---

* B.D.M. : Bund deutscher Mädchen, la Ligue des jeunes filles allemandes. (N.d.T.)

hommes étaient irremplaçables, et que leur arrestation nuirait considérablement à l'armement. Depuis longtemps, certes, presque tous les industriels étaient défaitistes et ils n'étaient plus très réservés dans leur jugement concernant la situation catastrophique de la guerre. Habitués par leur formation à calculer et à raisonner froidement, ils ne s'abandonnaient pas à une croyance aveugle comme c'était de plus en plus fréquent dans les milieux du Parti et des S.S.[18]. Après le 20 juillet, de lourdes charges pesèrent également contre moi parce que les auteurs du putsch m'avaient désigné pour diriger la production de l'armement au cas où le soulèvement aurait réussi. Ce fait avait dû également s'ébruiter dans le public. En tout cas, dans les rapports que Kaltenbrunner présenta à Hitler et à Bormann après l'attentat, il était précisé que j'avais été arrêté entre-temps parce que j'avais participé à la préparation du 20 juillet. D'autres informations en provenance de l'étranger allèrent plus loin en annonçant que j'avais déjà été exécuté[19].

Tout cela aurait signifié ma ruine politique et une intervention auprès de Kaltenbrunner en faveur des industriels n'aurait pas été prise en considération. Mais Hitler ne m'abandonna pas. De toute évidence, il tenait mes aptitudes en haute estime. Dans une allocution prononcée devant les *Reichsleiter* et *Gauleiter*, il expliqua aux camarades du Parti que les étroites relations qu'il entretenait avec moi n'avaient pas souffert depuis le 20 juillet[20]. Grâce à ces mots, j'avais soudain retrouvé mon importance politique et je pouvais la faire jouer pour la réhabilitation des industriels incriminés.

On ne peut guère supposer que les milieux dirigeants du Parti, et plus particulièrement Himmler, aient été très impressionnés par cette déclaration de Hitler. En tout cas, dès l'automne de 1944, le réseau de la Gestapo et du S.D. se resserra de plus en plus. En présence de l'évidente désintégration de la résistance allemande au front et à l'intérieur à la suite du 20 juillet, les S.S. avaient le couteau sur la gorge et s'efforçaient désespérément de trouver des responsables de la défaite. De plus en plus manifeste, l'espionnage s'étendait maintenant aux dirigeants de la hiérarchie gouvernementale.

En me communiquant une documentation relative à des dirigeants de l'économie prétendument suspects, le S.D. ou la Gestapo partaient sans doute de l'idée que je tirerais moi-même les conséquences personnelles de la situation et congédierais les accusés. En septembre 1944, je fus prévenu que Reuter, directeur général de la Demag, avait été arrêté par la Gestapo. Il n'avait pas pris en temps voulu les mesures nécessaires pour évacuer les ouvriers qui travaillaient dans une entreprise de la rive gauche du Rhin ; en outre, il avait laissé sur place un directeur qui, grâce à ses connaissances linguistiques, pouvait négocier avec les officiers de l'occupation anglaise. Je rappelai qu'aux termes du pouvoir discrétionnaire que m'avait donné Hitler, la justice ne devait être saisie d'une affaire intéressant l'industrie que par l'entremise de mes services. En conséquence, Reuter fut remis en liberté et afin de manifester l'inaltérable sympathie pour ce remarquable dirigeant économique, je l'invitai à déjeuner le jour de sa libération en même temps que les membres de mon état-major dans la Ruhr où, justement, je séjournais à ce moment.

J'avais l'impression d'être soumis à une obligation plus sérieuse quand la Gestapo me communiquait des documents relatifs à ses recherches. Cela arrivait assez rarement et j'étais supposé les lire intégralement moi-même, afin de me convaincre du caractère dangereux des agissements que l'on prétendait avoir découverts. Ce fut ainsi qu'également à l'automne 1944 on me présenta un volumineux dossier sur les directeurs de Telefunken. Cette fois il fallait prendre les charges plus au sérieux. Le nouveau dossier émanait de l'Office central de la sécurité du Reich et il prétendait apporter la preuve que, pour des raisons essentiellement politiques, le directeur général May, d'accord avec le directeur Rottgart et avec le soutien du conseiller Bücher, directeur général de l'A.E.G., s'était livré à des pratiques monopolistes en matière de tubes. Les suspects étaient tous d'anciens tenant du centre *. A ceci venait s'ajouter que le chef de ma principale commission pour l'électrotechnique, Friedrich Lüschen, en accord avec son fondé de pouvoir, Heinz Freiberger, aurait soutenu tous ces agissements, car tous deux étaient d'opinion « catholique ». C'était bien sûr une allégation ridicule, d'autant plus absurde que Lüschen était directeur chez Siemens et n'aurait jamais favorisé un monopole de Telefunken, l'entreprise concurrente de l'A.E.G. Mais avec les documents, il y avait des copies de lettres et de notes qui supposaient une réelle connaissance des détails relatifs à ces affaires. Ces documents avaient vraisemblablement été fournis par des collaborateurs de l'entreprise. Cette absurde accusation ayant été réfutée avec succès, la Gestapo retira ses charges ; les rapports qu'elle avait collectés ne devaient pas être considérés comme « conformes à la vérité » mais seulement comme « de la documentation pour information ».

Quelques mois plus tard, le 20 décembre 1944, les S.S. déclenchèrent de nouvelles attaques contre Lüschen. Le « chef des transmissions auprès du *Reichsführer* S.S. », un titre insolite qui faisait partie de la nomenclature S.S., se plaignit que j'eusse chargé Lüschen de centraliser les questions de développement et de fabrication. En fait, je lui avais donné mandat d'assurer une réduction du programme devenue nécessaire à la suite des bombardements aériens [21]. « Quand vous croyez devoir invoquer contre un tel mandat l'existence des intérêts de certaines firmes, vous émettez une hypothèse que rien ne justifie. C'est pourquoi je regrette de ne pouvoir souscrire à votre opinion, écrivis-je au chef des transmissions des S.S. Dans la mesure où les divergences de point de vue opposent le délégué général de la *Wehrmacht* et le Dr Lüschen, elles seront réglées par mes soins. » De la sorte je faisais

* Le parti du centre catholique animé avant 1933 par le chancelier Heinrich Brüning. (N.d.T.)

passer la controverse à un autre échelon et, en même temps, je me réservais le droit de décider en dernier ressort. Je demandai également à mon collaborateur Dieter Stahl d' « en terminer sans délai avec l'affaire Lüschen pour éviter que l'on discute à perte de vue au sujet du mandataire à la centralisation ». A mon retour d'un voyage auprès du feld-maréchal Model, au début de janvier 1945, on devait me présenter les documents relatifs aux nominations et aux congédiements[22].

Des mois passèrent et, au début de février 1945, Lüschen avait toujours besoin de ma protection : il vint me trouver et me donna lecture d'un passage de *Mein Kampf* : « Une diplomatie doit veiller à ce que la rébellion reste non seulement un droit mais un devoir pour tout citoyen, lorsque la carence du pouvoir conduit un peuple vers le déclin[23]. » A l'époque il était déjà en possession de l'instruction par laquelle je le priais de donner la priorité à la remise en ordre des transmissions ferroviaires désorganisées par les bombardements aériens. Je l'invitais pour cette raison à donner un caractère d'urgence absolue aux commandes passées dans ce but à l'industrie. La fin de la guerre ne pouvait se faire attendre plus de quelques semaines ou, au maximum, quelques mois. Alors nous assumions déjà une tâche de préparation à la paix. A l'occasion d'attaques déclenchées par les S.S. contre les chantiers de construction navale, Kaltenbrunner avait eu assez de loyauté envers moi pour me faire parvenir les rapports de la Gestapo. J'avais du reste l'impression qu'il souhaitait collaborer avec moi. Je ne me suis pas aperçu qu'il me dissimulait pourtant beaucoup de choses. Ce fut seulement en effectuant des recherches dans les archives de la République fédérale, après ma libération, que je découvris le double visage de sa loyauté.

Le 29 novembre 1944, Kaltenbrunner m'envoya un rapport du S.D. sur l'industrie de la construction navale. Je notai que les accusations se référaient à des questions de principe. Je répondis donc en me plaçant au même point de vue. On nous reprochait de ne pas avoir atteint le but de production fixé pour les sous-marins d'une conception totalement nouvelle. Dans ma réponse, j'admis sans difficulté que ce programme n'avait pas été réalisé en dépit de l'assurance que j'en avais donnée à Dönitz. Et j'ajoutai : « En dépit de ce retard, le grand amiral est très satisfait de ce que nous avons accompli. Il sait en effet qu'Otto Merker, l'industriel responsable de toute la construction navale, a remporté un exploit unique dans l'histoire de la technique en réussissant en moins de neuf mois non seulement à construire deux sous-marins nouveaux mais à en lancer les premiers prototypes et ensuite à livrer mensuellement un nombre appréciable de bâtiments de cette série. On savait à quoi s'en tenir sur toutes ces difficultés et le grand amiral n'en ignorait rien. Il en prit toutefois son parti sans hésiter, car il n'avait pas d'autre choix. Il lui importe seulement d'obtenir de nouveaux sous-marins afin de remettre sur pied sa nouvelle arme sous-marine, puisque ses anciens bâtiments ne lui permettent pas de combattre l'ennemi... Nous savons que de telles interventions dans une industrie suscitent des difficultés de tout genre.

« Elles se produisirent également à l'occasion de la transformation des blindés *Panthère* et *Tigre II,* d'autres surgiront à propos du changement radical de l'armement aérien. Mes collaborateurs s'efforceront de les limiter dans toute la mesure du possible. Mais l'on doit se souvenir qu'un homme comme Merker a mis en jeu sa personne et sa réputation pour assurer le succès d'une chose qui aurait pu tout aussi bien échouer. Il faut veiller à ce qu'un tel homme bénéficie toujours d'une certaine protection, il faut que les attaques dirigées contre lui soient repoussées avec la dernière énergie[24]. »

Les efforts inutiles se multipliaient alors que la guerre s'acheminait depuis longtemps vers sa fin. Mais je ne pouvais jeter simplement les rapports de Kaltenbrunner à la corbeille à papiers ; les accusations étaient trop dangereuses pour les intéressés. En novembre 1944, Purucker, lui-même *Standartenführer* des S.S., devint la cible de telles attaques : on l'accusait d'avoir fait à titre privé des affaires avec l'étranger. Comme le déclarait très exactement l'*Obergruppenführer* Berger dans une lettre du 27 octobre 1944 à Himmler, « Purucker était l'un des hommes les plus importants de l'entourage de Speer. Il était chargé de la fabrication des armes lourdes et légères de l'infanterie ». Les S.S. qui tentaient de manufacturer ces armes à Buchenwald et à Neuengamme dépendaient dans une large mesure de sa bonne volonté. En fait Purucker se trouvait sous la protection de Berger, car il appartenait accessoirement à l'état-major de l'Office central des S.S. Aussi le second intervint-il en sa faveur auprès de Himmler : « Le Dr Purucker, écrivit Berger, est soupçonné d'avoir vendu à la France avec la complicité de deux autres personnes le brevet d'une mitrailleuse allemande. » Comme la plupart des accusations des S.S., celle-ci paraît avoir été dénuée de fondement car un procès intenté à l'industriel se termina par un acquittement. Berger rapporta à Himmler que par-delà cette affaire il avait enquêté de manière approfondie sur tout ce qui pouvait la motiver. « On était frappé, dit-il, par le fait que, pour des motifs personnels, le juge général des S.S., le Dr Fischer, eût poussé plus avant le procès contre Purucker et qu'il eût déposé une plainte contre lui au moment où les deux principaux accusés étaient acquittés[25]. »

On ne pouvait renoncer à utiliser les capacités et l'énergie de Purucker, de sorte qu'en fin de compte toute l'affaire se termina en queue de poisson et il conserva son poste jusqu'à la conclusion de la guerre.

L'une des particularités les plus insolites du système était que ses dirigeants se sentaient à la fois des chefs et des victimes. Ils vivaient sous la pression d'un espionnage constant, sinistre, insaisissable ; ils ne savaient pas exactement dans quelle mesure leurs déclarations étaient soigneusement enregistrées pour être un jour utilisées contre eux par Himmler ou par Bormann. Dans ce cas, ils devaient s'attendre à la disgrâce de la part de Hitler. Car, tous, nous étions surveillés et nous le savions. Ainsi, peu de temps après avoir pris possession de mon ministère, ce devait être en mai

1942, je déjeunai avec le général d'armée Fromm dans une *chambre séparée** du célèbre restaurant berlinois Horcher. Avant de nous mettre à table, nous nous demandâmes sérieusement s'il était possible qu'un microphone eût été aménagé dans cette pièce, bien que l'apparence plutôt inoffensive du mobilier indiquât le contraire. Je racontai très franchement au début de novembre 1944 à Otto Merker, mon principal délégué à la Commission pour la construction navale, que mes conversations téléphoniques étaient écoutées par ordre de Himmler[26]. Je ne peux prétendre que cette certitude d'être constamment espionné me choquait ; nous étions beaucoup trop accoutumés à ce système et aux risques qu'il comportait.

Johannes Steinhoff, le célèbre as de l'aviation de chasse qui devint ultérieurement général de l'O.T.A.N., raconte dans ses mémoires qu'il se rendit le 4 janvier 1945 avec deux de ses camarades auprès du chef du S.D., afin de le convaincre de la nécessité de remplacer l'incapable Göring. Cette périlleuse démarche ne tarda pas à aboutir à un échec : ce n'était pas Göring, mais les aviateurs qui méritaient d'être blâmés pour leur manque d'esprit combatif. Ohlendorf voulut imposer la certitude de sa victoire aux trois officiers constellés de décorations. Au moment où la discussion devenait orageuse, il abattit sa carte d'atout en donnant l'ordre de faire jouer un gramophone. On entendit : « Ici Galland. — Ici Speer », répondit une autre voix qui poursuivit : « Galland, je voudrais m'entretenir avec vous de la défense aérienne du bassin de la Ruhr. Je suis très inquiet à ce sujet. » On arrêta le tourne-disque sans livrer le secret des phrases compromettantes qui suivaient. Mais à elle seule la connaissance de l'existence d'un pareil enregistrement ne pouvait manquer d'inquiéter les intéressés.

A l'époque, Galland me tut cette découverte qui devait pourtant l'inquiéter, car cet as de l'aviation de chasse ne se montrait jamais modéré dans ses appréciations de la situation. Au cours de la conversation ainsi enregistrée, il avait dû tenir des propos qui eussent pu être mortels pour lui. Mais rien ne se passa. Himmler méprisait Göring en raison de son insuffisance et de sa paresse.

* Cabinet particulier. (N.d.T.)

Dénonciations

Un sentiment d'insécurité ne manquait pas de s'insinuer en moi quand je pensais aux techniques d'écoute employées par les services de Himmler et de Göring ; il était encore intensifié par l'intuition que mon propre ministère abritait des hommes de confiance de Himmler chargés de faire des rapports sur moi ou sur mes collaborateurs.

En décembre 1943, certains milieux proches de l'organisation Todt prirent position contre mes efforts tendant à concéder à l'industrie du bâtiment le bénéfice de l'autoresponsabilité. Si ces plans avaient abouti, l'organisation Todt aurait naturellement perdu une bonne partie de son pouvoir. Mais d'autres facteurs d'ordre personnel semblent avoir influencé sa campagne, certains d'entre eux étaient apparemment liés au recul imposé à un collaborateur influent du Dr Todt. Lorsque le constructeur du mur de l'Atlantique se tua en avion en février 1942 et que je lui succédai dans toutes ses fonctions, Xaver Dorsch avait toutes les raisons de se sentir éclipsé. Or, en février 1944, au bureau du personnel de mon département, on découvrit des documents qui établissaient qu'un membre de mon ministère avait écrit à l'Office de la sécurité du Reich pour solliciter des renseignements sur la fiabilité politique de certains de mes proches collaborateurs. Dans la plupart des cas, il s'agissait de fonctionnaires qui étaient chargés d'appliquer mes instructions relatives à la création d'une industrie du bâtiment autoresponsable[1].

Un collaborateur subalterne nommé Seeberg, qui m'était totalement inconnu, rapporta aux S.S. que « plusieurs membres de mon personnel faisaient mine d'être dévoués au national-socialisme, mais que dans leur for intérieur, ils n'étaient pas disposés à servir sans réserves le mouvement et l'État ». Il demandait donc que « l'on procédât à une enquête afin de répondre aux questions suivantes :

« *a)* Quelle était avant la prise de pouvoir l'orientation politique des personnalités énumérées ci-dessous ?

« *b)* Avec quels milieux étaient-elles en relation ?

« *c)* Quel était leur comportement politique en dehors du service, collaboration avec les groupes locaux, générosité à l'égard du Parti, etc. ? »

Les personnalités suivantes passaient pour politiquement suspectes :

le directeur ministériel Eduard Schönleben, l'un des plus anciens et des plus fidèles collaborateurs du Dr Todt. Lorsque j'assumai la succession de celui-ci, il prit mon parti et il bénéficiait alors d'un grand prestige aux yeux des collaborateurs de mon ministère ;

Carl Stobbe-Dethleffsen, auquel j'avais confié la direction de toute l'industrie du bâtiment, malgré l'opposition des chefs de l'organisation Todt. Il pouvait passer pour mon porte-parole dans la question de l'octroi d'une certaine autoresponsabilité à l'industrie de la construction et il reflétait mes vues au sujet d'une solution plus rationnelle de la répartition des tâches ;

le directeur ministériel Hugo Koester, l'une des personnalités les plus marquantes de l'Office de planification, placé sous la direction de Hans Kehrl, et enfin

le Dr Paul Briese, conseiller ministériel du secteur construction dans mon département[2].

La réponse de la Gestapo n'a pas été conservée. Mais, en tout cas, l'affaire fut tranchée contre moi. Dorsch atteignit son but pendant les mois où je fus gravement malade. En mai 1944, je dus renoncer à rendre autonome l'industrie de la construction et je fus contraint de licencier Stobbe-Dethleffsen. Grâce à l'appui de Hitler, Dorsch était devenu le patron de toutes les affaires de construction dans le Reich[3]. Après avoir pris possession de mon ministère, j'avais décidé que les litiges opposant les uns aux autres les chefs des grands konzerns devaient être réglés entre eux sans intervention de la bureaucratie. Quand ils ne pouvaient tomber d'accord, ils devaient se réunir dans mon bureau. Ce fut ainsi qu'eut lieu, le 16 août 1944, une conférence entre Pleiger, notre mandataire pour le charbon, qui était en même temps président du conseil de surveillance des Hermann-Göring-Werke, et Rohland, le président intérimaire de l'Union sidérurgique du Reich, qui était, en outre, président des Vereinigte Stahlwerke. Les divergences d'opinion entre les deux grands industriels entraînèrent des discussions acharnées qui glissèrent au plan personnel. Ainsi que le nota la chronique du ministère, « la conférence prit un tour dramatique, sans aboutir à un résultat. Pleiger ne fit aucune concession, se montrant irrité et agressif. Le ministre a été d'autant plus mécontent de cette intransigeance qu'il avait insisté pour obtenir que les deux parties fissent des concessions réciproques. Aussi adressa-t-il des reproches sévères à Pleiger. Il demanda énergiquement que s'instaure une collaboration entre les Herman-Göring-Werke et le reste de l'industrie sidérurgique. Il donna l'ordre à Pleiger d'entrer dans le présidium de l'Union sidérurgique... Pleiger se montra plus nerveux que d'habitude et les relations cordiales qu'il entretenait habituellement avec le ministre parurent faire les frais de cet échange de propos trop véhéments[4] ».

Huit jours plus tôt, j'avais déjà attiré l'attention de Pleiger sur le fait que j'avais le projet « de ne pas m'écarter du principe de l'autoresponsabilité de l'industrie, même pour ce qui était de la sidérurgie. Cela voulait dire que, dans la mesure où les organes chargés de régler l'autoresponsabilité l'estimeraient nécessaire, les entreprises prendraient définitivement, en mon nom, toutes les décisions... J'estimais qu'il serait extrêmement humiliant pour moi d'être obligé de recourir à la force pour imposer le respect de ce principe à la sidérurgie, l'une des industries les plus importantes à mes yeux en ces temps difficiles[5] ».

De telles controverses n'ont au fond rien d'extraordinaire. Au sein de tout gouvernement, il y a des divergences d'opinion qui suscitent des discussions. Mais, dans le IIIe Reich, des incidents de cette nature prenaient aussitôt une dimension politique. Aussi la chronique remarque-t-elle : « Le litige ouvert à propos de la direction de la sidérurgie ne représente pas une affaire interne de l'industrie ou même du ministère de l'Armement. On ne doit pas oublier que le *Reichsführer* des S.S. s'en occupe lui aussi. Ses différents rapports interprètent ces désaccords au sein de la direction comme du sabotage de l'armement[6]. »

Même à cette époque où je disposais d'une plénitude de pouvoirs, la crainte de Himmler et de son appareil hantait chacun de nous. Au cours des neufs derniers mois de la guerre, les plaintes et les accusations dressées par des particuliers à l'Office de la sécurité du Reich se firent de plus en plus nombreuses. La chose s'expliquait par le renforcement de la position des S.S. qui étaient souvent considérées comme l'ultime planche de salut. Et, en fait, la bureaucratie de la milice travailla jusque dans les derniers mois de la guerre comme si la fin n'avait pas été prévisible.

Un homme que je connaissais à peine, le Dr Ungewitter, haut fonctionnaire du service de la chimie, me signala que les industriels parlaient ouvertement de la fin de la guerre. Un rapport du *Sturmbannführer* Backhaus, rapporteur personnel au ministère de l'Alimentation, faisait savoir que le Dr Ungewitter lui avait communiqué au sujet du comportement des industriels « des détails qui ressemblaient fort à de la haute trahison. Selon lui, de grandes firmes industrielles négligeaient les tâches qui leur étaient confiées en matière d'armement pour se transformer en vue de la production de paix, enfin les dirigeants de l'industrie s'exprimaient souvent en termes hostiles contre le Führer. Le Dr Ungewitter s'est déclaré prêt à répéter ces déclarations devant de hautes personnalités. » Quand il fut prié « de le faire devant le *Brigadeführer* Ohlendorf », il répondit qu'il avait déjà déposé sa plainte. La même lettre accusait également de défaitisme le directeur général de la Wintershall A.G., Rosterg, et son adjoint Werthmann : « National-socialiste de vieille date, tout à fait digne de confiance, une dame Halfmann m'a demandé de lui accorder un entretien, destiné, selon sa propre expression, à lui permettre de retrouver sa foi dans le national-socialisme. Le directeur Werthmann lui avait déclaré franchement que le national-socialisme avait fait faillite, que le Führer n'avait plus le contrôle de la situation, que les milieux économiques considéraient la guerre comme perdue et que le présent État allait sans aucun doute s'effondrer. Pour cette raison, les milieux industriels s'efforçaient de nouer des contacts avec l'étranger. Il était évident que seule l'industrie pouvait donner l'assurance que l'Allemagne serait encore à même de jouer un rôle dans le concert international. » L'auteur de la lettre ajoutait qu'il était inquiet parce que le directeur Werthmann avait déclaré au cours de cet entretien : « Je sais que le *Reichsführer* pense ainsi, car mon chef, le directeur général Rosterg, est l'un de ses amis et il est régulièrement reçu chez lui[7]. »

On peut penser qu'en se donnant l'air d'approuver, Himmler cherchait seulement à connaître les opinions d'industriels internationalement réputés, mais je tiens également pour possible qu'il ait partagé leur conviction. Visiblement inquiet, Brandt se borna à confirmer à Backhaus que ses déclarations étaient fort intéressantes mais qu'il lui paraissait préférable de s'en entretenir verbalement[8]. A l'état-major de Himmler on ne fut guère satisfait de ces procédés dilatoires. Dès le lendemain, le *Haupsturmführer* Meine adressa à Brandt une note comminatoire : « Je conclus de votre note que vous désirez parler au *Sturmbanführer* Backhaus. Mais ne conviendrait-il pas que de notre côté nous agissions sans attendre davantage ? A mon avis, les déclarations rapportées sont si graves qu'une enquête immédiate s'impose. Vous donnez l'impression que les milieux industriels préparent un nouveau 20 juillet. Il est certainement regrettable pour le directeur Rosterg, comme pour nous, qu'il soit mêlé à cette affaire. Mais son nom ne peut nous empêcher de faire la clarté voulue aussi vite que possible[9]. » Je n'ai jamais eu connaissance de la dénonciation du Dr Ungewitter. La loyauté de Kaltenbrunner, on le voit, n'allait pas très loin. Même lorsque l'on soulevait contre l'un de mes principaux collaborateurs l'accusation mortellement dangereuse de haute trahison, il ne m'en informait pas. Je n'ai appris la chose qu'à présent par la lecture des archives. En novembre 1944, le chef intérimaire des Hermann-Göring-Werke déposa une plainte contre son adversaire dans l'industrie de l'acier. Il transmit à Himmler une lettre du vice-président du conseil d'administration des Aciéries réunies qui était chargé également de tout l'approvisionnement en minerais du bassin de la Ruhr. Il ajouta le commentaire suivant : « La légèreté avec laquelle on a assuré l'approvisionnement de la Ruhr en minerais allemands est criminelle. J'ai mis à la disposition de l'Office général de la sécurité tous les documents mentionnés dans la correspondance échangée[10]. »

Dans ces prétendus crimes contre l'État, il s'agissait de droits d'attribution des minerais de Salzgitter des entreprises Hermann-Göring à la vente desquels Meinberg devait être intéressé. Mais ces minerais étaient d'une qualité inférieure à celles de la minette lorraine et du minerai suédois que, naturellement, Sohl préférait. Toutefois, les mines de Lorraine étaient occupées par les alliés occidentaux et devant l'aggravation de la situation militaire, les Suédois se montraient de plus en plus hésitants dans leurs livraisons. En outre les attaques aériennes ininterrompues contre le réseau des transports dans la Ruhr avaient coupé ce bassin industriel de toutes ses sources d'approvisionnement. Tout comme Sohl auquel il cherchait maintenant à imputer une lourde faute, Meinberg n'avait pas prévu la soudaine aggravation de la situation. Le 19 octobre 1944, il lui écrivit que, non seulement au cours des années passées, mais même en 1944, les établissements de la Ruhr s'étaient toujours refusés à entreposer des minerais de Salzgitter. « Après examen des documents en ma possession, je maintiens donc l'accusation aux termes de laquelle les établissements de la Ruhr ont montré une réelle légèreté en ne tenant pas compte des exigences de la guerre. Les mines de la Ruhr ne se seraient jamais trouvées dans cette situation si, dans le passé, vous, monsieur Sohl, vous leur aviez permis de constituer des stocks, comme c'était possible alors [11]. »

Dans sa réponse du 25 octobre 1944, Sohl témoigna de sa supériorité sur le plan technique : « Les mesures d'approvisionnement de minerai dans la Ruhr ne devaient pas être suspendues dans le cas où les livraisons de minerai suédois et de minette seraient interrompues en même temps, où les chemins de fer du Reich traverseraient une crise et où les communications fluviales seraient bouleversées. »

Du reste les stocks de minerai de fer du bassin de la Ruhr avaient passé de 4 435 000 t au 1er janvier 1940 à 7 571 000 t au 1er janvier 1944. On ne pouvait donc parler d'une négligence dans l'approvisionnement. Au contraire on avait procédé méthodiquement dans la formation de stocks. Puis, il passa à la contre-attaque : « Meinberg donne l'impression que les *Reichswerke,* motivées exclusivement par les nécessités de l'économie de guerre, auraient voulu imposer des livraisons accrues de minerai de Salzgitter. Mais, à mon avis, les pourparlers qui ont eu lieu tournaient surtout autour d'une défense opiniâtre d'intérêts dont j'admets absolument la valeur [12]. » Himmler hésita d'autant plus à se saisir de l'accusation déposée devant l'Office de sécurité qu'il s'agissait d'une question intéressant uniquement l'économie de guerre, sans incidences politiques. Montrant une froideur blessante, il négligea l'allégation de Meinberg selon laquelle on se trouverait en présence d'une sorte de crime d'État. Il répondit d'une seule phrase : « Je vous remercie de votre lettre du 2 novembre 1944, ainsi que des informations qui mettent en lumière la situation des approvisionnements en charbon [13]. »

Il y eut aussi une dénonciation qui émanait des collaborateurs de l'industrie elle-même, dont j'eus connaissance par Himmler. Il avait pris la peine de m'envoyer avec une aimable lettre d'accompagnement le document que Kaltenbrunner s'était procuré au ministère de l'Air. Prudemment, pesant ses mots, il m'écrivait que « bien des choses peuvent être fausses dans ce mémoire » ou « qu'elles pouvaient avoir été vues de travers... cependant je crois que nombre d'entre elles présentent de l'intérêt ». Himmler me recommandait d'examiner avec soin certains points soulevés, car, pour ce qui le concernait, en tant que profane, « il était incapable de juger. Je sais que, selon vous, un profane est quelquefois plus perspicace que les spécialistes ». Cette dernière phrase était, certes, conforme à mon opinion [14]. Ce document émanant prétendument des « premiers spécialistes en matière de défense aérienne et d'aviation [15] » avait été rédigé en août 1944. Il prenait occasion de l'effondrement de la production de carburant pour se livrer à diverses accusations. De 5 850 t par jour, cette production était tombée à 120 t au 21 juillet 1944, soit 2 pour 100. L'offensive aérienne de l'adversaire avait presque atteint son but. On avait réussi, il est vrai, à faire remonter la production à 5,5 pour 100 mais, même ainsi, l'arme aérienne allemande était condamnée par la pénurie de carburant.

Ce document qui comptait 15 pages dactylographiées s'intitulait : « Du manque de chefs dans l'arme aérienne et l'industrie aéronautique. » Ses accusations visaient le haut commandement du ministère de l'Air auquel il reprochait sa carence dans la planification, la mise au point et la production de nouveaux types d'avion. En fait, bien des choses laissaient à désirer dans ce ministère et, curieusement, on n'en imputait pas la responsabilité à Göring, car, disait-on, avant l'entrée en guerre des États-Unis, il avait souligné expressément qu'il fallait « tout mettre en œuvre pour conserver au moins la supériorité qualitative à tout moment ». On ne sait si l'auteur de la dénonciation obéissait sur ce point à des motivations de tactique ou de prudence. « La perte de notre supériorité aérienne quantitative s'expliquait en réalité par des mesures erronées du ministère de l'Air... On avait fait preuve de beaucoup trop de timidité dans l'examen des idées neuves et dans la mise au point de nouveaux projets, on les avait constamment modifiés et, la plupart du temps, à cause des nombreux changements intervenus, sous la contrainte des événements, on ne s'était pas lancé dans la production en série... On n'avait pas agi à temps, avec assez d'énergie, contre les représentations stériles des intérêts d'entreprises concurrentes, de sorte que le choix de nouveaux types et de nouveaux engins dont on avait un besoin urgent fut sans cesse ajourné [16]. »

L'exemple de l'ajournement du projet d'avions de chasse Ta 254, cité à cette occasion, est véritablement accablant. On espérait vivement que cet appareil permettrait de lutter contre les bombardiers, mais on décida d'y renoncer pour concentrer tous ses efforts sur la construction des nouveaux chasseurs à réaction, en particulier le Me 262. On commit également une erreur manifeste en interrompant la production du moteur Junker de 2 500 ch au profit du moteur Daimler-Benz qui n'était même pas au point. Il faut dire que, là, Göring était personnellement responsable. Examinées rétrospectivement, la plupart des charges contenues dans le document sont cependant injustifiées, il en va ainsi par exemple de la prétendue « erreur » qui avait consisté à suspendre la production de l'appareil Me 163 propulsé par fusées. Cet avion avait en effet un rayon d'action très limité. De même, on eut raison d'arrêter la production parallèle du moteur à réaction désigné comme un « stato-réacteur ». La critique formulée contre la décision de ne plus produire la bombe Fritz X téléguidée à partir d'un avion était absurde. Les avions du type He 177 construits à cet effet ne pouvaient plus être utilisés en raison de leur vulnérabilité et de leur vitesse trop réduite. Les auteurs du réquisitoire eux-mêmes n'étaient pas à même d'indiquer comment devait être employée la bombe s'il n'y avait pas d'avion pour la transporter.

La construction d'une fusée qui devait être tirée d'un avion contre un autre avion avait été abandonnée au profit de la fusée antiaérienne tirée à partir du sol, bien que le Pr Gladenbeck eût pris l'engagement de construire la première en moins de six semaines ; en revanche il avait fallu plus d'un an pour produire en série la fusée sol-air. Par hasard, le jour même où Himmler me communiquait ce mémoire, je signai une instruction en vertu de laquelle il convenait de résoudre en hâte le problème de la fusée air-air à tête chercheuse. Je donnais tous pouvoirs au Pr Gladenbeck « en vue de construire un modèle complet, fonctionnant parfaitement ». On devait l'aider au maximum à accomplir sa tâche et l'on devait également « dans tous les cas, donner suite à ses ordres [17] ».

Le rapport de Kaltenbrunner, transmis par Himmler, blâmait l'arrêt de projets dont l'exécution, pour la majeure partie, avait été suspendue pour permettre de concentrer nos efforts sur d'autres entreprises plus importantes. C'était donc exactement ce que, six semaines plus tard, un autre document accusateur exigeait expressément du ministère de l'Air. Il n'était pas facile d'y voir clair au milieu de la multiplicité d'intérêts des dénonciateurs et des agents S.S. Il en allait ainsi à l'époque et, aujourd'hui encore, devant l'activité d'habiles groupes en pression, il est parfois difficile de prendre une décision relative à la construction et à l'adoption d'armes nouvelles. Le réquisitoire conclut en constatant qu'au cours des derniers temps il a fallu des années, non seulement pour mettre au point les résultats de la recherche, mais pour leur expérimentation purement militaire : en règle générale avant d'arriver à l'utilisation finale de l'invention, un long délai a été nécessaire [18].

Dans toutes les flottes aériennes du monde, c'est là le problème essentiel. Les décisions prises par hasard réussissent rarement et l'exemple de l'adoption ultra-hâtive du chasseur *Spitfire* en Angleterre constitue une exception. En revanche, la production en série du nouveau sous-marin du type XXI, de conception révolutionnaire, suscita des problèmes de production qui servirent de prétexte à des enquêtes de la Gestapo. Sur mon ordre et sous ma responsabilité, on avait eu la témérité de renoncer à expérimenter un prototype afin de gagner ainsi un an et demi. Ce fut une décision qui, du reste, devait se révéler payante car, finalement, on était arrivé à une production régulière dès novembre 1943, c'est-à-dire la moitié du délai habituel.

Le mémoire du 5 septembre 1944, intitulé *Les Carences du commandement dans l'arme aérienne et l'industrie aéronautique,* ne consolida pas la situation des intéressés, mais elle suscita leur inquiétude. Au ministère de l'Air, on avait dû parler de l'existence de ce document et les collaborateurs techniques responsables craignaient que les suggestions et les conseils des hommes de confiance des S.S. eussent des suites. Si les initiateurs des projets voulaient concentrer leurs efforts sur un petit nombre d'inventions — fût-ce au risque d'entraver l'épanouissement d'autres idées riches de promesses — il leur fallait être assurés de la pleine protection de l'autorité officielle. Mais celle-ci était mal en point du fait qu'avec les S.S. et la Gestapo il existait un deuxième pouvoir dont l'action était imprévisible.

Il existe deux réponses de mon ministère à la lettre que m'avait adressée Himmler le 5 septembre 1944. Tout d'abord, le 15 du même mois, je l'informai « que je pouvais me mêler de la production des avions du fait que le maréchal du Reich m'avait donné son accord. Tout comme cela s'était passé en d'autres domaines, par exemple pour la fabrication des armes, blindés, etc., j'avais créé une Commission principale pour le développement des avions ». La présidence de cet organisme avait été confiée au Dr Lucht, des établissements Messerschmitt. A la vérité, l'homme n'était pas un spécialiste, mais, après avoir longuement réfléchi, j'étais arrivé à la conviction que les constructeurs s'étaient mutuellement combattus avec trop d'acharnement et s'étaient montrés trop têtus « pour que l'un d'eux pût être chargé de diriger cet organisme [19] ». La réponse de Saur [20] que je signai le 8 octobre précisait que des essais préliminaires se poursuivaient pour le statoréacteur bien que celui-ci présentât de grands désavantages par rapport au réacteur qui était construit en série. « Il y a, sur ce point, aujourd'hui encore, de fortes divergences d'opinions parmi les chercheurs et les techniciens », constatait Saur. Celui-ci fut à même de clarifier une question soulevée par Himmler : Gladenbeck ne pourrait exécuter sa promesse dans le délai très court qu'il s'était fixé, « car, au préalable, il fallait encore résoudre des problèmes de construction fondamentaux [21] ».

Le *Standartenführer* Klumm, rapporteur personnel du chef de l'Office principal des S.S., réagit le 15 novembre à la réponse de Saur, mais, près d'un mois avant cette date, il tenta, le 18 octobre 1944, d'influencer Himmler. Visiblement, la lettre amicale et modérée que celui-ci m'avait adressée n'était pas conforme à la dure réaction que son entourage attendait et l'on peut noter à ce propos qu'à l'échelon moyen les S.S. avaient un comportement beaucoup plus extrémiste que Himmler lui-même. Sur une lettre à l'en-tête du chef de l'Office principal des S.S., Klumm fit parvenir au Dr Brandt, chef de l'état-major personnel du *Reichsführer,* un projet d'organisation qui attribuait à Himmler un rôle décisif dans l'armement aérien, ce qui aurait entraîné de nouvelles activités pour ses ambitieux subalternes. A cette lettre du 18 octobre 1944 était jointe « une pétition de collaborateurs du ministère de l'Air qui avaient composé cette liste spontanément, sans intervention de ma part ». Elle émanait du corps des ingénieurs qui se montraient réellement embarrassés par les méthodes désinvoltes de Saur. Ce mémoire devait concorder pour l'essentiel avec celui du mois d'août de la même année, qui, selon Kaltenbrunner, avait été également rédigé par les « premiers spécialistes de la défense antiaérienne et de l'aviation ». Or, ceux-ci ne pouvaient se trouver que dans le corps des ingénieurs du ministère de l'Air. Selon ce document, « des forces étaient à l'œuvre pour saboter des mesures de guerre décisives », une phrase qui indiquait de manière à peine déguisée que la Gestapo ferait bien de s'occuper de l'affaire. « Les événements nous montrent davantage chaque jour, déclarait Klumm, qu'un changement doit intervenir dans le commandement si toutes les précisions ne doivent pas au dernier moment aboutir à un échec. » On voulait ainsi échapper aux ordres de Saur. « Je ne puis que rappeler sans cesse que nous possédons les meilleurs inventeurs et les meilleurs engins, mais que ceux-ci ne donnent en aucune manière leur mesure. Le R.L.M. (ministère de l'Air du Reich) n'a pas encore utilisé tous les projets, bien qu'ils soient disponibles depuis de nombreuses années et puissent être exploités pour la construction nouvelle des avions et des engins offensifs[22]. »

Le mémoire joint à la lettre de Klumm va plus loin encore : « Des conséquences impitoyables devraient s'imposer une fois que sera prouvé sans équivoque possible l'échec des dirigeants influents de l'armement et de l'armée », une phrase qui pouvait viser Saur, Milch et moi-même. « Au cours de la guerre, maints soldats, maints techniciens se sont souvent demandé pourquoi le haut commandement allemand en divers cas prend de toute évidence la mauvaise décision. Cette remarque est tellement incontestable qu'aucune des déclarations de commande faites en pareil cas n'apporte une réponse suffisante. » Cette accusation camouflée de trahison pouvait viser le feld-maréchal Milch, secrétaire d'État au ministère de l'Air, qui, d'ailleurs, était compromis aux yeux des S.S. « Pour extirper le mal, il faut s'en prendre à la désignation à des postes importants d'hommes incapables, à des rivalités de bureaux, aux intrigues ambitieuses de l'industrie, au manque de sens des responsabilités, à des défauts d'organisation et autres faiblesses humaines. »

L'exemple de la construction d'une fusée antiaérienne (sol-air) montre cependant que les deux documents ne peuvent avoir le même auteur. Dans le premier, en effet, on s'indigne que le projet d'une fusée air-air ait pu être abandonné au profit d'une fusée sol-air. Or le deuxième mémorandum formule le reproche contraire, à savoir que si sur cinq projets en cours l'on n'en avait retenu que deux, il serait quasiment certain que l'on disposerait dès à présent d'une fusée pour la D.C.A. (sol-air). En réalité, comme Saur l'avait fait remarquer dans sa réponse, les mécanismes de guidage de cette fusée n'étaient pas au point, de sorte que la production ne pouvait démarrer.

Les auteurs concluaient néanmoins sans aucune gêne qu'il fallait faire comprendre à tout un chacun « qu'une décision erronée entraînait des conséquences personnelles et pouvait même parfois être payée de la vie. Une telle attitude effrayerait à coup sûr le nombre énorme des orateurs et des faux savants, elle permettrait ainsi d'ouvrir à nouveau la voie aux hommes les plus capables. Divers bureaux luttent pour se maintenir à tout prix (une remarque qui était sans doute juste) et, en vérité, pour le malheur du peuple allemand... il s'agit de hautes notabilités qui pensent sans doute être au-dessus du règlement normal applicable à tout Allemand ».

En conclusion, le mémoire demande que soit créé au quartier général de Himmler un nouveau service sous la désignation en apparence anodine de « mobilisation technique ». Il devait « avoir pour mission de mettre hors d'état de nuire ces incapables qui ont donné la preuve de leur nullité pour le plus grand dam du peuple allemand ». Il s'agissait par conséquent d'une sorte de bureau des exécutions. « Les décisions de ce service qui reste encore à organiser pourraient marquer un tournant dans la guerre[23]. » Pour ma part, je crois plutôt qu'elles auraient hâté sa fin.

De toute évidence les ingénieurs de l'aéronautique qui avaient signé ce mémorandum manquaient totalement d'expérience politique : appliquant leurs projets, ils auraient préparé leur propre destruction. Car on ne pouvait plus échapper au malheur, même en remédiant à toutes les erreurs en matière de construction, le cours du destin était déjà irréversible, la fin de la guerre était désormais imminente. La réaction de Himmler à la lettre du 18 octobre pouvait donner lieu à de multiples interprétations, elle était en tout cas décevante pour Klumm. Elle contrastait cependant avec l'apparente loyauté que m'avait manifestée le *Reichsführer* quelques semaines auparavant en me transmettant aimablement les informations recueillies par Kaltenbrunner. Car, agissant pour le compte de Himmler, le Dr Brandt fit savoir à Klumm le 30 octobre « qu'il avait le regret de lui faire parvenir une réponse négative (...). L'idée de mettre sur pied un pareil service sous la direction du *Reichsführer* des S.S. est bonne et elle aurait sûrement des effets positifs. Toutefois (l'aveu est curieux) à l'heure actuelle sa réalisation se heurterait à des difficultés insurmontables[24] ».

Exactement à ce même moment l'intrigue ourdie contre trois de mes chefs de service était couronnée de succès. Elle avait été justifiée par l'argument selon lequel mon pouvoir était brisé. Quand Himmler prenait des initiatives destinées à accroître son influence, il calculait très exactement la mesure dans laquelle elles étaient susceptibles de susciter des réactions négatives de la part de Hitler. Ainsi devait-il se garder de provoquer son mécontentement en proposant de créer un pareil service. Pour ce qui concernait l'industrie, il devait à l'époque se faire l'effet d'être l'araignée dans sa toile qui peut épier mais non étrangler sa proie. Car Hitler voyait les réalisations de l'armement qui continuaient à être étonnantes et il savait qu'elles étaient dues aux industriels. Himmler ne pouvait donc agir contre eux, il ne pouvait pas encore s'attaquer à la protection que Hitler leur avait garantie dans son propre intérêt. Mais depuis longtemps Saur était devenu le répondant d'une politique amicale de l'industrie et son prestige n'avait cessé de grandir aux yeux de Hitler alors qu'il me reprochait mon défaitisme. Au cours de l'hiver 1944 dans l'une de ses conférences avec les maréchaux et les généraux, il s'était écrié à leur adresse : « Nous avons la chance de posséder un génie pour notre armement, c'est Saur ! »

Quelques mois plus tard, le 28 mars 1945, donc quelques semaines avant la véritable fin, il semble avoir apprécié l'action de Saur en termes plus excessifs. Ce jour-là, Goebbels a noté dans son journal : « Le Führer considère que Saur possède une personnalité plus forte que Speer. C'est un pilier de granit, si nécessaire il emploiera la force pour remplir le mandat qui lui a été donné. A certains égards, il est l'opposé de Speer. » Le 31 mars, Hitler ajouta : « Saur dépasse Speer en matière d'énergie et aussi pour ce qui est du don d'improvisation[25]. » En fait, dans son testament, il a désigné Saur comme mon successeur dans tous mes services. Il est certain que ce ne furent pas des scrupules d'ordre moral qui empêchèrent Himmler de donner son accord au projet des ingénieurs car, pour sa part, il était toujours prêt à réclamer des exécutions sous prétexte d'un prétendu échec. Ainsi, le 9 septembre 1944, il demanda au général von Axthelm, commandant la D.C.A., « de faire juger et condamner les responsables de l'échec enregistré par la défense antiaérienne à l'occasion d'une attaque contre l'usine d'hydrogène de Brux[26] ». Même au cours de la période relativement calme de 1942, il chargea le S.S. Gottlob Berger, chef de l'Office central de la sécurité, de menacer la marine, à l'occasion de diverses erreurs en matière de construction. « Je me contenterai, déclara celui-ci, de vous rappeler la malheureuse affaire des torpilles à allumage magnétique à propos de laquelle il conviendrait de se demander si le responsable a déjà été mis le dos au mur[27]. »

On peut cependant observer au sujet de cette phrase que de telles remarques avaient cessé depuis longtemps de faire de l'effet parce que la plupart du temps, elles n'étaient suivies d'aucune exécution. Klumm manifesta à nouveau son zèle dans une autre lettre datée du 15 novembre 1944. Entre-temps, il avait pris connaissance de la réponse adressée à Himmler par Saur. Il avait été particulièrement agacé par la phrase de Saur selon laquelle « il y avait aujourd'hui encore sur les problèmes de construction de fortes divergences d'opinions parmi les chercheurs et les techniciens ». C'est bien là, disait Klumm, que réside toute l'absurdité de nos travaux, tant pour l'aviation que pour l'armée. De ce fait, « nous avons des milliers de projets en chantier... Pourquoi ne pas laisser à quelques spécialistes le soin de s'occuper des projets jugés bons ? Un essai final montrerait ensuite si l'on peut ou non les utiliser. Théoriquement, je puis discutailler pendant un millénaire sur n'importe quel sujet, alors que dans une démonstration pratique, on s'engage par un oui ou un non ». Le commandement S.S. s'était donné pour objectif « de favoriser de toutes ses forces tout ce qui était particulièrement recommandé pour l'armement aérien par les meilleurs spécialistes ». En termes simples, cela voulait dire que les dirigeants de la milice poussaient l'audace jusqu'à vouloir mettre la main sur le contrôle de l'armement aérien, mais qu'ils en furent empêchés par la lettre modérée de Himmler.

La lettre de Klumm poursuit : « Voilà le résultat que je voulais atteindre en plaçant un commissaire dans les différentes ramifications des engins téléguidés, torpilles, etc. Dans l'une des branches, nous avons eu la chance de placer un tel délégué auprès de Speer ; en très peu de temps il a mis fin à la confusion qui régnait dans le domaine des engins téléguidés. Construction, fabrication et expérimentation sont en une seule et même main, ce qui nous permet d'aller de l'avant dans les meilleures conditions[28]. »

En pleine conformité avec le décret de Hitler pris à ma demande en juin 1944 (*cf.* annexe XI), les collaborateurs de mon ministère s'efforçaient eux aussi depuis des mois d'arriver à une concentration de la fabrication et de la mise au point. Par exemple, au cours de la conférence de l'état-major de l'Armement du 3 au 4 octobre 1944, par conséquent six semaines avant les attaques des S.S., Saur avait pris la décision suivante concernant l'aviation : « Pour mettre fin au trop grand nombre de modèles expérimentaux, de projets de construction, de variantes et de changements à apporter à d'anciens et de nouveaux modèles, le H.D.L. (principal chef de service) Saur décide que toutes les commandes qui n'auront pas été confirmées dans un délai de quinze jours par la commission principale pour la construction aéronautique seront annulées. D'ici là, tous les modèles doivent être présentés sans délai devant la commission, une importance particulière étant donnée au droit de veto de MM. Frydag, Dr Heyne, Dr Haspel et Klinker. Le fait de l'annulation devra être expressément notifié aux firmes intéressées[29]. »

On percevait un changement d'atmosphère avant même que ces attaques des S.S. ne fussent déclenchées. Les industriels qui jusque-là bénéficiaient de la confiance et même, au fond, de la sympathie de Hitler, se virent exposés à des menaces de plus en plus nombreuses. Le *Gauleiter* Sauckel, délégué de Hitler à la direction de toute la main-d'œuvre allemande et étrangère, déclara dans des discours officieux que seule une sévérité particulière pourrait amener les chefs d'entreprise à de plus grands rendements. Quand les têtes de quelques directeurs de fabriques auront roulé, les autres comprendront ce qu'ils risquent et la production augmentera[30]. Ces déclarations étaient en contradiction avec ma conviction fondamentale que jamais les menaces d'internement dans des camps de concentration ne contribueraient à un accroissement du rendement, surtout pour les ingénieurs et les savants. Mais, en fin de compte, ce mémorandum que Himmler m'avait envoyé le 5 septembre ne représentait qu'une invitation à stimuler les ingénieurs chargés de la construction en les menaçant de sanctions sévères.

Telle était la raison pour laquelle je m'étais adressé personnellement à Hitler le 20 septembre 1944, un mois avant l'attaque massive de Klumm.

L'attentat du 20 juillet 1944, disait-on, « avait fourni de nouveaux arguments à ceux qui n'avaient pas confiance en la fidélité de mes nombreux collaborateurs en provenance de l'industrie ». Le Parti avait la conviction « que mon entourage le plus proche était réactionnaire, lié aux milieux de l'économie et fermé au national-socialisme ». En dehors de cela, l'autoresponsabilité de l'industrie que j'avais instituée était désignée avec mon ministère « comme un réceptacle de dirigeants réactionnaires de l'économie ou même d'ennemis du Parti ».

Face à cette campagne, je maintenais « que seule l'organisation de l'autoresponsabilité de l'industrie et l'effort *volontaire* (souligné dans le texte) des chefs d'entreprise permettraient d'accroître le rendement ». Je visais directement les manœuvres des S.S. et du Parti lorsque j'ajoutais : « Le second terme de l'alternative est le système de la contrainte des commissaires à l'entreprise, ou des multiples procès suivis de condamnation en cas de rendement inférieur à la norme fixée. Je ne crois pas qu'il puisse nous conduire au succès. Je considère en tout cas comme extrêmement dangereux d'ouvrir à l'heure actuelle un débat sur l'opportunité de recourir à l'un ou à l'autre de ces systèmes, car on susciterait nécessairement un sentiment d'insécurité dans l'économie. Les milieux du Parti déclarent qu'il faut contraindre l'armement à travailler en s'inspirant de points de vue plus modestes ou encore que les temps nouveaux exigent l'emploi de moyens différents ». Je demandai à Hitler de renouveler ses engagements : « Sauf en cas d'agissements criminels de sa part, un chef d'entreprise ne peut être arrêté, déposé ou remplacé que sur l'ordre du ministre de l'Armement et de la Production de guerre. Il en va de même pour la nomination de commissaires et de délégués avec missions spéciales dans les entreprises. Cette règle s'applique également dans les cas où le chef d'entreprise a commis un acte délictueux puni par la loi tel que l'accaparement de matériaux et de main-d'œuvre ou s'il a donné de faux renseignements relatifs aux besoins de l'entreprise, à l'utilisation de machines-outils, etc. » A ces exigences, j'ajoutai la phrase suivante : « Il ne sera pas nécessaire d'en appeler à une décision tangible (de Hitler) pour savoir si le principe d'autoresponsabilité fondé sur la confiance à l'égard des chefs d'entreprise ou un autre système doit conduire l'industrie. A mon avis la responsabilité des chefs d'entreprise doit être maintenue et autant que possible mise en évidence parce qu'elle permet d'obtenir les meilleurs rendements. Je crois pour ma part qu'en ce moment décisif l'on ne doit pas modifier fondamentalement ce système qui a démontré ses avantages. J'estime nécessaire que vous preniez une décision qui montre bien dans quel sens, à l'avenir, l'économie devra être dirigée[31]. »

Cette décision ne vint jamais parce que Hitler avait chargé Bormann et Goebbels de la prendre pour lui. Aussi cette lettre eut-elle l'effet contraire en suscitant l'indignation et la résistance de ces deux hommes. On réussit néanmoins quelques jours plus tard à faire signer à Hitler un appel aux directeurs de fabrique, rédigé par mes soins, qui, en fait, confirmait les promesses que je lui avais demandées de faire[32].

A l'époque les instructions de Hitler continuaient à avoir force de loi. Ainsi, en décembre 1944, le commandant de ma flotte de transports, Erwin Barthels, fut arrêté par un commissaire de la police secrète d'État bien qu'une plainte déposée par le procureur du tribunal de Hambourg eût abouti à un verdict négatif. Je signalai aussitôt à Kaltenbrunner que Barthels occupait un poste de direction dans mon organisation et que, du fait de ses accomplissements, il était irremplaçable pour moi. J'ajoutai que, sur la foi des informations dont je disposais, une procédure aussi sévère envers ce collaborateur très méritant me semblait injustifiable. Sans autres formalités, Kaltenbrunner donna alors satisfaction à ma demande de remise en liberté de Barthels[33].

Sans doute, la Gestapo était-elle saisie à l'époque de nombreuses dénonciations motivées par des raisons de personnes ou de concurrence. Himmler et ses collaborateurs pourraient bien avoir été las de recevoir toutes ces accusations, car un grand nombre d'entre elles ne donnèrent lieu à aucune suite.

Vers la mi-novembre 1944, au cours de la campagne menée avec succès contre mes chefs de service, Schaaf, l'adversaire résolu de Saur, se vit privé, lui aussi, de ses principales responsabilités[34]. Jusque-là, il avait été le représentant permanent de Schieber dans mon ministère et, en même temps, il était responsable de la production des camions. J'insistai pour qu'il fût nommé directeur général de B.M.W. Sur ces entrefaites, un nommé Hille[35], jusque-là président du comité de direction des usines B.M.W., avait ourdi une intrigue contre Schaaf en présentant à la Gestapo par l'entremise d'un membre des S.S. « une description de l'état de choses qui régnait au conseil de surveillance et à la direction de l'entreprise ». Le rapport de ce milicien, le *Scharführer*[36] Wolf, déclarait : « Un combat acharné pour le pouvoir se déroule aux usines B.M.W. Le conseil de surveillance a décidé en novembre 1944 de confier à Schaaf la présidence du comité de direction. Hille refuse de se soumettre et il semble qu'il soit parvenu à susciter une intervention du *Gauleiter* Giesler. Ce qui nous intéresse beaucoup plus que cette rivalité dans la conquête du pouvoir personnel, ce sont les accusations que Hille a formulées sur le plan politique. Selon lui, Schaaf aurait pris des mesures qui visaient à livrer intégralement aux Américains les entreprises évacuées dans les localités alsaciennes de Markirch et de Bitschweiler. En agissant ainsi Schaaf se conformait du reste à la ligne officieuse du ministère. En outre, toujours selon Hille, « Schaaf avait discuté devant une nombreuse assistance la question de savoir comment accueillir les Américains quand ils se présenteraient aux portes de l'entreprise munichoise ». C'était exact : il avait été assez imprudent pour examiner en présence d'un cercle d'auditeurs relativement nombreux comment on pouvait protéger l'industrie allemande contre les fanatiques, parmi lesquels figurait le *Gauleiter* Giesler. Pour comble de malheur, Wolf rapportait qu'on lui avait encore signalé que « Schaaf faisait spontanément, sans la moindre gêne, des déclarations défaitistes [37] ». Trois jours après avoir été informé de l'affaire, le 29 décembre 1944, je dictai un blâme à l'adresse de Hille parce que, « ayant été limogé, il s'était adressé directement à la chancellerie du Führer et au *Gauleiter* Giesler sans me tenir au courant de ses objections. Je donnai à mon collaborateur Clahes l'instruction de déclencher contre Hille la procédure tendant à rendre officielle sa « déchéance de chef d'entreprise », l'enquête étant close [38].

De toute évidence, j'ignorais qu'entre-temps la Gestapo s'occupait aussi de l'affaire. Le rapport accusateur de Wolf avait été envoyé au Dr Brandt, rapporteur personnel de Himmler, qui l'avait lui-même transmis le 9 janvier 1945 à Kaltenbrunner, chef du S.D., en le priant « d'enquêter sur les accusations d'ordre politique formulées contre Schaaf par Hille. Si la Gestapo est déjà saisie de l'affaire, je vous prie de me faire savoir où en est l'enquête [39] ».

Au cours des mois suivants, rien ne se passa. Visiblement, on ne s'intéressait plus guère à l'affaire. On ajourna discrètement au 15 avril la nouvelle audience que Brandt avait fixée au 15 mars. Peut-être la Gestapo escomptait-elle elle-même que la guerre serait terminée entre-temps ; mais il est plus vraisemblable qu'au cours de ces dernières semaines elle ait été tout simplement surchargée de travail.

Le 15 février 1945, Bormann s'adressa finalement à Himmler en personne. Il s'agissait « de déterminer ce qui se passait dans les entreprises B.M.W. II. Bruckmühl/Haute-Bavière. On soupçonne un sabotage dans la fabrication d'un engin destiné à combattre l'aviation ennemie, qui a déjà été expérimenté avec succès ». Bormann demandait à Himmler d'ordonner de toute urgence une enquête sur la fabrication du projectile prétendument saboté : « Mon conseiller technique, le membre du Parti Elberding, est à votre disposition pour s'entretenir à ce sujet avec le Pr Schwab, *Gruppenführer,* chef de l'office technique VIII [40]. » C'était l'habitude à ce moment d'attribuer tous les échecs à la trahison. A la mi-février, Himmler avait en tête d'autres objectifs. D'un geste fatigué il passa à Kammler cette note « relative à une suspicion de sabotage dans la fabrication d'un engin destiné à combattre l'aviation ennemie » en lui demandant de suivre l'affaire [41].

Mais Kammler avait déjà reçu depuis longtemps de Hitler la mission de s'occuper de la planification, de la production et de l'emploi des fusées.

Gaz d'échappement, géraniums, racines de sapin et bombes atomiques

Conformément au désir de son état-major, Himmler devait en quelque sorte éliminer personnellement les erreurs commises dans l'armement aérien. On serait en droit de supposer qu'avec pareille confiance dans le génie du *Reichsführer,* les dirigeants S.S. devaient avoir fait de remarquables progrès dans les entreprises qu'ils géraient en propre. En fait, on trouvait bien chez eux l'énergie particulière de Himmler, mais le *Reichsführer* traitait ces opérations dans le style bouffon et farfelu qui lui était habituel. Les grotesques résultats obtenus par ce profane trop zélé montrent bien les conséquences qu'aurait entraînées une immixtion générale des S.S. dans tous les projets de l'armement aérien.

Milch craignait les frictions avec les S.S. Il veillait anxieusement à entretenir de bonnes relations avec eux. Je suppose donc que ce fut la raison pour laquelle, le 2 février 1942, il sacrifia deux heures de son temps de travail à la discussion des élucubrations de Himmler. Ce jour-là, en effet, un *Untersturmführer,* recommandé par le *Reichsführer,* examina avec le feld-maréchal diverses questions relatives à des développements possibles. « L'accueil fut cordial et la forme donnée à l'entretien témoigna d'un intérêt personnel », se vanta ensuite le milicien et il ajouta que de nouvelles conférences auraient lieu dans un proche avenir. L'*Untersturmführer* Helmut Zborowski nota qu'après cette délibération de deux heures on procéderait, sous sa responsabilité, à des recherches sur :

1. La possibilité d'accroître le rendement du Me 109.
2. Le rayon d'action des bombardiers, porteurs de fusées.
3. L'utilisation technique et le délai requis pour le développement de projectiles téléguidés (fusées) avec rayon d'action de 200 et 500 km.

Ceux qui savent les difficultés auxquelles l'équipe de Wernher von Braun dut faire face pour mener à bonne fin la mise au point de la fusée A4 ne peuvent que sourire devant l'ignorance technique et le toupet de l'*Untersturmführer.*

Ayant obtenu l'accord de principe du feld-maréchal Milch, Zborowski alla trouver dès le lendemain le représentant de Pleiger à la direction des

Hermann-Göring-Werke le S.S. *Gruppenführer* Meinberg. Celui-ci se déclara « aussitôt prêt à planifier la production en grande série des projectiles de telle façon que, la mise au point étant achevée en même temps, l'utilisation militaire soit assurée. Il s'engagea à acheminer rapidement les plans de construction de la bombe de 500 kg[2] ». (Celle-ci devait sans doute servir au bombardier porteur de fusées, mentionné au paragraphe 2 des projets exposés plus haut[3].) Eisenlohr, ingénieur général de l'armement aérien, dut interrompre ses travaux, certainement plus importants, pour se rendre le 5 février à Graz en compagnie de Zborowski. Le Dr Uiberreither, *Gauleiter* de Syrie, lui-même S.S. d'un grade élevé, donna aussitôt son accord pour la construction dans son district d'une fabrique de fusées, il renouvela « les promesses données jadis de tout faire pour soutenir ce projet ». Il ferait savoir s'il avait trouvé les terrains convenables, éventuellement les installations industrielles voulues[4]. (Trait caractéristique de l'orgueilleuse suffisance des S.S. : le *Gauleiter* Uiberreither avait déjà fait ces promesses à la direction de la milice longtemps auparavant et même avant l'entretien avec Milch.) On fixa au 25 février la date à laquelle devaient commencer ces préparatifs, car les S.S. prétendaient qu'ils travaillaient nettement plus vite que les autres administrations officielles.

C'est ainsi que l'on gaspilla des énergies, des produits et des matériaux de construction pour l'idée d'un profane, uniquement parce que l'on savait généralement que Himmler nourrissait de l'intérêt pour les projets fantastiques et qu'en outre il était très vite disposé à considérer le fait de les rejeter comme un sabotage de la victoire de l'Allemagne.

Le rapport de Zborowski fut transmis à Pohl, le chimérique chef de l'empire des S.S., ce qui indique que l'Office économique de la milice se serait intéressé à la réalisation de cette fabrication. Naturellement l'insuffisance des prévisions techniques dut tout de même se manifester à un moment donné. Car soudain, on ne mentionne plus le projet. Ainsi qu'on le montrera par la suite, Hitler s'intéressait à la fabrication, prometteuse de succès, des fusées A 4. Ce Zborowski était l'un de ces visionnaires auxquels les bureaux d'études n'aimaient pas opposer clairement des refus parce qu'ils avaient connaissance de ses rapports avec Himmler. Un an plus tard, n'avait-il pas suscité l'enthousiasme du *Reichsführer* en faveur de « turbines à oxygène » qui, « au cours de périodes de plongée tactiquement suffisantes, devaient permettre aux sous-marins d'atteindre sous l'eau des vitesses sensiblement supérieures à celles des navires de commerce et des vaisseaux de guerre ».

A en croire Zborowski, qui avait été promu entre-temps au grade d'*Obersturmführer,* Himmler aurait organisé pour lui « une conférence, le 24 février 1943, à bord du navire amiral *Erwin Wassner,* sur l'accroissement de la vitesse en plongée de sous-marins autonomes à grand rayon d'action ». Somme toute, il importe peu que Himmler ne pût mettre sur pied pareille conférence, ce qui est intéressant, en revanche, c'est que Zborowski crut pouvoir adresser au *Reichsführer* le rapport suivant : « Après avoir examiné mes propositions techniques en présence des officiers de son état-major, l'ingénieur en chef capitaine de vaisseau Thedsen se montra stupéfait et enthousiasmé par leur action. Elle apportent la solution technique du problème futur le plus grave de la navigation sous-marine, étant donné que l'action des submersibles est fortement limitée par le contrôle de plus en plus efficace exercé par l'aviation ennemie sur les routes maritimes. Celle-ci contraint les sous-marins à plonger et là, du fait de leur vitesse désespérément inférieure à celle de l'ennemi, ils ne peuvent tirer. Il leur est impossible en plongée de rattraper l'ennemi pour se mettre en position de tir... Eu égard à la répercussion décisive de ces idées sur la tactique navale de l'avenir et, ainsi, sur le cours de la guerre, le capitaine de vaisseau Thedsen va faire procéder par l'entremise du grand amiral Dönitz aux études nécessaires. Reconnaissant que, souvent, les initiatives décisives échouent du fait d'insuffisances humaines bien connues, nous avons décidé de prime abord d'éliminer celles-ci dans toute la mesure du possible. Ainsi, pour ne pas susciter la résistance des techniciens compétents qui depuis des années avaient été chargés de résoudre ces problèmes et n'y étaient pas parvenus, il fut entendu que l'on renoncerait à préciser l'origine du procédé et à désigner l'inventeur par son nom. On acheminerait ces propositions comme si elles reflétaient les souhaits du « front » et plus particulièrement de l'état-major technique du B.D.U.[5] »

Il ne peut s'être agi que d'une manœuvre de la marine destinée à faire illusion à Zborowski, car quelques semaines après la nomination de Dönitz au poste de commandant en chef de la marine de guerre, le 30 janvier 1943, la construction des nouveaux sous-marins était déjà décidée. Grâce à une propulsion électrique deux fois plus forte et à une augmentation d'énergie stockée dans les accumulateurs, ces submersibles avaient en plongée un rayon d'action beaucoup plus grand et une vitesse qui dépassait même celle des destroyers[6]. En outre, depuis un certain temps déjà, on avait expérimenté avec succès un sous-marin propulsé par le moteur à peroxyde d'hydrogène inventé par Walther, de sorte que la nouvelle génération de l'arme sous-marine était déjà techniquement au point.

Toujours selon Zborowski lui-même, le contre-amiral von Friedeburg commandant la flotte de sous-marins l'avait chargé « de vous transmettre, *Reichsführer,* l'assurance de sa reconnaissance et de vous présenter, par mon entremise, ses meilleures salutations ». Notons, à ce propos, qu'il s'agit là d'une formule de politesse subalterne qui ne concorde nullement avec le caractère Friedeburg, l'homme qui eut le courage de mettre fin à ses jours après avoir signé l'armistice avec les forces britanniques par ordre du gouvernement Dönitz.

Le Dr Brandt répondit le 5 mars 1943 : « Himmler a lu avec grand plaisir votre lettre du 26 février 1943. Tenez-le au courant à intervalles réguliers de la suite pratique de cette conférence positive. » Un mois plus tard, Himmler apprit avec satisfaction que le contre-amiral (ingénieur) Thedsen[8] « faisait examiner par les ingénieurs de son état-major les propositions et les documents qui lui avaient été confiés ». L'examen « ayant démontré leur justesse et leur valeur, l'amiral commandant les sous-marins a chargé l'Office de la construction navale de l'O.K.M. (commandement en chef de la marine) de mettre au point et de fabriquer ces turbines dont on devra équiper les navires[9] ». Même si ces déclarations avaient été conformes à la vérité, la mise au point et l'expérimentation de ces engins auraient exigé plusieurs années. Cependant la direction de la marine se souciait visiblement de ne pas susciter la mauvaise humeur de Himmler et, pour nourrir ses illusions, recourait à des stratagèmes absurdes. On se résignait forcément à ce que les dirigeants de l'armée et de l'industrie fussent importunés par de telles inepties ; d'éminents spécialistes, dont le temps était absorbé au maximum par l'étude de projets urgents, étaient contraints de s'occuper des « inventions » les plus insolites.

Des idées singulières se manifestaient : le 4 janvier 1943, Himmler s'adressa à moi personnellement pour me demander de supprimer les flèches indicatrices de changements de direction et les grands phares des automobiles, car, disait-il, avec les règlements relatifs à l'obscurcissement, les seconds ne servaient à rien de toute manière et les premières n'étaient guère nécessaires en raison de la circulation très réduite[10]. Une autre fois, à l'occasion d'une conférence au quartier général du Führer, le 17 avril 1943, il recommanda à Hitler de faire brunir les baïonnettes[11], afin que dans les offensives nocturnes l'éclat des armes blanches ne trahisse pas la présence de l'attaquant. Apparemment le fait que de telles charges n'eussent pratiquement plus lieu était tenu pour sans importance.

Nous craignions aussi la curiosité scientifique de Himmler parce qu'il y avait toujours le danger de le voir s'immiscer dans des travaux en cours qu'il risquait ensuite de déranger par ses ignorantes initiatives. Le 14 mai 1943, par exemple, il se rendit avec Porsche au quartier général de Hitler uniquement pour donner son avis sur le blindé de 188 t « Souris » dont la maquette en bois devait être présentée au Führer. Au début de la même année Himmler avait appris qu'après avoir assisté à l'essai de l'hélicoptère dit « Flettner », Hitler avait déclaré que cet engin présentait beaucoup d'intérêt. Mais un an auparavant Himmler avait déjà convoqué le constructeur pour se documenter au sujet de ce projet qui était encore en suspens. Or, ni le char lourd « Souris » ni l'hélicoptère Flettner n'avaient quoi que ce soit à faire avec les domaines d'activité du *Reichsführer*. En août 1943, ainsi que le rapporte le procès-verbal en ma possession, un projet émanant d'une autre partie, donc vraisemblablement de Himmler ou de son porte-parole, fut présenté à Hitler. Il s'agissait d'une nouvelle arme défensive pour l'infanterie. Hitler se montra ravi et déclara aussitôt « qu'en raison de son importance extraordinaire, ce pistolet de combat Gerloff devait bénéficier de tous les appuis, surtout afin de pouvoir décider aussi vite que possible quelles autres fabrications en cours pouvaient être arrêtées[14] ».

Mais l'enthousiasme de Hitler était sans fondements. Le protocole d'une conférence avec le chef de l'Armement des forces terrestres (le général d'armée Fromm) en date du 21 janvier 1944 rapporte objectivement au sujet de ce pistolet : « Une arme proclamée un engin miracle. A 70 m de distance elle a une dispersion de 3 m de large et 4 de haut. Prochaine présentation fin janvier. Conclusion encore imprévisible. Pièce d'essai encore en réparation. Les projectiles tombent en vrille jusqu'à 100 m de distance du combat [15]. »

De tels échecs, de telles défaites ne suffisaient pas à décourager les efforts de Himmler et de ses familiers en faveur de nouvelles inventions en apparence révolutionnaires. Quand elles étaient le fruit de l'expérience militaire des S.S., il pouvait arriver que ces idées fussent raisonnables. Ce fut le cas, par exemple, du véhicule à chenilles de 3 t « Mulet », recommandé par la division S.S. « Das Reich », qui s'avéra excellent. Au cours des premiers mois de janvier 1943, Hitler décida qu'on en fabriquerait 1 000 par mois et que le rythme de la production serait augmenté en fonction des possibilités [16]. Quant au chef des S.S., qui avait mis cette chenille au point, il reçut des mains du Führer une dotation de 50 000 marks. Mais c'était souvent Hitler qui stimulait l'imagination sans bornes de Himmler. A la mi-juin 1943, celui-ci fit état d'une remarque du Führer selon laquelle un matériau nommé Durofol devait être utilisé dans une proportion plus importante pour la fabrication d'une nouvelle invention : « Ainsi, si nous voulons utiliser le Durofol, il nous faut trouver le moyen d'en fabriquer davantage puisqu'il n'est produit que dans une seule fabrique. Je prie le chef de l'Office économique des S.S. d'examiner immédiatement cette question d'une deuxième fabrique et de me présenter des propositions dans ce sens [17]. » En même temps il donnait l'ordre à l'Office directeur des S.S. « de construire en toute hâte un véhicule automobile en Durofol incombustible. Si l'expérience réussissait, la question de l'emploi du fer dans la construction automobile serait résolue [18] ». On sait qu'un jour, pour la même raison, Göring voulait imposer la construction de locomotives en ciment [19]. Himmler informa également son porte-parole Kammler qu'il « attribuait la plus grande importance à ce nouveau matériau », il le priait de procéder immédiatement à son expérimentation et de faire fabriquer des poutrelles en Durofol, qui d'après les calculs scientifiques posséderaient une plus grande résistance que les poutrelles d'acier. « Si vous deviez réussir, nous serions tirés d'affaire pour une large partie en ce qui concerne la pénurie de fer dont nous souffrons pour la construction. En outre Durofol doit être incombustible [20]. »

Jüttner envoya le 25 juin un rapport qui fit l'effet d'une douche froide : Durofol n'était qu'un contre-plaqué avec un module d'élasticité de 280 kg au cm^2 contre 2 200 000 kg au cm^2 pour le fer. « Ce manque d'élasticité limite l'emploi du matériau qui ne peut servir pour la fabrication des carrosseries de véhicules automobiles. Il pourrait convenir pour de petits accessoires du véhicule, comme les pignons, les poignées de porte, les châssis de fenêtre et autres[21]. » Un rapport complémentaire du service X de cette direction des S.S. ajoutait :

« Pour l'essentiel, il s'agit là d'un matériau de remplacement pour alliages de métaux non ferreux et pour l'aluminium. Provisoirement ne peut être utilisé que pour des petits objets atteignant jusqu'à 500 mm au plus, c'est-à-dire, par exemple, pour des ferrures de porte ou de fenêtre, des parties intérieures de la carrosserie. Jusqu'ici on n'a pas réussi à construire des accessoires plus grands que des garde-boue. Des parties de carrosserie à autosupport n'ont pu être encore fabriquées du fait que l'on ne peut se procurer les moules. Développements prévus pour l'avenir à l'exemple des progrès enregistrés aux États-Unis (Ford). L'inconvénient sera que dans les cas de collision (bosselures), il ne sera pas possible de réparer autrement qu'en remplaçant toute la pièce abîmée[22]. »

Le rapport de Kammler fut également négatif : « On ne considère pas la production de poutrelles comme opportune, car, d'une part, le matériau coûte beaucoup trop cher et, d'autre part, les matrices indispensables seraient très volumineuses et onéreuses. En outre, ainsi que nous l'avons déjà mentionné, le procédé ne serait rentable qu'à partir d'une production de très vastes quantités... Comme la résistance du Durofol est loin d'atteindre celle du fer (2910 kg au cm^2 contre 3500 à 4500 pour le fer), pour un poids égal les profits devraient être sensiblement plus accentués[23]. » Une fois de plus, un projet de Himmler avait échoué.

L'impuissance de l'aviation allemande face aux escadres de bombardiers ennemis suscitait bien sûr le blâme général. Dans la mesure où il le pouvait, Himmler orientait ces critiques en direction du ministère de l'Air dont les chefs étaient d'ailleurs déjà discrédités. En octobre 1943, il reçut l'ingénieur Plendl qui avait été chargé par Milch, Dönitz et moi-même d'examiner les questions de haute fréquence. Le 7 janvier 1944, ce Plendl adressa sur ce sujet un rapport de dix pages au *Reichsführer,* bien que le domaine de la haute fréquence lui fût totalement étranger et qu'il se montrât incompétent en la matière. En même temps, il fut à même d'annoncer qu'en accord avec l'Office économique des S.S. un institut de recherches sur la haute fréquence avait été créé à Dachau en août 1943. Le directeur en était l'*Obersturmführer* Schröder. « Les collaborateurs de l'institut seront recrutés exclusivement parmi les déportés ; leur chef sera le déporté Hans Maier, ancien directeur du laboratoire central de Siemens et Halske, et le personnel comptera en outre de 20 à 25 déportés, tous ingénieurs, physiciens techniciens et spécialistes dans ce domaine. Le bureau chargé de l'étude des phénomènes de haute fréquence leur fournira les engins nécessaires, les instruments de mesure et les machines-outils. » Il est certain que de pareils spécialistes eussent fourni un travail plus fécond en liberté que sous la direction d'un *Obersturmführer* techniquement ignorant.

La lettre de Plendl à Himmler ajoute : « Afin d'utiliser dans une mesure beaucoup plus considérable, au profit de la recherche en matière de haute fréquence, des déportés, même non spécialisés, grâce au soutien accordé par le *Reichsführer,* on procède actuellement au camp de concentration de Grossrosen à la construction d'un atelier. Celui-ci comprend 4 baraques s'étendant sur 1700 m² environ. Elles seront prêtes vraisemblablement au début de mars. Une baraque et demie servira à abriter l'institut de recherches actuellement à Dachau et les deux baraques et demie restantes seront utilisées pour l'atelier proprement dit. Dès que les travaux seront terminés, de 150 à 200 déportés seront affectés à des tâches relatives à la haute fréquence sous la direction d'un ingénieur et de cinq maîtres mis à notre disposition par l'Office spécialisé du Reich. Ils commenceront par démonter des appareils confisqués, tubes, etc. ; ensuite, ils exécuteront progressivement des travaux plus complexes tels que la construction d'instruments de mesure, d'appareils et de pièces détachées pour les besoins de la recherche en la matière. Si nécessaire, la main-d'œuvre ainsi spécialisée pourra être employée pour réaliser les objectifs du *Reichsführer* ou ceux que vous avez assignés au *Sturmbannführer* Sieben, sans en appeler à une instance intermédiaire [24]. » La phrase finale de cette lettre confirme clairement ce que nous ignorions à l'époque : Himmler s'était aménagé un service de recherches personnel sans recourir à une « instance intermédiaire », c'est-à-dire sans être contrôlé par le colonel Geist, l'homme que j'avais chargé de la centralisation des recherches de l'armée dans mes services. Au lieu d'effectuer les travaux qui leur étaient confiés dans leurs entreprises, des déportés possédant une formation scientifique avaient été débauchés pour travailler à des projets particuliers des S.S.

Himmler témoignait de la même légèreté en se mêlant des projets élaborés par d'autres armes de la Défense nationale. Ainsi il usa de tous les moyens dont il disposait pour faire construire une vedette destinée à la marine, bien que cette idée n'eût pas trouvé d'écho du côté de l'amirauté. Le 30 avril 1944, il informa le *Standartenführer* Kloth que le *Standartenführer* Frosch se présenterait chez lui : « Je lui ai donné mandat de développer et de mener à bien une invention importante. Soutenez-le par tous les moyens possibles et même impossibles [25]. » Il s'agissait, ainsi qu'il le précisa le même jour à Frosch « de l'expérimentation et de la production de la vedette lance-torpilles. Vous êtes responsable vis-à-vis de moi de l'exécution de l'ordre suivant : Vous ferez le nécessaire pour que cet instrument de guerre extrêmement important soit produit en série et puisse être mis en service dans le délai le plus bref. Je désire que la première série soit en service le 1er septembre 1944. Si vous rencontrez des difficultés du côté d'un bureau quelconque, vous aurez à vous adresser *immédiatement* à moi par télescripteur [26]. »

Pohl fut invité aussi à recevoir « dans les tout prochains jours le *Standartenführer* Frosch de l'office central des S.S. Il est chargé par moi de l'application d'une invention extrêmement importante. Je voudrais que la fabrication consécutive soit exécutée si possible dans nos ateliers [27]. »

Il s'agissait d'une « vedette carénée » provenant des ateliers d'expérimentation Wankel à Lindau. De forme aérodynamique, ce navire devait fendre les vagues comme un poisson. Équipé d'une torpille et armé de deux canons antiaériens de 3,7 cm, il était capable d'atteindre une grande vitesse pour attaquer des vaisseaux ennemis. Le projet faisait partie de la série des petits moyens de combat qui étaient manufacturés ou mis au point sous la direction de l'amiral Heye.

Cette invention n'était pas sensationnelle, partout on travaillait sur de tels projets. Le seul élément extraordinaire était l'arbitraire avec lequel Himmler se mêlait d'une construction destinée à la marine. Le 6 mai 1944, il inspecta personnellement la fabrique de Wankel à Lindau[28]. Les usines Dornier, chargées d'importants travaux relatifs au programme d'avions, utilisaient à l'époque les halles des ateliers d'expérimentation de Wankel. Le 19 janvier 1944, Himmler invita Frosch « à se rendre dès que possible aux ateliers Wankel afin de savoir à quoi s'en tenir sur le comportement des dirigeants des usines Dornier. Le *Reichsführer* souhaite un rapport à ce sujet[29] ».

Un mois plus tard, le 19 juillet, Keppler, l'ancien expert économique de Hitler et l'homme de confiance de Himmler, témoigna à son tour de l'importance qu'il attachait à la construction de cette vedette lance-torpilles. Il écrivit à Himmler : « J'ai appris que tu as parlé au maréchal du Reich (Göring) de l'évacuation par Dornier de l'atelier Wankel, mais que Herr Dornier ne se désigne pas et veut porter l'affaire personnellement devant Hitler[30]. » Des pourparlers entre Frosch et le directeur des usines Dornier, Kühl, s'ouvrirent le 2 août. Le second fit valoir que l'état-major de l'aviation de chasse avait besoin de la halle : l'ingénieur Lucht, chef des mesures d'urgence, lui avait déclaré que « l'évacuation des ateliers d'expérimentation Wankel était ajournée au mois de septembre et que la décision définitive serait prise à ce moment ». L'état-major de l'aviation de chasse jugeait que la tâche d'accroître très vite la production des avions de chasse était beaucoup plus importante. « Le directeur Kühl déclare qu'il ne s'inclinera que sur un ordre de l'état-major de l'aviation de chasse, son représentant, M. Saur, lui ayant reproché de ne pas avoir défendu assez énergiquement le point de vue de Dornier dans l'affaire Wankel[31]. »

Mais les S.S. furent plus puissants que l'état-major. Le 5 août Frosch constatait : « Le major Schubert, officier technique auprès du maréchal du Reich (Göring) m'a téléphoné le 31.7.1944 pour me demander si Dornier pouvait continuer à se servir de la halle n° 1 des ateliers d'expérimentation Wankel. J'ai répondu que je partais le même jour pour Lindau afin d'examiner sur place la situation. Le 5.8.1944, j'ai informé par téléphone le major Schubert que je *devais* maintenir mon exigence, à savoir l'évacuation de la halle n° 1. Le major Schubert me déclara qu'en conséquence il informait le bureau de planification de l'état-major de l'aviation de chasse que les

Waffen S.S. (en fait il s'agissait d'objectifs intéressant la marine) avaient besoin de la halle n° 1 et que celle-ci devait être évacuée par Dornier[32]. »

Mes agents capitulèrent aussi. Le colonel Geist, chef de mon service « inventions », informa le bureau des matières premières à l'état-major personnel de Himmler que, sur instruction de la Commission de la construction navale, il déléguait l'ingénieur Büller, premier constructeur de navires à surfaces portantes, à des pourparlers avec Wankel à Lindau. Il serait accompagné de deux constructeurs et de deux dessinatrices. Un certain Dr Eglin avait été mis à leur disposition par la firme Sachsenberg et « pourrait préciser avec Wankel l'emploi du groupe de construction Büller[33] ». Himmler enregistrait ainsi des succès tangibles.

Toutefois cette aide de mon personnel ne lui suffit pas encore. Ainsi qu'il le consigna dans une note personnelle, le Dr Kimm, titulaire d'une chaire de construction aéronautique dans une école supérieure technique, reçut l'ordre de se rendre immédiatement à Lindau avec son assistant, l'ingénieur Neumann. Himmler précisa : « Le Dr Kimm, qui a effectué les calculs fondamentaux concernant la vedette, demeurera jusqu'au 15 août à Lindau pour mener à bien les calculs rendus nécessaires par les modifications de la construction. » L'amiral Heye envoya à Wankel le lieutenant Wendel, un ingénieur spécialisé dans la construction navale afin qu'il se familiarisât avec la vedette. « Ainsi le personnel affecté à cette tâche est au complet, de sorte que le lancement pourra avoir lieu bientôt, à condition toutefois que Dornier évacue la halle n° 1 de Wankel. »

Agissant comme s'il était le chef suprême de l'armement, Himmler poursuit dans la note figurant au dossier : « Après m'être entretenu avec le ministre Speer et M. Saur, eu égard aux importantes manufactures confiées aux Dornier-Werke, j'ai accepté moi-même que les Wandel-Werke soient logés dans d'autres halles jusqu'à ce que les premiers puissent emménager dans leurs ateliers souterrains, dans quatre mois. Speer, Saur et moi savons parfaitement à quoi nous en tenir sur le comportement indécent des établissements Dorner. De même, nous sommes d'accord pour que les établissements Wankel récupèrent leur fabrique[34]. »

Selon Himmler, le navire devait être produit en série en septembre 1944. Il ne se doutait même pas des délais qui étaient nécessaires pour mettre au point un prototype et le produire en série. La vedette hanta les documents des S.S. jusque dans les dernières semaines de la guerre. Le 12 mars 1945, un certain *Sturmbannführer* Luditz, de l'inspection du génie, demandait encore une audience au sujet du navire au Dr Brandt. Mais, entre-temps, la désorganisation avait largement sévi. C'est pourquoi l'on ajoutait : « En raison des désordres dans les différents bureaux de l'office central des S.S. Luditz n'a pas encore réussi à obtenir satisfaction[35]. » Je compris seulement en examinant « les archives personnelles » du *Reichsführer* que Himmler, outre un office particulier des matières premières, entretenait également un office technique. Je tiens aujourd'hui pour plausible la supposition selon laquelle il s'agissait pour lui de créer une sorte d'administration fantôme destinée à remplacer un jour les principaux chefs de service de mon ministère. Les S.S. utilisaient cet office pour manufacturer leurs propres armes, ce que je considérais comme un gaspillage inutile. La milice ouvrait aux siens des perspectives d'avancement rapide et, du fait du prestige militaire de ses divisions, elle attirait des personnalités capables qui, de la sorte, étaient perdues pour l'armée. Ainsi, le Dr Schwab, chef de l'office technique des S.S., aurait pu jouer un rôle dirigeant dans l'armée.

Les demandes qu'il présenta devant la commission des munitions de mon ministère le 24 novembre 1942 visaient à restreindre la mise en pratique des projets superflus, elles étaient conformes à nos idées, mais elles contredisaient celles du visionnaire Himmler et surtout celles de Hitler qui, en présence de la situation militaire, songeait sans cesse davantage à des armes miracles. Schwab déclara à ce propos : « On trouve des centaines d'inventions dans tous les domaines possibles. Chacune d'elles est importante, chacune d'elles peut apporter un jour un réconfort en n'importe quelle zone de combat, mais eu égard à la situation générale sur le plan technique, la grande majorité de ces inventions ne revêtiront pas une importance militaire décisive dans les 3 ou 4 mois à venir. Il est possible que nous disposions dans deux ans d'une arme blindée ou d'une artillerie qui nous permette d'affronter n'importe quelle attaque de chars de combat. Mais si l'adversaire ne nous laisse pas ce délai, cet espoir devient totalement illusoire[36]. » C'était exactement le raisonnement suivi par mon ministère.

Au printemps de 1942, le général Guderian et des experts de l'état-major de l'armée estimaient qu'une vaste offensive en direction de la Volga et du Caucase représentait un gaspillage de matériel de guerre. Selon eux, la seule décision raisonnable était de consacrer la quantité accrue de notre armement à édifier un solide front de défense. Schwab se rallia le 3 août 1944, c'est-à-dire bien tardivement, à cette conception qui partait d'une estimation réaliste de la capacité d'armement allemande. Dans son rapport à la commission des blindés, il souligna qu'en construisant des chasseurs blindés il fallait « concentrer ses efforts sur la technique de la défensive ». Il recommandait la construction de blindés légers, car « au point de vue industriel, nous ne pouvions concurrencer les chars de type lourd et superlourd, qui doivent leur rendement à la solidité de leur blindage et à la force de percée des canons. Pour le chasseur blindé, nous devons privilégier la vitesse potentielle avec un blindage relativement faible, afin de pouvoir exécuter rapidement des mouvements tactiques. Le blindage doit avoir jusqu'à 2 cm d'épaisseur pour résister à des armes automatiques légères. On doit s'efforcer d'atteindre une vitesse d'au moins 60 km à l'heure en terrain dégagé[37] ». Le succès remporté ultérieurement par le blindé léger tchèque de 38 t au cours de l'automne et de l'hiver 1944 donna raison aux conceptions de l'état-major et à celles de Schwab.

Plus la situation militaire s'aggravait, plus le domaine du pouvoir de

Himmler s'accroissait. S'il était devenu par la multiplicité et l'importance de ses fonctions le satellite le plus puissant de Hitler, il le devait aux événements du 20 juillet. Auparavant, il était *Reichsführer* des S.S., ministre de l'Intérieur, chef de la Gestapo et de la police ordinaire. Devenu commandant en chef de l'armée territoriale, il pénétrait des positions jusque-là farouchement défendues par la Wehrmacht ; à ce titre il était responsable de la mise sur pied de nouvelles divisions, il pouvait procéder à la répartition des armements militaires. Peu après le 20 juillet, il fut chargé par Hitler de réorganiser la mobilisation au combat de millions de soldats et officiers provenant des trois armes de la Wehrmacht et de l'organisation Todt. Peu après, en décembre 1944, il commanda quelques divisions sur le haut Rhin et, fin janvier 1945, un groupe d'armées sur la Vistule. Mais tout cela ne lui suffisait pas. Alors qu'il devait stabiliser le front, il tentait en même temps d'amener grâce à ses idées insolites une révolution dans la technique de l'armement militaire.

La responsabilité de la mise au point et de la production des armes continua malgré tout à appartenir à mon ministère. Mais une fois nommé commandant de l'armée de réserve, Himmler détenait enfin un motif officiel d'intervenir dans ces questions. L'*Obergruppenführer* Jüttner fut chargé de le représenter dans toutes les affaires intéressant l'armée de réserve (*cf.* appendice XII). Afin d'endiguer la soif de pouvoir des deux dirigeants S.S., j'écrivis le 10 août 1944 à Jüttner : « Je regrette de constater que par la présentation de nouvelles armes à Himmler et à vous-même ainsi que par diverses mesures d'exception l'on tente de tourner le décret de Hitler relatif à la concentration de l'armement. Je vous demande donc d'attirer l'attention du *Reichsführer* sur ce décret afin que, par ignorance de ces instructions, il ne prenne pas de décisions contraires. Déjà l'ordonnance signée par vous selon laquelle un certain nombre de projets doivent être interrompus et d'autres doivent être autorisés contrevient au décret relatif à la concentration des pouvoirs en matière d'armement et de production de guerre. Dans ce domaine, nous avons l'intention nous-mêmes d'aller sensiblement plus loin que ne le prévoit votre ordonnance[38]. »

A ma demande, Hitler avait en effet signé dès le 19 juin 1944 un décret relatif à « la concentration de l'économie de guerre et de l'armement ». Le 21 juillet, au lendemain de l'attentat, je complétai ce texte comme suit : « Tous les travaux de recherches et de mises au point doivent être interrompus dans la mesure où l'on n'aura pas sollicité par écrit avant le 31 août 1944 l'autorisation exceptionnelle de les poursuivre. Ces travaux ne peuvent reprendre qu'avec mon autorisation... Si les projets à mettre au point risquent de provoquer des goulots d'étranglement pour les matières premières ou les produits manufacturés, les quantités de matières premières ou de produits manufacturés devront être indiquées afin que les possibilités de production puissent être déterminées préalablement[39]. » Ce décret visait tout particulièrement les nombreuses activités de Himmler qui absorbaient de précieuses capacités de développement pour des projets presque toujours inutiles et ne présentant guère de chances de réalisation.

On obtint le résultat contraire. Agissant de manière autonome comme s'il s'était agi d'une affaire intéressant le commandement S.S., Himmler avait reçu le 9 septembre le Dr von Holt[40], une personnalité dirigeante de la Wasag, une entreprise qui dépendait de mon ministère, et il lui avait demandé un rapport sur les principaux efforts à déployer pour la mise au point des fusées de la défense contre avions. La question faisait également partie de mes attributions. Une semaine plus tard, le 15 septembre 1944, le Dr Brandt, chef de l'état-major personnel du *Reichsführer,* transmit au Dr von Holt le projet d'un certain Glätzer, *Unterscharführer* des S.S., qui visait à bouleverser la technique de guidage des fusées.

Von Holt répondit qu'il était possible de réaliser une fusée sol-air contre les bombardiers, téléguidée par des impulsions lumineuses. Dans une lettre adressée au chef d'état-major de Himmler, il précisa : « Me fondant sur mes expériences en matière de fusées et de questions énergétiques, je maintiens cette affirmation... D'autre part, considérant que le fonctionnement parfait de l'autoguidage conditionne les engins *Œil de paon, Alouette* et, éventuellement, l'engin de l'*Unterscharführer* Glätzer, je vous prie de solliciter du Pr Föttinger un rapport authentique sur l'état actuel des recherches en matière d'autoguidage. » La lecture de cette correspondance nous amène à penser une fois de plus que Himmler s'occupait personnellement de l'affaire : « Ce rapport du Pr Föttinger est d'autant plus heureux que la clôture rapide des expériences d'autoguidage dépend de facteurs extérieurs contre lesquels, m'a-t-il dit vendredi, il ne peut agir[41]. » Le Dr von Holt demandait ainsi à Himmler d'intervenir personnellement pour éliminer les obstacles. L'autoguidage des fusées constituait d'ailleurs pour toutes les fusées défensives sol-air le problème pour lequel on n'avait aucune solution. La dangereuse invitation du directeur de la Wasag devait susciter non seulement de l'inquiétude, mais aussi des difficultés et sans doute devait-il également les prévoir.

En revanche, Himmler, avec le bon sens apparent du profane, avait fait sur le problème des fusées un commentaire lapidaire : « Tirez donc une bonne fois, nous avons malheureusement la possibilité quotidienne d'un essai pratique ! » Von Holt se hâta de répondre : « En formulant ce vœu, vous avez parlé pour le Pr Föttinger et pour moi, selon notre cœur et à tout moment nous ferons de notre mieux pour accomplir cette tâche[41]. » Cette phrase ampoulée reflète la crainte de ne pouvoir donner satisfaction à Himmler. Ces contacts marginaux avec un homme détenant de tels pouvoirs sapaient aussi l'autorité de mes collaborateurs et, de ce fait, leurs ordres paraissaient secondaires. Il faut remarquer pourtant que le Pr Föttinger était le directeur, à l'École supérieure technique de Berlin-Charlottenburg, du prestigieux institut de recherches sur la dynamique des fluides.

En ces derniers mois de la guerre, les idées les plus fantaisistes se manifestaient et elles devaient être examinées avec le plus grand sérieux en raison des instructions de Himmler. Une firme inconnue de Hildesheim, nommée Elemag, avait ainsi adressé à l'*Obergruppenführer* Lauterbacher, *Gauleiter* de Hanovre-Brunswick, le projet de paralyser à distance le fonctionnement des engins électriques. Assez naïvement, le document notait que l'atmosphère était elle-même un isolant « auquel on donne en général peu d'importance en raison de son caractère naturel. Mais, en fin de compte, ajoutait-il, c'est l'atmosphère qui constitue le fondement isolateur de toute l'électronique et il est établi que la suppression de l'action isolatrice de l'atmosphère rend impossible la marche de n'importe quel engin électrique de construction connue. On sait que les oscillations électriques ultracourtes de certaines fréquences ont, entre autres, pour effet de ioniser(!) l'atmosphère qu'elles pénètrent et de déclencher ainsi une réaction électrique contraire ; cela signifie en d'autres termes qu'elles transforment l'atmosphère en un conducteur d'électricité [42] ».

Au lieu de transmettre ce projet à mon ministère où on l'aurait classé sans autre forme de procès dans les archives, le *Gauleiter* Lauterbacher l'envoya le 13 novembre 1944 à Himmler [43]. Le *Reichsführer* pria aussitôt son office technique de prendre position à ce sujet. Avec un sérieux sans aucune proportion avec cette affaire mineure, on lui répondit, le 8 janvier 1945, que le procédé n'avait pas la moindre chance de réussite ; il fallait considérer comme perdus d'avance tous les moyens mis à la disposition de cette expérience [44]. A l'époque, début janvier 1945, les Soviets avaient atteint la Vistule ; Himmler, à la tête de huit divisions, continuait à s'efforcer vainement de sauver la situation dans le haut Rhin, voulant ainsi se poser en grand capitaine. Mais, en même temps, il était absorbé par l'idée d'armes miracles utopiques qui résoudraient tous les problèmes stratégiques. Dans ce cas également, il ne se contenta pas du rejet catégorique de son propre Office. Le même jour, le 8 janvier 1945, il transmit le projet d'une transformation de l'atmosphère en conducteur d'électricité à la plus haute instance scientifique, soit le Pr Werner Osenberg, chef de l'Office de planification du conseil des recherches du Reich. Le verdict fut envoyé un mois plus tard à Himmler. En raison de l'importance que revêtait tout désir du *Reichsführer,* la lettre fut acheminée par messager spécial de Northeim à Berlin, ainsi que le précise une mention sur l'enveloppe.

Cette réponse d'Osenberg devait anéantir tous les espoirs de Himmler. L'examen de la question obligeait « à conclure que le projet d'Elemag n'est pas réalisable dans l'état actuel de la science. Il ne témoigne pas d'une réelle intelligence des problèmes techniques et physiques décrits, de sorte que l'on ne peut recommander de charger cette société de l'exécution des recherches nécessaires ». Visiblement Osenberg s'était aperçu tout de suite qu'il s'agissait d'une charlatanerie. Craignant toutefois de s'exposer à des reproches, il avait prié des savants éminents d'examiner la question. « Comme l'on présente constamment de semblables suggestions, j'ai demandé à quelques savants connus de prendre position sur les problèmes soulevés. »

Il pouvait ainsi citer l'opinion de « M. le Professeur Meissner, l'homme qui dispose d'une expérience consommée dans le domaine des ondes électromagnétiques, ainsi que celle du chef de mon service d'expérimentation, le Dr Radstein. Dès réception des autres expertises encore en attente, je vous communiquerai une vue d'ensemble de l'état actuel des recherches dans ce domaine [45] ». On a conservé les deux expertises mentionnées par Osenberg. Au bout de trois pages de longues explications sur les notions fondamentales de la physique, le Dr Radstein, chef du service d'expérimentation de l'Institut de recherches du Reich, constatait « qu'il était impossible d'arriver à la réussite souhaitée à l'aide des moyens connus et même de ceux dont on disposerait prochainement [46] ».

Après avoir fourni de nombreux détails, le Pr Meissner, directeur de l'Institut de recherches de l'A.E.G., concluait à son tour : « On ne trouve dans ces propositions aucune compréhension des phénomènes physiques et techniques qui leur servent de points de départ. Dans l'état actuel des choses sur le plan technique, il serait donc tout à fait inutile, et ce serait une perte de temps, que d'approfondir davantage les détails relatifs à ce projet [47]. » Aujourd'hui encore, les documents font ressortir la panique avec laquelle on s'affairait à la suite d'une demande de Himmler. Une réponse erronée pouvait faire perdre la guerre... Qui donc aurait assumé cette responsabilité [48] ?

Himmler se montrait tout aussi sûr de lui dans le domaine de la chimie. En janvier 1945, il donna l'ordre de tout mettre en œuvre pour réaliser l'idée chimérique d'extraire du carburant des racines de sapin. Elle ne lui avait pas été inspirée seulement par l'imminence de la catastrophe. Dès le mois de mai 1942, il avait examiné avec attention un projet analogue. A l'époque, il avait communiqué avec le plus grand sérieux à Pohl qu'il existait une invention permettant « de récupérer les gaz provenant des cheminées des boulangeries afin d'en faire de l'alcool. Ainsi celles que nous possédons à Dachau devraient livrer chaque jour de 100 à 120 l d'alcool. En conséquence, je vous prie de vous occuper de cette question afin que nous appliquions ce procédé dans nos boulangeries [49] ».

A la suite de cette instruction, un certain Niemann, *Hauptsturmführer* des S.S., dut rédiger un rapport, mais celui-ci suscita la mauvaise humeur de Himmler. Sur les 4 millions d'hl d'alcool qui avaient été produits au cours de la dernière année de paix, concluait Niemann, on n'aurait pu tirer que 0,6 pour 100 des gaz d'échappement même en mobilisant toutes les boulangeries. Le 17 octobre 1942, Himmler, très mécontent, écrivit à Pohl : « Chargez un autre chef S.S. de s'occuper de ces expériences. Le *Hauptsturmführer* Niemann me paraît avoir sur toute cette question une attitude tout à fait négative. Toute la tendance de ce rapport me déplaît. Je suis d'avis qu'en temps de guerre la récupération de petites quantités d'alcool, si minimes fussent-elles, a de l'importance. Je ne crois pas qu'à présent nous réussissions à récupérer 4 millions d'hl d'alcool. Cependant, si l'on procédait à une recherche objective et serrée, le pourcentage de l'alcool récupéré sur les fumées des fours serait sensiblement plus considérable. J'espère que nous aurons l'occasion de nous entretenir de la question à notre prochaine rencontre[50]. » Six mois plus tard, une autre idée absurde prit corps. Le 31 mars 1943, le *Sturmbannführer* Dr Joachim Caesar, chef de la section agriculture au camp de concentration d'Auschwitz, fit part à l'état-major de Himmler de la possibilité d'extraire de l'huile des géraniums. Dès le lendemain, le *Reichsführer* s'informa « de la teneur en huile de cette plante ». Il était d'avis que l'on pourrait s'en procurer ainsi une grande quantité et il donna l'ordre à Pohl de faire planter un hectare de géraniums. Il désirait en tout cas que cette question fût désormais méthodiquement étudiée[51].

En janvier 1945, il se lança sur une nouvelle piste. Son intérêt avait été éveillé par un rapport du Service d'information daté du 28 décembre 1944 dans lequel il était question de la production japonaise d'une essence possédant un indice d'octane élevé pour les moteurs d'avion ; elle était extraite, disait-on, des racines de sapin. « Selon des sources officielles, cette essence pour avions est obtenue par un procédé simple et, au Japon, on la produit déjà en quantités industrielles. Les ministères de l'Agriculture et du Commerce (japonais) ont lancé une campagne en vue d'accroître la production pendant une période de cinq mois qui a commencé en novembre dernier... Des essais ont montré que la qualité de ce produit est égale, peut-être même supérieure à l'essence de l'indice d'octane le plus élevé, tirée du pétrole... Les experts estiment que la teneur en huile des racines augmente avec l'âge de celles-ci, par exemple 375 kg de racines enterrées environ dix ans donnèrent de 54 à 72 l, celles qui étaient restées dans la terre deux ou trois ans seulement ne donnèrent que 45 l[52]. »

Au moment où notre production d'essence pour avions se trouvait presque réduite à zéro, aux yeux de Himmler, toujours enclin à délirer, cette révélation ressemblait à un cadeau de la Providence. Le 9 janvier 1945, il chargea le Dr Brandt d'écrire au conseiller Wagner en mentionnant son grade de *Standartenführer :* « Ne serait-il pas possible de demander à M. l'ambassadeur Oshima si les Japonais seraient disposés à nous donner plus de précisions sur la récupération de l'huile et sa transformation. Le *Reichsführer* s'intéresse vivement au procédé[53]. » Quelques jours auparavant, le 5 janvier 1945, sans même attendre la réponse des Japonais, Himmler avait donné l'ordre à l'*Obersturmführer* Lipinsky de quitter sa division blindée pour venir le trouver[54]. Le 18 janvier, le *Reichsführer* s'entretint avec lui « de sa mission spéciale consistant à récupérer l'essence contenue dans les racines de sapins. » Pohl fut aussitôt informé qu'après avoir pris congé de sa division Lipinsky se présenterait chez lui. « Le *Reichsführer* vous prie d'examiner avec lui tous les détails du projet et de lui apporter toute l'aide possible[55]. »

En même temps le Dr Brandt signala à la direction des S.S. que Himmler « avait confié à Lipinsky un mandat spécial intéressant la chimie » et que, « dans ce but, il était détaché jusqu'à nouvel ordre auprès de l'office d'administration économique des S.S. [56] ».

Pohl se montra plus circonspect que son supérieur. Le 23 janvier 1945, par l'entremise de Brandt, il informa Himmler : « D'après tout ce que nous savons, les sapins japonais contiennent beaucoup plus d'huile que nos sapins allemands et il semble que sa quantité s'accroisse encore du fait de la décomposition qui se produit quand on conserve les racines sous la terre. Cet ensevelissement fait partie d'une technique de fabrication connue au Japon. Ainsi, par exemple, des épées qui doivent être particulièrement tranchantes sont ensevelies après avoir été enveloppées de paille ou de fumier. De même, on enterre les racines de soja qui sont consommées chaque jour sous formes d'épices par les Japonais. Pour les raisons mentionnées ci-dessus, je ne crois pas que nous puissions produire en importantes quantités la résine destinée à fournir de l'essence, d'autant que ces racines de sapin préparées selon un procédé apparemment secret doivent mûrir sous terre au bout de *plusieurs* années[57]. »

Une réponse de « l'état-major personnel » de Himmler informa Pohl que de l'avis du *Reichsführer,* Lipinsky pourrait agir plus utilement dans la troupe qu'en procédant à des recherches scientifiques à longue portée. « Aussi avons-nous décidé d'annuler sa nomination à l'Office d'administration économique des S.S. [58]. » De toute évidence, cette lettre ne fut pas envoyée, le texte fut biffé, la date ne fut pas indiquée, enfin la copie manque au dossier.

On ne peut guère douter que Himmler ait poursuivi ses chimériques espoirs : Le 1er février 1945 Lipinsky signala au chef de l'état-major personnel du *Reichsführer :* « J'ai recruté deux collaborateurs scientifiques en vue de mener à bien la mission qui m'a été confiée. Ce sont le Dr Brückner, actuellement détaché au laboratoire d'expériences physico-chimiques de la *Kriegsmarine,* et le Dr Horst Luther, de l'Institut de technologie chimique à l'université de Posen. Tous deux occupent leurs fonctions actuelles à la suite de l'action entreprise par le Pr Osenberg. La mise à notre disposition du Dr Luther ne devrait pas susciter de difficultés, étant donné que son chef, le Pr Körger, a bien été obligé de donner son accord. Dans l'affaire du Dr Brückner, comme nous l'avons dit, il est probable que le *Reichsführer* devra intervenir. Je ne pourrai parler à l'*Obergruppenführer* Pohl que le 3 février car, pour le moment, il fait un voyage de service. Enfin, sur l'ordre de l'*Oberführer* Gutberlet, je ne dois plus rejoindre ma division et dois simplement faire connaître par écrit ma nouvelle affectation[59]. »

Un télégramme adressé le 28 janvier 1945 à Lipinsky permet également de déduire que Himmler avait conservé tous ses espoirs : « Le *Reichsführer* des S.S. vous a nommé *Hauptsturmführer* de réserve des Waffen S.S. à compter du 30.1.1945. Cordiales félicitations[60]. »

Quelques mois plus tôt à peine, Himmler était encore à la recherche de nouveaux explosifs. Le 22 juin 1944, il avait annoncé que, « soudain, par suite des progrès de la technique, on avait vu apparaître des explosifs dont les effets et la vitesse éclipsaient de loin l'arsenal de notre arme de représailles[61] ». Dans mon ministère, on savait déjà depuis longtemps qu'en raison de l'épuisement de toutes nos réserves de chrome, une bombe atomique (il ne pouvait s'agir que d'elle) ne pourrait plus être produite avant l'épuisement de toute notre production d'armement prévisible pour l'hiver de 1945[62].

Himmler se montrait réservé sur le sujet de la recherche atomique. Cependant il me reprochait ma négligence dans ce domaine, précisément en raison des conséquences de la fission nucléaire. On n'a pas conservé sa lettre à ce sujet, mais ma réponse montre bien que je fus obligé de me défendre. Le 23 septembre 1944, « afin de parer à de futurs malentendus », je lui écrivis : « On ne peut douter qu'il soit nécessaire de procéder à la recherche scientifique en temps de guerre et même à une recherche intensive. La solution la plus heureuse serait, certes, de lui laisser les mains libres et de nous contenter de formuler les suggestions qui promettraient d'être les plus utiles à la conduite de la guerre. Mais le fait qu'en cette matière nos possibilités sont sensiblement plus limitées que celles de nos ennemis nous interdit d'agir ainsi. Nous n'atteindrons des résultats intéressants pour la conduite de la guerre que si nous examinons soigneusement la mise en œuvre des forces et des moyens nécessaires tant pour la mise au point de l'invention que pour la recherche. Il faudra aussi que nous concentrions nos efforts sur des points particuliers, mais, dans ce cas, il sera nécessaire également que nous ayons une idée précise de l'objet de la recherche et du but poursuivi par les travaux en cours ou projetés. Partant de cette idée, en allouant ou en supprimant les moyens nécessaires, on limitera ou même l'on interrompra les travaux que nous ne pouvons mener à bien sans mettre en péril notre effort principal. Il va sans dire qu'en autorisant les travaux de recherche on n'obéira pas aux mêmes motivations qu'en matière d'invention, les objectifs et les perspectives ne pouvant être appréciés aussi exactement dans le premier cas que dans le second. En fin de compte, cependant, il s'agit aussi dans la recherche : 1. de privilégier les travaux dont on peut escompter des avantages dans la conduite de la guerre, 2. de limiter ceux qui compromettent la poursuite d'un effort axé sur les tâches essentielles[63]. »

Göring étant président du conseil de la recherche, je l'avais informé de mes projets aussitôt après avoir reçu la lettre de Himmler, car il s'agissait de « considérations fondamentales sur ce thème[64] ». Cependant, au début de la dernière année de guerre, on posa de nouveau la question des chances qui avaient été manquées. Par une lettre datée du 25 janvier 1945, Ohlendorf intervint massivement dans le domaine de la recherche nucléaire. Il m'accusa d'avoir négligé une discipline qui, pendant des années, avait passé pour une science juive. Il me reprocha de ne pas avoir consacré une attention suffisante à la recherche nucléaire. Il insista pour que, malgré la situation désespérée de la guerre, on construisît un bâtiment pour la recherche atomique. Je répondis avec la même froideur qu'au stade actuel de la guerre, malgré tous les encouragements qu'il fallait donner à la physique nucléaire, il ne pouvait être question de commencer la construction du bâtiment faisant l'objet du projet S H 220. « Vous savez, dis-je, que je m'intéresse personnellement à la recherche de la physique nucléaire et que je lui ai donné tout le soutien possible. Je vous prie pour cette raison de faire le nécessaire pour que le Pr Gerlach, spécialiste de la physique nucléaire au sein du conseil de la recherche, me présente à nouveau le dossier dans trois mois environ. Je m'efforcerai alors de l'aider de nouveau[65]. »

L'aspect véritablement grotesque de cet échange de lettres tenait au fait que le Pr Gerlach était en même temps mon mandataire pour les questions de physique nucléaire, de sorte que je priais Ohlendorf d'inviter mon propre représentant à faire une démarche auprès de moi. On aura compris que si j'agissais ainsi, c'était uniquement pour ne pas provoquer Ohlendorf en tant que chef de la police de sécurité et du S.D. Par prudence, j'avais déjà écrit, le 19 décembre 1944, au Pr Gerlach : « Des tâches urgentes m'empêchent de prendre contact personnellement avec vous et avec votre travail. J'attache cependant une importance extraordinaire à la recherche dans le domaine de la physique nucléaire et je suis vos travaux avec de grands espoirs. (...) S'il y a lieu de surmonter des difficultés à ce propos, vous pouvez compter à tout moment sur mon soutien. En dépit de la mobilisation extraordinaire de toutes les forces au service de l'armement, on peut cependant concéder les moyens relativement réduits qui vous sont nécessaires. Si vous avez besoin de mon aide, je vous prie de vous adresser à moi comme vous l'avez fait jusqu'ici ou à M. le Dr Goerner[66]. »

Toutes ces instructions et toutes ces prétentions des S.S., et particulièrement de Himmler, telles que je les ai exposées, preuves à l'appui, dans ce chapitre, ne firent que diminuer notre potentiel de recherche et d'invention, elles créèrent un grave malaise en matière de commandement et de compétence (*cf.* appendice XIII).

Infiltrations par mandataires spéciaux

Dans tout système dominé par la bureaucratie, l'infiltration au moyen d'émissaires spéciaux est l'une des méthodes de gouvernement les plus sûres. Ainsi Pohl était-il désireux de s'assurer une position dirigeante dans le cadre de l'organisation d'ensemble de la construction. Tirant les conséquences de l'orientation nouvelle de « l'autoresponsabilité de l'industrie », le ministère de l'Économie du Reich avait institué des « Unions officielles » qui devaient orienter la production, autoriser la création d'entreprises nouvelles ou l'agrandissement des anciennes.

« Je crois savoir, écrivit Pohl à Himmler le 28 novembre 1942, que l'on a l'intention de créer prochainement dans le domaine Pierres et Terres, c'est-à-dire en ce qui concerne la production de matériaux de construction, une " union officielle ". » Dans sa lettre, Pohl ajoutait : « Il y a à la tête de l'Union un chef d'entreprise responsable qui est investi de la confiance du Parti et de l'État et qui dispose de pouvoirs très étendus... En matière de Pierres et Terres, une telle " Union officielle " n'existe pas encore. On doit cependant escompter que sous peu un patron privé en assumera la direction. De ce fait nos carrières de pierre et nos manufactures de tuiles seraient englobées dans la nouvelle organisation et soumises pratiquement à une direction étrangère. J'ai donc abordé avec le *Brigadeführer* Dr Schieber (à l'époque celui-ci avait encore la confiance des S.S.) la question de savoir si nous ne devrions pas nous-mêmes prendre l'initiative dans ce domaine et, avec la recommandation du ministre Speer, fonder une " Union officielle " et nous préparer à en assumer la direction. Le Dr Schieber a pleinement approuvé cette possibilité, même si, bien entendu, de nombreux obstacles restent encore à surmonter tant du côté de Speer que de celui de l'économie privée. Je crois cependant qu'il faut entreprendre les démarches nécessaires à ce sujet. (...) Pour des raisons d'opportunité, la direction de l'union officielle Pierres et Terres devrait se fondre avec celle du service Pierres et Terres qui est actuellement aux mains du secrétaire d'État Schulze-Fielitz. Il s'agirait comme c'est le cas en d'autres domaines particuliers d'un cumul, justifié par le fait que l'Union officielle devra assumer à l'avenir les mêmes tâches que le *service* du même nom. Je vous prie de m'autoriser à aller de l'avant dans cette affaire afin que je me fasse donner par le ministre de l'Économie la direction de l'Union officielle et du service Pierres et Terres[1]. »

Himmler donna rapidement son accord. Car, à la différence de l'hésitation qu'il manifestait en même temps à propos de l'infiltration projetée par Ohlendorf dans le ministère de l'Économie, il s'agissait là d'établir l'assiette de ses divers plans en matière de construction pour l'après-guerre. En revanche, ce que Pohl avait souligné dans sa lettre restait tout aussi vrai : « Du fait même de l'appropriation de cette Union officielle par les S.S., les carrières de pierre et les tuileries passeraient pratiquement sous la direction de la milice. Le *Reichsführer* est tout à fait d'accord pour que vous prépariez la création d'une Union officielle dont vous assumeriez la direction. Il estime que vous devriez avant tout vous assurer de l'appui du ministre de l'Économie[2]. »

A vrai dire, cette invitation à se mettre d'accord avec Funk n'était pas nécessaire. Pour donner plus de poids à son exigence, Pohl, en même temps qu'il écrivait à Himmler, avait adressé au ministre de l'Économie une lettre rédigée sous une forme exceptionnellement mordante : « Des commissions pour les territoires de l'Est ont récemment été constituées par le groupement économique Pierres et Terres[3]. On devait y discuter la question de la mise en marche et de la cession des diverses entreprises de Pierres et Terres dans les nouveaux territoires de l'Est. En constituant les commissions, on a négligé mon rôle autant que celui des firmes Deutsche Erd-und Steinwerke G.M.B.H. et Ostdeutsche Baustoffwerke G.M.B.H. Ce silence m'affecte d'autant plus que les entreprises dirigées par mes soins sont les plus considérables et acquittent donc le paiement de plus lourdes contributions pour leur branche d'activité. Mais il y a plus grave : j'estime qu'en assumant à titre de commissaire la gestion de 350 tuileries, faïenceries et autres fabriques de matériaux de construction dans les territoires récemment conquis, j'ai prouvé qu'avec mes collaborateurs j'étais à même de diriger des entreprises dans les conditions difficiles prévalant à l'Est et de servir ainsi utilement l'économie. Je vous serais reconnaissant, monsieur le Ministre, de veiller à ce que les dirigeants de mes affaires puissent assumer dans les commissions pour l'Est du groupement économique Pierres et Terres un rôle correspondant à l'importance de leurs entreprises[4]. »

Cette lettre montre bien que les S.S. avaient assumé depuis longtemps la gestion par délégation de plus de 350 tuileries et autres fabriques de matériaux de construction en Russie occupée. Ils se préparaient ainsi à en devenir les propriétaires après la guerre bien qu'au bout des trois premiers mois de la tumultueuse invasion, ils n'eussent obtenu du ministère de l'Est, de Rosenberg, que la dévolution légale de 60 entreprises en territoire occupé. On peut supposer qu'en Pologne un nombre analogue d'entreprises spécialisées dans la fabrication de matériaux pour le bâtiment étaient déjà administrées par les S.S. Il semble cependant que des résistances se soient manifestées, car, le 17 février 1943, Himmler dut téléphoner à propos de cette affaire avec le *Brigadeführer* Klopfer, secrétaire d'État de Bormann. Mais Himmler et Pohl ne réussirent pas à imposer leur point de vue. Klopfer restait un homme de confiance de l'industrie de la pierre.

Au cours de ce deuxième hiver de la guerre en Russie, l'ambition de Pohl ne paraît pas avoir connu de limites. Tandis qu'Ohlendorf était encore retenu par Himmler, Pohl essayait, pour sa part, de conquérir également un poste dirigeant au ministère de l'Alimentation. Quatre jours seulement après la lettre à Himmler du 2 décembre 1942 dans laquelle il demandait pour lui la direction de la production des matériaux de construction, il écrivait à nouveau : « Tout comme cela se passe pour l'armement, les conditions dans lesquelles est gérée et dirigée l'alimentation sont de plus en plus mystérieuses à mesure que se prolonge la guerre, et l'approvisionnement du peuple en produits nutritifs en souffre. Alors que pour l'armement les directives ont été bien précisées par le ministre Speer et que la remise en vigueur du principe de l'autoresponsabilité a simplifié sensiblement l'organisation de l'industrie et la limitation des divers pouvoirs, il n'en va pas encore ainsi dans l'alimentation. Oui, seuls un petit nombre d'initiés ont compris aujourd'hui la nécessité de faire la lumière sur les conditions mystérieuses qui règnent dans cette branche de l'économie. A l'heure actuelle, on trouve dans ce secteur : le ministère de l'Alimentation et de l'Agriculture, le ministère de l'Économie dans les territoires occupés, les services de la Mobilisation à l'Est, les services Alimentation et Agriculture des diverses administrations civiles, les divers services et Unions officielles (par exemple bétail, œufs, céréales, horticulture, etc.). Le groupe commercial Alimentation, rattaché aux services du plan de quatre ans, intervient également dans les décisions. L'O.K.W. (commandement de la Wehrmacht) présente à son tour des demandes en propre qui sont motivées par la nécessité des approvisionnements de l'armée. Dans le secteur civil, la direction de la Santé et le Front du travail s'efforcent entre autres de créer des fabriques afin d'ouvrir de nouvelles sources d'alimentation aux personnes dont ils ont la charge. »

Après quatre pages d'explications qui, en fait, donnent une idée du réseau compliqué des directives des divers bureaux officiels en concurrence, Pohl en arrivait à sa conclusion : « Il résulte de ce qui précède que, tout comme dans l'industrie de l'armement ou dans la mobilisation de la main-d'œuvre, il faut qu'en matière d'alimentation on décide de procéder à une concentration. Celle-ci ne pourra être appliquée que par un *commissaire général* qui sera investi de tous les pouvoirs nécessaires. Il pourrait porter le titre d'*économe général chargé de l'alimentation du peuple allemand.* » Un programme de travail pour cet « économe général » était joint à la lettre, en dix pages il définissait de manière exhaustive les pleins pouvoirs qui devaient être dévolus à Pohl[5]. Et celui-ci ajoutait à l'adresse de Himmler : « Si vous avez la possibilité d'aborder cette question au cours d'une conférence avec le Führer, je voudrais souligner que la désignation d'un S.S. à ce poste apparaît très opportune du fait que toute l'organisation de la milice et de la police offre la meilleure garantie d'exécution du mandat envisagé... Je dois vous avouer également que cette mission m'attirerait au plus haut point. Je serais prêt à lui consacrer toutes mes forces, tout en conservant l'ensemble des tâches qui m'ont été confiées[6]. »

Cependant Himmler n'était nullement enclin à charger Pohl de cette nouvelle mission : « L'idée de créer un poste d'*économe général* est très séduisante, mais, malgré cela, je crois devoir la rejeter... Nous serions amenés en effet à nous mêler d'un domaine qui, pratiquement, comporte d'énormes responsabilités qui ne nous concernent pas. Nous devons y prendre garde, car nous assumons déjà toute l'action dont nous sommes capables en tant que milice S.S. et police. En outre, je pense que la guerre va nous imposer en d'autres domaines plus d'obligations encore que nous devrons nous efforcer de remplir. Enfin, je pense que pour le développement général de la milice, il serait périlleux d'abandonner en fin de compte la ligne fondamentale de notre action pour nous engager dans des sentiers secondaires. Notre devoir est d'aller de l'avant dans notre secteur où nous devons toujours donner l'exemple. Je vois là notre devoir qui nous impose d'être toujours à l'avant-garde. Mais, à mon avis, nous ne devons pas avoir de but plus lointain[7]. »

Himmler ne se montrait pas aussi réservé lorsqu'il s'agissait des objectifs de son empire dans le domaine immobilier et industriel. Sa réaction positive au projet de Pohl visant à soumettre aux S.S. les rouages de l'Union Pierres et Terres prouve même le contraire. « Nous assumons déjà toute l'action dont nous sommes capables », estimait avec raison Himmler en rejetant la demande de Pohl. Sur ce point, il s'opposait aux ambitieux dirigeants des S.S. qui s'étaient vantés de pouvoir résoudre les plus difficiles problèmes de l'invention en matière d'armement aérien par la nomination de commissaires spéciaux provenant de leurs rangs. Mais son opposition n'était qu'apparente, car, en fait, il s'était constamment efforcé de s'immiscer en des tâches qui lui étaient étrangères.

En février 1943, Hitler avait institué une commission tripartite composée de Bormann, Lammers et Keitel qui avait pour mission d'examiner des mesures permettant de libérer de la main-d'œuvre dans diverses entreprises. Ces ouvriers devaient remplacer dans l'industrie de l'armement la main-d'œuvre mobilisée dans la Wehrmacht[8]. Le système réagissait aux situations de crise avec une lenteur caractéristique : aussi ce décret fut-il complété trois mois plus tard, le 27 novembre 1943, par une autre ordonnance de Hitler destinée à simplifier l'administration de l'armée. Ensuite il fallut encore attendre trois mois pour que, le 24 mars 1944, son mandataire, le général Ziegler, commençât à mettre sur pied son organisation. Il paraît certain que l'armée ne souhaitait guère l'application de mesures qui ne pouvaient qu'entraîner des difficultés, des frictions et d'imprévisibles malaises au sein de l'administration militaire. Je connaissais bien et de longue date le général

Ziegler. Il me parlait souvent de ses premières années dans la Reichswehr au temps de la république de Weimar. A cette époque il était chargé de discuter le budget militaire avec les partis du Reichstag et il devait s'occuper des plaintes et des critiques dont il était saisi. Étant donné qu'il déploya cette délicate activité pendant des années, il est probable qu'il s'entendait à mener à bien une tâche difficile grâce à un sens inné des réalités politiques.

L'ordonnance de Hitler avait prescrit la création de six commissions : la première, chargée d'apporter les simplifications à l'ordinaire, était présidée par le *Gruppenführer* Lörner, le S.S. responsable de l'alimentation et du vêtement pour les déportés dans les camps. Ce n'était pas là une recommandation en faveur de son nouveau mandat, car le désordre, les erreurs dans les prévisions, les abus et la corruption dans son domaine propre étaient indescriptibles. Dans la commission chargée du bâtiment, la présidence avait été confiée à Pleiger, le chef des Hermann-Göring-Werke. Kammler était mandaté comme son vice-président et cela montrait l'importance que l'on attribuait chez les S.S., au printemps de 1944, à ce poste de directeur de toutes les affaires de construction. Enfin, à la tête de la sixième commission qui était aussi la plus importante, on décida pour simplifier l'administration de nommer à côté du directeur général Röhnert le *Gruppenführer* Frank.

Pohl déplora la désignation de ces six commissions dans une lettre à Himmler en marge de laquelle celui-ci nota de sa main : « Très intéressant. » Pohl ajoutait : « Je ne me promets pas grand-chose de la nomination de célèbres économistes à la présidence de ces commissions. J'ai eu l'occasion de m'entretenir avec Röhnert et Pleiger. Tous deux reconnaissent les difficultés de la tâche et se sont mis au travail avec le plus grand sérieux. Je doute cependant qu'ils s'y attaquent comme il convient. Si l'on pense que l'on peut réformer l'organisation administrative en licenciant tout d'abord du personnel, on commet une erreur fondamentale. Il faut modifier le système, c'est-à-dire simplifier les choses dans l'administration, ensuite les gens s'élimineront d'eux-mêmes, parce qu'ils cesseront d'avoir du travail. Mais seul un vieux renard, animé néanmoins de l'élan révolutionnaire (souligné dans le texte) pourra opérer cette simplification. Frank, par exemple, est un homme de cet acabit. »

Bien qu'il ne désigne pas expressément son candidat, il est visible que Pohl songe à Frank, lorsqu'il ajoute : « En nommant *dictateur* à la simplification un administrateur expérimenté et décidé, on aurait peut-être mieux réussi qu'en créant ces six commissions auxquelles appartiennent en tout *cent personnes* (souligné deux fois dans le texte). C'est là, *Reichsführer,* mon opinion personnelle. » En marge de ce passage, Himmler nota en diagonale en gros caractères gothiques de 2 cm de hauteur : « Je le pense aussi. » Pohl concluait : « Je crois que cette action se terminera en queue de poisson, comme les précédentes. Et c'est très regrettable[9]. » La sixième commission qui devait simplifier l'administration se réunit à la première. Ziegler, le vieux renard, proposa au cours d'une brève allocution initiale « de créer un petit *ministère de la Guerre* qui serait doté des pouvoirs les plus étendus. Cet organisme engloberait l'administration de toutes les composantes de la Wehrmacht, soit l'armée, l'aviation, la marine, les Waffen S.S., la police, l'organisation Todt, le service du travail, y compris leurs dépendances.

Il fallait que les ordres de cette organisation fussent applicables jusque dans les administrations des régions militaires et des garnisons. C'était seulement ainsi qu'il pourrait annoncer au Führer un véritable succès en matière de simplification [10] ». Ce fut là pour Ziegler un moyen de donner un caractère d'actualité à l'aspiration latente de l'armée qui souhaitait de longue date une unification de ses forces et celle-ci figurait d'ailleurs dans le programme de gouvernement de Goerdeler. Si raisonnable que fût cette simplification, elle était naturellement vouée à l'échec du fait de la méfiance d'Hitler. Le 24 avril 1944, Pohl rapportait très fièrement à Himmler : « Je n'exagère pas en affirmant que nous avons remporté un grand succès et, en premier lieu, grâce à l'attitude courageuse de Frank [11]. »

Le rapport joint à la lettre de Pohl montre que dans son discours Frank avait tenté de prouver que « les plus grandes difficultés et presque tous les revers avaient été provoqués par les lenteurs de l'administration militaire ». Ainsi ce n'était pas l'administration des S.S., jugée exemplaire par Pohl, qu'il s'agissait de réformer, c'était l'administration de l'armée dont Frank avait stigmatisé les insuffisances avec une franchise qui ne fut certes pas du goût des nombreux généraux présents : « La paperasserie, avait-il dit, a provoqué le chaos ; la loi la plus importante de la guerre, à savoir celle de la mobilisation de l'armée, était simple et claire à l'origine, or elle a été défigurée et rendue méconnaissable par 2 000 nouveaux décrets. La manie du formulaire, l'incapacité technique et matérielle de doter d'un règlement valable une troupe nouvellement mise sur pied, l'exagération apportée au principe du contrôle et de la dénonciation, l'esprit d'initiative depuis longtemps abandonné qui animait l'officier payeur de la garnison ou de la troupe, l'ambition de tout décider au sommet, enfin la centralisation des soldes, ajournée depuis des années... » A ma vive satisfaction, poursuit le rapport, Ziegler enchaîna en soulignant l'essentiel. Il déclara entre autres : « Je comprends pleinement que nous devons nous engager dans des chemins absolument nouveaux, ainsi que M. Frank l'a dit justement. Je pense aussi être d'accord avec le président en déclarant que le chef de cette équipe de travail ne peut être que le *Gruppenführer* Frank. Après ses déclarations, je comprends que le travail de la commission aura des effets encore imprévisibles sur l'administration générale de l'État et même sur l'administration des affaires publiques par-delà le temps de guerre. » Le général Ziegler critiqua encore l'organisation des compétences à l'échelon ministériel.

En parlant ainsi, il se rendait compte qu'il était tactiquement habile de proposer pour cette tâche presque insoluble un chef de S.S. qui serait ensuite responsable de son échec vis-à-vis de Hitler. « De la sorte, poursuit Frank, je suis devenu le responsable de la tentative de réorganisation de l'administration de la Wehrmacht. Le général Ziegler exposera le plus tôt possible au Führer les résultats des travaux de ma commission. S'ils sont approuvés, on désignera l'homme qui devra appliquer, compléter et surveiller la mise en œuvre de ces propositions. » En d'autres termes, celui qui, investi des pouvoirs les plus étendus, sera nommé « chef de l'administration de la Wehrmacht [12] ».

Pohl partageait la satisfaction de Frank au sujet de son prétendu succès. En envoyant à Himmler le rapport de celui-ci, il ajoutait : « Maintenant, nous, les S.S., nous contrôlons la situation au sein de cette commission. Frank a parlé de manière si convaincante que Ziegler lui a plus ou moins abandonné le commandement de tout le personnel... A vrai dire il s'agit d'un revirement total par rapport à la méthode initialement préconisée par le général Ziegler en tant qu'émissaire spécial. En fait, cela correspond à ce que je désignais dans ma lettre du 13 avril 1944 comme une condition préliminaire pour que ce travail de réforme militaire, le plus important qui ait été accompli au cours des cent dernières années, ne se termine pas en queue de poisson. La responsabilité que nous assumons ainsi est immense. Nous l'assumons volontiers et joyeusement. Nous savons ce que nous vous devons ainsi qu'à la milice des S.S. [13]. »

Cependant il semble bien que Himmler ait décelé plus vite que Frank et Pohl les intentions de Ziegler. « J'ai été heureux de lire le rapport de Frank, répondit-il le 15 mai. La tâche qui vous incombe à vous et à Frank est très vaste. » En s'adressant ainsi à Pohl comme au responsable de l'affaire, il constate en même temps qu'à son avis, contrairement à ce que pense le général Ziegler, il ne s'agit pas d'une mission liée à la personne de Frank. Pour lui, Himmler, cette tâche est confiée aux S.S., de sorte que Pohl, étant le supérieur hiérarchique, sera bien sûr coresponsable d'un succès. Or, non seulement il se montrait sceptique à cet égard (« Souhaitons que l'on réussisse au moins à atteindre une partie des objectifs »), mais il faisait des réserves au sujet de mesures trop ambitieuses : « Pour ce qui est d'une unification de l'administration de la Wehrmacht, je vous prie de me faire savoir si l'on vise à tout mettre en commun pour la Wehrmacht et les S.S. Je ne pense pas qu'il soit bon de créer un corps administratif unifié. En de nombreux cas, on pourrait trop souvent nous rendre responsable des échecs. Cependant je n'objecte en aucune manière à une unification des règlements et à leur harmonisation selon un dénominateur commun pour les Waffen S.S., la Wehrmacht, la marine, l'aviation, etc. Mais l'application devra se faire séparément [14] et, bien entendu, l'on devra s'entendre verbalement dans les endroits où l'on pourra faire quelque chose en commun. »

Himmler s'adressait à son correspondant avec une cordialité inhabituelle en commençant sa lettre par « Mon cher Pohl » et en signant « Votre fidèle H. Himmler [15] ». Les documents ne permettent pas de voir comment se déroula par la suite cette entreprise inaugurée par tant de lauriers anticipés et aussitôt sabotée par Himmler. Il est seulement certain que l'on ne parvint jamais à unifier le moins du monde l'administration de la Wehrmacht. Compréhensible du point de vue des S.S., cet égoïsme montre une fois de plus qu'il s'agissait purement et simplement d'une lutte pour le pouvoir. Ce fut le cas, par exemple, lorsque les dirigeants des S.S. firent pression pour que Himmler fût nommé commissaire suprême à l'armement aérien avec des S.S. comme sous-commissaires. De même, quand Himmler, quelques mois plus tard, fut investi de tous les pouvoirs comme délégué personnel de Hitler pour assurer la réforme de la Wehrmacht, il donna la preuve de son incapacité de mettre fin à des abus, à propos desquels il avait, avec ses collaborateurs, formulé à la légère des critiques sévères visant d'autres autorités.

Comme la chronique de mon ministère le remarque à la date du 23 août 1944, « le général Ziegler ne s'était guère montré heureux dans ses efforts pour unifier l'administration de la Wehrmacht et celle des autres forces armées, conformément au mandat que lui avait confié le Führer. S'il était simple de créer un nouveau service venant s'ajouter à ceux qui existaient antérieurement, en revanche, il était pratiquement impossible de forcer trois fonctionnaires à s'asseoir sur deux chaises ou même sur une seule. Le 23 août, le général Ziegler se plaint auprès du ministre Speer. Il tente aussi de lui reprocher le fait qu'aucune instance militaire, aucun bureau de son ministère ne peut lui dire ce qu'il doit faire. Le ministre est obligé de lui suggérer qu'il doit s'en prendre à lui-même s'il ne possède pas une autorité suffisante pour assurer la tâche que lui a confiée le Führer. Comme Ziegler ne peut plus obtenir une affectation au front, il semble que le grand nombre des généraux inoccupés comptera bientôt un chômeur de plus [16] ». Les S.S. passèrent également mon propre personnel au peigne fin pour voir si l'on ne pouvait là aussi faire des économies. En juin 1943, les effectifs de protection de l'organisation Todt comprenaient 100 ressortissants allemands nés à l'intérieur des frontières du Reich et 800 ressortissants allemands nés à l'étranger. Comme cette seconde catégorie devait être mobilisée dans les Waffen S.S. je protestai auprès de Himmler. « Si je dois remplir les tâches que m'a confiées le Führer, il est indispensable que les chantiers de construction de l'organisation Todt soient suffisamment protégés. » Dans les Balkans, on extrayait dans ces chantiers des matières premières dont nous avions un besoin urgent, tels le cuivre, le chrome, la bauxite, le molybdène et l'amiante ; aussi j'attirai l'attention de Himmler sur la menace que représentaient les partisans dans ces régions [17]. Nullement enclin à une discussion, il me répondit qu'il était impossible de faire une exception. « Si, à partir du 1er août, ces hommes ne veulent pas être considérés comme déserteurs, ils doivent être incorporés dans les Waffen S.S. Le *Gruppenführer* Berger, chef de l'Office central des S.S., vous fournira en échange de ces *Volksdeutsche* appartenant à des classes plus jeunes des hommes plus âgés à l'aide desquels les patrouilles de protection pourront être complétées. Vous serez certainement d'accord avec cette solution[18]. »

Ce ne fut sans doute pas par hasard qu'une semaine plus tard l'état-major de Himmler souleva toute la question des patrouilles de protection de l'organisation Todt. Par leur essence même, celles-ci étaient une cause de litige parce que leur tâche était d'ordre policier. Un *Standartenführer,* Rhode, s'adressa à la mi-juin 1943 au *Standartenführer* With qui faisait partie de l'état-major du général von Unruh, mandataire spécial du Führer. Sa mission était la même que celle du général Ziegler : il devait rechercher des hommes disponibles dans la Wehrmacht et l'administration. C'est là un exemple de la manière dont se chevauchaient les missions confiées par le Führer à des mandataires spéciaux.

Mais With se donna l'air de protéger cette police particulière de l'organisation Todt qui, en France, était nécessaire tant pour surveiller les vastes camps de travail peuplés de main-d'œuvre étrangère que pour garder les stocks de matières premières. C'étaient, selon lui, des généraux de la Wehrmacht qui avaient mis sur pied ce corps de protection composé de Français ayant combattu en Russie dans la L.V.F. Il ne s'agissait donc pas d'une organisation policière, ce qui, naturellement, ne pouvait convenir à Himmler. « Je crois, ajouta With, que dans cette affaire l'on n'a pas informé tout à fait objectivement le *Reichsführer.* Si nous n'approuvions pas ces mesures d'autoprotection de l'organisation Todt, nous serions contraints de mettre à sa disposition des effectifs importants de la police du Reich. Avec la pénurie bien connue des remplacements, cela ne manquerait pas, selon moi, de susciter des difficultés[19]. » En réalité, toute cette affaire s'expliquait par le désir de procurer à Hitler des nouvelles faisant état d'impressionnantes réussites. Si la police de protection de l'organisation Todt avait été incorporée dans les Waffen S.S., elle aurait, bien sûr, continué à exercer exactement les mêmes fonctions. Et, bien entendu, Himmler n'aurait pas manqué de prétendre devant Hitler au mérite d'avoir réalisé ainsi une économie d'effectifs correspondant à ces quelques milliers d'hommes. Le lendemain, le même S.S. Wirth remit à Himmler un rapport détaillé sur l'état de la construction du mur de l'Atlantique. Conçu avec objectivité, ce document fut même jugé positif. Mais il était caractéristique d'une situation dans laquelle Himmler se faisait remettre à mon insu des rapports de ce genre sur des affaires qui n'étaient pas de son ressort.

Quelques semaines plus tard, on déclencha une nouvelle attaque contre des dirigeants de l'organisation Todt qui assumaient des fonctions honorifiques dans les S.S. De ce fait, ils n'étaient pas immatriculés à l'Office central des S.S. mais au bureau du commandement général de la milice. Il s'agissait de 77 collaborateurs de la centrale de l'organisation et, à côté d'eux, de spécialistes qui étaient chargés de diriger la construction des superstructures[20]. Naturellement Himmler s'intéressait uniquement à ceux qui n'avaient pas dépassé quarante ans et il demanda des rapports sur leur aptitude physique et leur degré d'instruction[21]. Le contrôle auquel on procéda par la suite montra que sur les 77 prétendus « embusqués » au sein de l'O.T., il n'en restait que 18 qui, d'ailleurs, étaient immatriculés comme « inaptes à faire la guerre[22] ». Quand on examine les archives avec le recul procuré par un quart de siècle d'histoire, la controverse proprement dite a depuis longtemps perdu tout intérêt. En revanche, ce qui frappe, c'est la méticulosité avec laquelle les dirigeants les plus élevés du Reich s'occupaient d'une question aussi totalement dénuée d'importance.

Dans un tournant dramatique de la guerre qui avait pris depuis longtemps une sombre orientation, le chef de la police, ministre de l'Intérieur et *Reichsführer* S.S., se penchait sur les dossiers personnels de 18 collaborateurs de l'O.T. ! Finalement, ainsi que l'annonça l'Office central des S.S., en février 1944, « le *Reichsführer* termina l'examen de cette situation ». Il réagit avec modération, car, entre-temps, j'avais été éliminé par ma maladie et il voyait des moyens plus sûrs de capter directement Dorsch, le chef de la centrale de l'O.T. Après cette enquête concernant quelques-uns des soldats qui avaient échappé à l'incorporation dans les S.S., enquête qui n'avait pas duré moins de six mois et demi, le *Reichsführer* déclara « qu'il fallait prendre contact avec l'O.T. et lui faire comprendre qu'il ne pouvait être de l'intérêt de ces hommes de continuer à être considérés comme U.K. (affectés spéciaux), d'autant plus que 18 d'entre eux étaient K.V. (aptes à faire la guerre)[23] ».

Chacun admettra cependant qu'après avoir été incorporés comme simples soldats, ces 18 fonctionnaires n'auraient guère été plus utiles qu'au sein de l'organisation Todt.

Le général Ziegler avait échoué. On ne trouva jamais la solution du problème, on n'arriva pas à libérer des soldats en simplifiant l'administration. Peu après, on eut l'idée de prélever les hommes appartenant à des classes plus jeunes sur les effectifs de travailleurs qualifiés et de spécialistes de l'industrie de l'armement. Cette mesure aurait eu pour résultat de compliquer la production de manière extraordinaire. C'est pourquoi j'attaquai le problème dans son principe même. Par suite d'une malencontreuse coïncidence, le jour même du putsch, soit le 20 juillet 1944, j'adressai à Hitler un long mémoire auquel j'avais beaucoup travaillé avec l'aide du général Ziegler. Ma tactique consistait à charger Himmler lui-même de la tâche que le général Unruh et le général Ziegler n'avaient pu accomplir en plus d'un an. Je considérais qu'il fallait lui donner un objectif plus vaste que celui qui avait été fixé initialement. Je voulais que l'on ne se contentât pas de simplifier l'administration mais que l'on s'en prenne également à la disproportion existant entre la troupe combattante et les services de l'arrière.

Le général Ziegler avait contribué à ce travail en m'apportant une précieuse documentation. Ainsi il apparaissait que pour 2,3 millions de soldats qui combattaient au sein de 210 divisions, on trouvait 10,5 millions d'hommes incorporés dans la Wehrmacht. En dehors de cette disproportion, mon projet prétendait résoudre un problème spécial, à savoir comment procéder à des économies d'effectifs grâce à la réduction des services exagérés demandés au train des équipages. Par-delà ces propositions, le mémoire de Ziegler contenait la revendication initiale relative à l'unification des branches administratives et des ramifications des trois armes de la Wehrmacht, des Waffen S.S., de l'organisation Todt et du Service du travail. J'étais également convenu avec Ziegler de suggérer à Hitler de confier cette tâche à un homme « qui n'aurait pas besoin de ménager le prestige des intéressés ».

« Le commandement en chef de la Wehrmacht n'a pas la force de persuasion nécessaire pour imposer de telles mesures avec la rigueur voulue. C'est pourquoi il convient de trouver une personnalité qui, dotée de pleins pouvoirs, sera capable de sélectionner, dans la Wehrmacht et dans l'économie, les hommes aptes au combat. En liaison avec les différentes armes, elle devra également être capable d'imposer à celles-ci, mon Führer, les décisions nécessaires [24]. » En l'état des choses, cette personnalité ne pouvait être que Himmler. Avant le 20 juillet 1944, il passait auprès des dirigeants de l'armée pour l'un des rares observateurs avisés de la situation et jouissait à ce titre d'un remarquable prestige. D'une manière générale, on était frappé par le fait qu'il exprimait assez souvent l'inquiétude que lui inspirait Hitler par son jugement erroné de la situation militaire. Dès l'été de 1943, au temps où j'avais conspiré avec Zeitzler et Guderian pour amener Hitler à confier le commandement suprême des forces terrestres à l'un des deux généraux d'armée [25], à ma stupéfaction Guderian avait également avancé le nom de Himmler. Jusque-là, je pensais que la direction de l'armée considérait le *Reichsführer* comme son plus farouche adversaire. C'est pourquoi mon initiative était dictée à la fois par des considérations tactiques et la confiance que je plaçais réellement dans l'énergie de Himmler [26]. A l'époque, je ne savais encore rien des intrigues qui se multipliaient contre moi dans son secrétariat. En fait, le décret du Führer du 2 août 1944 confia cette mission à Himmler. De même, la désignation de Goebbels comme « délégué du Reich à la poursuite de la guerre totale » avait précédé un mémorandum adressé par mes soins à Hitler. J'avais envoyé ces deux documents dans l'ignorance où je me trouvais des changements qui n'allaient pas tarder à se produire sur la scène politique. Car, quelques jours plus tard, j'eus la surprise d'apprendre que ma situation s'était trouvée sensiblement affaiblie par le fait que mon nom figurait sur la liste ministérielle d'un gouvernement Goerdeler, même s'il était établi que cette initiative avait été prise à mon insu. Très vite, je devais apprendre que j'avais renforcé la position de mes adversaires.

Goebbels, le nouveau « délégué du Reich à la guerre totale », prit pour adjoint dans cette mission le secrétaire d'État Naumann qui était en même temps *Gruppenführer* S.S. Presque quatre semaines après l'envoi de mon mémoire, le chef de l'Office central des S.S., Berger, remit à Naumann un vaste plan précisant les conditions dans lesquelles on pourrait organiser la tâche du « délégué à la guerre totale ».

Les grandes lignes en étaient les suivantes :

1. le ministère de l'armement établit le programme de la production de guerre ;

2. les commissions fixent la capacité mécanique de l'entreprise ;

3. le commissaire chargé de la mobilisation de la main-d'œuvre détermine l'ordre des priorités ;

4. le bureau de recensement central de toutes les personnes astreintes en Allemagne au travail ou au service militaire libère les volontaires pour le front ; il reçoit ses instructions de l'Office de planification du « délégué à la guerre totale ».

En clair, cela signifiait qu'en vertu du paragraphe 3, on prétendait me retirer la responsabilité de déterminer l'ordre de priorité des entreprises, c'est-à-dire le point le plus important de tout l'armement.

Le plan élaboré par Berger prévoyait la création d'un « service central d'orientation du personnel » qui devait être dirigé par le *Reichsführer* ou par un représentant désigné par lui. « Ce service, précisait Berger, travaillera en liaison étroite avec le Dr Goebbels, délégué du Führer. En feront partie :

« 3 représentants de l'ancien service des remplacements du commandement en chef de la Wehrmacht (armée, aviation, marine) ;

« 2 représentants des Waffen S.S. ;

« 1 représentant de l'Office central de la police ;

« 1 représentant du Service du travail ;

« 1 représentant de l'organisation Todt, fonctionnant également au titre de l'Office de l'armement ;

« 1 représentant du Service des transports ;

« 1 représentant du ministère du Travail ;

« 1 représentant de la direction de la Jeunesse ;

« 1 représentant du N.S.K.K. (Corps motorisé national-socialiste)[28]. »

La liste ne prévoyait même pas, fût-ce dans une position subalterne, un représentant du ministère de l'Armement.

Himmler fit savoir à Berger par son chef d'état-major qu'il avait « lu le projet et qu'il avait inscrit en marge, de sa main, la mention : " Excellent[29]. " ». Dans la même lettre expédiée au secrétaire d'État de Goebbels, Berger expliquait par des arguments curieusement naïfs pourquoi mon principe d'autoresponsabilité s'était soldé par un échec[30]. Un chef d'entreprise se serait dit tout simplement que pour doubler la production il fallait doubler la main-d'œuvre. Le patron allemand aurait vu là une chance unique de devenir propriétaire d'une grande fabrique aux frais du Reich. Et dans cette entreprise, il aurait bénéficié des faveurs d'une série de bureaux du ministère de l'Armement. « On satisfaisait tous ses caprices, il se faisait l'effet de vivre un conte de fées[31]. »

En réalité, le contraire était vrai. D'après les statistiques de mon ministère, le nombre d'ouvriers allemands ou étrangers et prisonniers de guerre travaillant à l'armement était passé de 5385000 en juillet 1943 à 6009000 en juillet 1944, marquant ainsi une augmentation de 624000, soit 11,6 pour 100[32]. En revanche, l'indice de l'armement était passé pendant la même période de 229 à 322, témoignant d'une augmentation de 40,6 pour 100[33]. Pour chaque travailleur supplémentaire la production avait presque quadruplé et le processus était dû aux efforts déployés par les entrepreneurs pour rationaliser, produire à la chaîne et renouveler leur outillage[34].

Dans son mémorandum, Berger ne s'était pas contenté de stigmatiser la direction de l'Armement en général, il s'en était pris spécialement à ces commissions, composées de mes délégués, qui étaient envoyées par le ministère de l'Armement dans les entreprises. « Ces délégations s'efforçaient, par une enquête sur place, de faire la lumière sur les demandes de l'entreprise. Mais le nombre des délégués augmentait constamment, de sorte que les visites de commissions comptant de 10 à 20 membres n'étaient pas rares... Ces inspections perpétuelles font une mauvaise impression sur les ouvriers et ne contribuent certainement pas à l'amélioration de leur moral[35]. »

Cette critique de Berger était en partie fondée, mais elle venait environ cinq mois plus tard. Dès le mois de mars, j'avais communiqué à tous les chefs de service du ministère de l'Armement un décret dans lequel je constatais « que l'on avait pris récemment l'habitude, sous prétexte d'effectuer des vérifications sur place, de former des commissions la plupart du temps trop nombreuses... En conséquence j'interdis aux membres de mes services de participer désormais à ces commissions inutiles. J'exige qu'ils agissent énergiquement contre de tels abus et les interdisent dans le domaine de leur compétence[36] ». Himmler ayant été chargé de réorganiser tous les services de la Wehrmacht, il lui incombait entre autres de simplifier toute l'administration de l'armée, des Waffen S.S., de la police et de l'organisation Todt, « afin de réaliser une économie d'effectifs[37] ». Cependant, très vite, il confia ce mandat à l'un de ses collaborateurs, annonçant trois jours plus tard que l'*Obergruppenführer* Oswald Pohl était chargé de cette tâche[38]. Ainsi, peu avant la fin de la guerre, il avait atteint son but. Le 29 janvier 1945, il déposa son projet visant à économiser de la main-d'œuvre dans l'organisation Todt. Dans un long document, établi avec soin, il analysait le système en vertu duquel l'O.T. contrôlait toutes les constructions depuis mai 1944. Pohl avait rédigé une lettre modérée dans sa forme, que devait m'adresser Himmler : « Conformément à l'ordre du Führer du 2.8.1944 dont vous avez eu connaissance, je fais procéder avec votre accord à une vérification des conditions dans lesquelles est gérée et administrée l'O.T. Cette opération a pour but de proposer des mesures destinées à libérer un plus grand nombre d'hommes pour servir au front. La première étude est terminée et elle mérite d'être sérieusement examinée, eu égard notamment au fait qu'elle croit possible de récupérer environ 20000 hommes. Avant d'insister davantage en faveur de l'application de cette proposition, je vous prie de me faire connaître votre point de vue[39]. » Cette menace de passer à l'exécution montre bien comment les commissaires, les délégués et autres chargés de mission tentent toujours d'intervenir dans les organisations existantes. Mais rien ne se passa. Le brouillon de Pohl resta au dossier. Himmler ne m'écrivit pas de lettre et bientôt, d'ailleurs, tout fut dépassé.

Les réactions absurdes que j'eus à cette époque caractérisent à mes yeux le sentiment de l'impuissance de plus en plus grande que j'éprouvais dans les derniers mois de la guerre. Le 8 janvier 1945, j'envoyai à Himmler une lettre indignée et blessante qui, rétrospectivement, me paraît révéler l'ampleur de ma détresse. Une fois de plus Himmler avait obtenu de Hitler qu'il signât, sans en avoir parlé au préalable aux intéressés, l'un de ses décrets les plus redoutables. Certes, Lammers avait souvent invité le Führer à ne pas procéder ainsi. Agissant en quelque sorte en qualité de « notaire » du Reich, ainsi que je l'appelais, il voulait recueillir l'accord ou les objections de tous les intéressés, afin de laisser Hitler décider en dernier ressort dans les cas litigieux. Mais celui-ci avait toujours répugné à ces procédés administratifs, il était aussi trop impulsif et trop convaincu de son infaillibilité pour se soumettre à de telles limitations.

Le 28 décembre 1944, sur la proposition de Himmler, Hitler avait chargé l'*Obergruppenführer* Frank, l'homme qui devait réorganiser l'administration de la Wehrmacht, d'entreprendre également une mécanisation accrue de l'information et de lui soumettre les mesures à prendre dans ce but. Dans mon ministère, il y avait des années que nous savions à quoi nous en tenir sur l'importance du système des cartes perforées, nous avions accumulé les données afin de pouvoir obtenir rapidement des informations sur des questions aussi nombreuses que variées touchant les armements. Nous avions aussi un vaste fichier personnel contenant de très nombreuses appréciations. Il est à peine besoin de souligner, à l'époque des ordinateurs, l'importance d'une telle « banque de données » en tant qu'instrument de domination. Himmler savait certainement, lui aussi, à quoi s'en tenir sur ce point.

C'est pourquoi je lui écrivis, le 8 janvier 1945, qu' « à l'époque où j'avais pris la direction de l'Office de l'armement, le commandement en chef de la Wehrmacht m'avait confié la mécanisation du renseignement qui était assurée par le lieutenant-colonel von Passow. Il est incontestable que sur le plan *personnel* aussi bien que *matériel* (souligné dans le texte original) tout ce qui concerne la mécanisation du renseignement est rattaché à mon ministère. C'est moi qui dirige son fonctionnement puisque j'emploie constamment la mécanisation pour l'information rapide de tous les dirigeants de la production de guerre et de l'armement. Il n'est pas douteux que, dans les pourparlers avec l'*Obergruppenführer* Frank, le chef de mon service " mécanisation du renseignement " n'a pas parfaitement défendu mes intérêts, ainsi que me le fait supposer l'une des notes dont il est l'auteur. » Von Passow avait sans doute été intimidé par la puissance des S.S. représentée par un

Obergruppenführer. « C'est pourquoi, continuai-je dans ma lettre à Himmler, j'ai interdit à von Passow de poursuivre les pourparlers avec Frank. Au cas où ceux-ci s'avéreraient nécessaires, l'*Obergruppenführer* Frank devra s'adresser au Dr Hupfauer, directeur de l'Office central, qui est le supérieur du lieutenant-colonel von Passow. Je vous serais reconnaissant de n'appliquer le décret signé par erreur par le Führer qu'une fois que l'*Obergruppenführer* Frank et le Dr Hupfauer se seront mis d'accord sur toutes les questions en suspens[40]. »

Himmler se montra irrité : « En toute franchise, je tiens à déclarer ce qui suit : commandant en chef de l'armée du territoire et chef de l'armement militaire[41], on m'a retiré la mécanisation du renseignement, et votre ministère n'a pas été étranger à cette action. Ça suffit. Il ne peut tout de même pas m'être interdit d'introduire la mécanisation du renseignement dans l'armée du territoire et de centraliser les machines dont nous disposons. D'autant que j'avais appliqué ce système il y a longtemps chez les S.S. Il est exclu que, par suite de votre objection, je sois contraint d'abandonner au ministère de l'Armement et des Munitions le droit d'appliquer cette mesure d'ordre intérieur à l'armée du territoire. Je serais contraint de revenir à des méthodes antédiluviennes même pour mes tâches de commandement[42]. » Je m'inclinai devant la situation du fait. « Il n'y a pas de raison, à vrai dire, pour que mon ministère cesse de contrôler la mécanisation dont j'ai été jusqu'à maintenant le principal utilisateur et dont j'ai un besoin pressant pour l'avenir. » Cependant, mon mandataire, Hupfauer, s'était mis d'accord avec Frank, reconnaissant ainsi formellement l'autorité de celui-ci, conformément au décret de Hitler[43]. Je livrais néanmoins des combats d'arrière-garde. Poussé dans mes derniers retranchements, je combattais en quelque sorte le dos au mur.

Mais, à peine quelques jours plus tard, la situation devait se retourner à la suite d'une conférence de Saur avec Hitler. Mon chef de service mit à profit l'influence dont il disposait sur le Führer. A ma vive surprise, il réussit à le convaincre des difficultés de plus en plus grandes auxquelles il se heurtait du côté de Himmler en tant que commandant en chef de l'armée du territoire. Sur ces entrefaites, Hitler, dont les réactions étaient devenues depuis longtemps imprévisibles, décida que l'Office des armements de l'armée cesserait immédiatement d'être de la compétence du *Reichsführer* et serait confié au général Buhle, chef de l'état-major à l'O.K.W.[44].

Le 1er février 1945, Hitler signa le décret correspondant. Afin de renforcer le prestige de Himmler, qui, de ce fait, avait perdu une grande partie de sa responsabilité en tant que commandant en chef de l'armée territoriale, il le promut le même jour au rang de « super commandant en chef[45] ». En fait, cela ne signifiait rien, c'était un simple changement de nomenclature.

Troisième Partie

Échec de l'empire économique

Le konzern chaotique

Au début du mois de juin 1944, je déclarai à Hitler que j'étais prêt bien évidemment à soutenir en toute occasion le *Reichsführer* dans ses efforts pour développer ses industries de production, mais qu'il fallait avant tout délimiter avec précision les compétences, car les usines de Himmler devaient être soumises au même contrôle que celles de l'équipement et de la production de guerre. Il m'était impossible d'accepter qu'une fraction de la force armée — en l'occurrence les S.S. — s'orientât vers un statut d'indépendance alors que j'aurais, moi, passé deux années à travailler d'arrache-pied pour faire de l'équipement des trois autres secteurs de la Wehrmacht un tout homogène. Le procès-verbal de cet entretien, rédigé par mes services, se poursuit ainsi : « Le Führer accepta cette idée. Il est prêt, le cas échéant, à en faire part lui-même au chef des S.S. Je déclarai alors que je préférais lui expliquer d'abord moi-même toute l'affaire[1]. »

Une semaine plus tard environ, j'allai trouver Himmler à son quartier général, c'est-à-dire son chalet personnel situé près de Berchtesgaden. (L'année suivante, peu avant la fin de la guerre, Himmler me déclara sans préambule que sa maîtresse habitait dans cette villa et qu'elle y avait mis au monde un fils de lui. Et, plein de fierté, il tira de son portefeuille la photographie d'une jeune femme charmante portant dans ses bras un enfant.)

Au cours de la discussion qui eut lieu ce jour-là, Himmler me confia qu'il avait l'intention d'organiser le processus complet de la fabrication de l'acier, jusqu'au produit fini, et d'en faire le domaine propre des S.S. ; et il se lança dans un long monologue pour m'exposer en détail les raisons qui le poussaient à agir en ce sens. Il me dit qu'il avait souvent abordé avec le Führer le problème de l'avenir : après Hitler viendrait le jour où une tendance autre que celle des S.S. pourrait dominer la politique du Reich. Actuellement, les S.S. étaient tributaires des subsides du ministère des Finances, ce qui entraînait naturellement pour eux une dépendance totale — mais cela ne portait pas à conséquence du vivant d'Hitler. Cependant, il serait judicieux, à long terme, que les S.S. se démarquent du budget national, en créant leurs propres entreprises industrielles, qui leur serviraient de base financière. Et le Führer partageait cet avis, me dit Himmler.

A la fin de cette déclaration, Himmler me parla encore de ses projets avortés de vaste konzern économique : s'ils avaient échoué, c'était uniquement à cause de l'incapacité de ses collaborateurs. Il lui manquait un homme, une sorte de génie, capable de l'aider à édifier ce trust. Il me demanda alors si, par hasard, je pouvais, moi, lui recommander quelqu'un de valable, ce qui me plongea dans un grand embarras. D'un côté, je me refusais à donner le nom d'un industriel qui deviendrait un pantin dans les mains de Himmler et se retournerait contre moi. D'un autre côté, pour moi, il était préférable qu'un homme de mon choix occupe cette place importante. Je pensais à Meindl, le directeur des usines Steyr, en Autriche, que, de toute façon, Göring avait pressenti pour prendre ma succession. Mais un homme de cette trempe ne tarderait pas à peser d'un grand poids dans le champ des intrigues ; aussi je me demandai si je ne ferais pas mieux de lui proposer Kehrl, au lieu de Meindl. Mais Kehrl aurait donné à cette mission des proportions exagérées en créant une entreprise gigantesque.

Je finis par avancer le nom de Paul Pleiger. Paul Pleiger avait édifié le trust de l'acier des usines Hermann-Göring et le dirigeait d'une poigne énergique. Pleiger était connu pour son courage et sa hardiesse ; il lui arrivait même parfois de s'opposer à Hitler. S'il devait créer un trust S.S., il se garderait bien d'en faire un concurrent sérieux pour sa propre affaire. En aucun cas il ne deviendrait un instrument docile de Himmler. Et pourtant, peu de temps après, Himmler lui serra la vis à cause d'un forage de pétrole inexploitable, et Pleiger se révéla alors la plus souple des marionnettes. Chose que je n'avais pas prévue.

Himmler n'avait pas l'intention, m'assura-t-il lui-même, de créer une industrie qui ne serait pas soumise à mon contrôle. Ses services m'avaient déjà donné l'occasion de faire des expériences d'un autre genre sans doute ; mais malgré tout, à l'époque, je lui fis confiance, du moins au début.

Le véritable responsable de tous les efforts poursuivis pendant des années pour la création de l'empire industriel des S.S. fut Oswald Pohl, chef de l'Office général de l'administration de l'économie des S.S. A l'opposé d'Ohlendorf, Pohl était un défenseur de l'autonomie de l'industrie : une industrie autoresponsable était, à ses yeux, plus efficace qu'une industrie centralisée. Le 2 décembre 1942, il avait écrit à Himmler : « Le ministre Speer a clairement défini la ligne à suivre dans l'industrie de l'équipement, et l'organisation de la production a été notablement simplifiée par le rétablissement de l'autoresponsabilité[2]. » Sur ce point, Ohlendorf était son adversaire au ministère de l'Économie, car il critiquait l'autoresponsabilité. Plus tard, au cours du procès de Nuremberg, il a déclaré qu'il voulait forcer Pohl et l'Office général économico-administratif « à dévoiler les cartes du konzern S.S. Nous (Hayler et Ohlendorf) lui avons dit très nettement que nous ne supporterions plus de voir s'étendre encore ce trust ni chez nous ni à l'étranger. Au cours de cette querelle, qui eut lieu durant l'été 1944, Himmler me convoqua à Berchtesgaden, ainsi que Hayler, le secrétaire d'État au ministère de l'Économie, et nous expliqua pourquoi nous devions renoncer à imposer cette politique qui allait à l'encontre de ses activités dans le domaine de l'économie. Nous refusâmes de lui donner notre accord, mais il était déjà passé aux actes en Hongrie où, en concluant un marché, il s'était assuré le trust Weiss[3] ».

Cet incident se déroula pendant que j'étais en cure à Meran, à la suite d'une longue maladie qui m'avait immobilisé pendant deux mois. Voici ce que raconte la chronique de mon ministère : « L'*Obergruppenführer* S.S., Kaltenbrunner, vient rendre visite à l'improviste au ministre, pour procéder, comme prévu, au contrôle de toutes les mesures de sécurité. Mais, en réalité, le sujet du débat n'est autre que la personnalité du conseiller économique hongrois. A ce propos, le ministre s'entretient avec le Dr Schieber, Kehrl et Rafelsberger. Le 4 avril, Liebel, le général Waeger, le Dr Schieber et Hayler prennent l'avion pour Meran, un JU 52. Thème de la discussion : le conseiller économique hongrois ». Liebel propose au Führer de nommer Hasslacher « chargé d'affaires pour les questions économiques auprès du commissaire général du Reich en Hongrie[4] ».

A cet écrit était joint le projet d'un pouvoir à faire signer par Hitler, ratifiant la nomination de Hasslacher. A la suite de cette lettre, Himmler, Funk et Backe, le ministre de l'Approvisionnement, avaient déjà approuvé la nomination de Hasslacher (*cf.* appendice XIV).

Pendant que nous tenions conseil, Himmler était déjà passé aux actes. Sans nous en avertir, il s'était approprié l'unique élément important de la petite industrie hongroise. Dans un mémorandum, Himmler arrêta ce qui suit :

1. En Hongrie, le plus grand konzern industriel d'armement est l'affaire Manfred Weiss. Elle appartient aux membres des familles Weiss-Korin, qui comprennent des Juifs et des non-Juifs.

2. Si la Hongrie doit être épuisée sur le plan économique et totalement dépouillée dans son potentiel d'armement, il est indispensable que ce konzern tout entier revienne à l'Allemagne, avec toutes les possibilités financières qu'il offre, surtout sur le plan des devises.

3. Des négociations ont été menées dans le seul but de nous aider à gagner la guerre ; elles ont donné les résultats suivants :

a) Les familles Weiss-Korin ont prié le chef des S.S. de se charger de l'administration fiduciaire du konzern Manfred-Weiss, en précisant que 55 pour 100 des parts se trouvaient entre les mains de membres aryens de la famille, et sont disponibles.

b) Le *Reichsführer* garantit aux quarante-huit membres des familles Weiss-Korin l'émigration au Portugal ou en Suisse. Parmi ces quarante-huit membres, il y a approximativement trente-six Juifs et douze Aryens.

c) Neuf membres de la famille resteront ici en otage jusqu'à la fin de la guerre.

d) Les familles juives recevront trois millions de Reichsmarks en devises libres, pour leur permettre de recommencer une nouvelle existence à l'étranger ; étant donné que l'administration fiduciaire leur fera perdre une partie de leurs revenus, cette somme leur servira en même temps de dommages-intérêts.

e) L'administration fiduciaire est initialement prévue pour une durée de vingt-cinq ans[5].

Affirmer que l'acquisition du konzern par les S.S. a « pour objectif unique de nous aider à gagner la guerre » est une absurdité, cela va de soi. C'est précisément dans l'intérêt d'une économie de guerre rationnelle que j'ai été contraint de m'opposer à ce marché privé conclu par Himmler au profit de sa milice. Hitler approuva également mes objections, bien que le marché fût pour ainsi dire déjà conclu. Le Premier ministre de Hongrie, Sztoja, approuva ce contrat, ce qui en assura la validité. Et le chef du gouvernement hongrois fut renversé avant que Saur ait pu tenter de s'y opposer.

Le konzern Weiss, importante entreprise d'armement, était le seul complexe industriel bien géré dont disposait Himmler. Les S.S. voulaient en faire la base de leur propre industrie d'armement. Aux yeux de Himmler, il représentait l'axe du futur konzern géant S.S. qui fabriquait déjà des armes pour l'infanterie à Buchenwald et Neuengamme, des camions à Brandebourg, des appareils à haute fréquence à Ravensbrück, et qui mettait même de l'eau potable en bouteille, à l'initiative des S.S. et pour leurs besoins.

Partout où il entrevoyait une possibilité d'agir dans le domaine de l'industrie, Himmler était aux aguets.

Il y avait déjà plus de deux ans qu'il visait ces objectifs. Ainsi, le 1er janvier 1942, il s'était fait attribuer, par ordre du Führer, « la mise au point, l'aménagement et l'exploitation (...) des ateliers de moulage des usines Volkswagen, et en particulier des ateliers de fonderie du métal léger ». Les S.S. cherchèrent aussi à assumer la responsabilité de l'exploitation, objectif qui fut approuvé par Hitler ; ils finirent par se sentir, à bon droit, les maîtres de la production industrielle. L'ordre du Führer précise ce qui suit :

« (...) Afin de réaliser cet objectif, le *Reichsführer* pourra se procurer la main-d'œuvre dans les camps de concentration. C'est lui qui est entièrement responsable de l'exécution de cette mission dans les délais les plus restreints. Il est impératif que l'usine soit mise en exploitation au plus tard en 1942[6]. »

Ce décret avait été soumis à Hitler par Porsche et Werlin, « le mandataire du Führer pour les questions de transport ». Cette démarche positive avait permis à Porsche de réaliser son projet sur un secteur important, et de faire tourner les usines Volkswagen, malgré les circonstances dues à la guerre.

Quant à moi, je ne pris connaissance de toutes ces tractations que le mois suivant, en devenant ministre de l'Armement, car cette nomination me donna la haute main sur toutes ces affaires. Au bout de six semaines, après avoir réorganisé mon ministère, je présentai à Hitler des rapports établis par les différents services compétents en matière industrielle. D'après ces rapports, il était nécessaire d'exiger de la fonderie de métal léger des usines Volkswagen un supplément de production dans un seul cas, celui où tous les véhicules Volkswagen étaient équipés de pièces de métal léger. Or Hitler avait déjà décidé que seuls les véhicules destinés à l'Afrique et les véhicules amphibies seraient équipés de cette façon[7]. Ainsi, l'ordre de mission de Himmler avait-il été dépassé par les événements.

Porsche promit à Pohl de mettre en jeu son influence sur Hitler pour contrecarrer ma décision. Deux semaines plus tard, il avait bon espoir que « étant donné ses négociations personnelles (menées par lui, Porsche), l'expertise se terminerait par une conclusion positive de l'homologation des usines ». Mais mon intervention « avait empêché jusque-là d'achever l'installation de la fonderie de métal léger. Dans ces conditions, il est impossible de respecter le délai de mise en exploitation de cette usine de moulage fixé par le décret du Führer à l'automne 1942[8] ». Dans le même courrier, Pohl annonça à Himmler que les S.S. s'étaient chargés de la direction des travaux, et que les logements prévus pour les équipes de gardiens et pour les détenus étaient prêts. On pouvait donc commencer à embaucher les déportés.

Une grande partie du corps de bâtiment avait déjà été construite plusieurs années auparavant et la décision que j'avais prise le 28 avril 1942 en confiait l'achèvement aux S.S., mais il ne s'agissait que du gros œuvre et non des ateliers de fonderie du métal léger. Car, une fois terminé, ce bâtiment serait utilisé pour un autre secteur de l'armement, d'une importance capitale[9]. Cette décision mettait en échec le projet élaboré par Porsche et Himmler de créer dans les usines Volkswagen un atelier de fonderie de métal léger à grand rendement et exploité par la milice. Finalement, quelques mois plus tard, en septembre 1942, je décrétai que l'économie de guerre exigeait que l'on arrêtât également la construction du corps de bâtiment de la fonderie de métal léger[10].

Rien ne rappelait, dans toute cette opération, l'esprit conciliant du Dr Todt. D'après les lettres et les rapports laissés par mon prédécesseur, j'ai pu constater que celui-ci avait toujours manifesté une tendance à céder rapidement aux moindres exigences venues de l'entourage d'Hitler. C'était un combattant de la première heure, beaucoup trop proche des membres du Parti et de la milice S.S. Quant à moi, en revanche, je pouvais compter jusqu'à un certain point sur le soutien d'Hitler, ce qui me permettait de résister aux intrigues de son entourage.

Le 7 juillet 1942, le *Gruppenführer* S.S. Jüttner proposa à son chef d'« acquérir entre un sixième et un dixième du capital total (des usines Steyr) pour nous permettre ainsi d'avoir notre mot à dire dans la direction de cette usine. La production des usines Steyr comprend des automobiles, des chars et des armes, et elle est du plus grand intérêt pour les Waffen S.S. ». Il avait appris confidentiellement les projets de vente d'un paquet d'actions « par le directeur général des usines Steyr (Meindl), *Oberführer* à titre honorifique ». On constate une fois de plus la servitude des gros industriels portant des grades honoraires de la milice S.S., alors qu'ils étaient apparemment indépendants.

Pohl objecta qu'il ne suffisait pas d'acquérir une participation financière dans la société pour avoir une certaine influence sur la répartition de la production ; il était de notoriété publique que celle-ci dépendait entièrement du commandement suprême de l'armée. En outre, Himmler avait décidé que, par principe, « il ne fallait pas se compromettre par de fortes participations dans l'économie ». L'emploi du terme « se compromettre » montre qu'il existait en fait des projets de plus grande portée. La structure économique obéissait au principe suivant : « Limiter nos entreprises à des domaines précis, de telle façon que nous gardions le contrôle sur chacune d'elles [11]. » Himmler répondit brièvement à Pohl, pour lui dire qu'il « partageait tout à fait son point de vue, et que, dans cette affaire, les S.S. devaient se tenir à l'écart [12] ».

Dans une lettre écrite le 8 février 1944 et adressée également à Jüttner, Himmler montre qu'il était capable de se désintéresser d'un paquet d'actions, mais que, en revanche, il mettait toute sa ténacité à poursuivre d'autres objectifs sur la production des armes. « Il est absolument indispensable que nous armions davantage nos unités, en leur fournissant des lance-grenades de moyen et de lourd calibre (...). L'objectif à envisager, c'est de créer le plus rapidement possible une usine incorporée directement à un camp de concentration, permettant la fabrication de (...) (mot illisible) sur une grande échelle. Outre la quantité à livrer (au commandement suprême de l'armée), cette usine fabriquera un grand nombre de lance-grenades pour nos troupes [13]. » Himmler avait donc l'intention de détourner secrètement au profit de la milice une partie de la production d'armes, celle qui était fabriquée par une usine installée dans un camp de concentration et placée sous la régie des S.S., et qui échappait donc à mon contrôle ou à celui de l'armée.

Évidemment, Himmler et ses collaborateurs s'efforçaient constamment d'intensifier leurs capacités pacifiques malgré la guerre. De retour d'une tournée dans les villes bombardées, en septembre 1942, Himmler s'adressa immédiatement à Pohl : « Notre main-d'œuvre nous permet de vous aider aussi dans les secteurs suivants : fabrication en gros des chambranles de porte et des châssis de fenêtre. Considérez ceci comme un ordre. Mettez cette fabrication en chantier dans le plus grand nombre possible de camps, car la demande est énorme. Je pense aux camps de Dachau, Buchenwald,

Sachsenhausen, Lublin et Stuttgart. Procurez-vous auprès de l'organisation Todt un modèle normalisé, en particulier pour les châssis de fenêtre. Il faut que l'usine commence à tourner dans dix jours au plus tard (...). De même je me demande si nous ne pouvons pas convertir l'une ou l'autre de nos briqueteries pour fabriquer des tuiles, et je vous prie de réfléchir à cette question. Je pense ici plus spécialement à Neuengamme, ce qui permettrait de fournir Hambourg, Brême, Lubeck, et un grand nombre de villes de l'Allemagne occidentale[14]. »

Même sans l'exprimer de façon explicite, chaque fois que Himmler proposait son aide dans un secteur de fabrication industrielle, il avait en tête un but bien précis : fabriquer pour son propre compte, autrement dit incorporer peu à peu l'entreprise à son empire industriel. Et cette idée ne le quitta pas non plus lorsque Porsche s'adressa de nouveau à lui, après avoir tenté, avec son aide, de construire une fonderie de métal léger à l'intérieur des usines Volkswagen, tentative qui se solda par un échec.

« Le Pr Porsche, écrivit Himmler le 4 mars 1944 à Pohl, est venu me rendre visite aujourd'hui. Il nous demande de prendre en charge une usine fabriquant une arme secrète qui se trouve dans une mine souterraine et qui nécessite un personnel de 3 500 hommes, en l'incorporant à un camp de concentration[15]. »

Le 19 juin, Kammler, grand responsable S.S. sur qui reposait la production des V2 à Mittelwerk, déclarait : « Selon la mission qui m'a été confiée par le *Reichsführer* S.S., je soutiendrai de toutes mes forces les projets de transfert du Pr Porsche à Mittelwerk. J'y envoie un mandataire qui se mettra immédiatement en rapport avec le Pr Porsche pour discuter des détails[16]. »

On ne trouve aucune trace de cette arme nouvelle dans les procès-verbaux du Führer. Il ne s'agissait certainement pas de « soucoupes volantes », dont les milieux d'extrême droite prétendent aujourd'hui avec le plus grand sérieux qu'elles ont été fabriquées en secret et à mon insu vers la fin de la guerre. Notre technologie ne nous permettait pas, tant s'en faut, de construire des engins volants de cette sorte. Il ne pouvait pas davantage s'agir de la fabrication, parrainée par Porsche, du char de 188 t baptisé « Maus » (Souris), ni des essais encore timides de Porsche pour mettre au point un moteur Diesel lourd, convenant aux chars « Panther » (Panthère) et « Tiger » (Tigre)[17].

Avec tous ces groupes de pression coriaces qui déjà à l'époque essayaient de vanter leurs créations et de réduire la concurrence, il était souvent difficile de déterminer le produit le plus élaboré ; ainsi avaient été réalisés des types innombrables de générateurs qui produisaient du gaz à base de combustion de bois de chauffage ou de charbon, et ce gaz permettait de faire tourner les véhicules à moteur. Himmler avait lui aussi son générateur préféré. Conçu par Kristen, il avait, techniquement parlant, une grande avance sur son projet de fabrication d'essence à base de racines de conifères.

Une fois devenu généralissime des armées allemandes, dix jours seulement après avoir été nommé à la succession du général Friedrich Fromm, membre du Conseil supérieur de la guerre, Himmler ordonna à Jüttner, son nouvel adjoint, de « mettre désormais toute son énergie à lancer le générateur Kristen, mis au point par les laboratoires S.S. dans toute l'armée allemande pour commencer, puis plus tard aussi dans les troupes du front, et de réduire au maximum les délais de livraison ». Cette décision pourtant relevait de la compétence de mon ministère ; mais Himmler ne tint pas compte de ce détail ; et son ordre se poursuivait comme suit : « Entamez immédiatement des négociations avec le ministère Speer en vue d'assurer la fabrication rapide d'un très grand nombre de générateurs. » En outre, le *Reichsführer* repoussa d'emblée la mise en demeure de collaboration. La phrase suivante était sans équivoque : « Il faut confier la responsabilité de l'affaire à un officier à la fois qualifié et ne reculant devant aucun obstacle, *peu importe son grade*. Plus il est modeste, et plus je serai enclin à lui donner de l'avancement, à la mesure de ses succès. La promotion de cet homme dépend uniquement de la rapidité avec laquelle il réalisera cette opération, et de son efficacité. Je désire recevoir tous les 5 du mois un rapport sur le nombre de générateurs Kristen fabriqués, et sur le nombre de générateurs adoptés par l'armée allemande. De plus, je désire connaître le nombre de véhicules automobiles que possède notre armée. De toute façon, ce nombre doit être connu[18]. » Himmler n'était pas tenu de suivre les annuaires militaires pour donner de l'avancement, et il fit grand usage de cette liberté.

Quel soulagement déjà fut le nôtre de voir que les générateurs actionnés par du charbon de bois, du bois de chauffage, des briquettes ou du charbon ne décevaient pas, ou du moins pas trop, les espérances, et que les véhicules pouvaient rouler tant bien que mal[19]. Dix jours plus tard seulement, malgré toutes les difficultés qui empêchaient le fonctionnement parfait de ces générateurs, l'imagination de Himmler fit encore un pas en avant. Quelqu'un avait dû lui raconter que les générateurs pouvaient aussi être actionnés avec de la tourbe. Aussitôt, il donna l'ordre à Pohl d'agrandir son empire industriel imaginaire. « Pour assurer la satisfaction des besoins en combustible exigés par les générateurs allemands, il faut aménager de vastes zones d'extraction de la tourbe, en les incorporant aux camps de concentration. Veillez à prendre avec l'*Obergruppenführer* S.S. Jüttner tous les accords nécessaires[20]. »

Il fallut deux mois à Pohl pour donner sa réponse, délai qu'il mit à profit pour faire « une tournée d'information dans les différents secteurs producteurs de tourbe ». A la suite de ce voyage, il envoya à Himmler une lettre explicative : « Il existe, écrivit-il, deux espèces de tourbe ; seule la tourbe noire peut faire fonctionner les générateurs. Son extraction n'est possible qu'à l'aide de machines (...). Il faut prévoir des tourbières longues de 5 à 8 km, sur lesquelles les dragues et les machines à air comprimé roulent à toute allure (*sic !*). Les entreprises et les administrations qui s'épanouissent dans le secteur de la tourbe forment un bouquet multicolore. Jusqu'à présent, il est vrai, on note des résultats concrets presque uniquement sur le terrain — comme toujours. En revanche, dans les ministères, on a créé des sociétés. La plupart d'entre elles se sont assuré de grandes quantités de gisements (à d'autres fins, comme par exemple, l'alimentation des centrales électriques) en s'y installant comme des méduses visqueuses. Commençons donc par mettre un peu de vie dans les affaires. » Rien d'autre que ce que l'on avait toujours affirmé : seuls les S.S. pouvaient réussir à accroître leurs performances, et aucun échec n'arrivait à les intimider. Mais surtout pas les organes du ministère de l'Économie ou de l'Armement.

Au cours de l'hiver, « on s'attaqua à quelques gisements de tourbe, et avec l'aide des déportés, on fit les préparatifs nécessaires à la production du printemps ». Les S.S. exploiteront aussi une cokerie de tourbe dans la Frise orientale, « un haut fourneau en miniature, en quelque sorte. Je vais y établir un camp de concentration ». Toutes ces mesures permirent l'extraction de 6000 t par mois de tourbe combustible. En novembre-décembre, il fera installer 40 à 60 autres charbonnières, avec un rendement mensuel de 6 t de tourbe chacune. Cela donnera encore un supplément de 240 à 480 t de tourbe combustible. Quant à lui, Pohl, il avait « embauché le *Sturmbannführer* S.S. Dr Mischke, directeur des Éditions du Nordland, et l'avait promu expert en tourbe ». Et nous qui essayions de nous entourer des meilleurs spécialistes dans notre secteur de l'armement ! Certes, Pohl éprouvait un certain respect pour mon travail : moi, architecte de formation, j'arrivais à faire progresser la production dans ce secteur ; malgré cela, mon système ne lui inspirait aucune considération : je déléguais cette tâche à d'authentiques spécialistes de la question, et aux meilleurs d'entre eux. Tandis que lui, voici ce qu'il déclarait, avec l'assurance d'un profane, à propos du détachement aux tourbières de ce directeur de maison d'édition : « Il vaut toujours mieux, pour des missions de ce genre, utiliser les services d'un homme sans préjugé, à l'esprit clair et à l'intelligence solide, plutôt que ceux d'un monsieur Je-sais-tout qui, fort de ses connaissances en la matière, ne vient jamais sur le terrain. Mischke a prouvé qu'il en était capable, lui. Il a fallu créer un support administratif à cette nouvelle affaire, la Société d'exploitation de la tourbe, S.A.R.L.[21]. » Voilà encore un nouveau maillon dans la chaîne des entreprises S.S.

Himmler était satisfait. Pourtant il se passa encore presque un mois avant qu'il ne chargeât le Dr Brandt d'écrire à Pohl que « les S.S. doivent augmenter énormément leur production pour que, après la guerre, étant donné la pénurie d'essence qui se fera sans doute sentir, nous ayons encore une marge suffisante grâce à nos grandes réalisations. Le *Reichsführer* estime que, dans ce secteur, nous ne devons pas hésiter à compter parmi les plus grands entrepreneurs[22] ». Il est presque émouvant de constater avec quelle obstination Himmler poursuivait toujours son idée de créer de grands complexes industriels proprement S.S. pour le temps de paix, à la fin de la guerre et malgré les revers.

Le 11 novembre 1944, j'envoyai un mémorandum à Hitler pour lui faire remarquer que « à la longue, l'économie allemande tout entière est sévèrement touchée par la perte de la région industrielle rhéno-westphalienne qui rend ainsi problématiques les chances de succès de la guerre [23] ». Je m'étais déjà adressé à Bormann cinq jours auparavant pour lui faire comprendre que « les bombardements (aériens) sur le réseau de communication (de la région de la Ruhr) allaient provoquer une catastrophe dans la production industrielle, et que cela porterait durement atteinte à la poursuite de la guerre ». L'ennemi avait mis au point une nouvelle tactique consistant à bombarder systématiquement les installations ferroviaires et les voies de navigation, ce qui allait couper l'économie allemande du charbon de la Ruhr, et donc la paralyser. Or cet objectif s'était pleinement réalisé jusqu'au début de novembre 1944. « A l'heure actuelle, dix gares (de la région de la Ruhr) sont totalement hors service, quarante-six autres ne peuvent assurer qu'un trafic réduit », écrivis-je encore à Bormann pour le mettre en garde, et je poursuivis : « La situation industrielle est donc très tendue ; nous n'avons fourni que 7786 wagons par jour au cours de la quatrième semaine d'octobre, contre 18000 l'année dernière à la même époque [24]. »

Il était à prévoir que Himmler partirait immédiatement pour la Ruhr afin de se rendre compte personnellement de la situation et d'y mettre bon ordre. Dès le 3 novembre 1944, en effet, il m'envoya un télégramme : « Me voici aujourd'hui même à l'ouest du pays. Parmi de nombreux sujets de doléances, il y en a un — la pénurie des moyens de transport — que l'on pourrait sans doute résoudre assez facilement en intensifiant la construction des générateurs pour camions. Plus la situation des moyens de communication s'aggrave ici, plus le transport par camions est de première nécessité ; d'où l'importance des générateurs. Que peut-on faire pour régler ce problème énergiquement et dans les meilleurs délais ? [25] »

Treize heures plus tard, Himmler donna lui-même des instructions détaillées sur les mesures à prendre pour venir à bout de la crise et éviter la catastrophe. « Plus j'en parle aux différents *Gauleiter,* me fit-il savoir, et plus je suis convaincu que la triste situation actuelle des transports, provoquée par les bombardements aériens — remarque bien anodine pour décrire une situation littéralement catastrophique — ne peut être réglée tant bien que mal qu'en concentrant sur la fabrication des camions la majorité des efforts industriels dans ce secteur [26]. »

Il manquait donc 11000 wagons par jour, chacun d'eux devant assurer le transport de 12 t de charbon sur des trajets allant jusqu'à 500 km. Une seule solution aurait permis de les remplacer, à savoir la mise en service d'environ 44000 camions de 3 t de charge utile. Or, d'une part, ceux-ci n'existaient pas ; d'autre part, le réseau routier, terriblement endommagé par les attaques aériennes, n'aurait pas été suffisant. En outre, ces convois de camions auraient constitué une cible idéale pour les bombardements en piqué ; et une fois immobilisés sur place et incapables de rouler, ils auraient bloqué toutes les routes. La proposition de Himmler était manifestement une pure folie.

Berger a dû entendre parler de l'idée fixe de Himmler, à propos des générateurs. Trois jours plus tard, il lui offrit « 100 autobus et 30 camions ». Mais il n'avait pas de carburant. « La petite réserve que je me suis constituée en Slovaquie, je voudrais la garder pour des cas exceptionnels. J'ai demandé ce jour même au ministre Speer de me prêter son assistance en mettant à ma disposition des installations industrielles pouvant être converties pour la fabrication de générateurs[27]. »

Pour Himmler, c'était un triomphe. Il envoya immédiatement un télégramme à Berger : « Le *Reichsführer* S.S. se réjouit de pouvoir disposer de 100 autobus et de 30 camions. Il vous prie de veiller à ce que la conversion en fonctionnement par générateurs soit accélérée[28]. » Il aurait été impensable qu'un de mes chefs de service osât m'importuner avec des détails aussi insignifiants.

Cette crise de la Ruhr était sans doute décisive pour l'issue de la guerre, mais Himmler ne put s'empêcher de la mettre à profit pour en revenir à son idée fixe, la construction de générateurs. Dans un télégramme qu'il m'adressa le 3 novembre, il se lamenta en ces termes : « (Au cours d'une réunion), chacun des *Gauleiter* se plaignit de ne pouvoir obtenir de générateurs. De plus, les chercheurs et les ingénieurs, dans la région de la Ruhr, étaient exposés à de telles difficultés et de telles tracasseries que cette région ne pouvait pas recevoir de générateurs, bien qu'elle disposât de quantités massives de houille. Le moment est venu, je crois, de remuer ciel et terre pour régler ce problème. Peut-être vous serait-il possible de désigner un de vos hommes nantis de pleins pouvoirs dictatoriaux pour régler énergiquement la question des générateurs fonctionnant à la houille, sans tenir compte des susceptibilités des industriels[29]. »

Je répondis avec empressement : « Vous savez sans doute que le Dr Schieber vient de quitter le ministère de l'Armement ; je vais donc dissoudre le service central des générateurs qui a certainement fourni un travail trop bureaucratique ; je confierai la coordination et le développement des générateurs au chef de mes unités de transport, Nagel, qui est un homme extrêmement énergique et doué d'un sens psychologique très sûr. Par ailleurs, en ce moment, presque toute la production de générateurs est attribuée à l'armée, ce qui a aussi provoqué des difficultés dans leur répartition pour les besoins économiques. » Cette dernière phrase laissait entendre que l'officier promu par Himmler dans sa lettre du 1er août 1944 à Jüttner, « et qui ne reculerait devant aucun obstacle », n'arrivait pas, lui non plus, à augmenter la production. En dépit du ton aimable que j'adoptai, je ne cachai pas mon mécontentement à Himmler : « Je continue à trouver très dommage que, au cours de vos visites d'inspection, vous vous occupiez d'affaires qui sont de mon ressort. Pourtant (pour les *Gauleiter*), les occasions ne manquent pas de chercher avec moi, sans passer par un intermédiaire, les moyens de remédier à ces situations difficiles. Et je suis sûr qu'à l'occasion de ma prochaine visite dans la Ruhr, on viendra se plaindre à moi de sujets concernant la police, les pompiers ou la défense passive[30]. »

Dans un certain sens, les cinq *Gauleiter* du secteur de la Ruhr avaient raison, bien entendu, de se servir de l'influence politique de Himmler. Car, à la suite de cet appel pressant, je mis à leur disposition 8300 générateurs fonctionnant à l'anthracite. Cela représentait presque le double de la production de tous les types de générateurs durant le mois de novembre, tombée à 4700 (*cf.* appendice XV). Mais je ne pus m'empêcher de déclarer aux *Gauleiter :* « La plus grande difficulté dans la mise en service de ces générateurs, ce sera l'approvisionnement en anthracite, et en quantités nécessaires. C'est la raison pour laquelle la fourniture de ces générateurs a été retardée jusqu'à maintenant. Je vous donne acte à l'avance de ces difficultés auxquelles vous vous trouverez confrontés le cas échéant[31]. » A présent, c'étaient eux, les *Gauleiter,* qui détenaient la mauvaise carte. A eux de voir comment ils arriveraient à résoudre la question de la mise en service et de l'approvisionnement en combustible.

Dans ce sens, j'envoyai aussi à Himmler la communication suivante : « J'espère qu'il sera possible de surmonter les difficultés qui ne manqueront probablement pas de surgir à propos de l'approvisionnement en quantités suffisantes de combustible. Mais si l'on ne peut pas résoudre ce problème dans la Ruhr, je me demande bien où ce sera possible[32] ! »

Himmler me remercia le 21 novembre 1944 de mes deux lettres. En réponse à mon objection, il me déclara qu'il ne s'occupait pas des questions qui ne le concernaient pas. « Il est dommage, me faites-vous remarquer, que, au cours de mes visites, on me présente des plaintes ressortissant de votre compétence, tandis que vous, à chacune de vos visites, on vous parle d'affaires concernant la police, les pompiers ou la défense passive. A ce propos, je voudrais vous dire que l'entrevue de Kleinborkel était en fait une discussion portant sur toutes les questions et tous les secteurs de travail. (Votre) secrétaire d'État, Schulze-Fielitz, s'est déclaré incompétent dans presque toutes les affaires, ce que je n'ai pu que déplorer. Ainsi, sur le terrain, on n'a pas abouti à de grands résultats, je pense par exemple au secteur des générateurs, le plus important de tous. Voilà pourquoi je me suis trouvé dans l'obligation de vous importuner avec ma lettre[33]. »

Cet argument apaisant n'avait pas grande signification, car au cours de cette réunion avec les cinq *Gauleiter,* Himmler avait promis d'autorité à l'un d'entre eux, le Dr Meyer, des livraisons sur lesquelles il n'avait aucun pouvoir de discrétion. Le lendemain, le *Gauleiter* Meyer avait envoyé à Himmler un télégramme de confirmation : « Suite à notre conversation d'hier, je vous annonce la possibilité de mettre 600 générateurs en service dans un mois[34]. » Himmler attendit vingt jours, le délai habituel de retard, pour transmettre le

25 novembre 1944 ce télégramme au chef du Service des matières premières de son état-major personnel, le *Standartenführer* Kloth, et lui donna l'ordre de se charger immédiatement de cette affaire [35].

Le 27 décembre 1944 — un mois s'était écoulé une fois de plus — Kloth déclara qu'il avait transmis la réclamation de Meyer à mon ministère. On lui avait promis la livraison rapide de 415 générateurs [36]. Meyer n'aurait vraisemblablement pas eu à attendre cet avis pendant deux mois s'il s'était adressé à moi dès le début. Mais au cours de ces dernières semaines de guerre précisément, nombreux étaient les membres vétérans du Parti qui faisaient confiance à l'énergie du *Reichsführer.* Himmler faisait illusion ; il distribuait des promesses rapides, ce qui lui permettait de briller. Sur ce point, je me montrai plus prudent et plus réaliste.

Pierres fines, gaz toxique et dent-de-lion

Himmler essayait d'accroître l'influence économique des S.S. sur tous les secteurs. Il envisagea même de fabriquer les éléments de base de l'industrie, de produire les matières premières essentielles. Les S.S. n'avaient aucun système dans l'organisation de leur secteur économique. Pohl avait beau affirmer qu'il considérait l'organisation verticale de l'autoresponsabilité de l'industrie comme un modèle, cela restait lettre morte.

Certes les dossiers qui ont été conservés ne donnent qu'une fraction des projets en cours de réalisation. Ainsi, par exemple, au printemps 1942, Himmler se fit attribuer par le délégué spécial d'Hitler pour l'Ukraine, le *Gauleiter* Koch, l'exploitation d'un gisement de quartz près de Shitomir. Le 2 avril 1942, le maréchal Milch fut alerté par son service technique, car la pénurie de quartz signifiait « un grave handicap, étant donné la situation actuelle de la technique de haute fréquence, et en particulier des ondes ultracourtes, secteur d'une importance capitale pour la conduite de la guerre ». En octobre 1941, le service technique avait eu vent d'un vaste gisement de quartz situé près de Shitomir en Ukraine, et gardé secret par les Russes. L'ampleur de ce gisement suffisait à couvrir pendant plusieurs décennies la grave pénurie de quartz dont souffrait l'Europe. Voici ce qu'ajoute le rapport : « Fin janvier 1942, sur l'instigation des ministères de l'Économie et des Pays de l'Est, le commissaire du Reich en Ukraine (autrement dit le *Gauleiter* Koch) ordonna à la firme de Boer de se charger de l'administration fiduciaire et de l'exploitation des mines de Shitomir. Début février 1942, la firme de Boer fut de nouveau suspendue par simple communication téléphonique du commissaire du Reich en Ukraine, et cette suspension fut également confirmée oralement fin février 1942 à l'occasion d'une entrevue avec le *Gauleiter* Koch à Kowno ; celui-ci déclara que les S.S. devaient remplacer la firme de Boer, car il y allait de la défense des intérêts politiques (...). Ces gisements de quartz sont d'une extrême importance pour la conduite de la guerre, car ils permettent à notre technique de la haute fréquence de progresser au même rythme que celle de nos ennemis. Or le service technique LC-E 4 craint fort que ces gisements ne soient pas exploités en fonction de la situation des hostilités. Aussi réclame-t-on à grands cris l'intervention de monsieur le Secrétaire d'État (le maréchal Milch) pour que soit reconnu le bien-fondé de l'argument du service technique et que l'extraction et l'exploitation du gisement de quartz de Shitomir soient confiées d'une manière catégorique à un service responsable, si possible à la Luftwaffe [1]. »

Je ne devins, quant à moi, responsable de l'armement de la Luftwaffe que deux ans plus tard, mais malgré cela, cette décision me parut devoir mettre en danger la qualité de la fourniture de quartz aux trois armées, l'armée de terre, l'aviation et la marine. J'étais pleinement conscient du pouvoir que Hitler venait juste de me confier dans les premiers mois de mon activité, pouvoir presque illimité dans le cadre de ma compétence. Fort de ce pouvoir, j'écrivis peu de temps après une lettre sans équivoque à Himmler, et je tenais aussi à soutenir ce pauvre maréchal Milch en qui j'avais toute confiance. Car face à Himmler, il était faible. Voici les termes de ma lettre : « Le rapport ci-joint du service technique de l'armée de l'air vient de m'être communiqué par le maréchal Milch. D'après lui, les gisements de quartz de Shitomir, extrêmement importants pour l'économie de guerre, ont été exploités jusqu'à présent par la firme de Boer, de Hambourg ; bien que la firme de Boer ait reçu l'ordre du ministère de l'Économie et du ministre du Reich chargé des pays occupés de l'Est, elle a été suspendue fin février par ordre du commissaire du Reich parce que, prétendument, il y allait de la défense des intérêts politiques. Il semble qu'elle doive être remplacée par l'organisation des S.S. Il m'est impossible d'approuver un tel procédé qui signifie l'interruption d'une mesure capitale pour la guerre. Je me vois dans l'obligation d'exiger — expression qui ne faisait sans doute pas partie du style habituel quand on s'adressait à Himmler — que la firme de Boer reprenne l'exploitation de ces gisements. Je vous serais très reconnaissant en outre de donner des instructions au ministère de l'Économie pour qu'il l'aide à reprendre le travail, et surtout pour que l'exploitation des gisements de quartz ne soit pas transférée aux S.S. [2] »

Entre-temps, j'avais élevé une protestation auprès du ministre chargé des pays occupés de l'Est, Rosenberg, contre le transfert de ce gisement de quartz aux S.S. Pohl n'avait peut-être qu'une vague idée de cette protestation. Il écrivit le 9 juin à Himmler : « Le ministre Speer, dans une lettre confidentielle au ministre de l'Est, a déclaré que vous, Monsieur le *Reichsführer,* vous étiez d'accord avec la désignation de la firme de Boer. Aussi ai-je l'intention de prier le commissaire du Reich de me relever de mes fonctions de curateur. Je vous prie de me faire connaître votre décision [3]. »

Rien de plus facile pour Pohl que de prévoir la réaction de Himmler devant cette affirmation erronée. Et la réponse en effet combla son attente. Le chef de l'état-major personnel de Himmler, le Dr Brandt, écrivit le 1er juillet 1942 au *Gruppenführer* S.S. Sachs : « Le *Reichsführer* déclara hier qu'il avait l'intention d'écrire au ministre Speer pour lui proposer la réglementation suivante : le *Reichsführer* tient à ce que la propriété juridique demeure ce qu'elle est, autrement dit que l'extraction du quartz nous soit confiée à nous. Mais il s'engage à livrer les mêmes quantités de quartz que par le passé, selon les nécessités de l'industrie de guerre[4]. » Pohl reçut une copie de cette lettre.

Moi aussi, je me disais bien que Himmler ne lâcherait pas sa proie sans la défendre. Deux jours auparavant, le 29 juin 1942, Göring, déjà bien affaibli sur le plan politique, fit preuve d'une rapidité de décision surprenante, en réponse à ma réclamation ; il donna l'ordre d' « annuler cette transmission de propriété et de mettre ce gisement de quartz à la disposition du ministre de l'Armement et des Munitions, aux fins d'exploitation[5] ».

Deux semaines plus tard, se sentant berné, Pohl réagit violemment : « Ma nomination de curateur (à Shitomir) par le commissaire du Reich en Ukraine a déclenché un tohu-bohu général. Le commandement suprême de l'armée, l'aviation, la marine de guerre et de nombreux services civils, qui assurent le ravitaillement de leurs troupes par l'intermédiaire des moyens d'information, revendiquèrent Shitomir, parce que, paraît-il, tous les gisements de quartz nécessaires à la fabrication de ces moyens d'information sont épuisés dans le Reich allemand. En vertu de l'intervention personnelle du ministre Speer, le ministre de l'Est (Rosenberg) a demandé au commissaire du Reich en Ukraine de me relever de mes fonctions de curateur et d'engager à ma place la firme de Boer, spécialisée dans ces affaires. Aussi le commissaire du Reich en Ukraine (Koch) m'a-t-il recommandé instamment d'en abandonner l'administration fiduciaire au profit de la firme de Boer. Cependant, sur ma demande, il a donné l'ordre à la firme de Boer de me laisser au prix coûtant les topazes que l'on trouve à Shitomir. »

Il semble — nous allons nous en apercevoir plus loin — que les S.S. s'intéressaient tout autant à ces pierres semi-précieuses qu'au quartz de Shitomir. Voici ce que l'on trouve encore dans la lettre de Pohl à Himmler : « Étant donné la situation, je me suis donc déclaré prêt à abandonner l'administration fiduciaire. Et cela d'autant plus que, dans la querelle entre le commissaire du Reich et le ministre de l'Est, je voulais éviter que l'un ou l'autre parti ne se serve du *Reichsführer* comme d'un atout[6]. »

La renonciation de Pohl à l'administration fiduciaire, à laquelle il ne s'attendait pas, alarma Himmler ; et dès le lendemain, il se tourna vers moi. Selon toute vraisemblance, il n'avait pas l'intention de céder aux termes brusques de ma lettre ; mais comme il était justement en excellents termes avec le commissaire du Reich en Ukraine, Koch, il voulait, à sa manière habituelle, me placer devant un fait accompli : « Je n'ai malheureusement pas eu le temps avant aujourd'hui — au bout de trois mois ou presque — de répondre à votre lettre du 20 avril. Je vous prie de maintenir la situation concernant la propriété de ces gisements de quartz telle qu'elle est présentement. Mais je suis prêt, cela va de soi, à mettre à la disposition de l'industrie de guerre le produit de l'extraction dans sa quantité actuelle. Vous pouvez être assuré que nous exploiterons ces gisements de quartz de manière qu'ils fournissent le rendement indispensable. C'est également ce que j'ai affirmé au maréchal, avec qui j'ai abordé ce sujet en lui donnant la même assurance, et il est d'accord lui aussi[7]. »

Sans doute Himmler commençait par faire preuve de souplesse dans le style « il me priait... », mais c'était pour signifier aussitôt la manière dont il en avait décidé. Göring aussi avait été purement et simplement averti de cette décision, et naturellement, il se garda bien de risquer une épreuve de force avec Himmler pour un gisement de quartz.

Le 25 juillet, Himmler écrivit à Pohl par l'intermédiaire du Dr Brandt qu'en renonçant à l'administration fiduciaire, il avait agi avec précipitation. En même temps, il lui fit des reproches : « Le *Reichsführer* s'en tient à sa décision, celle qu'il a exposée au ministre Speer dans sa lettre du 15 juillet. Il vous prie de ne pas vous dessaisir du fiduciaire. Base de la négociation : le *Reichsführer* S.S. confie les gisements de quartz à la firme de Boer. Mais par ailleurs, nous en restons, nous, les propriétaires. » A charge par le *Gruppenführer* Berger, du ministère de l'Est, « de défendre le point de vue de Himmler comme il convient dans son ministère[8] ».

Mais Himmler avait perdu la partie. « Malheureusement, en renonçant prématurément à assurer l'administration fiduciaire du gisement de quartz de Shitomir, écrivit-il à Pohl un mois plus tard sur un ton plein de reproches, vous nous avez fait finalement perdre ce gisement. En effet, peu après l'arrivée de votre lettre dans mon service, le *Gauleiter* Koch signa un contrat avec la firme en question, valable jusqu'à la fin de la guerre. J'ai réussi à me mettre d'accord avec ce dernier pour que nous puissions nous intégrer dans ce contrat après la fin des hostilités. Pour le moment, j'ai l'intention de signer un pré-contrat avec lui, valable pour l'après-guerre. A l'avenir, je vous prie de ne pas laisser échapper ce que nous tenons en main au prix d'un grand effort sans m'en aviser au préalable. La perte de ces beaux gisements de quartz me fait très mal au cœur[9]. »

La missive adressée à Erich Koch, dont parle Himmler, fut envoyée le 26 août, donc le lendemain. L'intérêt accordé par Himmler aux pierres semi-précieuses en représentait le thème principal : « Cher Erich ! A propos de notre conversation concernant le gisement de quartz de la région de Shitomir, je voudrais te demander ce qui suit :

« 1. la signature d'un contrat stipulant que nous prenons en gérance ce gisement de quartz après la fin de la guerre, lorsque le contrat avec la firme de Hambourg viendra à expiration ;

« 2. me serait-il possible d'obtenir dès maintenant l'exploitation d'un gisement de topazes, à un endroit ou à un autre ?

« 3. Envoie-moi l'ordonnance concernant les pierres, semi-précieuses et autres, et en même temps les dispositions en réglant la récolte. Je ne voudrais en aucune façon agir contre la loi (principe étonnant chez Himmler), mais d'un autre côté, je serais désolé que nous ne puissions pas ramasser ces pierres ou les vendre, alors qu'on les trouve ici, dans les environs du quartier général [10]. »

Force fut alors à Pohl de lever le masque. « Les ministères de l'Est, de l'Économie et de l'Armement se sont énergiquement opposés à ce que nous soyons désignés comme curateurs ; ils sont intervenus en faveur de la firme de Boer parce que celle-ci possède une longue expérience dans le domaine de l'extraction du quartz. Moi-même, je me suis assuré que seule la firme de Boer était capable, à l'heure actuelle, de garantir une exploitation rationnelle et rentable de ce gisement. Tandis que nous, en revanche, nous n'avons pas les spécialistes indispensables en la matière. D'autre part, l'extraction du quartz ne peut se faire qu'en été ; enfin l'exploitation du gisement est urgente et indispensable pour la conduite de la guerre. Aussi, compte tenu de la communication du ministre Speer, ai-je été obligé de renoncer à l'administration fiduciaire, d'autant plus que tous les autres services de l'armée avaient l'impression — et certainement pas à tort — que nous ne revendiquions ce gisement de quartz que pour ses topazes. » En conclusion, Pohl écrivit avec résignation que, à son avis, d'autres services avaient trouvé également les topazes à leur goût. Ce qui était une contradiction étrange dans une seule et même missive. Au début, il avait constaté l'incapacité des S.S. à exploiter avec compétence ce précieux gisement de quartz, et, quelques lignes plus loin, Pohl soupçonnait le commissaire général en Ukraine et les autres services intéressés d'avoir mis obstacle à sa désignation comme curateur à cause surtout des pierres que tous convoitaient [11].

C'était ce qu'on appelle une querelle de chiffonniers. Le 18 mars 1943, le commandement suprême de la Wehrmacht fut obligé de s'adresser à Himmler en tant que chargé des affaires concernant la lutte contre les partisans. « Des bandes de maquisards ont attaqué début mars le secteur de l'exploitation du quartz à 40 km au nord-ouest de Shitomir et détruit une partie des installations. Comme il s'agit là du seul gisement de quartz à propriétés vibratoires en Europe, le moindre désordre dans la régularité de son exploitation entraîne de graves préjudices pour l'économie de guerre. Il est donc absolument indispensable de libérer immédiatement ce secteur situé au nord-ouest de Shitomir des bandes de maquisards, et d'en assurer une protection constante et efficace. Je vous prie de me communiquer les mesures que vous avez l'intention de prendre dans ce sens [12]. »

Après la victoire sur la France se fit jour l'idée d'un grand empire colonial en Afrique, fondé sur l'adoption partielle des colonies belges et françaises, comme par exemple le Congo et le Tchad, et cette idée fut sérieusement discutée. Après le triomphe de la campagne de France, le *Gruppenführer* Hennicke envoya à son ami Karl Wolff, adjoint de Himmler, un simple rapport d'affaires pour lui proposer d'installer dans les colonies, après la guerre, de vastes ensembles industriels fonctionnant avec la main-d'œuvre des camps de concentration, et il ne s'agissait pas du tout d'un produit de son imagination. « Les mines de cuivre et d'étain, la construction de digues et de routes, les mines de diamant, d'or et d'argent pour l'industrie joaillière offrent un potentiel d'emplois formidable pour les occupants des camps de concentration dont regorge l'Europe. Cela permettra de préserver l'intégrité de l'espace habitable dans la Grande Allemagne. Les plantations gérées par le gouvernement donneront également des emplois aux populations de couleur[13]. »

Les propositions de paix faites par Hitler à l'Angleterre devaient entraîner, entre autres, la réalisation de cet immense empire colonial en Afrique, mais elles furent repoussées brutalement par le gouvernement de Churchill. Aussi force fut à Himmler d'enterrer son rêve et ses plantations de caoutchouc en Afrique. En guise de compensation pour ainsi dire, Hitler attira son attention sur une variété de dent-de-lion, pissenlit ne dépassant pas la hauteur de quelques centimètres seulement (*Taraxarum bicorne*) et dont chaque racine contenait 1,5 pour 100 de caoutchouc naturel.

Deux mois et demi avant le début de la campagne de Russie, Himmler écrivit à un certain Vogel, *Sturmbannführer* S.S., pour lui donner toutes les explications fournies par Hitler lui-même : « Au début, la canne à sucre n'avait été qu'un produit colonial. On n'avait même jamais pris en considération la betterave locale, que l'on avait toujours eue sous les yeux. Puis l'idée en avait germé dans un cerveau et on avait commencé à traiter la betterave jusqu'à ce qu'elle atteignît un important pourcentage de sucre et devînt notre actuelle betterave à sucre. » Désormais il existe une plante « qui fournit du caoutchouc en grande quantité. La semence vient sans doute de Russie. (Que Pohl veuille bien) se procurer de la semence de cette variété de dent-de-lion que nous propagerons le plus rapidement possible. De plus, je vous prie de me tenir au courant de tout ce qui concerne cette plante, de son exploitation et de la manière dont on en extrait le caoutchouc. Dans ce contexte, je voudrais aussi attirer votre attention sur une autre plante très répandue dans nos forêts, je veux parler de l'euphorbe, dont, à mon avis, le suc contient une viscosité encore plus forte que le lait de pissenlit[14] ». C'est ainsi que le dictateur et son chef de la police évaluaient la viscosité des plantes et discutaient de la teneur en caoutchouc des pissenlits.

Il fallut attendre plus d'une année, le 23 juin 1942, pour qu'Hitler déclare son « intention de confier à Himmler, le cas échéant, la charge de cette culture ». Car les chiffres concernant les plantations de caoutchouc ne le satisfaisaient pas, et de loin. Il le pria de rechercher la personne la plus compétente dans ce genre d'activité — question pertinente si l'on songe à l'imbroglio de compétences à l'époque[15].

Hitler ne pouvait certainement pas trouver de sujet plus empressé que Himmler, et d'adepte plus enthousiaste que lui pour ce projet fantastique ; il était aussi le plus à même de le réaliser avec énergie et sans scrupules. Mais comme cela lui arrivait souvent, Hitler hésita. Himmler lui-même se donna plus de six mois pour répondre à la question d'Hitler au sujet de la compétence. Même devant les désirs d'Hitler, le système réagissait comme un tout parfaitement bureaucratique.

Il fallut attendre février 1943 pour que Pohl écrivît un rapport sur cette affaire. « Voici quels sont les services qui s'occupent de la plantation et de la culture du *Taraxacum bicorne* ou kok-saghyz :

« 1. dans le plan quadriennal, le délégué aux Affaires des véhicules à moteur ;

« 2. dans le plan quadriennal, le délégué à la Chimie ;

« 3. le ministère de l'Alimentation ;

« 4. l'Union des cultivateurs ;

« 5. à la direction S.S., le Service central de l'administration de l'économie ;

« 6. l'Institut Kaiser-Wilhelm pour la recherche en matière de sélection de la culture ;

« 7. le service de recherche de la firme Volkswagen, Front allemand du travail (D.A.F.) ;

« 8. l'industrie de transformation. »

Reflet de compétences qui se chevauchent, tandis que vraisemblablement tout restait en état de stagnation parce que chacun des services comptait sur les autres pour exécuter le projet.

Les S.S., poursuivit Pohl dans son rapport, étaient déjà mis dans le circuit, car « on a envoyé à la direction des S.S., au camp de concentration d'Auschwitz, des petits échantillons de toutes les semences que l'on a pu se procurer. (...) De plus, le Front allemand du travail (D.A.F.) est en train de monter un laboratoire à Auschwitz afin que l'on puisse examiner sur-le-champ la teneur en caoutchouc des racines et des plantes ».

D'après ce même rapport de Pohl en date du 12 février 1943, on a constaté, au cours de la session de janvier de la société Plantes à caoutchouc, S.A.R.L., que « en 1943, la quantité de semence disponible avait permis de semer du kok-saghyz sur une superficie de 40 000 ha. (...) La récolte de cette année donnera une quantité de semence qui permettra la culture sur 100 000 ha en 1944, dont on peut attendre une récolte de 8 000 t de caoutchouc », autrement dit, approximativement, 80 kg de caoutchouc par hectare de terre ensemencée [16].

Manifestement, la livraison de caoutchouc naturel, par l'intermédiaire de navires forçant le blocus, avait été stoppée depuis fin 1942. Les stocks de caoutchouc naturel tombèrent de 23 500 t en 1942 à 5 100 t en 1943 et à 2 300 t en 1944 [17]. Ce bilan désastreux provoqua certainement une recrudescence d'activité et explique en même temps que Hitler ait hésité jusqu'à cette date. Il faut noter, il est vrai, que, entre-temps, notre industrie chimique avait réussi à améliorer la qualité du caoutchouc synthétique au point qu'il n'était plus nécessaire de le mélanger au produit naturel pour fabriquer les pneus et les pièces de construction soumises à un dur travail.

En revanche, Hitler continuait à miser sur le caoutchouc obtenu à base de kok-saghyz. En juin 1942, il voulut confier cette mission à Himmler. En février 1943, Pohl avait remis son rapport, et ce fut seulement le 23 juillet 1943 que Hitler réalisa son projet de l'année précédente et en confia la charge à Himmler. Celui-ci fut donc promu « responsable de la culture du caoutchouc végétal sur une très grande échelle ».

Himmler ordonna aux chefs S.S. chargés des plantations en question « de tout mettre en œuvre pour soutenir la production et l'extraction de la plante à caoutchouc et son traitement dans leurs secteurs respectifs. (...) Pour cela, ils devaient envisager de déplacer systématiquement les vieilles femmes et les enfants habitant dans les régions débarrassées par nous des bandes de maquisards et qui serviraient de main-d'œuvre pour la culture du kok-saghyz [18] ».

Dans le journal personnel de Himmler, on peut lire, en date du 15 avril 1943, qu'il a travaillé pendant trois heures sur la question de la culture de cette plante. Le 24 juin, il eut encore un entretien d'une heure avec Stahl, exploitant agricole, et le 30 novembre 1943, un entretien de trois heures. Trois mois plus tard, de nouveau, le 20 avril 1944, Himmler se pencha encore sur l'espèce de dent-de-lion appelée kok-saghyz, mais cette fois beaucoup moins longtemps, une demi-heure seulement [19]. Car le 30 mars, il avait reçu une lettre décevante de Kehrl, mon vaillant chef de service. Était joint à cette missive un rapport envoyé par la « Société pour le caoutchouc végétal et la Gutta-Percha » à Kehrl, en sa qualité de chef du service de planification de mon ministère : on aurait pu effectivement extraire 137 t de caoutchouc du kok-saghyz en 1942-1943 ; mais les revers de la campagne de Russie avaient ruiné les superficies cultivées. Depuis juillet 1943, cette société était subordonnée à un « chargé d'affaires spécial du *Reichsführer* S.S. pour le caoutchouc végétal ». D'après les prévisions de cette dernière, on devait planter de nouveau au printemps 1944 20000 ha de kok-saghyz en terre polonaise. Cette superficie, qui représentait dix fois celle de Grunewald, le quartier résidentiel situé à la périphérie de Berlin, aurait donné une récolte de 20000 t de racines. Mais comme les racines ne contenaient que 1,5 pour 100 de caoutchouc naturel, on ne pouvait en espérer qu'un rendement de 300 t seulement. Or pour parer aux besoins les plus urgents, nous devions traiter environ 24000 t de caoutchouc synthétique par an. Que représentait une production de 300 t de caoutchouc naturel en regard de ces 24000 t !

15 kg par hectare, alors que Pohl en avait promis 80 le 12 février 1943, cela faisait cinq fois moins que prévu ! De plus, pour arriver à produire ces 300 t de caoutchouc naturel, comme il est noté dans le mémorandum de la « Société pour le caoutchouc végétal et la Gutta-Percha », il fallait embaucher 60000 à 80000 personnes. Le prix de revient par kilogramme de caoutchouc naturel calculé par cette société atteignait entre 32 et 35 Reichsmarks, alors que le prix officiel était fixé à 2,70 Reichsmarks [20]. Autrement dit, les 300000 kg de caoutchouc naturel obtenus à partir du kok-saghyz allaient coûter approximativement 10 millions de Reichsmarks, ce qui, pour

80 000 ouvriers, correspondait à un salaire annuel de 125 Reichsmarks par personne[21], à condition de ne pas tenir compte de tous les autres frais de fabrication mentionnés également dans le mémorandum. Un rapport de l'Office des matières premières en date du 14 avril précisait que cette main-d'œuvre n'était utilisée qu'à temps partiel pour cet objectif ; et même si je tenais compte de ce fait, un salaire annuel de 125 Reichsmarks ne pouvait suffire à nourrir, vêtir et loger convenablement les gens. Véritable « calcul de laitière », comme on disait alors, si l'on ne voulait pas appliquer les normes de frais des camps de concentration sur ces 80 000 ouvriers.

Certes, cette idée de cultiver la dent-de-lion et d'en prévoir les résultats à long terme provenait bien de l'imagination de Hitler ; mais l'exploitation du kok-saghyz par les S.S. caractérisait bien aussi l'obstination de Himmler à s'attacher aux objectifs fantastiques. Tous ces projets d'ailleurs ne tardèrent pas à se réduire eux-mêmes à néant par la progression rapide de l'Armée rouge en territoire polonais. On ne parla plus de cultiver le kok-saghyz.

Himmler s'est toujours laissé facilement attirer par toutes les nouveautés. Déjà quand il avait promis d'organiser la fabrication des tuiles pour les grandes constructions de Hitler sur une échelle démesurée, il avait commis une faute : il accorda sa confiance à l'inventeur d'un nouveau système de fabrication et monta toute l'affaire en la fondant sur ce nouveau procédé, sans prendre le soin de le faire examiner au préalable par des spécialistes. Cela se révéla un coup fourré complet ; il fallut reconvertir toutes les installations à des méthodes de production normales, ce qui entraîna de grandes pertes.

Un jour, le *Gruppenführer* S.S. Wilhelm Keppler, jadis conseiller influent d'Hitler pour les questions économiques, affirma en juin 1944 qu'il avait obtenu un nouveau résultat très positif dans ses travaux de recherche, et aussitôt, Himmler prit feu et flamme : il s'agissait d'un nouveau procédé chimique permettant d'élever la production des plomberies et des zingueries à 98 pour 100, au lieu de 75 pour 100 jusque-là. Il fallut immédiatement commencer la construction d'un dispositif permettant d'extraire 20 000 t par an de plomb et 8 000 t par an de zinc — sans en demander l'autorisation à mon service des matières premières, cela va de soi. « Un jour, tu m'as laissé entrevoir, rappelle-t-il à Himmler, la possibilité de disposer de la main-d'œuvre fournie par les camps de concentration pour la construction d'une fabrique de graisse. Je me permets de te demander si cette possibilité est également valable pour l'extraction du minerai et la construction de l'usine. Il me faudrait environ 1 500 personnes, parmi lesquelles évidemment des spécialistes en la matière. » Comme toujours dans des cas semblables, Himmler manifesta un grand intérêt pour ce projet. « Tu m'écris que tu aimerais disposer de 1 500 personnes pour l'extraction du minerai et la construction d'une usine. Il faudrait que nous en parlions de vive voix, ce serait la meilleure solution. Pour pouvoir prendre la décision de déplacer cette main-d'œuvre, il faut que l'on me confie la responsabilité de l'ensemble des travaux. On construira alors tout de suite une usine presque inaccessible aux bombardements aériens, voire totalement invulnérable, ce qui serait encore mieux. » Himmler précisait ici avec plus de netteté que d'habitude que le détachement de la main-d'œuvre était soumis à une condition essentielle, à savoir que la responsabilité de l'ensemble de l'affaire lui soit confiée à lui, et donc que ses organes soient chargés eux-mêmes de la direction de l'affaire. Ces projets se révélèrent illusoires.

Les abondants gisements de manganèse de Nikopol se trouvèrent menacés par l'avance russe, début novembre 1943[23]. Il était à prévoir que l'armement allemand ne pourrait plus compter sur eux très longtemps encore. Devant cette situation, l'industrie avait trouvé le moyen, en modifiant certains procédés, d'accroître ses stocks importants en manganèse, ils passèrent ainsi de douze à dix-huit mois, et devaient donc couvrir les besoins jusqu'à l'automne 1945. Malgré cela, prévoyant manifestement que la guerre se prolongerait davantage, Hitler ordonna en décembre 1943 d'embaucher des géologues « pour détecter d'autres réserves éventuelles de manganèse, par exemple dans les Carpates, en Hongrie ou en Slovaquie[24] ».

Comme chaque fois que l'occasion s'en présentait, les S.S. cherchèrent encore à profiter de leur chance. Dans une discussion en date du 8 mai 1944, le gouverneur général de Pologne, Hans Frank, proposa d'organiser une expédition en Galicie où l'on avait signalé un gisement de manganèse près de Zabie. On plaça à la tête de cette expédition un certain Jordan, *Hauptsturmführer* S.S. à qui Frank demanda de lui envoyer directement le rapport. Peu de temps après cette discussion, Frank écrivit à Himmler : « Dans l'affaire du manganèse de Galicie, je viens d'avoir un entretien très circonstancié avec le secrétaire d'État Koppe (lui aussi chef S.S. et chef de la police du Gouvernement général) et le *Hauptsturmführer* Jordan. Aidé par une excellente équipe et par le meilleur matériel possible, Jordan partira en expédition la semaine prochaine dans la région en question, pour une durée approximative de trois semaines ; il étudiera sur place la nature et l'ampleur du gisement, ainsi que la possibilité de commencer le plus tôt possible l'extraction et le transport du minerai. C'est pourquoi je vous propose de reporter à plus tard la visite prévue de l'*Obergruppenführer* Pohl à Cracovie, après le retour de l'expédition de Galicie ; cela me paraît plus rationnel, car nous aurons alors des éléments précis pour créer la société. Soyez convaincu que, dans cette affaire, je vous apporterai toute l'aide possible et imaginable[25]. »

Dix jours plus tard, dans une lettre à Himmler, Keppler parla d'une entrevue chez le gouverneur général : « Dans la pratique, il est extrêmement désavantageux de centraliser la recherche minéralogique dans une équipe berlinoise, y lit-on, ce qui est une critique ouverte contre les services subordonnés au bureau des matières premières du ministère de l'Armement. Comme dans tous les domaines, le centralisme est devenu à présent une calamité qu'il faut absolument supprimer, au moins là où il menace de paralyser les énergies de sections attachées au pouvoir du Grand Reich. » C'était tracer un parallèle avec le combat mené en Tchécoslovaquie par les S.S. contre la centralisation de l'industrie de l'armement dans mon ministère. « Le caractère extrêmement rétrograde du traitement de la recherche minéralogique n'est pas à mettre sur le compte du Gouvernement général ou d'un de ses services ; il est dû exclusivement à l'échec total des positions centralistes dans le Reich. Sur ce point, le *Reichsführer* est parfaitement d'accord avec le gouverneur général[26]. » En effet, après les expériences passées de collaboration avec les services de Himmler, mes commissions et mon entourage n'étaient guère tentés d'abandonner aux S.S. d'éventuels gisements de manganèse dès leur découverte.

Himmler mit à profit sa visite à Cracovie pour revenir une fois de plus sur l'édification de son empire de l'armement et la faire progresser. Voici ce que dit le rapport de Keppler : « Le *Reichsführer* se demande si l'on ne pourrait pas accélérer directement la production d'armes et de munitions (dans le Gouvernement général) sans tenir compte de l'appareil assez pesant du ministère de Speer, et il désirerait que cette question soit soumise à un examen minutieux. (...) Cette proposition rencontra l'assentiment du gouverneur général qui demanda en même temps s'il serait possible de construire une fabrique spéciale de canons d'infanterie quelque part dans une vallée de montagne ; il donnerait alors l'ordre d'activer l'affaire aussi rapidement que possible[27]. » Ainsi quand les grands chefs S.S. étaient entre eux, ils laissaient tomber les masques.

Le *Gruppenführer* Koppe, secrétaire d'État de Frank, s'était toujours montré conciliant dans les discussions qui avaient lieu entre la commission de l'armement et le général Schindler. Aussi ai-je été d'autant plus surpris de la réaction de Koppe, au cours d'une séance en date du 3 juin 1944 placée sous la présidence du gouverneur général Frank ; l'ordre du jour de cette séance portait sur la politique décidée par les trois grands chefs S.S., et sur la manière de la faire progresser. Koppe déclara alors sur un ton ambigu : « Il y a beaucoup de choses encore qui pourraient peut-être être organisées différemment. Je pense en particulier aux hauts fourneaux et à l'extraction du minerai mixte. Nous allons faire intervenir le *Reichsführer* sur ce point. Je considère qu'il est parfaitement possible d'étendre les mines de fer. Mais les konzern et les trusts voient d'un très mauvais œil une trop grande extension du minerai de fer dans le gouvernement général. Malheureusement, les hommes à la tête d'un service semi-public (il veut certainement parler des secteurs autonomes de l'industrie) peuvent se montrer très actifs et très influents ; ils peuvent tout simplement empêcher cette extension. C'est pourquoi je pense qu'il serait judicieux de construire ici quelques aciéries totalement indépendantes de cette clique de personnages n'écoutant que leurs intérêts. Nous montons des hauts fourneaux là où nous le jugeons nécessaire. Manifestement ces messieurs, et Röchling entre autres, craignent que cela ne mène à un transfert trop important vers l'Est. » Frank répondit à

Koppe : « Autrement dit, c'est intentionnellement qu'ils veillent à ce que nous soyons freinés dans notre production de fer[28]. » On parlait donc ouvertement d'édifier une industrie propre aux S.S. en opposition avec les organes clefs de l'armement. Exemple frappant de désorganisation et de désagrégation de toute autorité d'État à la fin du IIIe Reich qui, aujourd'hui encore, est souvent considéré comme une machinerie étatique à fonctionnement parfait.

Après le procès de Nuremberg, de hauts représentants du ministère de l'Industrie venus des Etats-Unis se sont entretenus avec moi et ont cherché à connaître notre système d'organisation. Auparavant, ils avaient interrogé aussi nombre de mes anciens collaborateurs. Au cours de la session de clôture, le président de la commission américaine remarqua : « Lorsque nous rencontrions des difficultés avec les institutions de la démocratie, nous avons souvent regretté que notre ministre n'ait pas été pourvu de tous les pleins pouvoirs comme Speer. La signature de Speer suffisait pour que soient réglées toutes les questions en litige. C'est ainsi que nous nous imaginions votre position. A présent, après avoir étudié dans le domaine de l'armement la manière de travailler de votre système autoritaire, nous sommes bien obligés de constater que vous et vos collaborateurs, vous aviez la tâche beaucoup plus difficile que nous, dans tout ce fatras de compétences, d'intrigues et de pouvoirs hiérarchisés. »

Si je me montrais réticent à implanter de plus grandes unités de fabrication d'armes et de munitions en Pologne, c'était à cause de la situation chaotique qui régnait dans ce pays et qui rendait inutile l'effort d'investissements coûteux. Le 29 mars 1943, de toute mon énergie, j'attirai l'attention de Hitler sur l'insuffisance du développement de l'armement dans le Gouvernement général : « Il est impossible d'exploiter l'industrie de l'armement déjà existante dans le Gouvernement général, même partiellement, à cause de la mauvaise alimentation des ouvriers obligés d'acheter des vivres au marché noir, ce qui entraîne une perte d'environ 50 pour 100 du temps de travail, de la mauvaise répartition du charbon, etc. C'est pourquoi, il n'est pas question de procéder à un transfert en provenance de l'Ouest, bien que l'industrie de l'armement en Pologne soit parfaitement en mesure de survivre[29]. »

Le même jour, je me rendis au quartier général de Himmler, installé dans de confortables wagons-salons au cœur d'une forêt proche, pour lui faire part, à lui aussi, des soucis que me causait la Pologne, et pour lui demander son soutien[30]. Deux mois plus tard, je repris chez Hitler le même argument : « L'insécurité qui règne dans le Gouvernement général ne permet pas le moindre transfert d'usines d'armement dans ce secteur, bien qu'il soit parfaitement capable d'en accueillir d'assez importantes[31]. »

Mais, aux yeux de Frank et aux yeux de Himmler, ces obstacles ne semblaient même pas dignes d'être mentionnés. A cela s'ajoutait l'incapacité totale de leurs organes qui élaboraient des projets à tort et à travers, sans avoir les qualités nécessaires pour en prendre la direction ni sur le plan de l'esprit ni sur le plan technique.

Manifestement, à partir du printemps 1944, l'activité de Himmler et de son appareil, orientée vers la création d'exploitations industrielles propres aux S.S., s'était considérablement renforcée. C'était peut-être dû en partie à l'affaiblissement de ma position pendant et après ma maladie ; mais d'un autre côté, c'était peut-être aussi en rapport avec l'idée d'un empire économique autonome S.S., idée approuvée par Hitler. Ce qui jusque-là avait été la soif du pouvoir s'érigea alors en système.

En octobre 1944, de retour d'un voyage en Wartheland (Posnanie), le *Gauleiter* Greiser signala que les points d'exploitation des gisements de lignite dans le canton de Konin ainsi que la construction d'une importante centrale à proximité progressaient dans de bonnes conditions. (Deux ans auparavant, alors qu'il n'était même pas ministre de l'Intérieur, Himmler, à la manière d'un despote, avait donné son accord à la gestion autonome du district, dans le canton de Konin[32], qui revendiquait les concessions de terrains riches en lignite, repérés par forages[33].) Deux semaines plus tard, Himmler répondit à Greiser : « Je suis aussi heureux que vous du résultat positif des essais d'extraction de lignite pratiqués dans le canton de Konin. En temps normal, déjà, l'exploitation du charbon dans le Wartheland aurait présenté de grands avantages. Mais justement dans les semaines et les mois qui vont venir, elle sera d'une importance capitale. Et maintenant, quel est le moyen le plus énergique d'activer l'exploitation de ces gisements ? S'il s'agissait d'exploitation à ciel ouvert, je pourrais vous venir en aide en vous fournissant une main-d'œuvre de déportés[34]. » Une copie de cette lettre fut envoyée en même temps à Pohl.

Extraction du manganèse, aciéries, fabriques d'armes en Pologne, plomberies, zingueries sur le territoire du Reich, l'usine secrète de Porsche à Mittelwerk dans le Harz... Au cours de la dernière année de la guerre, les S.S. multiplièrent les efforts d'expansion de leurs entreprises autonomes dans le secteur de l'armement, mais ces efforts n'aboutirent à aucun résultat concret ; le combinat ainsi prévu devait être complété par l'extraction du pétrole et aurait pu alors fonctionner en circuit fermé. Alors que se dessinait déjà la fin du Reich, Himmler se tourna vers Paul Pleiger, directeur général des usines Hermann-Göring, l'homme que j'avais recommandé à Himmler pour diriger son Konzern, et lui ordonna d'apporter sa contribution à l'exploitation de sources pétrolifères inconnues jusque-là. « On me dit souvent que l'Allemagne centrale cacherait des gisements de pétrole pleins de promesses qui, jusqu'à présent, n'ont pas encore été forés, et encore moins ouverts à l'exploitation. Je vous prie de me faire savoir si vous aussi vous avez entendu parler de ces nappes de pétrole et ce que vous en pensez[35]. » Dans le langage administratif de l'époque, l'expression « je vous prie » équivalait à « j'ordonne » : elle n'en était qu'une forme plus modérée.

Pleiger comprenait ce langage ; il répondit immédiatement, bien qu'il n'eût aucun ordre à recevoir de Himmler et dépendît de Göring seul : « J'ai entendu parler de gisements pétrolifères en Allemagne centrale, qui n'ont jamais été forés jusqu'à présent. Il est indispensable, à mon avis, quoi qu'il arrive, de procéder le plus rapidement possible à des forages en profondeur dans cette région. Je serais très heureux que ces travaux puissent être exécutés par vous et nous en collaboration[36]. »

Mais même cette proposition de travail communautaire entre les S.S. et les usines Hermann-Göring ne suffirent pas à Himmler. Le cas suivant montre justement avec évidence ce qui se passait dans les coulisses. Le 15 août 1944, un *Hauptsturmführer* de l'état-major de Himmler rédigea la note suivante : « Après avoir dicté le télégramme ci-joint adressé au conseiller d'État Pleiger, le *Reichsführer* me donna l'ordre d'appeler au téléphone le *Gruppenführer* Meinberg pour lui faire savoir dans quel sens précis il souhaitait la réponse. Le *Reichsführer* précisa qu'il s'agissait ici de se donner la réplique. Comme le télégramme du 6 août 1944 ne lui convenait pas tout à fait, j'ai téléphoné une fois encore à Meinberg et lui ai dicté le texte de la réponse que souhaitait le *Reichsführer.* C'est ainsi qu'arriva le télégramme du 10 août 1944[37]. » Meinberg était un des collaborateurs les plus étroits de Pleiger. Quelques mois plus tard, il accusa son chargé de mission, Hans-Günther Sohl, de haute trahison.

Ce télégramme du 10 août 1944, rédigé selon les vœux de Himmler, se distingue de la première communication de Pleiger sur deux points. Premier point, Pleiger, tout d'un coup, est convaincu qu'il faut commencer les travaux sans perdre une minute ; et, deuxième point, ce Pleiger, habituellement très peu sociable, se confond en courbettes devant Himmler et lui demande sans façon de permettre aux usines placées sous l'obédience de Göring de travailler en collaboration avec les S.S. Marsalek raconte dans *Die Tat* la manière dont ont été traitées des affaires similaires : en juin 1942, des difficultés s'élevèrent à cause de la participation des S.S. aux bénéfices de l'exploitation d'une usine de retraitement des scories sur le terrain des usines Hermann-Göring à Linz. Himmler finit par s'adresser à Pleiger et lui écrivit laconiquement : « Ayez donc l'amabilité de dire à vos gens que pour toutes les entreprises Pleiger/S.S. la loi fondamentale sacrée prescrit un partage fifty-fifty[38]. »

Deux jours après cet acte de soumission de Pleiger, Himmler laissa tomber le masque de la courtoisie et déclara sans ambages : « Je trouve incroyable qu'on n'ait pas encore foré ces nappes pétrolifères. A mes yeux, votre devoir civique exige que vous procédiez sur-le-champ aux travaux de sondage ; mettez-y toute l'énergie qui vous est propre pour surmonter toutes les difficultés et — au cas où vous obtiendriez des résultats positifs — pour exploiter ces gisements. Je me permets de vous réclamer un rapport hebdomadaire télégraphié sur les progrès des travaux[39]. » Himmler ne s'adressait même pas à Pohl avec cette dureté quand il lui donnait des ordres.

Trois jours plus tard, sur un ton plein de respect, Pleiger annonça à

Himmler qu'une grande foreuse avait été placée à Marsch, d'après les points de sondage déjà établis à l'ouest de Bernbourg. Les forages commenceraient trois semaines plus tard[40]. Il est surprenant que Pleiger n'ait pas fait procéder à d'autres examens préalables par le bureau des mines dont même les alliés reconnurent la compétence après la guerre. Mais cela aurait pris encore des mois et aurait pu inciter Himmler à devenir menaçant ou à agir par la contrainte. Tel un écolier obéissant, Pleiger envoya un rapport le 16 août pour annoncer que les instruments de forage étaient arrivés sur les lieux ; un autre rapport le 12 septembre pour dire que les fondations en béton, les conduites d'eau, les installations électriques étaient achevées ; un autre rapport encore le 21 septembre pour signaler que l'on avait commencé à construire la tour de forage ; puis le 26 septembre, que la tour de forage était terminée, la salle des machines construite et que les machines étaient déjà encastrées ; le 12 octobre, que les travaux de montage étaient achevés ; le 26 octobre, que les forages avaient commencé le 18 du mois, mais qu'on ne pouvait enregistrer qu'une progression minime ; le 8 novembre, il écrivit, encore plus pessimiste, que la foreuse avait atteint une profondeur de 50 mètres, mais que la progression journalière se limitait à 4 ou 5 m parce que les trépans s'usaient au bout de 4 m ; le 15 novembre, qu'on avait atteint une profondeur de 119,5 m, mais que la présence d'un grès dur ne permettait pas une progression supérieure à 6 m par jour[41].

Par la suite, Pleiger garda le silence ; et, malgré la situation des hostilités, Himmler le rappela à l'ordre le 6 janvier 1945 : « Que deviennent nos gisements de pétrole ? Il y a longtemps que je n'en ai plus entendu parler, et je suis extrêmement curieux de savoir où vous en êtes. » Le 13 janvier 1945, Pleiger répondit sur un ton laconique, car l'influence de Himmler était en baisse depuis ses échecs militaires sur le Rhin supérieur : « Profondeur 634 m. Terrain très dur[43]. »

Ainsi depuis le 15 novembre, la moyenne quotidienne de forage était passée de 6 m à 8,60 m.

Entre-temps, Himmler avait perdu le goût des forages. Il se sentait attiré par le traitement des racines de conifères d'où l'on pouvait tirer de l'essence à moindre effort et avec des résultats plus tangibles.

Malgré le manque total de méthode, le fait que Himmler ait voulu s'assurer pour ses Konzern l'extraction ou le traitement des produits fondamentaux, comme le manganèse, le plomb, le zinc, le charbon et le pétrole, peut être considéré comme un objectif raisonnable au sein de ses projets multiples. Mais dans le cas du trilon, il s'agissait pour lui, en fin de compte, de s'approprier, au profit des S.S., la production du gaz neurotoxique appelé sarin[44]. Le sarin était notre découverte toxique la plus moderne, dont les effets surpassaient ceux de toutes les armes chimiques produites jusqu'alors. En outre, il n'existait aucun moyen de se défendre contre lui parce que les masques à gaz et les filtres connus à l'époque n'arrivaient pas à protéger l'organisme de ses attaques[45]. Le sarin pouvait donc un jour ou l'autre devenir un facteur prépondérant, au moins de chantage, dans une lutte à l'intérieur de l'Allemagne, entre l'armée et les S.S. A partir du 20 juillet, on ne pouvait plus taxer d'absurdité de telles suppositions.

L'armée avait refusé au printemps 1944 la production de trilon. Début 1944, Hitler avait donc déclaré qu'il décidait d'en confier aux S.S. l'expérimentation ainsi que la fabrication. Je lui fis remarquer « que l'exploitation d'une usine chimique, dans la mesure du possible, ne devait pas sortir du cadre de l'industrie chimique générale ». Hitler changea alors d'avis. Mais il voulait « charger le *Reichsführer* S.S. de procéder à une expérimentation et à une expertise du trilon, et seulement après prendre une décision et voir avec moi si nous en garderions le monopole [46] ». Le 7 juillet 1944, Hitler donna une fois encore l'ordre au chef de l'état-major de l'armée, le général Buhle, « de faire procéder dans les plus brefs délais à d'autres expériences sur le trilon par le *Reichsführer* [47] ». Trois semaines plus tard, ayant appris que les S.S. avaient l'intention de produire sans autre forme de procès ce gaz toxique non encore expérimenté, j'en parlai à Hitler. « A l'époque, j'ai réussi à convaincre le Führer qu'il ne fallait pas confier la fabrication de ce produit aux Waffen S.S. pour le moment, mais qu'il suffisait de les charger de son expérimentation. Aujourd'hui encore, je considère comme une erreur de leur en confier la production, car, en Allemagne, seule la firme IG-Farben dispose des spécialistes nécessaires pour traiter les nouveautés constantes en chimie. (...) J'ai une autre raison pour ne pas approuver la prise en charge de la production de Falkenhagen par les Waffen S.S. : un important laboratoire de gaz de combat est construit à côté des installations propres aux recherches sur le trilon et en relation avec elles. On ne peut pas accepter une double direction d'exploitation. Le sarin fabriqué à Falkenhagen est le gaz toxique le plus précieux et le plus moderne qu'on ait jamais produit et il a un effet six fois supérieur à celui de tous les gaz de combat connus jusqu'ici [48]. »

Le rapport de Jüttner sur les expériences se révéla négatif. Ce trilon représentait une erreur du service de l'armement de la Wehrmacht, et une erreur coûteuse ; il était inutilisable. « Le Führer lit le rapport de l'*Obergruppenführer* Jüttner sur le trilon. Il se demande si l'utilisation de projectiles incendiaires jetés à l'intérieur des chars ne pourrait pas provoquer un incendie, et exige que l'on s'en assure une fois encore. Et il recommande de ne pas oublier dans les expériences les vapeurs d'essence provoquées par les moteurs en marche au cours du combat [49]. » De telles précisions illustrent bien la manie d'Hitler de régler lui-même jusqu'aux moindres détails.

Hitler ne parla plus de confier aux S.S. la production de trilon. Mais malgré le rapport négatif de leur plus haute instance spécialisée, les S.S. avaient pris possession, sans en demander l'autorisation à qui que ce soit, de l'entreprise de Falkenhagen, entreprise précieuse parce qu'elle fabriquait le sarin.

Début novembre 1944, à la veille de son élimination provoquée par les intrigues de Himmler, Schieber fit une démarche qui n'était pas sans danger :

il attira mon attention sur les machinations des S.S. « Des difficultés se présentent actuellement à Falkenhagen : les Waffen S.S. exploitent déjà la production de trilon et ils réquisitionnent à tort et à travers les ateliers et les installations générales de fabrication. Et voilà que maintenant, ils veulent encore enterrer ces machines dans des bunkers. La fabrication du sarin en souffre. (...) Il faut absolument protester très violemment contre les mesures prises par les S.S.[50]. »

La querelle ne tarda pas à devenir illusoire. Dès le 11 octobre, je fus obligé de prévenir le maréchal Keitel que l'effondrement de l'industrie chimique avait entraîné l'épuisement des produits fondamentaux, cyanogène et méthane. Aussi la fabrication du taboun et du sarin fut-elle stoppée à partir du 1er novembre[51].

Himmler se charge du programme des engins à autopropulsion

Au printemps 1942, notre fabrication d'armes se concentra sur des projets dont la technologie promettait de révolutionner le monde : une fusée de grande taille à direction autonome, le moteur à réaction déjà expérimenté en atelier et une première dans l'histoire de l'aviation : le franchissement du mur du son par un avion à réaction du type Me 263. Le monde technique actuel ne serait pas pensable sans les découvertes et mises au point de la seconde moitié de la guerre. Au cours de l'échange de vues que nous avons eu avec eux, aussitôt après la fin de la guerre, les experts des Alliés occidentaux nous ont confirmé que, dans ces secteurs de la technologie, nous avions une avance de trois ans. Le secteur de la recherche atomique était le seul où les efforts gigantesques des Américains leur avaient permis de nous doubler ; malgré l'avance dont bénéficiait l'Allemagne à l'origine, ils nous dépassaient largement.

La mise au point de la fusée lourde de 13 t, tenue rigoureusement secrète sous la désignation A4, était effectivement, de par ses diverses propriétés, un miracle technique pour l'époque. Cette fusée s'élevait perpendiculairement au sol et n'était maintenue à la verticale que par un nouveau faisceau directeur. Cet engin volant, lourd et d'apparence peu maniable, se pointait alors de lui-même vers sa cible, à 500 km de distance, avec une relative précision.

C'était une réalisation qui dépassait l'imagination. Moi aussi, j'en oubliai toutes les objections qui auraient dû me venir à l'esprit, si j'avais comparé à froid notre misère technique avec cette solution dont le prix de revient se montait à des sommes astronomiques. C'était tout simple : il ne nous manquait plus que les explosifs à jeter sur nos cibles pour justifier de telles dépenses.

Cependant l'engin A4 correspondait exactement à une idée de Himmler : pour lui, c'est en adoptant de nouvelles solutions frisant le fantastique que nous pourrions faire pencher l'issue de la guerre à notre avantage. Aussi cette fusée devait-elle agir sur Himmler comme un aimant, dans tous les sens du terme. Il ne se sentait nullement gêné par le fait que lui, *Reichsführer* S.S.

ne possédât pas la moindre compétence en la matière. Peut-être même que le sentiment de n'avoir aucune responsabilité dans l'affaire renforçait encore son besoin de s'immiscer dans ce projet et de le soutenir. Rien ne l'empêcherait de prendre ses distances en cas d'échec ; mais en cas de succès, il pourrait rappeler sa contribution à l'élaboration du projet et ses encouragements.

Le 16 décembre 1942, le chef de l'état-major de Himmler, Berger, signala que le centre militaire de Peenemünde était « aujourd'hui encore profondément impressionné par la visite du *Reichsführer* S.S. » Dans le même rapport, Berger écrivit ceci : « Le général Stegmaier, directeur du Centre militaire expérimental de Peenemünde, souhaite vivement que l'on autorise le colonel Dornberger, chef de l'opération A4, à donner une conférence officielle chez le Führer, accompagné de l'inventeur, le Dr von Braun ; il désirerait connaître les intentions et les souhaits du Führer et expliquer, en fonction de ces derniers, les possibilités d'exploitation de l'appareil. Les décisions prises par le Führer à ce sujet donneront alors une orientation précise aux préparatifs en cours pour la mise en service. J'attends vos ordres[1]. » Ainsi un officier compétent posait-il déjà des jalons pour apporter l'autorité de Himmler comme un atout dans le jeu et pour écarter le chef suprême du projet, le général Fromm, qui hésitait encore, tout comme moi-même, responsable de la fabrication.

Sur cette lettre venue bien à propos, Himmler écrivit de sa main le mot « Führer », et il la glissa dans le dossier destiné à cette conférence prévue chez Hitler. Le 23 janvier 1943, Himmler continua à poursuivre l'affaire, dont il nota cette remarque au point 8 : « Colonel Dornberger et Braun chez le Führer[2] », conformément à la proposition de Berger.

Dix jours plus tard, Steigmaier réclama « la décision de Führer par l'intermédiaire du *Reichsführer :* l'engin A4 contient une série d'installations électriques. Les commandes ont été envoyées à l'Elektro-Industrie, mais leur exécution soulève des difficultés, car cette entreprise est débordée de travail. Il est urgent et indispensable qu'un décret du Führer donne la priorité au programme A4 devant le programme radar. On peut aussi justifier cette urgence en alléguant que les propriétés de A4 en font une arme offensive, alors que le programme radar n'intéresse que le secteur de la défense. (...) Cette décision est une question de vie ou de mort ; il est impossible de se fier aux délais fixés, tant s'en faut, si un changement de priorité n'intervient pas[3] ». Cette démarche ignore volontairement l'autorité de mon ministère ; mais sans parler de ce détail, étant donné notre capacité limitée dans ce secteur, un tel changement dans les priorités risquerait d'augmenter encore notre infériorité militaire. Stegmaier porta lui-même cette lettre à Berger, sans le moindre scrupule. Puis Berger écrivit à Himmler : « Après avoir pris connaissance du rapport de Stegmaier, je constate que les choses ont dépassé le stade des premiers essais ; et que, actuellement, l'engin (A4) peut être mis en service sur une distance allant jusqu'à 180 km, sans orientation précise sur un objectif donné, il est vrai, et avec une dispersion allant de 5 à 10 km. Ces messieurs vous prient d'intervenir dans cette affaire[4]. » Cette façon d'agir facilitait les infiltrations S.S.

Ainsi on forçait presque Himmler à s'immiscer dans les affaires de l'armée et de l'armement.

Neuf jours après avoir reçu cette lettre, il répéta qu'il souhaitait voir « le colonel Dornberger convoqué chez le Führer[5] ». Hitler ne semblait pas encore prêt à accéder à sa demande, car Himmler nota qu'il allait présenter une nouvelle fois sa requête. Puis, résigné, il ordonna à Berger de s'adresser finalement à moi pour étudier la réclamation du centre de Peenemünde.

Le 17 avril 1943, pour la troisième fois en quelques mois, Himmler reparla de Peenemünde dans un entretien avec Hitler[6]. Les S.S. accusaient le colonel Zanssen, commandant militaire de Peenemünde et catholique convaincu, de se montrer hostile au régime. Après son entrevue avec Hitler, Himmler ordonna à Berger d'inciter la Gestapo à « poursuivre avec la plus grande rigueur les cas d'espionnage dans les rangs des catholiques[7] ». Mais, vers la mi-juin, dans une lettre furieuse, le général Fromm réussit à faire observer à Himmler que Zanssen n'était rien moins qu'un catholique engagé. Au contraire — c'est ainsi qu'il renseigna Himmler, avec son ironie habituelle —, le fait que Zanssen soit marié à une protestante et ait fait baptiser ses enfants selon le rite protestant montrerait plutôt que toutes ces accusations ont été lancées à tort. Dans une lettre adressée à Himmler, Kaltenbrunner confirma les affirmations de Fromm[8]. Et cette tentative des S.S. pour se voir attribuer la fabrication des fusées, sans craindre de recourir aux intrigues, allait être suivie de plusieurs autres encore.

Le 26 mai 1943, pour la première fois, une fusée avait parcouru avec succès une distance de 275 km. Elle ne retomba qu'à 5 km de l'objectif prévu. Il ne paraissait donc plus trop audacieux de commencer à fabriquer l'engin A4, malgré tous les risques. Je pus alors prendre sur moi de présenter Dornberger et Wernher von Braun à Hitler le 8 juillet 1943. Hitler se montra fort impressionné, et il ordonna le jour même d' « aller chercher la main-d'œuvre manquante dans les usines d'armement classique de la Wehrmacht, si l'on ne pouvait en trouver ailleurs ». Ce même jour encore, il décida que « pour la fabrication des A4, il ne fallait utiliser que *des Allemands*[9] ».

Mais deux jours seulement après la décision prise par Hitler de donner la priorité à la fabrication des A4, Himmler alla trouver une fois encore Hitler. Il critiqua violemment le fait que les trois personnages les plus importants du projet A4, le général Dornberger[10], von Braun et Steinhoff, aient pris ensemble le même avion, et pour comble, un Heinkel 111, appareil qui ne présentait aucune garantie de sécurité, pour aller rendre visite à Hitler. Il fallait interdire ce genre de déplacement, car le risque était trop grand. « Le Führer me chargea de demander au général Schmundt d'interdire formellement en son nom aux trois messieurs en question de prendre l'avion ensemble à l'avenir[11]. » Telle était la manière de Himmler de s'immiscer jusque dans les détails pour rappeler ainsi aux intéressés l'attention qu'il leur portait.

Le 25 juillet 1943, Hitler signa un décret préparé par moi, ordonnant que « tout soit mis en œuvre pour que les engins balistiques A4 atteignent le plus rapidement possible le rendement le plus élevé. (...) Il faut que les usines allemandes qui fabriquent l'engin A4, ainsi que celles qui fournissent les pièces détachées, soient immédiatement (...) approvisionnées en main-d'œuvre spécialisée de nationalité allemande. (...) C'est le ministre de l'Armement et des Munitions qui dirige le programme A4 [12] ». Le décret me désignait, moi, sans la moindre restriction.

L'exécution du programme devait être confiée exclusivement à des ouvriers allemands, conformément à la décision prise par Hitler pour la première fois deux mois auparavant. Et il fallait éliminer le programme des travailleurs forcés de Sauckel qui favorisait littéralement l'infiltration des espions. Néanmoins, je n'allais conserver cette responsabilité que pendant un mois seulement.

D'après les notes portées sur le cahier de rendez-vous, le 19 août 1943, Himmler se trouvait au Wolfsschanze, quartier général d'Hitler en Prusse-Orientale, et dînait le soir avec Bormann. Il avait l'habitude de s'entretenir avec Hitler après le dîner [13].

Ce même soir, je pénétrai moi aussi dans le quartier général d'Hitler accompagné de Saur et d'un état-major d'experts. Ce soir-là encore ou le lendemain, nous discutâmes avec le Führer, en étudiant les photographies des destructions causées par les attaques aériennes à Peenemünde, Schweinfurt, Nuremberg et Ratisbonne ; puis Hitler lança un décret destiné à régler la position de l'organisation Todt au sein de la Wehrmacht, et un autre pour détacher 500 ouvriers spécialisés dans les usines de fabrication d'essieux qui se trouvaient dans une impasse. Puis on discuta des problèmes que l'avance des Russes dans le secteur du Donetz soulevait pour l'industrie qui venait juste d'y être remontée, et pour finir, la production des canons de défense contre les avions et des canons antichars.

A un moment quelconque, Hitler en vint à parler de la fabrication des A4 ; il insista sur la nécessité absolue de garder le secret sur cette affaire. A ce sujet, dit-il, Himmler lui avait fait, peu de temps auparavant, une proposition des plus sensées. On pourrait diminuer notablement les risques de trahison qui entourent ce projet capital en y faisant travailler des déportés. Himmler aurait déclaré qu'il pouvait garantir toute la main-d'œuvre nécessaire à la réalisation. Il suffirait de faire un tri parmi les occupants des camps de concentration pour en détacher des ouvriers spécialisés et même des experts scientifiques, et les affecter à la construction des fusées. En outre, pour le cas où lui, Hitler, accepterait cette proposition, Himmler avait désigné à la direction de l'entreprise un jeune spécialiste du bâtiment qui avait fait ses preuves à l'entière satisfaction de tous.

La tournure que prenaient les choses ne me plaisait pas, pas plus qu'elle ne plaisair à Saur. Nous pensions à nos mauvaises expériences passées, quand on faisait peser sur nous toute la faute au cas où les programmes n'étaient pas respectés, ainsi qu'aux menaces brandies par Himmler contre mes collaborateurs lorsque ses projets concernant la construction de fabriques d'armement proprement S.S. dans les camps de concentration de Buchenwald et de Neuengamme avaient échoué. Mais Hitler était séduit par l'idée de Himmler ; il nous ordonna, à Saur et à moi, d'aller le trouver le plus rapidement possible pour étudier avec lui les détails de l'affaire. Dès le lendemain après-midi, nous partîmes pour Hochwald, quartier général de Himmler situé à proximité, et nous eûmes avec lui un entretien qui dura une heure, de 3 heures à 4 heures[4].

Himmler commença par nous surprendre en nous déclarant qu'il venait d'être nommé par Hitler ministre de l'Intérieur du Reich. Jusque-là, en tant que chef de la police allemande, il avait été, chose étonnante, un subalterne du ministre de l'Intérieur, Wilhelm Frick. Cette lacune bureaucratique de son statut juridique ne gênait guère Himmler, pas plus d'ailleurs que ne me gênait le manque de pleins pouvoirs légaux dans la direction de la production.

Mais sur un autre point aussi Himmler sortit de la réserve jusque-là habituelle quand on traitait les choses de l'État. C'est ce jour-là qu'il eut son entretien téléphonique sur la nomination d'Ohlendorf et de Hayler au ministère de l'Économie. Il va de soi que, dans notre discussion, Himmler était conscient de la force de sa position ; il parlait à la fois en tant que ministre de l'Intérieur, représentant suprême du ministère de l'Économie par l'intermédiaire d'Ohlendorf et, maintenant, en tant que délégué d'Hitler à la fabrication des A4, nanti des pleins pouvoirs. Il fit jouer à plein son triomphe. « Cette fois, j'exige que vous me procuriez un état-major d'ingénieurs de tout premier ordre qui assumera l'entière responsabilité de l'exécution rigoureuse des ordres du Führer. De mon côté, j'ai délégué Kammler, un de mes chefs S.S. les plus habiles. Je vous prie de réfléchir à la personne que vous voulez lui donner pour adjoint. Je verrais d'un assez bon œil Degenkolb[15] s'il se révèle capable. Il s'agit là d'une mission importante, la plus vaste et la plus importante que le Führer pouvait donner dans le secteur de l'armement. Vous l'avez entendu dire vous-mêmes par lui. Cette mission, nous l'accomplirons. Les S.S. et moi, nous considérons comme un devoir sacré de réaliser la volonté du Führer. Je le lui ai promis, et j'ai l'habitude de tenir mes promesses ! J'espère que vous en ferez autant. » Au moment de prendre congé, Hitler lui avait posé la main sur l'épaule en déclarant d'une voix ferme : « Je me fie en particulier à vous et à votre énergie. Vous êtes pour moi le garant d'une exécution précise et ponctuelle de mes ordres. »

Pour clore cette entrevue, Himmler précisa une fois de plus que, à l'opposé des autres entreprises des S.S. dans le secteur de l'armement, il fallait absolument cette fois que soit garantie la coordination parfaite entre les services S.S. et les organes techniques de l' « Industrie autoresponsable », car il s'agissait d'une réalisation technologique capitale. Tel était le souhait formel du Führer, qui avait déjà donné son accord total. Par ces mots, Himmler voulait signifier que sa décision était irrévocable et qu'il ne souffrirait aucune discussion. Pour terminer, il m'informa que le Führer nous priait de venir le voir le soir même pour poursuivre notre entretien.

Lorsqu'il me nomma ministre de l'Armement, en février 1942, Hitler m'avait proposé aussi d'aller le trouver en cas de conflit, pour qu'il puisse m'appuyer de toute son autorité [16]. De même, cette fois-ci, avait-il autorisé Himmler à me convoquer chez lui pour ôter toute substance à mes éventuelles objections. C'est ainsi que nous reprîmes le chemin du quartier général de Hitler. Le Führer parla avec enthousiasme des A4 lancés sur Londres et des conséquences de ces bombardements.

En mars 1942, Hitler avait exigé un programme irréalisable de 3000 fusées A4 par mois [17], mais il ne renouvela pas cet ordre lorsque son intérêt pour les fusées se refroidit.

Au printemps 1943, au moment où les essais commencèrent à être couronnés de succès, Degenkolb avait établi un programme audacieux, certes, mais réalisable, réduisant à un tiers les premières prétentions d'Hitler ; il prévoyait une augmentation de la production qui devait atteindre en décembre 1943 950 engins A4 par mois.

Mais, pour en revenir à ce jour du mois d'août 1943, Hitler laissa de nouveau libre cours à son imagination : il fallait absolument forcer la production pour arriver dans les délais les plus brefs à un minimum de 5000 fusées A4. Ce que j'avais toujours redouté venait de se produire : bien qu'à portée de la main, le succès de l'entreprise était mis en péril par des exigences excessives.

Ce débat animé entre Hitler, Himmler et moi se poursuivit jusqu'au début de la soirée. J'eus beau objecter que, pour une bombe volante aussi compliquée, il y avait encore bien des difficultés techniques à surmonter, mes objections restèrent sans écho. Je comparai la mission qui m'était confiée avec la fabrication en série d'une voiture de course dont on venait juste de réaliser les premiers essais positifs, seule comparaison valable en l'occurrence, mais l'argument n'impressionna pas davantage Hitler [18]. Mes appréhensions n'étaient pas uniquement dictées par les difficultés d'ordre technique ; fort de mon expérience, je prévoyais aussi les conflits qui surgiraient inévitablement d'une collaboration avec les S.S.

Mais Hitler était lancé, rien ne pouvait le retenir. « Voilà ce que seront nos représailles contre l'Angleterre. Grâce à cela, nous allons forcer l'Angleterre à tomber à genoux. La mise en service de cette arme nouvelle rend impossible toute invasion. Car nous pouvons maintenant contrôler le sud et le sud-est de l'Angleterre. »

Le résultat de cet entretien fut rédigé comme suit dans le procès-verbal : « A la suite d'une proposition — et non de *ma* proposition —, le Führer ordonne que toutes les mesures soient prises pour faire progresser la construction des installations de fabrication des A4 et la fabrication elle-même. Cette mission doit être accomplie en collaboration avec le *Reichsführer* S.S. qui y emploiera toute la main-d'œuvre nécessaire en provenance des camps de concentration. Le Führer décide aussi de poursuivre activement la construction des installations existant déjà actuellement, mais uniquement pour en faire des usines de transition ; toutefois, il faut y continuer la fabrication jusqu'à ce que les ateliers définitifs soient construits à des endroits où la sécurité est totalement garantie. Il faudra pour ce faire utiliser les grottes naturelles, et sinon les enfouir dans des abris bétonnés. Selon la proposition du *Reichsführer,* l'usine définitive devra être construite en liaison avec le camp d'entraînement militaire relevant du *Reichsführer* dans le Gouvernement général[19]. »

Le lendemain, Himmler eut un entretien d'une heure et demie avec Pohl, Kammler et Glück, l'adjoint de Pohl dans l'administration des camps de concentration[20]. Il semblerait qu'ils aient rédigé ensemble une lettre d'une dureté inhabituelle et d'une froideur glaciale, lettre qui me fut portée le jour même. « Par la présente, je vous informe que, en tant que *Reichsführer,* et suite à notre discussion d'hier, *je me charge de la responsabilité* de la fabrication de l'engin A4. » Hitler avait pourtant précisé la veille au soir que toutes les mesures devaient être exécutées *en commun* par le *Reichsführer* S.S. et le ministre de l'Armement. Et voilà que Himmler décidait catégoriquement qu'il assumait seul la responsabilité de la mission confiée par le Führer. Dans le même contexte, il m'écrivait encore ceci : « J'ai discuté aujourd'hui de toute l'affaire avec mes subordonnés et suis absolument convaincu que nous pouvons parfaitement tenir notre promesse de livrer 5 000 A4 dans un délai très bref. » Ce « délai très bref » de Himmler allait se prolonger sur seize mois ; la fabrication des 5 000 A4 ne fut achevée qu'en janvier 1945.

Ainsi se poursuit la lettre de Himmler : « J'ai transmis cette tâche à l'*Obergruppenführer* Pohl et ai placé sous ses ordres, comme directeur responsable, le *Brigadeführer* Dr Kammler. Je vous prie de recevoir ce dernier un de ces jours prochains pour l'initier vous-même à tous les détails, mais aussi pour qu'il puisse vous exposer toutes les conditions requises pour l'exécution de cette mission ; il faut que ces conditions soient ratifiées dans les jours qui viennent. Soyez persuadé que les S.S. ne vous décevront pas, ni le Führer ni vous, dans cette tâche véritablement capitale pour la guerre[21]. »

Himmler nota en marge de son discours devant les Gruppenführer S.S. à Poznan, le 4 octobre 1943 : « Querelle de compétence. Est compétent celui qui réussit[22]. » Puis il s'expliqua dans son discours : « Ce qu'il est nécessaire de réussir pour l'Allemagne, ce qu'il est nécessaire de réussir pour les S.S. (...), celui qui en est capable se doit de l'accomplir, et il doit accomplir son devoir jusqu'au bout[23]. »

Cette fois encore, Himmler avait agi d'après ce principe philosophique, si l'on peut dire. Forts des expériences que nous avions faites avec lui à la suite de l'échec de ses projets à Buchenwald et à Neuengamme, nous ne pouvions guère considérer cette lettre comme un prélude très engageant.

Et pourtant, au fond, j'aurais dû accueillir cette décision avec joie. Nous n'avions pas de main-d'œuvre en réserve, mais c'était à Kammler d'assumer la responsabilité de cette nouvelle branche de l'industrie. Cette importante mission me parut aussi satisfaire l'ambition de Kammler. Afin de le tenir à distance de mon véritable secteur de travail, je me suis arrangé aussi, par la suite, pour qu'il obtienne la direction militaire du lancement de ces fusées et des autres engins de la série des V.

Les S.S. possédaient leur « dauphin » au ministère de l'Économie, le cas d'Ohlendorf le montrait à l'évidence. Mais Himmler s'arrangea pour en placer aussi, à la longue, dans d'autres ministères importants. On disait déjà chez les S.S., à l'époque, que Kammler était pressenti pour prendre ma succession [24]. Chaque fois qu'une place se présentait ou qu'il y avait une faute à éliminer, Himmler poussait les hommes de son choix. C'est ainsi qu'il conquérait pas à pas de l'influence dans le secteur en question.

En effet, Himmler réussit à porter le coup décisif contre mon autorité jusque-là inattaquée en s'appropriant l'élaboration et la fabrication des nouvelles fusées. Kammler paraissait extrêmement énergique, jeune et tranchant, comparable sans doute à Heydrich. On lui avait donc confié la production des A4, tâche relativement restreinte au sein de tout le secteur de l'armement. Puis il s'était approprié le lancement des fusées, ce qui, en réalité, était une mission militaire. Finalement, on lui confia la fabrication de toutes les armes d'exception, basées sur le principe des fusées, et il reçut encore en plus, à la fin de la guerre, la responsabilité de la fabrication de tous les avions à réaction. A la dernière minute, Hitler nomma Kammler directeur de tout l'armement aérien. Il était donc devenu, quelques semaines avant la fin de la guerre, commissaire général pour toutes les armes importantes de la phase finale [25]. Le but de Himmler était atteint. Mais il n'y avait plus d'armement.

Le tableau auquel Buchenwald et Neuengamme nous avaient habitués ne tarda pas à se dessiner. Les déclarations de la première heure furent suivies d'une série d'ajournements. Certes Himmler se montra à Mittelwerk six semaines après la décision, et déclara en se donnant les allures de grand maître de l'entreprise que le commandement suprême de la Wehrmacht s'était abstenu jusque-là de donner l'ordre à la société Mittelwerk S.A.R.L. de fabriquer les fusées A4. C'est pourquoi les commandes n'avaient pas encore été transmises. Mais une fois de plus, c'était un reproche sans fondement, et, le lendemain, Kammler put mettre les choses au point : conformément à la communication orale faite par le général Dornberger le 16 octobre 1943, l'ordre du commandement suprême de la Wehrmacht a été signé pour Mittelwerk le 14 octobre — donc la veille de la visite de Himmler.

(...) Raisons avancées pour les ajournements : budget et défense, étant donné l'importance de la facture[26]. Il fallut attendre encore trois autres jours pour que l'ordre numéro 0011/5565/43 fût donné par écrit. Il était ainsi conçu : « Fabrication mensuelle de 300 engins A4 jusqu'à un total de 12000, et leur montage », au prix indicatif de 40000 Reichsmarks par engin. Prix total de l'opération : 480 millions de Reichsmarks[27]. 900 A4 par mois, cela correspondait à l'objectif de production que s'était fixé Degenkolb. Il y avait une certaine marge entre cet objectif et les 3000 appareils par mois exigés par Hitler.

Un télégramme envoyé par Kammler à Himmler le 20 octobre 1943 signala qu' « une entrevue avait eu lieu chez le général Fromm, conformément à l'ordre donné par le *Reichsführer* S.S. On avait transmis le même jour au général Dornberger une liste précise de tout ce qui manquait encore, personnel, matériel et appareils, ainsi que des croquis ». Kammler lui fixa un délai de cinq jours pour régler tout cela. « Ensuite, je vous tiendrai au courant des résultats[28]. » L'un dans l'autre, il s'était tout de même passé deux mois pleins depuis que Hitler avait confié cette mission aux S.S. et il s'agissait toujours de préparatifs.

De même, on parvint ce jour-là à un accord sur la construction d'un centre expérimental souterrain, qui devait étudier la mise au point d'une fusée « Amerika » dotée d'une force de propulsion dix fois supérieure. De vastes grottes devaient être creusées dans la montagne, aux environs de Traunstein. Kammler envoya un rapport à Himmler à ce sujet : « Après avoir trouvé un endroit absolument sûr, à l'épreuve des bombes pour abriter les essais, et obtenu l'accord du général Dornberger, les Waffen S.S. ont reçu aujourd'hui du commandement suprême de la Wehrmacht l'ordre d'exécuter le projet de construction. Conformément à la conférence qui s'est tenue chez le général Fromm le 20 octobre, nous allons désormais élaborer l'avant-projet d'ici le 10 novembre. Le général Fromm et le ministre Speer préciseront ensuite clairement les conditions nécessaires à la construction et se mettront d'accord pour les réunir. Les travaux préalables ont été commencés aujourd'hui. Je vous prie de mettre le *Reichsführer* au courant de tout ceci[28] » (*cf.* annexe XVII).

A Mittelwerk, le centre souterrain du Harz qui abritait les préliminaires de la fabrication des A4, il régnait une pagaille scandaleuse et, chose plus grave encore, une pagaille qui freinait la production. Début décembre 1944, le médecin-chef de l'organisation Todt, le Dr A. Poschmann, me décrivit ainsi la situation : à ses yeux, cela ressemblait à l'Enfer de Dante[29]. Et les plaintes en provenance de la direction de l'usine de Mittelwerk ne firent que s'accumuler. Quelques jours plus tard, j'allai visiter en personne les ateliers de fabrication. Voici ce qu'a noté la chronique du ministère sur ma visite : « Le 10 décembre 1943, au début de la matinée, le ministre prit la route pour aller visiter une nouvelle usine dans le Harz. Les membres de la direction usaient jusqu'à leurs dernières forces pour mener à bien cette tâche gigantesque. Certains étaient dans un tel état nerveux qu'il avait fallu les obliger à partir en repos. Le ministre visita les galeries souterraines et fit un tour en avion pour examiner également de haut l'extérieur de l'usine. Le directeur Degenkolb et le *Brigadeführer* Kammler se partagent la direction de l'entreprise[30]. »

La visite dura environ une heure ; puis nous retournâmes vers les baraques de chantier. Voici le tableau qui s'offrit à mes yeux : des visages dénués de toute expression, des yeux mornes, dans lesquels on ne pouvait même plus lire de la haine, des corps las vêtus de pantalons d'un bleu-gris sale. A l'approche de notre petit groupe, sur un ordre cinglant, les hommes se mirent par rangs de huit, la casquette bleu pâle à la main. Ils semblaient incapables de la moindre réaction. (A peine deux ans et demi plus tard, à la prison de Spandau, revêtu du même uniforme, j'allais devoir à mon tour ôter ma casquette bleu pâle à l'approche de chaque gardien.)

Les déportés étaient sous-alimentés et écrasés de fatigue ; dans les galeries souterraines, l'air froid et humide était rare et exhalait des puanteurs d'excréments. Le manque d'oxygène me donnait à moi aussi le vertige ; je me sentis tout engourdi. Chose curieuse, je songeai en cet instant aux prisonniers de guerre grecs qui, il y a plus de deux mille ans, creusaient les grottes dans les rochers de Syracuse. J'avais visité cette région quelques années auparavant avec Magda Goebbels, le sculpteur Arno Brecker et Joseph Thorak. A l'époque, ces témoignages des siècles cruels m'avaient fait frémir ; à présent, j'avais sous les yeux un tableau plus désolant encore que tous ceux que m'avait suggérés alors mon imagination.

Les chefs S.S. connaissaient sans doute déjà à l'avance les réactions de leurs visiteurs devant cet horrible tableau. Car ils nous offrirent aussitôt un verre de schnaps, que, à l'encontre de mes habitudes, j'avalai d'un seul trait. Puis je demandai à voir les statistiques sur les taux de mortalité élevés du camp, je réclamai des rapports sur les soins médicaux insuffisants ainsi que sur l'installation des dortoirs dans les grottes non aérées.

Pour terminer, j'ordonnai la construction d'une cité de baraques pouvant abriter 10000 déportés.

Cinq semaines plus tard, le 13 janvier 1944, la même chronique révèle : « Le ministre reçoit le Dr Poschmann, chargé du contrôle médical dans tous les services du ministère. Le Dr Poschmann trace un tableau des plus sombres de l'état physique du personnel de Mittelwerk. La rapidité avec laquelle on construit cette usine et les conditions de vie malsaines qu'y impose la nature entraîneraient certainement des résultats défavorables en cas de surveillance médicale insuffisante. Le ministre propose que les mesures nécessaires soient prises pour améliorer l'état sanitaire des hommes et réduire le nombre des malades dans l'usine[31]. »

Le lendemain, 14 janvier 1944, j'envoyai le chef de l'Office du bâtiment de mon ministère, Stobbe-Dethleffsen, et deux de ses collaborateurs les plus proches, Schönleben et Berlitz, faire une nouvelle visite dans l'usine de

Mittelwerk. Le chroniqueur relate : « Le 14 janvier, pour se faire une opinion personnelle sur les travaux souterrains exécutés par les déportés des camps de concentration, Stobbe-Dethleffsen va visiter le projet de Mittelwerk, accompagné du général Kammler, des Waffen S.S., ainsi que de Schönleben et de Berlitz[32]. »

Quelques jours plus tard encore, le 18 janvier 1944, je commençai à souffrir d'une affection de la jambe et fus admis à la clinique du Pr Gebhardt ; je ne repris totalement mes activités que début mai, soit au bout de quatre mois.

Trois mois déjà après que j'en eus donné l'ordre, les baraques étaient construites. Un ancien déporté, le Français Jean Michel, raconte que les baraques furent achevées fin mars ou début avril. Les déportés, parmi lesquels nombreux étaient ceux qui n'avaient pas vu le soleil depuis des mois, purent enfin dormir à l'extérieur du tunnel. Celui-ci ne servait plus que de laboratoire et de dépôt. D'un autre côté, Albert Speer assure dans ses *Mémoires,* poursuit Michel, que, à la suite de sa visite du 10 décembre, il a pris différentes mesures pour améliorer les conditions sanitaires des déportés de Dora et de ses trente et une dépendances. Cela explique peut-être les bizarreries médicales dont ont été témoins les déportés : soins dentaires, camions de dépistage. Il est possible, répète Jean Michel, que les savants et les ingénieurs allemands aient au moins émis le souhait de voir les déportés traités avec plus d'humanité ; mais si cela est vrai, le pouvoir des S.S. devait être plus grand. Car les bonnes intentions n'ont pas été suivies de mesures tangibles, affirme encore Jean Michel[33].

Dans une note relative aux tentatives de mes collaborateurs d'obtenir une amélioration des conditions de travail et des conditions de vie, Jean Michel dit encore ceci : « Par souci d'objectivité, je tiens à citer ce passage du *Mémorial du camp de Dora :* Sawatsly (représentant de Speer à Dora) exigea et obtint des S.S., en mars 1944, de faire prendre la soupe à l'extérieur puis, en mai-juin, d'établir des dortoirs dans le camp supérieur ; enfin, en juillet, de grouper ses " travailleurs " dans des blocs réservés à eux seuls. » Le médecin-chef de l'organisation Todt également, le Dr Poschmann, essaya de remédier à cette situation : « Les premières expéditions de vivres supplémentaires, de médicaments, de produits vitaminés, etc., en provenance des réserves du ministère de l'Armement et de l'Organisation Todt suscitèrent une vive protestation de la part de Kammler et de Ley », m'écrivit le Dr Poschmann dans une lettre en date du 13 février 1978. « Malgré cela, nous avons continué à les distribuer aux travailleurs et aux déportés, en nous servant de vous et du Pr Brandt comme couverture[34]. On leur a même donné des médicaments et des produits vitaminés pour qu'ils puissent se les répartir mutuellement dans le camp, auquel le personnel sanitaire de l'organisation Todt n'avait pas accès. Mais ces médicaments furent confisqués aux déportés dès qu'ils pénétrèrent dans le camp. A la suite de cela, nous avons soigné les déportés malades et affaiblis sur les lieux mêmes du travail[35]. » Le 5 août

1944, j'exprimai mes remerciements au « commissaire général du Führer à la santé et à l'hygiène », le Pr Karl Brandt, et je le priai de poursuivre cette initiative, « car je suis convaincu que, si l'on veut augmenter le rendement dans les entreprises, une des mesures les plus urgentes à prendre consiste justement à ne pas lésiner sur les soins médicaux et sanitaires[36] ».

En effet, les conditions de vie s'améliorèrent à Mittelwerk, même pour les déportés. Les statistiques, d'ailleurs, sont là pour le dire : lorsque je me rendis à Mittelwerk en décembre 1943, sur les 11 000 déportés du camp, il y avait 630 décès, soit 5,7 pour 100[37] ; et, en août 1944, sur 12 000 déportés, il en mourut 100 ; la mortalité était tombée à 0,8 pour 100[38].

Cette intrusion dans « sa » fabrication de fusées a dû d'autant plus ulcérer Himmler qu'aucune de ses déclarations grandiloquentes n'avait été réalisée. En janvier 1944, la livraison se limita à 50 fusées, au lieu des 650 prévues[39].

A la mi-mars 1944, après l'échec de son attaque contre le colonel Zanssen, neuf mois auparavant, Himmler avait entrepris un deuxième essai drastique pour soumettre par l'intimidation tous les hommes qui collaboraient à la fabrication du projet A4. A mon insu, il fit arrêter pour sabotage en matière d'armement Wernher von Braun et deux de ses auxiliaires les plus précieux. Ces arrestations finirent par être annulées au prix de nombreuses démarches et de mon intervention auprès de Hitler personnellement. Le 13 mai 1944, Hitler promit que « tant qu'il m'était indispensable, B... serait préservé de toute poursuite judiciaire, quelque graves que puissent être les conséquences générales qui en résulteraient[40] ».

C'est l'époque où je restai malade plusieurs mois. Deux semaines à peine après ma guérison, le 12 mai 1944, j'essayai d'endiguer l'influence des S.S. sur mes services en publiant une nouvelle réglementation de la répartition des tâches dans le programme A4. D'après celle-ci, l'administration centrale de l'économie S.S. conservait sous sa coupe, pour l'essentiel, l'aménagement des usines de Mittelwerk. Elle fournissait la main-d'œuvre nécessaire aux installations et à la production, autrement dit les déportés des camps de concentration, soumis aussi au seul pouvoir disciplinaire des S.S. Mais l'élaboration et les essais des engins A4 étaient confiés de nouveau au commandement suprême de la Wehrmacht, et plus précisément à la Direction des études et fabrications d'armement, sous la responsabilité du général Dornberger. La commission spéciale A4 de mon ministère, présidée par Degenkolb, établit le programme de fabrication ; elle garantit les conditions techniques de production et veilla à ce que les machines, les accessoires et les matériaux soient fournis en temps voulu. A l'encontre des prétentions autoritaires de Himmler, la direction des usines de Mittelwerk devait assumer la responsabilité de la fabrication ; elle-même avait à sa tête une équipe désignée par les organes de l' « Industrie autoresponsable », présidée par le directeur de la Demag, Georg Rickhey[41]. Ma réconciliation avec Hitler renforça ma position, et c'est ainsi que je pus faire acte d'autorité même à l'égard de Himmler.

Ainsi j'avais tenté d'endiguer les prétentions de la direction des S.S. à avoir la mainmise sur toute la fabrication des A4 ; mais ma tentative ne tarda pas à échouer. Le 20 juillet 1944, Himmler avait pris la succession de Fromm comme « commandant suprême de l'armée de réserve et chef de l'armement ». Il transmit à Kammler le 6 août 1944 « la responsabilité de l'exécution de tous les travaux préparatoires à la mise en service des A4. (...) » Alors qu'ils ne relevaient que de ma seule compétence ainsi que de celle de Jüttner, chef d'état-major du commandant suprême de l'armée de réserve et chef d'état-major de l'armement. Grisé par son pouvoir, Himmler ne jugea même pas nécessaire de respecter au moins les formes en m'adressant une copie de cet arrêté[42]. Quant à moi, à cette époque, mon nom avait été découvert sur la liste des ministres ayant pris part au complot, et j'étais donc compromis.

Peu de temps après, Kammler écrivit à Saur pour préciser l'habilitation de Himmler, exprimée d'une manière trop vague. Cinq jours plus tard, je protestai auprès de Jüttner : « Une lettre adressée par le Dr Kammler à M. Saur m'apprend que le *Reichsführer,* en sa qualité de commandant suprême de l'armée allemande, a donné à ce dernier la responsabilité de la *fabrication* et de la mise en service de l'engin A4. Or, le seul responsable de la fabrication de cet engin *devant moi* est la commission spéciale A4 présidée par le directeur Degenkolb, lequel se trouve sous la responsabilité générale de M. Saur. Je vous prie de faire modifier en conséquence l'ordre du *Reichsführer* à M. Kammler, après m'avoir consulté[43]. » Mais je n'obtins pas grand-chose. Himmler prit bien soin au contraire de conserver le pouvoir de décision dans les problèmes suscités par A4 jusque dans les délais. Aux ministres compétents, il ne restait plus que le droit de proposer des noms à Hitler pour la remise de la croix de chevalier de l'ordre du mérite militaire. Et voilà que, dans ce domaine aussi, Himmler prenait l'initiative. Le 28 septembre 1944, il se fit accorder par Hitler la croix de chevalier pour Dornberger et deux de ses collaborateurs au projet A4, Riedel et Kunze. Dans un télégramme qu'il m'envoya, il ajouta même d'une manière irrévérencieuse : « Le mieux que vous ayez à faire, à mon avis, c'est de déposer aussi de votre côté les formulaires de proposition[44]. » Himmler dut attendre six semaines avant de recevoir ma réponse. Pour les V2 sont prévus jusqu'à présent « M. Rickhey (directeur de Mittelwerk) et M. Kunze et, dans le domaine de l'armement militaire, le général Dornberger et le Dr Thiel, l'un des constructeurs mort à la guerre ». Himmler n'avait tenu aucun compte de Wernher von Braun, le véritable promoteur des fusées, ce que je jugeai grotesque. Aussi lui écrivis-je qu'il me paraissait « nécessaire de le (Wernher von Braun) proposer pour la croix de chevalier de l'ordre du mérite militaire, lui qui a été le collaborateur le plus étroit du général

Dornberger depuis le commencement de l'élaboration des A4, il y a dix ans[45] ».

Le 31 décembre 1944, Himmler ne jugea même plus opportun, ne serait-ce que de respecter « la démarcation entre ses secteurs de travail et de responsabilité dans le programme A4 » et mes services. Mon ministère n'a pas reçu cette ordonnance. Elle devait lui être envoyée « en post-scriptum » seulement. Humiliation manifeste, car, dans le jargon administratif allemand, cela signifiait que je ne m'occupais pas de cette affaire. Ce détail d'apparence insignifiante a, dans notre contexte, plus d'importance que le long et pénible contenu de cette ordonnance, pour l'appréciation de la situation. Suivirent d'autres décrets publiés par Himmler et par Kammler, mais ils ne changèrent rien à l'état de choses en vigueur : leur mainmise totale sur l'élaboration et la fabrication des A4.

Comme objectif lointain, Degenkolb avait projeté, en avril 1943, la production définitive de 30 fusées A4 par jour ; Hitler avait pensé au triple. Cependant, l'Office de l'armement de la Wehrmacht s'était rallié au pronostic de Degenkolb et avait envoyé une commande de 900 engins par mois.

Mais, d'après les factures envoyées par la société Mittelwerk S.A.R.L. au commandement suprême de l'armée, seuls les engins ci-après purent être réellement livrés :

1944		
Janvier	50	
Février	86	
Mars	170	
Avril	253	
Mai	437	
Juin	132	
Juillet	86	
Août	374	
Septembre	629	
Octobre	628	
Novembre	662	
Décembre	613	
soit	4 120	pour l'ensemble de l'année
1945		
Janvier	690	
Février	612	
Jusqu'au 18 mars	362	
soit	1 664	pour deux mois et demi

Les baraques avaient pu être occupées à partir de début avril, ce qui entraîna une augmentation spectaculaire de la production. Mais en juin et juillet, celle-ci avait recommencé à diminuer notablement, car il avait fallu procéder à de nombreuses transformations techniques. Il est surprenant de constater que, malgré la baisse de l'armement causée par la situation catastrophique des voies de communication dans la Ruhr à partir de septembre 1944 et jusqu'à la fin de la guerre, la production journalière se soit maintenue de mois en mois à 21 fusées A4. C'est justement en partant de ces chiffres de production élevés au milieu des difficultés des derniers mois de la guerre que l'on peut déduire que l'objectif visé par Degenkolb était accessible.

Mais il existait une différence notable entre les usines de Mittelwerk et les autres usines de fabrication S.S., comme Buchenwald et Neuengamme. A Mittelwerk, la direction des S.S. travaillait la main dans la main avec les spécialistes du ministère de l'armement. Le rêve permanent de Himmler a pu y être réalisé : les techniciens et les ingénieurs de l'armement devaient faire marcher les usines S.S. sous la direction des S.S. : il en résultait une autre efficacité. Kammler devait se servir de l'organe de l'« Industrie autoresponsable », dit un décret de Jüttner en date du 31 décembre 1944. « L'industrie restait pleinement responsable de la fabrication industrielle elle-même. » Pourquoi d'ailleurs Himmler devait-il se charger de cette responsabilité, puisque son délégué Kammler pouvait prendre les décisions fondamentales ? Et entre-temps, mes services, placés sous la direction de Degenkolb, avaient produit 613 fusées A4 en décembre 1944, malgré la chute de l'armement [47].

Le contraste était saisissant entre ces résultats positifs et les constants échecs des S.S. dans les camps de concentration, où ils assumaient également la direction technique ; il était dû justement au fait que des spécialistes venus de l'industrie en partageaient aussi la responsabilité.

Mais tous ces efforts étaient vains tant que nos fusées géantes lâchaient sur leur cible des charges d'explosifs classiques. Nous ne possédions pas la bombe atomique. Aussi, même lorsqu'elle fut couronnée de succès, toute cette production resta-t-elle sans effet.

Grottes et cavernes : conséquences des chimères

Au printemps 1943, Hitler avait eu une autre exigence. « Il faut s'efforcer, à longue échéance, de construire des usines entièrement bétonnées pour y abriter la fabrication des pièces les plus sensibles, telles que essieux, matériel électrique, pignons coniques, etc., afin qu'elles soient totalement à l'épreuve des attaques aériennes. » Pour lui, cette protection revêtait une importance capitale, « alors que, en revanche, il n'accordait qu'une valeur relative au transfert vers l'Est du Reich de ces industries [1] ». Ces directives témoignaient certainement d'une grande perspicacité de sa part, mais elles étaient irréalisables. Pour protéger des effets des bombardements aériens, ne serait-ce que les productions essentielles, il aurait fallu creuser des usines souterraines, sur des millions de mètres carrés de superficie, et cela au milieu de la tension extrême provoquée par la phase finale de la guerre. Sans parler de toutes les tâches qui incombaient justement aux Travaux publics à la suite des dommages causés par les bombes.

Le 10 octobre 1943, Göring reprit l'idée fixe du Führer. « Les brèches incessantes provoquées par l'ennemi dans le programme de l'aéronautique montrent la nécessité et l'urgence (...) de construire des usines à l'épreuve des bombes, au moins pour la fabrication des moteurs et des pièces essentielles. Dans la mesure où il est impossible d'exploiter de vastes grottes, caves, galeries de mines hors d'usage, installations fortifiées inutilisées, sur le territoire national comme dans les pays occupés, il faut construire des usines sous abri bétonné. Il est indispensable à mes yeux de mettre en chantier au moins six à huit de ces installations à grande surface, pour commencer [2]. »

Un an plus tard, au printemps 1944, Hitler devait se plaindre amèrement que je n'eusse pas obéi à ses ordres et à ceux de Göring. Il s'ensuivit une querelle qui faillit se terminer par mon élimination. Je n'en avais pas moins présenté les arguments qui s'opposaient à la réalisation de ces projets : il était impossible de lutter contre les bombardiers avec le béton ; même au prix d'un travail réparti sur de nombreuses années, on ne pouvait pas enterrer l'industrie de l'armement ou l'enfouir sous des mètres cubes de béton. De plus, heureusement pour nous, l'ennemi attaquait nos fabriques d'armes pour ainsi dire comme il attaquerait le delta d'un fleuve aux nombreux bras secondaires ; si nous convertissions ces ramifications en installations bétonnées, nous ne ferions que l'inciter à jeter ses bombes là où serait concentré le flot industriel, comme sur le lit d'un fleuve étroit et profond. En disant cela, je pensais à l'industrie chimique, au charbon, aux usines de force motrice ou à d'autres domaines névralgiques comme le réseau des voies de communication[3].

Himmler se montra plus actif que moi. En août 1943, il s'adressa à l'une des nombreuses organisations grâce auxquelles les « planqués » échappaient au front, le Département d'informations sur les grottes, à l'Institut pour la recherche souterraine de la défense S.S. Il la chargea d'établir la nomenclature de toutes les grottes qui existaient en territoire allemand. La liste s'étendit sur onze pages ; elle comprenait 96 grottes classées par provinces, parmi lesquelles 10 environ auraient pu être intéressantes si elles avaient été plus accessibles ; mais pour les ouvrir à la circulation, il aurait fallu engager des frais énormes. Les plus vastes d'entre elles, le *Eisriesenwelt* (grottes glaciaires en Autriche*), dans le massif des Tennengebirge, étaient situées en pleine montagne, et il n'y avait même pas de route pour y accéder.

Le Département d'informations sur les grottes mit fin de lui-même au projet de Himmler le 25 août. Le mémoire établit que, outre les difficultés d'accès, la plupart des grottes ne répondaient pas aux conditions indispensables : possibilités d'approvisionnement et d'évacuation, aération, degré d'humidité, température, solidité de la roche. Les expériences montraient à l'évidence que « l'utilisation de machines et d'équipements analogues dans les grottes causerait, au bout de très peu de temps déjà, des dégâts importants dans toutes les installations de fabrication, dégâts provoqués par l'agressivité de l'eau. De même, un séjour quotidien dans les grottes nécessité par le travail entraînerait souvent de graves troubles de santé[4] ».

Mais ces renseignements négatifs ne découragèrent pas Himmler. Quelques semaines plus tard, il ordonna au Patrimoine ancestral des S.S. d'appeler en consultation tous les géologues, géographes et autres érudits indépendants qui étaient certainement très nombreux dans le pays, « pour qu'ils fournissent un tableau méthodique des grottes existantes[5] ».

Mon propre ministère s'efforça aussi, quelques mois plus tard, de recueillir des renseignements sur les grottes utilisables. Quelques-unes d'entre elles furent retenues pour nos besoins, de sorte que les S.S. se trouvèrent devant des portes closes. « Eu égard aux nécessités déterminées par la guerre, communiqua le Patrimoine ancestral à Himmler, il est vraiment impossible de ne pas tenir compte des priorités du ministère de l'Armement. » Himmler fit répondre qu' « il fallait laisser ces grottes à

* N.d.T.

l'Armement ; néanmoins qu'il était important de ne pas les perdre totalement de vue et de maintenir nos droits à une restitution ultérieure[6] ». Détenir, posséder, se cramponner à la propriété, voilà quelle était en permanence la devise de Himmler — même dans la phase finale de la guerre.

Kammler était un authentique ingénieur diplômé de l'université ; il montra des capacités là où la bureaucratie S.S. des camps de concentration avait échoué. Il eut à son actif un succès sensationnel : pour la fabrication des A4, il transforma « en une véritable usine des installations souterraines (dans le Harz) qui en étaient encore à l'état brut, et cela en un temps record de quelques mois seulement ». « Cet exemple n'a pas son pareil en Europe, tant s'en faut, lui écrivis-je, et même les Américains n'ont pas fait mieux. » Cela revenait à lui avouer que j'admirais les méthodes de production américaines[7].

Sa réussite étonnante m'incita à confier à Kammler, comme je le fis savoir le 22 décembre 1943 à Himmler, « l'exécution de missions spéciales dans le secteur du bâtiment ». Malgré tout, inquiet, je fixai une limite aux pleins pouvoirs que je lui accordai. « Mais je tiens à ce que ces projets de construction soient réalisés, sur le plan pratique, en accord total avec la commission centrale du Bâtiment, responsable devant moi de l'exécution rationnelle et logique de tous les projets de construction, à l'intérieur du territoire du Reich. Pour les mêmes raisons, si l'on fait appel à du personnel de direction en provenance de l'industrie du bâtiment, il faut régler cela en accord total avec la Commission centrale qui doit conserver le droit de disposition sur ces firmes et sur le personnel de l'industrie allemande du bâtiment. Je vous prie de donner des instructions dans ce sens à vos services[8]. »

L'expérience m'avait déjà fait découvrir la tendance prononcée de Kammler à accaparer pour son propre compte mes meilleurs spécialistes. Göring aussi, encore chargé à l'époque de l'armement de la Luftwaffe, nomma Kammler, début mars 1944, son délégué aux affaires des « constructions hors programme[9] ».

Début décembre 1943, Himmler entendit parler de tunnels qui devaient exister près de Reichstadt, Crossnov et Spalle. « Le Führer suggéra de les utiliser pour installer des usines souterraines. Allez voir si c'est déjà fait, écrivit Himmler à l'*Obergruppenführer* Koppe, chef S.S. responsable du Gouvernement général. Dans le cas contraire, faites-y transférer des usines d'armement, en votre qualité de plénipotentiaire (de Frank pour l'armement du Gouvernement général) ou en collaboration avec l'*Obergruppenführer* Pohl. Prévenez-moi quand ce sera fait[10]. » En outre, le projet convenait aussi à Himmler qui avait toujours rêvé d'une industrie d'armement propre aux S.S. en Pologne.

Avec un retard de six semaines, Brandt répondit à un rapport (non conservé) de Koppe, dont le résultat négatif avait provoqué la colère de Himmler. Himmler lui faisait dire que « l'on ne pouvait pas installer n'importe quelle usine à l'intérieur d'un tunnel, cela va de soi. Il faut utiliser les tunnels proprement dits comme routes et, à partir des tunnels, creuser dans la montagne des galeries et de vastes locaux. D'ailleurs, il faut absolument aller de l'avant dans ce domaine et créer un grand nombre de projets souterrains ».

D'une part, le style employé ici est celui d'un profane en la matière, et deuxièmement, cela ne regardait pas le moins du monde Himmler[11]. En même temps, Himmler donna à Pohl l'ordre « de faire avancer les travaux. Il faut aller chercher la main-d'œuvre nécessaire à Auschwitz. Le *Reichsführer* veut être tenu au courant, dès que seront élaborés les premiers plans[12] ».

Après un silence de trois semaines, Pohl annonça que les tunnels étaient tout à fait aptes à servir de dépôts. A la suite d'une conversation avec le chef du commandement militaire du secteur de Cracovie, Pohl avait appris d'ailleurs que « tous les tunnels avaient été placés par le quartier général du Führer à la disposition du commandant de la place de Cracovie pour y déposer le matériel important de l'armée. Nous n'avons donc plus rien à espérer dans cette affaire[13] ». Ces rapports où l'on voit Hitler, Himmler, ou d'autres services haut placés s'immiscer dans des affaires dont auraient dû s'occuper des conseillers du gouvernement, permettent de suivre le processus des usages en vigueur au cours de ces années-là. Le sentiment d'impuissance provoqué par la situation militaire incitait en quelque sorte à se réfugier dans le détail. Pour en rester à cet exemple, le moyen le plus simple de résoudre la question aurait consisté à charger un des collaborateurs de Himmler de faire une enquête auprès des rédacteurs des autres services pour établir si les grottes étaient déjà occupées. Mais comme Hitler et Himmler s'intéressaient personnellement à la question, il fallait qu'un Pohl ou un Kammler s'en occupe lui-même, alors que cela ne correspondait pas à leur grade. En lisant les archives, on apprend même que des avions spéciaux ont été utilisés pour visiter les lieux.

Plus la guerre avançait, plus Himmler s'ingérait dans les affaires de mon ministère sans la moindre gêne. La plupart du temps, quand il s'agissait de projets de grande envergure relatifs au bâtiment et engendrés par son cerveau fertile en idées nouvelles, il s'adressait à Kammler. Ainsi déclara-t-il le 8 mai 1944 : « Je crois que l'on devrait réfléchir aussi à la possibilité de construire des usines, non pas souterraines, mais sous-marines. Voici comment j'imagine les choses, en parfait profane que je suis : dans un lac ou une mer intérieure quelconque, on pourrait creuser dans la paroi une sorte de bonde, pour vider l'eau, construire l'usine sur le fond et remplir ensuite d'eau la cuvette, une fois les travaux terminés[14]. » Rien de plus facile à imaginer que la réaction des spécialistes de l'industrie du bâtiment et de l'armement en lisant ces propositions faites par un des hommes les plus puissants du Reich.

Deux mois et demi plus tard, Brandt reprit le problème des usines immergées et, comme il ne recevait toujours pas de réaction, il renouvela sa réclamation au bout de deux mois encore, sur un ton très pressant cette fois [15]. Mais il fut impossible de retrouver les lettres de Himmler ; elles s'étaient sans doute égarées dans le courant des affaires. Schleif, un chef S.S. subalterne, s'excusa auprès de Brandt en utilisant un dicton turc : « Le diable se mêle des affaires urgentes [16] », ce qui incita Brandt à faire cette remarque macabre : « L'essentiel, c'est que le diable ne vous fasse pas perdre votre sang-froid avec son jeu ; à la rigueur moquez-vous de lui comme d'un philosophe [17]. »

Quant à l'affaire elle-même, il est vrai, force fut à Kammler de donner une réponse négative : « La construction d'ateliers de fabrication sous l'eau — comme le suggère le *Reichsführer* — est tout à fait dans le domaine du possible ; mais elle nécessiterait des travaux préliminaires et des installations de chantier extrêmement importants, et surtout du personnel hautement spécialisé ; cela représenterait une tâche énorme et, étant donné l'urgence, il n'est pas question pour l'instant de réaliser ce projet. (...) Mais il faudra poursuivre l'examen méthodique et rationnel de cette affaire après la guerre, pour en tirer les conséquences pratiques et prévoir un vaste programme de constructions sous-marines d'installations permettant de monter des ateliers de fabrication [18]. »

Himmler voulut avoir le dernier mot. Certes, on en avait terminé avec cette question, dit-il, mais « il serait certainement utile d'exploiter les nombreuses masses d'eau pour y placer des rails afin d'y garer des trains chargés de carburant. D'une part, cela les protégera mieux des regards indiscrets que s'ils sont placés sur des voies en plein air ; et d'autre part, dans l'eau, ils seront à l'abri de tout risque d'incendie. Réfléchissez un peu à cette suggestion, je vous en prie, et dites-moi ce que l'on peut envisager dans ce sens [19] ».

Une fois de plus, il fallut procéder à des enquêtes uniquement parce qu'un des personnages puissants de l'entourage de Hitler prenait au sérieux les élucubrations de son esprit, alors qu'il n'y connaissait rien et n'avait aucune compétence en la matière. Schleif laissa passer un délai décent de quatre semaines avant de répondre, au nom de Kammler, qu'il avait « étudié la suggestion de M. le *Reichsführer* et l'avait fait examiner. Mais la pose de rails dans l'eau se heurte à des difficultés techniques extrêmes ; en outre, il faut songer aussi que les rampes d'accès à ces voies immergées doivent se trouver sur terre et peuvent donc servir de points de repère à la reconnaissance aérienne. Certes, les bombes incendiaires seraient sans effet sur les trains de carburant immergés, mais ceux-ci resteraient extrêmement vulnérables aux attaques des bombes explosives, et en particulier de celles qui agissent en profondeur. A l'heure actuelle, il n'y a plus aucune difficulté à repérer des objectifs sous-marins jusqu'à une profondeur de 30 m ». Avec prudence, pour ne pas chagriner ou irriter son chef hiérarchique suprême, l'*Obersturmbannführer* ajouta que, malgré ces objections, « il allait de toute façon poursuivre l'examen de cette idée et le tenir au courant du résultat des recherches, le cas échéant[20] ».

Le 17 décembre 1943, Himmler proposa à Pohl une nouvelle opération de génie. Il lui fit parvenir des plans dressés sur son ordre par un *Standartenführer.* « Faites donc installer le plus rapidement possible dans toutes nos carrières ces ateliers de travail et ces usines souterraines. (...) Cependant je voudrais que, partout où cela est possible, on réserve aux galeries un minimum de 50 m de plafond, mieux encore, de 100 m. Vous verrez que, d'ici l'été prochain, nous serons devenus les nouveaux hommes des cavernes installés un peu partout dans ces seules usines vraiment à l'abri des attaques[21]. »

De nouveau, la réponse demanda cinq semaines, délai que n'aurait pas supporté ma patience ministérielle. Pohl répondit à son patron qu'il avait fait examiner par ses experts la possibilité de creuser des grottes dans les carrières de granit pour y installer des usines d'armement et en avait discuté avec eux. La stratification de la roche dans les couches de granit est coupée de crevasses et les plafonds des galeries ne peuvent pas résister à la pression. Aucune des carrières ne présente une épaisseur de 80 m au-dessus du niveau des grottes. Mais surtout, comme argument capital, Pohl fit valoir que l'aménagement de ces grottes rendrait extrêmement problématique l'utilisation de nos carrières pour l'extraction de pierres de taille, objectif à ne pas perdre de vue pour l'après-guerre. Il est impossible d'extraire des blocs susceptibles d'être utilisés comme pierres de taille en creusant les grottes et en les aménageant. On récoltera plutôt de la pierraille pouvant servir pour les ballasts et comme matériau de pavement[22].

Au cours de ce même mois de décembre 1943, Himmler eut encore une nouvelle inspiration. Il chargea l'*Oberführer* S.S. Kranefuss de demander au grand patron de toutes les entreprises chimiques allemandes, le Dr Karl Krauch, s'il serait possible d'installer des usines hydrauliques en souterrain, ce qui les mettrait à l'abri des attaques aériennes. Le « plénipotentiaire pour les cas particuliers de l'industrie chimique du plan quadriennal » répondit par la négative. « De prime abord, on ne peut songer à creuser à l'explosif, dans des montagnes rocheuses, de vastes grottes capables d'accueillir ce genre d'installations car la construction prendrait trois à quatre fois plus de temps. (...) L'aménagement souterrain d'usines hydrauliques justement se heurte à de graves objections en ce qui concerne l'exploitation. (...) Il faut surtout songer ici au grand danger d'explosion présenté par les combinaisons oxygène-air, ainsi que par les gaz d'hydrogène carburé. Quelle que soit leur composition, que ce soit dans un pourcentage de mélange très faible (2 à 3 pour 100), ou dans un pourcentage élevé (70 pour 100 et plus), il est presque impossible d'éviter les explosions. (...) Le danger extrême présenté par ce genre d'usine et la facilité avec laquelle on peut la saboter sont évidents. Sans oublier que, dans pratiquement tous les cas, une explosion anéantirait l'installation tout entière et tout le personnel. Jusqu'à présent, les explosions qui se sont déjà produites dans des usines hydrauliques normales ont causé des dommages matériels et intoxiqué l'air ambiant en ne touchant que des secteurs partiels des usines, et ceci dans les cas les plus graves[23]. »

Himmler s'inclina devant les faits scientifiques et fit répondre par le Dr Brandt, membre de son état-major personnel, que le *Reichsführer* comprenait fort bien les objections d'ordre technique[24]. Mais, cette fois, il est vrai, il se trompait. Onze mois plus tard, Himmler eut droit à un triomphe tardif. Le 3 novembre 1944, l'*Oberführer* Kranefuss, directeur général de la Brabag, lui annonça : « A la suite des nombreuses attaques aériennes importantes qui, depuis le mois de mai, ont durement touché les usines de carburant, j'ai entendu dire, au cours de l'été, que l'on allait désormais étudier des plans de transfert (en souterrain) et les réaliser. (...) La seule chose qui reste regrettable, c'est que nous avons ainsi perdu sinon une année entière, du moins certainement six mois, et que, une fois de plus, il a fallu attendre des incidents catastrophiques pour prendre les décisions qui s'imposaient et les mettre à exécution. On ne peut malheureusement pas espérer la mise en service de cette usine avant le mois d'août de l'année prochaine » — le transfert en souterrain dans la fameuse Kirchleite, une grande paroi rocheuse située à proximité de l'Elbe[25].

Le Dr Brandt exprima ses remerciements au nom de Himmler. « Ce cas prouve une fois de plus que le *Reichsführer* a toujours raison », ce qui paraît un peu exagéré, si l'on songe aux suggestions passées, pour la plupart complètement absurdes. Le Dr Brandt ajouta sur un ton venimeux : « Mais il s'était dit que le jugement du Pr Krauch devait être tellement bien étayé sur des faits concrets qu'il fallait le considérer comme pratiquement irrévocable[26]. »

Cependant, ce triomphe n'était fondé que partiellement. Il s'agissait de petites installations, dotées d'une capacité de production de 50 000 t de carburant en tout, obtenues soit par liquéfaction de la houille, soit par traitement de schistes pétrolifères, soit par distillation de pétrole brut. Or les bombardements aériens entre mai et décembre 1944 provoquèrent une perte énorme qui se monta à plus de 160 000 t en moyenne par mois. Il n'y eut pas d'usine souterraine suffisamment mise au point avant début 1945 pour pouvoir fournir du carburant utilisable[27].

Un ami de jeunesse et intime de Himmler, le *Gruppenführer* Karl Gebhardt, avait déclaré un jour, sans se gêner, devant un groupe de chefs S.S. un peu éméchés, que, de l'avis de Himmler, « Speer était un danger, et qu'il fallait l'éliminer ». Sur quels fondements pouvait bien reposer cette remarque ? Sur l'indépendance que j'affichais à la cour de Hitler ou sur ma franchise parfois blessante quand on empiétait sur mon terrain ? Ou bien Himmler voulait-il tout simplement supprimer l'obstacle qui l'empêchait de réaliser ses idées sur l'armement ?

Il est possible toutefois que les raisons aient été plus graves encore. En mars 1944, mon vieil ami des premières années du IIIe Reich, qui fut jadis l'amant de Magda Goebbels et était devenu entre-temps *Gauleiter* de Silésie, Hanke, avait demandé à l'architecte de Hitler, Hermann Giessler, de Munich, de se charger de la planification et de l'exécution des travaux de construction de la ville de Breslau. « Si l'on n'a pas confié ce travail à Speer, avait ajouté Hanke, c'était pour diverses raisons. » Dans ses Mémoires publiés trente ans après la guerre, Giessler écrit ceci : « Il voulut me confier une des raisons pour lesquelles on observait une certaine réserve à l'égard de Speer : il se rendait parfaitement compte du but visé par Speer (...) et s'en inquiétait énormément. Cela ne donnerait rien de bon. Il fallait mettre Hitler au courant. (...) Il me demanda si je savais que Speer visait la succession du Führer. Oui, je l'ai entendu dire, mais ai considéré ces rumeurs comme des commérages de bonne femme. Je trouvais que l'entourage de Speer jugeait mal sa personnalité et lui attribuait une présomption qu'il n'avait pas. Cette idée ne tient pas debout. Non, me répondit alors Hanke, il y a plus que cela. Il ne voulait pas m'ennuyer avec tout ce micmac, mais il fallait prévenir le Führer. Comment faire puisqu'il n'assistait pas à la conférence[25] ? » Seraient-ce ces bruits qui auraient irrité Himmler contre moi ?

Hanke n'était pas seulement *Gauleiter* de la basse Silésie, mais aussi un chef S.S. important. Il a dû mettre Himmler au courant. Or il n'y a pas de fumée sans feu, et des rumeurs de cet ordre gênaient le *Reichsführer* dans ses plans d'avenir, cela va de soi. Certes il se rendait très bien compte que l'équipe de tête de l'armée — représentée par le chef de l'état-major Zeitzler, qui était un de ses amis, par Guderian, le général d'artillerie bien connu, de même que par Fromm, le chef de l'armée de réserve, et par le secrétaire d'Etat au ministère de l'Aviation, le maréchal Erhard Milch —, que cette équipe se demandait si, en fin de compte, elle n'allait pas se ranger de mon côté au cas où Hitler disparaîtrait brusquement d'une façon ou d'une autre. Ils devaient tous craindre un régime S.S. qui les menacerait dans leur propre existence. A l'époque, j'ignorais totalement que Stauffenberg, Goerdeler et l'entourage de Beck et de Tresckov avaient mis au point depuis longtemps une stratégie de grande envergure. Tout se termina le 20 juillet 1944 lorsqu'ils tentèrent de se rendre maîtres du gouvernement avec l'aide de l'armée.

En tout cas, Himmler a dû prendre très au sérieux la menace que je représentais pour sa position, tellement au sérieux qu'il n'hésita pas à essayer d'assassiner son propre ministre de l'Armement, et, qui plus est, il faillit réussir. C'est bien à contrecœur que je le soupçonne, mais, à l'époque déjà, j'étais convaincu d'avoir échappé de justesse à une véritable machination qui devait me coûter la vie — et mes amis les plus intimes étaient tout à fait d'accord avec moi.

Lorsque, à la suite de ma crise du 28 janvier 1944, je me rendis à Hohenlychen dans l'établissement hospitalier de la Croix-Rouge pour suivre le traitement d'un spécialiste du genou, un des plus célèbres d'Europe, le Pr Gebhardt[29], j'ignorais qu'il s'agissait là d'un hôpital S.S., et que Gebhardt était un ami de Himmler puisqu'ils se tutoyaient. Déjà, à l'époque, je ne serais pas allé de gaieté de cœur me confier aux soins médicaux des S.S., justement des S.S. En effet, une série d'incidents curieux allait se produire au cours des deux mois suivants, alors que j'étais gravement malade. J'avais un épanchement de synovie important au genou gauche, et, pour commencer, à l'encontre de toutes les règles de la médecine, on plaça ma jambe malade dans une gouttière et on la maintint dans une immobilité absolue pendant les vingt jours que je dus garder le lit. On ne me fit faire aucun exercice de gymnastique pour prévenir le danger de thrombose. Lorsque je me levai pour la première fois, des symptômes alarmants se manifestèrent : je crachai du sang, j'éprouvai de violentes douleurs dans la cage thoracique et dans le dos, et j'avais du mal à respirer. Pourtant le patron d'une clinique spécialisée dans les opérations du genou et des jambes devait bien savoir qu'une longue station allongée risque toujours d'entraîner une thrombose, surtout à l'époque, où les médicaments anticoagulants n'étaient pas encore connus.

Trois jours après que je me suis assis pour la première fois au bord de mon lit, le rapport de Gebhardt est libellé comme suit : « 8 février 1944 — Le malade s'est levé cet après-midi : apparition brutale de souffrances très violentes dans les muscles extenseurs du dos, côté gauche. » Gebhardt ne mentionna pas que je lui avais remis cet après-midi-là mon mouchoir taché d'un sang brunâtre. Voici comment il poursuit son rapport : « Muscles extenseurs du dos extrêmement douloureux à la pression, côté gauche. Au cours de l'auscultation, bruits de grincements à l'inspiration. L'examen des poumons a permis de diagnostiquer un rhumatisme musculaire. » Le soir, Gebhardt me fit un massage énergique avec du Foraplin, poison formique mélangé à des éclats de verre pour lutter contre cette prétendue crise de rhumatisme, et me fit prendre de l'Étendron, un sulfamide.

C'est avec réserve que je fais ici ce récit, car il peut sembler déplacé en regard des souffrances que j'ai décrites plus haut, à Mittelwerk par exemple, où il n'y avait pas de soins médicaux du tout, et encore moins de lits propres. Mais il ne s'agit pas ici de ma personne ; je voudrais tout simplement que cet exemple permette de suivre le processus de pensée d'un « médecin politique ».

« 9 février 1944 — Souffrance persistante et très violente dans le dos. Gêne dans la respiration, la toux, et même parfois dans la parole[30]. (...) Aucun changement dans les résultats de l'auscultation ; le léger bruit de grincement à la base du poumon gauche est plutôt un peu plus fort. » Gebhardt évite la vérité : « Ce résultat s'explique par les difficultés respiratoires causées par les douleurs au côté gauche. » Le même jour, le spécialiste des maladies internes de Gebhardt remit un rapport plus proche de la vérité : « Poumons : pas de réduction des capacités pulmonaires, respiration très rauque, nombreux bruits de friction importants sur la base gauche interne. (...) Diagnostic : pleurésie sèche du côté gauche[31]. » Mais Gebhardt ne se laissa pas déconcerter par les affirmations de son subordonné. Le lendemain, 10 février 1944, il s'obstina à réaffirmer son faux diagnostic de rhumatisme violent. Voici ce qu'il écrivit : « Muscles extrêmement durs, presque contractés et très douloureux à la pression. Souffrance tellement vive qu'il a fallu utiliser un narcotique. Résultat à l'auscultation inchangé ; il correspond à celui d'un rhumatisme aigu. (...) Traitement du rhumatisme musculaire à base de méthyle-mélobrine et d'analgésique[31]. »

Devant cette situation critique, ma secrétaire, Anne-Marie Kempf, appela en consultation le spécialiste des maladies internes de la Charité, le Pr Friedrich Koch, étroit collaborateur du Pr Sauerbruch. Cautionné par Karl Brandt, « plénipotentiaire pour la Santé et les Affaires sanitaires » et, ce qui pesait encore plus lourd dans la balance, membre comme moi de l'entourage intime de Hitler, le Pr Koch put se charger de la responsabilité et du traitement de mon cas.

Koch entreprit le traitement dans la nuit du 10 février, nanti de pouvoirs spéciaux. Voici ce qu'il écrivit dans son premier rapport médical : « Étant donné l'évolution, le syndrome clinique ne pouvait aboutir qu'à un diagnostic d'infarctus. » L'examen donna pour résultat une réduction importante des capacités pulmonaires, accompagnée de bruits respiratoires accrus sur tout le poumon gauche s'étendant jusqu'à l'arête de l'omoplate, et jusqu'à la clavicule, côté dos et côté poitrine. L'état du malade (est resté) extrêmement critique durant la nuit du 11 au 12 février, et durant toute la journée du 12 », donc trois jours encore après que Koch eut arrêté tout médicament antirhumatismal et prescrit un repos complet. « Essoufflement extrême, forte coloration bleuâtre, accélération notable du pouls jusqu'à cent vingt pulsations, ainsi que température subfébrile allant jusqu'à 38,3° C. Toux harcelante avec fortes douleurs sur le côté gauche et accompagnée de crachats de sang. Grâce à un repos complet, à l'éloignement de tous éléments excitants et autres médicaments, on a noté une tendance à l'amélioration dès le 14 février, qui s'est même prolongée jusqu'au 15 février[32]. »

Étant donné le niveau de la médecine, un grave infarctus pulmonaire était à l'époque une maladie qui mettait en danger la vie du patient. J'avais survécu grâce à l'intervention de Koch. Mais si, dans l'état de faiblesse où je me trouvais, on essayait encore une fois de « me remonter », qui pourrait contrôler le résultat de ces tentatives, et qui le ferait ? Il semblerait que Gebhardt se soit acharné dans ce sens.

Quelques jours après cette crise, le Pr Koch raconta à Robert Frank qui était mon ami à l'époque que, pendant ces trois jours critiques, Gebhardt lui avait réclamé une petite intervention qui aurait mis ma vie en danger. Mais il avait commencé par faire semblant de ne pas comprendre où Gebhardt voulait en venir, et finalement il avait refusé de pratiquer cette intervention. Gebhardt alors s'était esquivé par une pirouette : il n'avait voulu que mettre Koch à l'épreuve[33]. Robert Frank me conjura de garder le silence, car le Pr Koch craignait de disparaître à jamais dans un camp de concentration si j'entreprenais une quelconque démarche.

A y regarder vraiment de près, de telles intentions criminelles ne me semblaient pas aussi inquiétantes à l'époque qu'elles m'apparaissent aujourd'hui, au moment où je les couche sur le papier. Dans un système comme celui-là, il fallait bien prendre en compte des dangers de ce genre, comme jadis les chefs romains à l'époque claudienne.

Peu avant la fin de la guerre, je demandai à Koch des détails sur ce qui s'était réellement passé au cours de ma maladie. Mais il se contenta de confirmer qu'il avait eu de violentes altercations avec Gebhardt au sujet de mon cas, et ne voulut rien ajouter. Interrogé par un officier américain le 12 mars 1947, Koch ne donna rien non plus au procès-verbal sur les incidents qui avaient marqué cette période. Peut-être hésitait-il aussi parce que Gebhardt devait justement répondre devant le tribunal international de Nuremberg d'expériences chirurgicales pratiquées sur les déportés. L'affaire se termina par la proclamation de la peine de mort[34].

Après ma libération de Spandau, j'ai demandé à reconstituer les méthodes thérapeutiques de Gebhardt, en me basant sur les rapports de maladie. Je me suis adressé à deux professeurs de l'université de Tübingen, le Pr Bock, spécialiste des maladies internes, à cette époque président de la Société allemande de médecine interne, et le Pr Fromm, radiologue, ainsi qu'au Pr R. Bauer, radiologue éminent de la Charité à Berlin. Le résultat ne laissa place à aucune équivoque : même un orthopédiste ne pouvait pas faire de telles erreurs de diagnostic fondamentales.

Xaver Dorsch, mon représentant dans l'organisation Todt, profita déjà de mon séjour forcé à Hohenlychen pour jouer des coudes et monter en grade. Le 5 mars 1944, il soutint Hitler qui voulait faire construire six à huit grands abris en béton, du genre de ceux imaginés par Göring en octobre 1943. D'une superficie de 100 000 m^2 chacun, ils devaient abriter une partie de la fabrication des avions, mise en danger par les bombardements.

Depuis plus d'un an, Hitler et Himmler étaient d'accord sur la nécessité de construire des abris bétonnés. En demandant à Dorsch que « des mesures soient prises pour assurer la sécurité de l'industrie de l'armement, aménagement des grottes et construction d'abris », et que ces mesures « ne soient pas exécutées comme de simples mesures de transition, le Führer ne faisait que renouveler ses anciennes exigences. Au contraire, elles devaient être le point de départ d'un transfert définitif et d'un vaste stockage de toutes les entreprises industrielles allemandes sous terre, car c'était le seul moyen de pouvoir créer à longue échéance les conditions nécessaires à la survie des ateliers de fabrication du matériel de guerre[35] ».

Le lendemain, 6 mars 1944, Himmler convoqua Dorsch à un entretien qui dura de 15 heures à 16 h 30. Je me dois de rappeler encore une fois ici que le *Reichsführer* n'avait absolument rien à voir avec ces choses-là et que, d'après le règlement du gouvernement du IIIe Reich, il ne lui appartenait pas le moins du monde de conférer avec un de mes subordonnés. Mais Himmler connaissait Dorsch depuis son enfance ; ils n'avaient jamais cessé de se tutoyer familièrement pendant toutes ces années ; et Dorsch était un des « anciens bretteurs » qui avaient pris part à la marche sur la *Feldherrnhalle,* en novembre 1923. C'est ainsi que Himmler n'eut aucun mal à s'insinuer dans mon ministère et à y faire la loi. Une heure après sa rencontre avec Dorsch, Himmler eut un entretien avec Kammler[36]. Et trois jours plus tard, il alla rendre visite à Göring dans son château de Veldenstein, où ils eurent une conversation d'une longueur inhabituelle ; ils restèrent ensemble de 11 h 30 à 19 heures, et déjeunèrent également ensemble au château. Cela était d'autant plus frappant qu'ils ne s'entendaient pas bien et se rencontraient rarement[37]. Ils discutèrent certainement des différents aspects de la mission que Hitler avait confiée à Dorsch ; mais tout porte à croire aussi que, au cours de cet entretien, Himmler a essayé de persuader Göring de l'aider à étendre l'influence des S.S. sur la direction des entreprises industrielles, au moins des usines dans lesquelles travaillaient des déportés. Car le jour même encore, il dicta une lettre à Göring dans laquelle il signalait que l'on pouvait espérer un rythme de travail plus élevé, et donc de meilleurs résultats, si la responsabilité des S.S. dans les entreprises était accrue. Dans une lettre jointe, Pohl proposa de nommer tout simplement les S.S. directeurs d'entreprise responsables, partout où travaillaient des déportés, car, d'après ses expériences et ses connaissances en la matière, la simple embauche de main-d'œuvre en provenance des camps de concentration ne suffisait pas. Ainsi, pendant que j'étais malade, les S.S. s'efforcèrent, sans se gêner le moins du monde, de prendre le contrôle d'innombrables usines d'armement de l'industrie privée — bien qu'ils n'eussent certainement pas été en mesure d'y placer à la tête des cadres de qualité[38].

Ma secrétaire, Anne-Marie Kempf, ne tarda pas à se rendre compte que la ligne de téléphone directe qu'elle avait fait installer entre ma chambre d'hôpital et mon ministère était surveillée par les S.S., et que, en outre, ils enregistraient avec la plus grande précision l'identité des personnes qui venaient me voir et le but de leur visite. Cela étant, Himmler a dû s'ingénier à me garder le plus longtemps possible sous surveillance dans cet hôpital S.S. Malgré mon malaise, qui se muait progressivement en méfiance, j'ignorais à l'époque, bien entendu, ce que Koch déclara plus tard sous serment, avec force détails. « J'étais d'avis que le climat humide de Hohenlychen avait une influence néfaste sur la convalescence de Speer. J'examinai le malade, et, le trouvant apte à supporter le voyage, je proposai de le transférer à Meran. Gebhardt s'y opposa avec véhémence. Il se retrancha derrière Himmler, avec lequel il a eu également de nombreuses communications téléphoniques à ce sujet. J'avais l'impression que Gebhardt exploitait sa situation médicale pour jouer un jeu politique quelconque. Mais je ne sais pas lequel et ne m'en suis pas occupé non plus, parce que je ne voulais pas sortir de ma condition de médecin. Il m'est arrivé souvent d'essayer de faire changer Gebhardt d'avis, puis j'en ai eu finalement assez de toute cette histoire et ai demandé à parler au *Reichsführer* personnellement. Nous eûmes une conversation téléphonique qui dura environ sept à huit minutes, pendant laquelle je réussis à obtenir l'accord de Himmler pour le départ de Speer à Meran. A l'époque, j'ai été très surpris de voir Himmler prendre une décision dans une affaire purement médicale, mais je n'y ai pas réfléchi davantage, parce que j'avais pour principe de ne pas m'occuper des choses situées hors de la sphère médicale. Je voudrais encore faire une remarque : j'ai eu l'impression que Speer était très heureux que je m'occupe de lui[39]. »

En effet, j'eus de plus en plus le sentiment que la protection de Koch m'était devenue indispensable, surtout après avoir découvert que le général S.S. et général de la police, Kurt Daluege, était également hospitalisé à Hohenlychen, dans une chambre voisine de la mienne. Daluege était un vieil adversaire de Himmler, leur antagonisme remontait aux premiers jours de la domination S.S. Il se plaignit ouvertement à moi d'être maintenu dans cette clinique contre sa volonté, sous prétexte que l'état de son cœur ne permettait pas qu'on le renvoie chez lui. Pourtant il se sentait en parfaite santé. Et d'ailleurs c'était bien l'impression que faisait cet homme fort au teint basané. Gebhardt ne le retenait à Hohenlychen que dans son propre intérêt — prétendument —, me déclara Daluege ; et lui, il était incapable de juger lui-même de la gravité de son mal. Voici ce que déclara Koch à ce sujet, dans sa déposition : « Lorsque je fus appelé en consultation auprès du général de la police, Daluege, Gebhardt se comporta d'une façon analogue. J'eus le pressentiment que lui (Gebhardt) et les forces qui se tenaient derrière lui cherchaient à éliminer Daluege[39]. »

Les choses en étaient arrivées à ce point lorsque la VIIIe flotte aérienne américaine bombarda un hôpital situé à Templin, à dix-huit kilomètres seulement au sud-est du nôtre. Cet hôpital se dressait sur une langue de terre entre deux lacs, exactement comme Hohenlychen. Tout permettait donc de soupçonner que, dans cette attaque mystérieuse, il y avait eu confusion et que l'ennemi avait eu vent de ma présence en ce lieu. Après le bombardement de Templin, on transporta de nombreux blessés graves à la clinique de Hohenlychen. A l'époque, on disait que Gebhardt craignait une attaque aérienne et qu'il voulait se débarrasser des malades dangereux à tout point de vue. Toujours est-il que je partis quelques jours plus tard en wagon spécial des chemins de fer du Reich vers le Tyrol du Sud.

En cours de route, je m'arrêtai au château de Klessheim situé à proximité de l'Obersalzberg. Dans une conversation téléphonique avec le quartier général, Göring me raconta que Gebhardt lui avait parlé de l'état de mon cœur et de la gravité de mon mal, sans aucune perspective d'amélioration. Il me dit aussi combien Gebhardt était navré pour moi. J'étais déjà une « loque hors d'usage », et c'est aussi ce que l'on avait raconté à Hitler. Mais le Dr Brandt se chargea de renseigner le Führer sur l'état excellent de mon cœur. Je me demande bien ce qu'il a pu penser devant des informations aussi contradictoires[40].

Le véritable sens, sous-entendu, de la mission que Himmler avait confiée à Gebhardt le 20 mars 1944, pendant mon séjour à Klessheim, n'apparaît que sous ce sombre aspect de « politique médicale » : « En plus des soins médicaux dont vous êtes chargé, je vous confie, au nom du Führer, la responsabilité de la sécurité du ministre Speer pendant ses quatre semaines de convalescence à Meran. Dans le cadre de cette responsabilité, *seuls vos ordres* font loi et autorité[41]. » Hitler avait approuvé cette mesure, sans se douter que, implicitement, elle plaçait Gebhardt au-dessus de mon médecin, le professeur Koch. Puis j'invitai Koch à m'accompagner à Meran, à titre privé. Mais en cas de litige, le jugement de Koch ne signifiait rien, alors que celui de l'homme de confiance de Himmler était déterminant. Mon départ de Hohenlychen n'avait donc pas changé grand-chose à la mission de surveillance dévolue à Gebhardt.

Malgré les tâches urgentes qui exigeaient sa présence à l'hôpital de Hohenlychen, Gebhardt passa lui aussi les six semaines suivantes à Meran — symptôme évident de l'importance qu'il attachait à sa mission. Car tout en veillant sur ma « sécurité », il pouvait aussi surveiller ma vie privée. Jusque-là, j'avais pu éviter d'être « protégé » par les S.S. et de faire partie des hauts fonctionnaires escortés jour et nuit de quatre à six S.S. Parmi ces hommes dont la sécurité était protégée par les S.S., il y avait Dönitz, Keitel, Göring, Goebbels, Rosenberg, Funk, et d'autres ministres encore. Ce fut seulement à cette époque-là, à Meran, que Gebhardt fit venir pour moi un commando de sécurité qui allait loger chez moi, pendant que lui, Gebhardt, prenait un logement pour lui. Le chef de ce commando était d'ailleurs un homme correct et discret. Nous éprouvions déjà une sympathie réciproque lorsqu'il servait dans l'escorte de Hitler. Aussi mes inquiétudes ne tardèrent-elles pas à s'apaiser.

Pourtant, quelque temps après, le 18 avril, Göring me provoqua d'une manière inusitée. Il avait eu, peu de jours auparavant, un entretien avec Himmler, et les deux hommes avaient monté une sorte de conspiration autour des entreprises d'armement. Puis on réunit une conférence présidée par Göring portant à l'ordre du jour les six grands projets de construction qui devaient être confiés à Dorsch. J'avais délégué à cette séance le Dr Gerhard Fränk, un de mes collaborateurs et intimes de longue date, et l'avais chargé expressément de m'y représenter, mais Göring lui interdit froidement l'accès dans la salle de conférence.

Devant cette mesure blessante, il ne me restait plus qu'à faire valoir mon influence sur Hitler. Voici ce que le Dr Koch a déclaré sous serment : « J'eus un second heurt avec Gebhardt, « médecin du Reich » attaché aux S.S. et à la police — tel est son titre — après l'arrivée de Speer à Meran. Un jour, Speer me demanda si je le trouvais assez valide pour aller à l'Obersalzberg en avion, sans doute pour y rencontrer Hitler. » Cela se passait le 19 avril, car le 20 avril, Koch fut obligé de quitter Meran sur l'ordre de Gebhardt. « Je répondis par l'affirmative, poursuit Koch dans son rapport, à condition que l'appareil ne dépasse pas une altitude de 1800 à 2000 m. En apprenant cette décision, Gebhardt me fit une scène. A cette occasion, il me reprocha de n'être pas un " médecin politique ". Cette fois-ci encore, comme lors de notre première altercation, j'eus l'impression que Gebhardt cherchait à retenir Speer de force. C'était un familier de Himmler, et il avait une grande activité politique, même dans sa profession de médecin. Le voyage à l'Obersalzberg n'eut pas lieu (à ce moment-là). Aujourd'hui, je crois savoir pourquoi on n'avait pas voulu laisser partir Speer : peu de temps après, on lui enleva la direction de l'organisation Todt pour la confier au directeur de cabinet Dorsch. Je suppose qu'on voulait empêcher Speer de parler avec Hitler. »

Himmler cherchait bien à m'enlever la direction de l'organisation Todt dans les pays d'occupation, et de la Construction en Allemagne, et à instaurer le contrôle S.S. dans toutes les entreprises privées d'armement. Il craignait en effet qu'un entretien entre Hitler et moi, dans lequel je pourrais faire jouer mon influence personnelle sur le Führer, ne lui ravisse le succès de ses machinations.

Mais Dorsch était suffisamment expert pour savoir que la mission confiée par Himmler le placerait inévitablement devant des problèmes insolubles, et que, en cas d'échec, il perdrait son crédit auprès d'Hitler. « Peu de temps après cette scène, relate encore Koch, voici ce qu'il se passa : le conseiller ministériel Dorsch se trouvait à Meran ce jour-là ; il me pria de l'examiner car il ne se sentait pas bien. Ce que je fis. Et je constatai que son cœur n'était pas en bon état et qu'il avait un urgent besoin de repos. Je lui conseillai de se ménager et de venir me voir plus tard à Berlin où je l'examinerais plus à fond. Gebhardt apprit le résultat de cette visite, et nous eûmes une violente altercation. Une fois de plus fut prononcée l'expression de " médecin politique ". Il me déclara qu'on ne pouvait rien tirer de moi. Pourtant tout le monde savait que Dorsch allait prendre un poste important, et quand quelqu'un doit prendre un poste important, sur un ordre venu d'en haut, le médecin n'avait qu'à le déclarer en bonne santé, même s'il était très malade [42]. » Gebhardt a donc dû être mis au courant, très rapidement et dans tous les détails, par Himmler ou par son état-major, de ce qui s'était passé à l'Obersalzberg.

Pour Gebhardt, ces actes d'autorité de Koch dépassaient la limite supportable. Il fit état de ses pleins pouvoirs et ordonna à mon invité de quitter sur-le-champ Meran, dès le lendemain.

Le 19 avril, je me décidai à envoyer une lettre à Hitler lui-même, seul moyen qui me restait de sortir de cette crise provoquée par une série de procédés humiliants. Voici ce que je lui écrivis : « Il est illusoire de commencer ces grands projets de construction, car on ne pourrait satisfaire que très difficilement toutes les exigences essentielles, à la fois celles du logement de la population allemande active, de la main-d'œuvre étrangère et de la reconstruction de nos usines d'armement. Je n'ai plus à me demander si je dois me lancer dans des constructions à long terme, je n'ai plus le choix (...), mais je suis sans cesse obligé d'arrêter la construction de nouvelles usines d'armement pour assurer les conditions indispensables au maintien de la production des prochains mois. » Je lui écrivis aussi que, après tout, Dorsch pouvait continuer à superviser la construction dans les pays d'occupation [43]. Par ailleurs, j'eus une conversation téléphonique avec Göring, où je lui déclarai que je m'en remettais à lui pour transmettre à Hitler mon désir de partir.

Himmler a dû être informé de cet affront. Comme nous l'apprend son agenda à la date du 19 avril [44], il eut immédiatement un entretien d'une heure avec mon chef de cabinet, le *Brigadeführer* S.S. Kehrl. Kehrl faisait partie du cercle d'amis du *Reichsführer* et était en relations assez étroites avec lui. Aussitôt après cet entretien, Himmler partit pour le Berghof. Il déjeuna avec Hitler, puis eut un entretien avec Bormann. Quant à Kehrl, il vint me voir à Meran le lendemain, où il resta deux jours [45]. Je n'avais aucune raison alors de douter de sa loyauté ; je croyais aussi qu'il placerait son amitié pour moi audessus de celle d'un chef S.S. vis-à-vis de Himmler. Mais je ne me rappelle pas qu'il m'ait parlé de son entretien de la veille avec Himmler, ou du climat qui avait marqué les conversations concernant mon ministère.

Le 22 avril, Himmler m'écrivit une lettre, en faisant volontairement état de sa supériorité. Je le fis attendre trois semaines avant de lui envoyer ma réponse dans laquelle on trouvait encore un reflet de sa propre mauvaise grâce. « Il eût été plus normal, à mes yeux, que vous aussi, de votre côté, vous commenciez par discuter avec moi de ces reproches (...), au lieu de me les communiquer comme des faits établis ». Il s'agissait de graves reproches qu'avait lancés Himmler contre les directeurs techniques de la fabrication des A4, Degenkolb et Rickhey [46]. A la suite de cette lettre, je redemandai la permission de m'envoler pour l'Obersalzberg, le 23 avril, mais une fois de plus, Gebhardt refusa en alléguant ses pleins pouvoirs en tant que délégué médical de Hitler et déclara tout net qu'il était obligé de m'interdire ce déplacement en avion pour raisons de santé, bien que, six jours plus tôt, le Pr Koch n'ait soulevé aucune objection à un voyage analogue. Je me résignai donc et priai mon ami Milch de profiter de la première occasion pour faire savoir à Hitler que je désirais lui remettre ma démission. La position éminente de Dorsch semblait définitivement établie ; pour moi, une seule chose m'importait encore, parler à Hitler pour lui expliquer cette situation justement, et peut-être même obtenir son consentement à ma démission.

Je menaçai sérieusement Gebhardt de faire intervenir le propre médecin de Hitler, le Dr Brandt, et lui laissai entendre que je pouvais téléphoner à

Hitler quand bon me semblait ; mais Gebhardt déclara avec un peu d'hésitation que cette décision relevait de Himmler personnellement. Ainsi il avouait sans ambages que Himmler lui-même avait décidé de m'interdire d'aller rendre visite à Hitler ; il n'était plus question d'un prétexte d'ordre médical. A la suite de cette menace, Himmler m'autorisa à faire ce déplacement, ainsi que me le communiqua Gebhardt, à condition toutefois que j'aille le voir avant de m'entretenir avec Hitler. Il avait donc définitivement laissé tomber le masque.

Dans la matinée du 24 avril 1944, au cours de ma visite forcée, Himmler parla sans la moindre gêne[47] de « faits irrévocables », à savoir la scission entre le secteur de la Construction et le ministère de l'Armement, et le transfert de la Construction sous l'obédience d'un membre éprouvé du Parti, Dorsch. Ceci avait été définitivement décidé plusieurs jours auparavant au cours d'entretiens avec Hitler, auxquels Göring aussi avait participé. Il savait bien, évidemment, que je m'y étais opposé ; mais s'il avait un conseil à me donner à présent, c'était de ne pas augmenter la colère de Hitler par des réactions déraisonnables telles que ma démission. On m'accusait d'avoir laissé traîner en longueur le programme préconisé par Hitler, à savoir le transfert de l'industrie allemande sous terre ou sous béton. A présent Dorsch était indépendant ; il jouissait des pleins pouvoirs conférés par Hitler, dans le secteur de la Construction, mais, de toute façon, il me restait encore l'Armement, ce qui représentait une fonction capitale. Comme il en avait l'habitude dans des occasions de ce genre, Himmler ne m'imposa pas du tout sa supériorité triomphante. Au contraire, il fit de visibles efforts pour me traiter avec la plus grande amabilité et ne pas me faire sentir ma défaite.

Chose étrange, je ne me rebellai point contre cette suffisance. Bien qu'étant un des ministres du Reich les plus brillants, je ne protestai même plus. J'étais comme paralysé, et donnai mon assentiment à tout. De toute façon, je voulais faire table rase, et cela m'arrangeait maintenant que le secteur d'activités destiné à Dorsch me fût arraché. Du reste, la réalisation de ces six ou huit bunkers gigantesques ne pouvait que mener à un échec dans cette phase de la guerre.

A Berlin et à Halle commencèrent à circuler peu de temps après des rumeurs sur mon compte. On chuchotait que « le ministre Speer était révoqué à la suite de blâmes prononcés par le Dr Ley, le *Gauleiter* Sauckel et le Pr Krauch, plénipotentiaire pour le groupe Chimie, pour avoir négligé la production des avions[49] ».

Le même jour, 24 avril 1944, je quittai Himmler pour aller voir Hitler au Berghof[49]. Mais au lieu d'accepter ma soumission, Hitler se refusa brusquement à donner son accord à la mutilation de cette organisation homogène que j'avais édifiée avec beaucoup de peine. Il repoussa énergiquement la proposition que m'avait inspirée Himmler, remettre à Dorsch la responsabilité des travaux de construction. Il me parla droit dans les yeux, et, à mon grand ahurissement, il insista pour que tout demeurât comme par le passé. Je continuais à l'avenir à rester le grand Patron de l'organisation allemande du Bâtiment[50].

Dès le 26 avril, deux jours plus tard, j'emmenai Dorsch chez Hitler, pour lui faire entendre la nouvelle décision de la bouche même du Führer, ce n'était ni plus ni moins qu'un revirement total[51]. Le lendemain, 27 avril, Himmler convoqua Dorsch et s'entretint avec lui pendant une demi-heure, au moment du déjeuner[52]. Pas plus que des entretiens précédents, je ne fus mis au courant du contenu de cette conversation, malgré ma qualité de patron tout nouvellement confirmé du Bâtiment.

En réalité, plus rien ne changea. Dorsch demeura à son poste et prit toutes les décisions en matière de construction, car je n'étais absolument pas en mesure de me charger moi-même de la responsabilité de cette tâche, en plus des autres. Restèrent soumis à mon pouvoir de décision des propositions comme celle-ci, par exemple : « Il faut garantir la priorité de l'aménagement architectonique des grottes nécessaires à la production de laminages, devant les fabriques de chasseurs. »

Lorsqu'il apprit cette décision, le 13 mai 1944, Hitler souligna que « quant à lui, il attachait évidemment autant de valeur à 160 000 mètres carrés de locaux industriels mis à l'épreuve des bombes qu'à des ouvrages édifiés au jour dans le béton. Ce qui lui importait, c'était d'avoir placé en sécurité les fabrications d'armement essentielles[53] ». Ainsi, après des démêlés qui avaient duré plusieurs mois, on en arrivait au résultat suivant : l'ordre illusoire lancé par Hitler de construire six usines en blockhaus, dont l'exécution lui avait été promise par Dorsch, ne possédait plus l'urgence qu'il lui avait donnée lui-même. Je fis aussi signer le même jour par Hitler un ordre à l'intention de Dorsch, lui enjoignant d'établir des comptes rendus mensuels destinés aux conférences chez le Führer selon le plan suivant :

1. superficie de souterrains rendus propres à la construction, à partir de grottes ou de tunnels déjà existants, en mètres carrés ;

2. superficie de grottes qui sont occupées par de nouvelles installations, en mètres carrés ;

3. superficie de constructions en béton terminées, qui peuvent passer à l'aménagement en mètres carrés[54].

De même, dans le domaine proprement dit de l'armement, il s'était produit des changements de structure au cours de ma maladie. En créant un organe centralisateur dans mon ministère, l'état-major de l'aviation de chasse, et plus tard, à la place de ce dernier, l'état-major de l'Armement, je me dessaisissais forcément, encore que tacitement, de mon propre pouvoir de décision. Car la direction de cette nouvelle organisation fut confiée, avec mon accord, au superactif Saur. Sans doute lettres et instructions attendant ma signature continuèrent-elles à s'entasser sur mon bureau, mais elles portaient à présent la référence « TA* ». Je ne participai plus guère à

* *Technisches Amt :* service technique. (N.d.T.)

l'élaboration des ordres et des décisions. Peu de temps après, Kammler vit ses pleins pouvoirs étendus, en qualité de délégué spécial pour les constructions souterraines. J'avais été confirmé à mon poste, mais privé de mon pouvoir. Les choses me passaient sous les yeux, comme j'en avais déjà fait l'expérience lors de ma visite à Mittelwerk, sans vouloir vraiment me l'avouer.

Kammler et ses attributions

L'état-major de l'aviation de chasse créé fin février 1944 était issu d'une situation de détresse. Les bombardements acharnés et concentrés des forces alliées sur notre armement aérien ne laissaient aucun doute sur l'échec de nos projets d'accroissement de la production en avions de chasse. *Big Week* était un succès.

Les représentants de divers ministères et bureaux étaient réunis autour de la grande table de conférence de mon ministère, sous la présidence de Saur [1]. Ils étaient chargés de trouver des solutions pour réparer justement les dommages causés par les bombardements aériens. La catastrophe avait engendré une nouvelle formule de structure d'organisation, mais également d'autorité : tous les membres de l'état-major devaient se conformer aux instructions du président, que leur secteur soit ou non subordonné au ministère. Ainsi par exemple, le représentant des chemins de fer du Reich donna son assentiment à l'exécution de certaines ordonnances pendant la conférence même. Finies les querelles de compétence ; les représentants des autorités du Reich comprenaient la nécessité de telles mesures ; ils pouvaient aussi élever des protestations après coup. Mais cela ne s'est jamais produit. A y regarder de près, il s'agissait là des préliminaires des « actions concertées » de l'après-guerre.

Le Dr Kammler faisait partie des membres permanents de cet état-major depuis sa fondation. Il accepta les mesures ordonnées par Saur dans le secteur de la construction, relatives au transfert des complexes industriels, à condition que l'organisation Todt ne s'en réserve pas l'exécution. Ces mesures bénéficiaient de la première des priorités, et c'est pourquoi, par exemple, les contingents nécessaires à la construction des baraques furent aussi accordés à des projets de cette espèce. A l'opposé des attributions parcimonieuses de 1943, l'administration S.S. du Bâtiment put ainsi accroître sa capacité de logement.

« D'après un ordre donné par Himmler, l'embauche des déportés pour les travaux de transfert, expliqua le chef du groupe B de l'Office supérieur de l'administration de l'économie S.S., ne relève pas du groupe D, mais du général Kammler personnellement, et non pas en sa qualité de chef du groupe C (Bâtiment). Il disposait pour cela d'un service et avait la désignation officielle de « délégué spécial du *Reichsführer*[2]. » Comme la responsabilité des transferts souterrains avait été également confiée à Kammler par Göring le 4 mars 1944, il put exploiter tous les avantages d'un « attelage jumelé » et se recommander de l'un ou de l'autre service, selon les besoins.

Le Pr Bartel cite l'ancien directeur général de Mittelwerk, Georg Rickhey : « Kammler possédait des pleins pouvoirs inhabituels ; il pouvait faire arrêter, sans passer par la section S.D. qui lui était personnellement subordonnée, toute personne qui, selon lui, intervenait sans autorisation dans l'exécution des mesures ordonnées par lui. Comme Kammler faisait usage à tout moment et sans scrupules de ce pouvoir, même à l'égard de chefs S.S., il était absolument impossible à d'autres personnes ou d'autres services d'intervenir dans l'embauche (des déportés), ce qui représentait l'aspect le plus important des tâches techniques de Kammler[3]. »

A la tête de l'état-major spécial de Kammler se trouvait le « bureau du bâtiment du Dr Kammler » avec siège à Berlin. Celui-ci envoya plusieurs « inspections spéciales S.S. » qui se répartirent sur tout le Reich et qui, de leur côté, constituèrent les « états-majors S.S. » régionaux. Les archives nous apprennent que la responsabilité de l'embauche et du contrôle des déportés travaillant sous les ordres de Kammler restaient dans les mains des S.S.[5]

L'activité de Kammler, robot sans scrupules mais qualifié, allait permettre d'incorporer, à partir du printemps 1944, des centaines de milliers de déportés qui durent travailler dans des conditions extrêmement dures. Mais c'est justement cela qui leur donna une chance de survivre. Rudolf Höss, directeur du camp de concentration d'Auschwitz à l'époque, décrivit l'activité de Kammler et la fièvre qui en résultait : « Il s'avère que l'industrie de l'armement a encore besoin d'une énorme quantité de main-d'œuvre, mais qu'aucun progrès n'a été réalisé dans le secteur du logement du personnel. L'organisation Todt participe à la construction de ce camp de travail réservé à l'armement. Elle aussi, elle manque de main-d'œuvre et réclame des déportés. Où les loger ? Maurer (de l'Office supérieur de l'administration de l'Économie S.S.) voyage jour et nuit pour visiter des emplacements, mais il est obligé de refuser une grande partie des logements de fortune qu'on lui propose car ils sont des plus primitifs. D'où il résulte de nouveaux retards dans l'embauche. Himmler est furieux ; il met en place des commissions d'enquête munies de pleins pouvoirs spéciaux pour découvrir les coupables. Auschwitz est bourré de déportés qui attendent leur transfert dans les camps de l'armement. Eichmann a expédié de nombreux convois qui vont continuer à embouteiller Auschwitz. Le transfert en usines souterraines des éléments essentiels de l'industrie de l'armement n'avance que très lentement, ce qui est normal ; on a perdu au moins deux ans. Le Dr Kammler est délégué par Himmler et nommé commissaire pour ces travaux. Mais Kammler ne peut pas faire de miracles non plus ; des semaines, et même des mois se passent sans que l'on puisse enregistrer de progrès appréciables. La guerre aérienne traîne ; elle est entravée, et elle reste même paralysée pendant des mois. Himmler continue à insister, torturé par ses promesses[6]. »

Ce récit englobe manifestement une période assez longue, allant sans doute de l'été 1944 au printemps 1945.

Dans son discours prononcé à Sonthofen le 21 juin 1944 devant des généraux, Himmler déclara : « Les déportés travaillent en ce moment à la construction de vastes usines souterraines. Ces derniers temps, à l'aide de ce personnel, nous avons construit à un rythme ahurissant, c'est-à-dire en deux mois, dix salles souterraines représentant une superficie de plusieurs dizaines de milliers de mètres carrés[7]. » En effet, ce fut une performance remarquable sur le plan de l'organisation et de la technique. Six mois plus tard, Kammler parla au *Reichsführer* S.S. « des superficies de locaux industriels construits par les S.S. en 1944, d'usines souterraines à l'épreuve des bombes pour l'état-major de l'Armement, par ordre de monsieur le Ministre de l'Armement et de la Production de guerre[8] ».

Une représentation graphique accompagnait ce document ; elle montrait que, à la date du 1er janvier 1945, les S.S. avaient construit 425 000 m^2 d'abris souterrains ou bétonnés en guise de locaux industriels. 425 000 m^2, cela représente une superficie couverte de quelque 200 m de largeur sur 2 km de longueur. Ainsi, en utilisant des méthodes draconiennes, Kammler avait-il du moins, en ce laps de temps, réalisé un programme dont l'ordre de grandeur correspondait approximativement aux exigences d'Hitler concernant les 600 000 m^2 de superficie répartis en six vastes bunkers. A ce rapport était joint également un paragraphe prévoyant que, à la date du 1er juin 1945, cette superficie serait portée à 1,25 million de mètres carrés ; mais cela n'aurait rien changé à la situation, pas plus que notre planning global et ses 3 millions de mètres carrés. Tout cela au fond était inutile, parce que l'objectif d'Hitler, protéger toute l'industrie de l'armement des attaques aériennes, ne fut jamais réalisable à cause même de sa démesure. Sans compter que ce programme était absurde sur le plan de la stratégie aérienne. Durant cette période justement, l'ennemi paralysa le réseau de communication. Ainsi on n'aurait pu, de toute façon, transporter qu'une infime partie de la production[9].

Le 26 mai 1944, je participai « pour la première fois à une conférence de l'état-major de l'aviation de chasse qui, depuis le 28 février, avait déployé énormément d'activité sous la direction de Saur et présenté des chiffres de rendement inattendus ». Et la chronique poursuit un peu plus loin : « Le *Gruppenführer* Kammler fait un exposé sur les travaux de construction. Avec son armée de déportés, Kammler représente un nouveau pilier du Bâtiment, que le ministre doit remettre de temps en temps dans le droit chemin[10] » (*cf.* annexe XVII).

Les brigades de construction de Kammler avaient notablement augmenté le nombre des déportés mis au travail. D'après une information de Himmler datant de mars 1945, les camps de concentration contenaient 480 000 déportés valides et 120 000 malades[11]. Ces chiffres concordent avec une statistique d'après laquelle, le 15 janvier, 487 290 prisonniers et 156 000 prisonnières vivaient dans les camps de concentration allemands[12]. 137 500 de ces déportés travaillaient dans l'organisation Todt[13]. Un bilan établi par Kogon montre également que 530 000 déportés survécurent aux durs travaux du camp[14].

Il faut noter en marge que, d'après les statistiques du 15 janvier 1945, 36 454 soldats étaient chargés de surveiller les 487 000 déportés hommes. Or une division d'infanterie nouvellement constituée comprenait en moyenne un effectif de 11 000 hommes[15]. Ainsi donc, les déportés neutralisaient plus de trois divisions.

Cette politique du travail menée par les S.S. à partir de la fin de l'année 1941 et qui se développa parallèlement aux exigences croissantes de l'armement allemand explique sans aucun doute en partie le nombre relativement réduit des déportés survivants. Un nouveau danger, il est vrai, les menaça durant les dernières semaines de la guerre, car Hitler n'avait cessé d'insister pour que l'on fasse sauter les camps de concentration avec tous leurs occupants, en cas d'approche des Alliés. Himmler confirma cette menace le 12 mars 1945 au cours d'un entretien avec son médecin personnel, Kersten : « Si l'Allemagne national-socialiste doit sombrer, il ne faut pas que ses ennemis et toutes les bandes de criminels enfermés actuellement dans les camps de concentration en sortent vainqueurs et triomphants. Qu'ils partagent le naufrage. Telle est la volonté nette et précise du Führer, et c'est à moi de veiller à ce que cette volonté soit accomplie sans la moindre faille. » Il est vrai que, au cours du même entretien, Himmler promit un peu plus tard à Kersten de ne pas tenir compte de l'ordre de Hitler[16].

Moi aussi, j'étais au courant de cette menace lancée par Hitler, et c'est la raison pour laquelle, dans mon dernier discours relatif à l'Allemagne de l'après-guerre, j'insérai le paragraphe suivant : « Dans les camps de concentration, il faut séparer les déportés politiques, donc les Juifs aussi, des éléments asociaux. Les premiers, il faudra les remettre sains et saufs aux troupes d'occupation. Et il faut cesser jusqu'à nouvel ordre d'infliger les châtiments à tous les déportés politiques, y compris les Juifs[17]. » Le passage concernant les éléments asociaux, vu avec les yeux d'aujourd'hui, est la preuve d'une manipulation incompréhensible des esprits par le régime.

Même Himmler, sans doute, aurait ratifié, à l'époque, ce paragraphe. Ce genre de tentative convenait à sa politique des dernières semaines, qui le poussa finalement à tenter de négocier avec Bernadotte le sauvetage des occupants des camps de concentration.

En général, Himmler avait toujours mis l'accent sur sa priorité hiérarchique ; il m'avait donc toujours convoqué à son quartier général. Une fois seulement, vers le 15 mars 1945, il vint me rendre visite dans mon bureau. A la même heure, Kaltenbrunner s'était annoncé chez mon adjoint, Hupfauer. Cette action concertée nous inquiéta tous les deux. Car Hupfauer, mon chef de cabinet, et moi-même, nous venions de rentrer d'un long voyage au cours duquel nous avions obtenu des commandants militaires et des autorités civiles que la politique de la terre brûlée ne soit pas appliquée aux houillères et à la région industrielle en territoire tchécoslovaque ni aux sources pétrolifères en territoire hongrois. Peut-être les services locaux de la Gestapo avaient-ils envoyé des rapports sur nos voyages à Kaltenbrunner et à Himmler. Nous avions peur d'une opération S.S. menée contre nous.

Mais ce ne fut qu'une simple visite. Kaltenbrunner avait bien reçu en effet des rapports sur nos activités durant notre déplacement, mais il se contenta d'exhorter vivement Hupfauer à se montrer plus prudent et à ne pas essayer de mettre obstacle aux ordres explicites du Führer. Il évita même de se montrer trop cinglant, tout en faisant allusion malgré tout à la peine de mort qu'encourait celui qui refusait d'exécuter les ordres ; le ton demeura celui d'une conversation entre camarades, ce qui parut étrange à mon adjoint.

La conversation que j'avais pendant ce temps avec Himmler, un étage plus bas, tenait plutôt du bavardage anodin. Himmler chercha à gagner mon amitié par des paroles aimables, mais je ne sais toujours pas jusqu'à aujourd'hui ce qu'il avait derrière la tête. En tout cas, il me fit grâce des préceptes d'ordre général dont Kaltenbrunner venait de gratifier mon collègue. Quant à moi, j'essayai de lui faire comprendre que, dans la situation où nous nous trouvions, il fallait mettre Martin Bormann hors d'état de nuire et le « retirer de la circulation », parce que son radicalisme contrecarrait le moindre pas vers la modération. Pourquoi ne le remplacerait-il pas, lui, Himmler ? C'est ce que je lui proposai. Cette idée devait sans doute s'appuyer sur des rumeurs qui circulaient alors ; on disait que Himmler parvenait à juger la situation avec objectivité et était prêt à en tirer les conséquences. Mais mon idée n'eut pas l'heur de lui plaire. Froid et distant, il prit un ton officiel pour déclarer qu'il ne pouvait accepter une telle mission que si elle venait du Führer lui-même. Néanmoins, il ne s'emporta pas le moins du monde et ne menaça même pas de rapporter cet entretien à Hitler. Ainsi, malgré tout, nous avions conclu une certaine forme de complicité. En effet, à l'époque, Himmler était peut-être le seul chef de la hiérarchie nazie qui disposât encore du pouvoir. Cela justifiait-il cette tentative de rapprochement ? Mais, en dehors de Himmler, il n'existait pas un seul pôle que l'on pût opposer à Hitler et Bormann. Tentative inutile et démente, dictée par l'obscurité d'une heure sinistre.

Le 27 mars 1945, Hitler lança pour la dernière fois « une vaste entreprise dans le secteur de l'armement ». Ce jour-là, il confia à Kammler, devenu entre-temps *Obergruppenführer* S.S., le commandement de l'armement de la Luftwaffe. « Il reçoit du Führer les pleins pouvoirs les plus étendus », note Goebbels dans son journal le 28 mars 1945[18]. Lorsque, en octobre 1943, Himmler avait été poussé par son état-major S.D. à intervenir avec rigueur dans l'armement de la *Luftwaffe,* il avait répondu que des difficultés insurmontables s'y opposaient pour le moment. Et voilà qu'un chef S.S. sans scrupules recevait l'ordre de prendre les mesures les plus strictes dans le secteur de l'armement de guerre, pour faire changer le cours des choses durant les dernières semaines des hostilités. Himmler voyait donc sa position confirmée.

Neuf jours avant cette décision, le 18 mars 1945, j'avais déclaré à Hitler que « la ruine définitive de l'économie allemande serait certainement consommée » dans un ou deux mois, et qu' « il serait impossible ensuite de poursuivre la guerre sur le plan militaire[19] ». Cette mission confiée à Kammler n'était donc qu'une des utopies dictées par une situation désespérée ; à cette époque-là, on poursuivait ce genre d'utopies tout en sachant très bien, quand on considérait les choses avec réalisme, que l'heure avait sonné. Ainsi Hitler croyait pouvoir encore sauver la situation par un simple changement de personnes.

J'avais eu toutes les peines du monde à unifier l'armement de l'armée tout entière — armée de terre, aviation et marine — et (avec quelques restrictions illégales) des Waffen S.S. également ; mais en l'écartelant, on excluait toute possibilité d'opération improvisée, même dans le cas où l'industrie serait restée intacte. C'est uniquement en préservant le jeu de l'équilibre dans la capacité totale de l'industrie, rassemblée dans ce ministère, qu'il aurait été possible d'exécuter une mission spéciale, isolée et urgente. Le secteur tronqué, détaché de l'ensemble de l'armement, en ce 27 mars 1945, n'avait aucune chance de se tirer par lui-même du bourbier. Mais Hitler avait souvent eu tendance, dans les situations désespérées, à dissocier ce qui était uni.

Trois jours après avoir fait part à Goebbels du changement imminent qu'allait connaître l'armement de la Luftwaffe, Hitler déclara de nouveau : « Le Führer veut réaliser un programme minimum dans l'armement aérien, mais le réaliser à toute force. Il faut que l'on s'y tienne envers et contre tout. Göring se sent fortement écarté depuis que les pleins pouvoirs ont été accordés à Kammler ; mais on ne peut plus rien changer à cela. On reproche au Führer de n'avoir pas engagé Kammler plus tôt, mais le Führer s'en défend. Il n'avait jamais rencontré Kammler avant les préliminaires de la mise en service de nos armes V. Kammler était à ses yeux le seul homme capable de redonner malgré tout une petite activité à la Luftwaffe. A nous maintenant d'agir selon le principe des Soviétiques au cours de leur grande crise, à savoir devenir aussi primitifs que possible et essayer de faire de nécessité vertu. (...) De toute façon, il (Hitler) est décidé à mettre désormais de l'ordre dans la Luftwaffe. Je crois aussi qu'il y réussira, car les généraux de l'aviation, exactement comme ceux de l'armée de terre, sont une bande de lâches et dès qu'ils sentiront le Maître au-dessus d'eux, ils lui obéiront[20]. »

« L'*Obergruppenführer* Kammler portait donc maintenant sur ses épaules presque toute la responsabilité de la réforme de la *Luftwaffe.* » Le 3 avril 1945, Hitler avait eu une nouvelle fois « de très longs entretiens avec lui. Kammler s'y met à merveille, et on place sur lui de grands espoirs[21] ». Ce n'est pas la foi, mais la brutalité qui permet de transporter les montagnes. Sur ce point, ils étaient tous d'accord en ces dernières semaines de la guerre, Hitler, Goebbels, Bormann et Ley. Situation bien différente de celle des semaines qui avaient précédé la capitulation de Napoléon.

Je présume que, aux yeux de Kammler aussi, la situation militaire était sans espoir; malgré tout, il lui fallait s'acquitter de sa mission. Pour commencer, il confia l'exécution de cette tâche à son Service du bâtiment, ce qui était grotesque. « L'Allemagne était presque séparée en deux, et l'Inspection du bâtiment des Waffen S.S. et la police de la partie méridionale du Reich » devinrent ainsi pour le sud du pays le support de cet ultime espoir de Hitler. A travers des télégrammes qui ont été conservés, on voit nettement le dilettantisme avec lequel Kammler et son état-major du bâtiment ont travaillé. Ainsi par exemple, le chef de cette inspection du Reich du Sud transmit le 3 avril un ordre de Kammler à l'*Obersturmführer* S.S. Mataré, qui était en même temps chef de liaison S.S. avec les groupes VI, VIII et IX de l'organisation Todt, pour le charger de prendre en main la mission spéciale des avions à réaction et du programme « argent ». Ainsi donc un *Obersturmführer* — grade qui correspond à celui de lieutenant — exécutait la mission spéciale confiée par Hitler et dont devait dépendre l'existence du Reich. Il en résulta des opérations de misère; mais avec un personnel aussi minable, elles ne pouvaient guère prendre une meilleure tournure. Ainsi le chef de l'Inspection du bâtiment pour le sud du Reich annonça dans le même document qu'il avait l'intention « de confier à l'*Obersturmführer* Dauser le programme prioritaire de construction de logements ». Quels avantages pour la mission spéciale avait, à ce stade de la guerre, l'exécution d'un programme de construction de logements qui ne pouvait être achevé avant neuf mois environ ? Cela reste une énigme. On peut lire encore sur ce document : « Prière de transmettre tous renseignements à ce sujet au *Sturmbannführer* D^r^ von Gliszinsky. En même temps, je vous prie de me répondre par télégramme pour m'indiquer l'endroit où se trouve maintenant le bureau du *Sturmbannführer* D^r^ von Gliszinsky. Impossible de le joindre à Minden[22]. »

Un message radio qu'un certain M. Karl devait transmettre à Kammler quatre jours plus tard montre la même paralysie. L'usine souterraine de Kirchbich, dans le Tyrol, était occupée par Steyr pour la fabrication des moteurs d'avion Daimler-Benz 603. Le Pr Messerschmitt proposait que Junkers y abrite ses usines, avec toutes les pièces accessoires, car les locaux s'y adaptent bien. A Kammler de décider : « Donner, le cas échéant, à Junkers l'ordre de transférer ses usines et à la firme Steyr, celui de vider les lieux[23]. » D'après mes directives générales, de telles mesures de détails étaient réservées aux services subalternes de « l'Industrie autoresponsable ».

La sonorité des titres accordés était inversement proportionnelle aux perspectives de réussite. Ainsi, dans un message radio du 8 avril 1945, Mataré fut désigné comme « délégué du plénipotentiaire du Führer aux avions à réaction ». Les rapports que transmit fièrement ce délégué du plénipotentiaire du « Führer » lui-même avaient à vrai dire une importance minime. Un colonel inconnu, Pretzl, avait décidé que « la société Emmerich à Weingut II — vraisemblablement le projet d'une usine souterraine — recevrait dans les huit jours une superficie de locaux industriels de 4000 m^2, cinq jours plus tard, 1500 m^2 supplémentaires, et en tout 7500 m^2 de superficie exploitable avant le 1er mai. On stoppe la suite de l'équipement intérieur. Par ailleurs, la construction extérieure se poursuit selon les prévisions. Demain doit arriver le premier transport spécial de ciment en provenance de Baubeuren[24] ». Une semaine plus tard, un certain *Obersturmbannführer* Staeding, qui se faisait appeler « plénipotentiaire du *Führer* pour les avions à réaction », avait informé le Pr Messerschmitt et le directeur Degenkolb, également par message radio, qu' « il avait quitté Halle, ainsi que son service, et s'était replié sur Dresde. Que puis-je faire pour vous ou pour Me 262, d'ici ? Il peut être aussi question de protectorat. Où avez-vous encore besoin d'aide sinon ? » Ainsi se terminait le message, comme s'il avait été en mesure d'apporter de l'aide à qui que ce soit, alors que lui-même se repliait déjà[25].

Les documents relatifs à cette période que l'on trouve aujourd'hui dans les archives paraissent à la fois ridicules et effrayants. L'Office supérieur de la direction S.S., jadis tout-puissant, était en train de réquisitionner, à des fins militaires, *un camion* qui se trouvait au service de l'usine de fabrication des avions Junkers. Kammler envoya un télégramme à la direction des S.S. pour signaler que « selon les ordres du Führer, les mesures concernant l'aviation à réaction ont priorité sur celles concernant la guerre. C'est pourquoi je n'ai pas pu vous envoyer le camion en question[26] ». Ce message nous apprend que, entre-temps, Kammler avait quitté l'entourage de Hitler pour s'établir avec ses services à Munich. Car étant donné ses échecs prévisibles, la proximité de Hitler pouvait devenir un danger pour lui.

Le 16 avril, presque trois semaines après avoir reçu de Hitler cette mission qui devait changer le cours de la guerre, Kammler se rendit à la raison. « En accord avec le ministre Speer et le chef de cabinet Saur, il nomma le directeur Degenkolb plénipotentiaire auprès du ministère de l'Armement et de la Production de guerre pour la fabrication des Me 262, en tant que plénipotentiaire de Hitler[27]. » Mais Degenkolb était de toute façon et depuis un certain temps déjà le plénipotentiaire de l'industrie, délégué par le ministère, pour la fabrication des avions à réaction. L'ordre de Hitler retomba ainsi sur mon ministère comme une ombre. Il y avait donc à présent, comme le montre ce même document, deux délégués plénipotentiaires, l'un nommé par Hitler, et l'autre nommé par Kammler. Finesse de style qui, au bout d'une génération, transparaît encore à travers le texte même du message radio : Kammler nommait Degenkolb délégué plénipotentiaire, non pas *au* ministère de l'Armement, mais *auprès* de ce ministère ; cela donnait à entendre que cette nouvelle qualité faisait de lui mon adjoint, et non pas mon subordonné. Du reste, ceci est confirmé par le fait que Kammler, par la suite, le désigna comme « son » délégué plénipotentiaire.

Pour mettre une fois de plus l'accent sur la passation de pouvoir, le « délégué plénipotentiaire du Führer aux avions à réaction », Kammler, envoya le même jour un message radio au directeur de la filiale des usines Messerschmitt de Ratisbonne, Frank : « Selon l'ordre du Führer en date du 27 mars 1945, c'est moi maintenant qui détiens tous les pleins pouvoirs conférés jusqu'ici dans le cadre du ministère de l'Armement et de la Production de guerre pour la fabrication des Me 262. » A vrai dire, il s'agissait plutôt, semble-t-il, d'une affaire de protocole, analogue à ce qui se passe lorsque les ministres abdiquent pour être de nouveau nommés le lendemain, en cas de changement de gouvernement. En effet Kammler remercia Frank « pour les travaux accomplis jusque-là » et poursuivit : « J'ai prié mon délégué plénipotentiaire au ministère de l'Armement et de la Production de guerre pour la fabrication des Me 262, M. le directeur Degenkolb, de se mettre en rapport avec vous pour la poursuite de notre collaboration[28]. » Une remarque portée sur ce message radio — « Il n'existe aucun moyen de joindre Ratisbonne » — souligne le burlesque de ce genre de tentatives. Un homme aussi sensé que Degenkolb a sans doute participé à ce petit jeu uniquement pour ne pas entrer en conflit avec les S.S. à la dernière minute et être exécuté comme saboteur.

Peut-être en était-il de même pour Kammler. Comme pour donner à ces scènes fantomatiques une conclusion grotesque, il vint me trouver début avril pour prendre congé. Pour la première fois depuis les quatre années que nous nous fréquentions, Kammler laissa tomber la pétulance qu'il affectait habituellement ; au contraire, il donna l'impression de manquer d'assurance en me suggérant d'une manière vague et obscure de me replier avec lui sur Munich. Les S.S. étaient en train de conspirer pour éliminer Hitler. Quant à lui, Kammler, me donna-t-il à entendre, il allait prendre contact avec les Américains et leur offrir toute la technologie de nos avions à réaction, ainsi que celle des fusées A4 et des autres projets importants jusqu'aux fusées intercontinentales, en échange de la garantie de sa liberté. Dans ce but, il allait maintenant rassembler en Haute Bavière tous les spécialistes et techniciens de cette branche de la technologie et les réunir autour de lui afin qu'ils se rendent tous ensemble aux Américains. Il me proposa de participer à cette opération qui tournerait certainement à mon avantage.

Plus tard, je lus dans le livre de Jean Michel, sur les conditions de vie au camp de Mittelwerk, *Dora :* « Trente ans ont passé, la même conclusion s'impose toujours à moi : l'*Obergruppenführer* S.S. Hans Kammler était le seul homme à détenir suffisamment de pouvoirs pour inciter la Gestapo à proposer à D. son étrange marché. Il était le seul qui pouvait, en novembre 1944, faire dire aux Alliés : Je peux négocier avec vous l'avenir des armes secrètes. (...) Le désir obsessionnel de contact avec l'Ouest, la volonté de manipuler la Résistance française, le double jeu sadique du chat S.S. avec la souris déportée constituent bien les données caractéristiques de la négociation ténébreuse dont Hans Kammler fut l'instigateur[30]. »

Les S.S. aussi avaient soutenu alors le repli des ingénieurs et des officiers du projet A4, sous la direction du général Dornberger, vers Oberjoch, station de sports d'hiver de l'Allgaü. Wernher von Braun faisait également partie de ce groupe qui se rendit aux troupes américaines dans les montagnes bavaroises. Mais Kammler n'était pas parmi eux ; des rumeurs circulaient à l'époque, disant qu'il avait été fusillé à Prague dans les derniers jours de la guerre par son propre adjudant S.S. Peut-être a-t-il agi dans le sens de l'idéologie de la fidélité, propre à l'élite des S.S.

Quatrième Partie
Le destin des Juifs

Haine et rationalité

Pendant toute l'année 1942, les services de l'Inspection de l'armement de Berlin s'efforcèrent de préserver de la déportation des Juifs travaillant dans ce secteur, sous prétexte que la main-d'œuvre devait être maintenue à l'économie de guerre. Il est difficile de dire après coup quelle part de sentiments humanitaires se cachait derrière cet argument ; elle a dû varier d'un cas à l'autre. Mais les documents montrent les efforts tentés pour employer un nombre toujours croissant de Juifs dans les usines d'armement de Berlin, ce qui automatiquement les soustrayait, du moins pour un temps, au transfert vers l'Est. En lisant aujourd'hui ces vieux documents, je me rends compte que l'on n'y trouve aucune prise de position exprimée dans ce langage résolu que j'utilisais habituellement lorsque j'avais affaire à Himmler ou à Kaltenbrunner, même pour des questions d'importance minime. Mon ministère n'essaya qu'avec la plus grande prudence d'améliorer le sort des Juifs et, quand il y réussit, ce fut certainement dans bien des cas parce que cela servait l'économie de guerre.

Himmler et la Gestapo, eux-mêmes, se comportèrent avec une certaine modération lorsqu'ils avaient des reproches à adresser aux industriels ; les archives font état de graves menaces aussi rarement que de mesures draconiennes. Mais il ne faudrait pas pour autant exclure ces dernières, car les dossiers qui ont été conservés donnent l'impression d'avoir des lacunes.

L'antisémitisme qui, dans la longue lutte de Hitler pour obtenir le pouvoir politique, se trouvait au cœur de tous les discours et de toutes les opérations, était un véritable défi ; il avait littéralement provoqué les Juifs à une lutte sans merci contre les nazis. Après tout, il en allait de leur existence même ; il n'en demeure pas moins étonnant que ces Juifs, que l'on prétendait si puissants en Allemagne avant 1933, n'aient même pas été en mesure de réprimer efficacement ce mouvement de petits-bourgeois qu'était le nazisme. Cette lutte justifiée des Juifs contre leurs ennemis mortels entraîna dans le Parti une haine croissante contre tout ce qui était juif, une haine qui finit par prendre de telles proportions qu'elle devint universelle et ne permit plus de faire marche arrière.

Dans toutes les questions qui, de près ou de loin, touchaient le destin des Juifs, on ne prit plus le moindre égard. Il n'était même plus possible de faire adopter des mesures pour les cas exceptionnels : toute initiative individuelle dans un sens humanitaire comportait des risques pour son auteur. Un membre éminent du Parti pouvait être accusé de déloyauté, d'échec personnel et même de corruption — il arrivait à Hitler et à Bormann d'accepter cela ; mais jamais une prise de position ouverte en faveur des Juifs. Le moindre geste dans ce sens signifiait sur-le-champ la dégradation et le mépris, la chute dans le néant. Je n'ai rencontré qu'une seule protestation ouverte : un jour, chez Hitler à l'Obersalzberg, Henriette von Schirach exhala sa colère à propos des transports massifs de Juifs qu'elle avait vus de près en Hollande. Henriette était une des amies les plus intimes de Hitler, une amie de jeunesse. C'est d'ailleurs la raison pour laquelle elle avait pu se permettre jusque-là, avec un grand naturel et une grande témérité, bien des réactions indisciplinées qui auraient dû provoquer un sursaut de fureur de la part de Hitler ; or, il n'en fut jamais rien. Mais voilà qu'elle prenait position en faveur des Juifs. Elle et son mari durent quitter le Berghof la nuit même, et, par la suite, Hitler n'a plus jamais reçu le ménage Schirach.

Au cours de la conférence du 20 au 22 septembre 1942, Hitler ordonna à Sauckel d'embarquer vers les camps de l'Est tous les Juifs qui travaillaient encore dans les usines d'armement du Reich. Cet ordre visait surtout les Juifs de Berlin. Depuis l'automne 1941, la question de leur maintien en ville et, partant, sur leur lieu de travail, avait souvent provoqué des conflits entre l'Inspection III de l'armement et les services du Parti. Dès le 15 août 1941, le *Gauleiter* de Berlin avait exigé que soient prises des mesures restrictives contre les Juifs de son secteur. L'Office central du ravitaillement fit savoir ce jour-là à l'Inspection de l'armement de la ville « que les ouvriers juifs n'avaient plus droit aux cartes supplémentaires pour travailleurs lourds et travailleurs de force ». De même, dans une usine d'armement, les non-Aryens n'avaient pas droit à la même nourriture que les ouvriers aryens. « En effet, l'Office du ravitaillement de la ville de Berlin — d'après ce que dit le rapport — fournit un supplément de vivres tels que du riz, des pâtes, du lard, de la margarine, etc. aux cantines des usines de guerre pour l'alimentation des ouvriers aryens afin d'améliorer la qualité et la valeur nutritive des repas. » A partir de ce jour, il fallut préparer pour les ouvriers juifs, dans une cuisine spéciale, des repas chauds uniquement basés sur leurs cartes de rationnement alimentaire. « En conséquence, il n'est pas permis aux Juifs de prendre leurs repas dans les mêmes cantines ou les mêmes salles de restaurant que les Aryens[1]. » Cette mesure fut suivie, quelques semaines plus tard, en septembre 1941, par un ordre catégorique de Goebbels : chasser tous les Juifs sans exception de son secteur de Berlin. Dans une conférence ministérielle à laquelle assistait aussi le *Gauleiter* Jordan (de Dessau), voici ce qu'exigea Goebbels : « Il faut évacuer les Juifs berlinois ou les rassembler dans un ghetto[2]. » La déportation commença quelques semaines plus tard.

Les dossiers de mon prédécesseur Todt — à cette époque, j'étais encore architecte — contiennent le rapport suivant : « En octobre 1941, brusquement et sans que l'Inspection de l'armement ait eu la possibilité de faire connaître auparavant son avis, on commença à évacuer les Juifs (berlinois) vers l'Est. Les Juifs occupés dans une usine à fabrication prioritaire purent rester à titre provisoire. Mais comme, d'un autre côté, pour différentes raisons, les départs devaient se faire par familles entières, cette mesure frappa malgré tout un nombre croissant de travailleurs utiles à la production de guerre et qui furent perdus pour les usines d'armement[3]. »

Un mois plus tard, le 15 novembre 1941, l'Inspection de Berlin consigna un rapport plus détaillé : « L'évacuation d'environ 75 000 Juifs de Berlin, dont approximativement 20 000 travaillaient à des postes importants — il y en avait plus de 10 000 dans le seul secteur de la métallurgie — posa aussi le problème de la main-d'œuvre de remplacement. Il est exclu de songer à recruter des ouvriers allemands par l'intermédiaire du Bureau du travail. 15 000 autres Juifs doivent être évacués avant le 14 décembre 1941, et le reste ensuite à partir de février 1942. Les Juifs qui travaillent dans l'industrie de l'armement pourront, dans la mesure du possible, rester dans les usines jusqu'à la fin de la mesure d'évacuation et partir les derniers. Le Bureau du travail de Berlin a pris des accords précis avec la Gestapo dans ce sens[4]. »

En effet, les convois d'hommes et de femmes juifs commencèrent le 18 octobre et durèrent jusqu'au 25 janvier 1942. Il y en eut dix ; durant ces trois mois, des milliers de Juifs furent ainsi livrés à leur destin[5]. « On cessa l'évacuation massive des Juifs au début du mois de janvier suivant, parce que l'on manquait de main-d'œuvre de remplacement qualifiée, et de locaux pour les recevoir », lit-on dans le rapport de l'Inspection III de l'armement, entre le 1er octobre et le 31 décembre 1941[6]. Mais en même temps, « les Juifs restés à Berlin, qui autrefois travaillaient souvent isolément dans les usines, furent rassemblés en groupes constitués, en sections de travail ou en équipes spéciales. Ils furent séparés des travailleurs aryens et surveillés exclusivement par des maîtres et des contremaîtres aryens[7] ».

Un mois plus tard, le 8 février 1942, je pris mes fonctions de ministre de l'Armement. Je trouvai en arrivant une grave carence en armes et en munitions de toutes sortes, et les généraux me déclarèrent froidement que, si l'on ne remédiait pas dans les plus brefs délais à cet état de choses, la poursuite de la guerre serait compromise car la campagne hivernale de Russie, enfouie sous la neige et la glace et suivie de la défaite, avait entraîné de lourdes pertes en matériel et, en ce début de printemps, l'armée allait affronter, les mains plus ou moins vides, l'ennemi prêt à prendre l'offensive.

Cette situation critique suffit à ralentir les transferts de main-d'œuvre juive vers l'Est. Je pus aussi faire état de ce danger imminent en commençant mes conversations avec Bormann, quelques semaines après mon entrée en fonction. Le 13 mars 1942, « sur la proposition du ministre Speer », Bormann envoya à tous les services une circulaire qui disait entre autres : « C'est pourquoi, au cas où, dans certains secteurs géographiques, des directeurs d'usine continueraient à l'avenir à faire travailler des Juifs, il ne faut en aucune façon leur en tenir grief, d'autant plus qu'en agissant ainsi ils ne font que se conformer aux directives du ministre de l'Armement. Je prie donc les *Gauleiter* de défendre les directeurs d'usine de production de guerre qui emploient encore des non-Aryens contre tout soupçon et toute accusation de soutien aux Juifs, et de veiller, si c'est nécessaire, à donner à la population les explications qui s'imposent. » Sans en demander l'autorisation à Bormann, je fis paraître cette proclamation le 31 mars 1942 dans le premier numéro de la gazette du ministère que j'avais créée moi-même et qui fut envoyée à tous les directeurs d'usine allemands[8].

Néanmoins, Goebbels, dans son fanatisme, à qui, à de nombreux égards, les Juifs étaient redevables de toutes les mesures prises contre eux et dont il était la force motrice, surpassant même parfois Himmler, ne tint aucun compte de cette déclaration. Voici ce qu'il consigna dans son journal, le 12 mai 1942 : « Il reste encore 40 000 Juifs à Berlin. Transfert vers l'Est rendu difficile parce que la majeure partie d'entre eux travaillent dans les usines d'armement et qu'ils ne doivent être évacués que par familles entières[9]. » Cinq jours après cette note, Goebbels revint à la charge : « Nous essayons d'évacuer vers l'Est le reste des Juifs berlinois et, cette fois, par contingents plus importants. La capitale du Reich abrite un tiers des Juifs qui se trouvent encore en Allemagne[10]. C'est évidemment une situation intenable à la longue. Situation provoquée surtout par le fait que, à Berlin, de nombreux Juifs travaillent dans l'industrie de guerre et que, d'après un décret, les membres de leurs familles échappent aussi à l'évacuation. Je fais tout mon possible pour aboutir à une annulation de ce décret et débarrasser Berlin de tous les Juifs qui travaillent dans l'industrie de guerre prioritaire[11]. »

L'interdiction de dissocier les familles juives reposait sur des raisons d'opportunité ; on croyait que c'était la seule manière d'obtenir des ouvriers un rendement de travail satisfaisant. Ainsi, quand un membre d'une famille juive travaillait dans une usine d'armement, il constituait une protection pour tous les autres. Il y avait encore une autre raison à cette mesure de clémence : en novembre 1941, « sur les 75 000 Juifs environ de Berlin, 20 000 seulement occupaient des postes importants[12] ».

Il ne fait aucun doute que Goebbels renforça Hitler lui-même dans son radicalisme. Mais il fallut attendre quatre mois encore pour que, le 22 septembre 1942, Hitler donnât à Sauckel, délégué plénipotentiaire responsable de la main-d'œuvre, l'ordre de débarrasser définitivement des Juifs toutes les usines d'armement du Reich. La perte des travailleurs juifs portait durement atteinte à l'industrie de guerre, et cette mesure serait lourde de conséquences. J'attirai donc l'attention de Hitler sur ce fait, mais Sauckel assura qu'il pourrait trouver d'excellents ouvriers de remplacement parmi les travailleurs étrangers, ce qui réduisit mon objection à néant. Je n'arrive plus à distinguer aujourd'hui avec certitude ce qui m'avait animé alors, au-delà de ces considérations d'opportunité.

Avec un accent triomphal, Goebbels nota dans son journal, à la date du 30 septembre 1942 : « Le Führer répète une fois encore sa résolution de débarrasser coûte que coûte Berlin de tous les Juifs. Il ne se laisse même plus impressionner par les objections de nos experts en économie et de nos industriels qui ne peuvent se passer de cette main-d'œuvre prétendument hautement qualifiée. Tout d'un coup, on porte partout les Juifs et leur valeur professionnelle au pinacle. On ne cesse de nous avancer cet argument en guise d'objection pour implorer la pitié à leur égard. Mais les Juifs ne sont pas aussi indispensables que veulent bien les dépeindre nos intellectuels. Il ne va pas être tellement difficile de remplacer également par de la main-d'œuvre étrangère ces 40 000 Juifs restants, dont d'ailleurs 17 000 seulement travaillent dans des unités de production de guerre [13], car, rien qu'à Berlin, nous avons 240 000 travailleurs étrangers. La qualité exceptionnelle du travailleur juif, voilà qui devient de plus en plus un argument permanent de la propagande intellectuelle philosémite. On voit ici une fois de plus que nous, les Allemands, nous avons trop facilement tendance à être trop équitables et à juger avec ressentiment, et non avec un esprit froid, des problèmes relatifs aux nécessités de la politique nationale [14]. »

A partir du 19 octobre 1942, l'alimentation des travailleurs juifs fut diminuée à tel point que leur rendement de travail s'en trouva menacé. De ce jour-là, on ne leur distribua même plus de cartes de viande et d'œufs [15]. Aucune protestation écrite contre cette mesure n'est consignée dans les dossiers de l'Inspection de l'armement, ce qui doit être considéré comme un signe de résignation. Le 23 novembre 1942, soit un mois plus tard, Himmler annonça devant les cadets S.S. : « Le Juif a quitté le sol allemand [16]. » C'était prématuré, car il restait tout de même encore les ouvriers juifs de Berlin, tolérés dans les unités de production, comme en fait foi une circulaire publiée trois jours plus tard par Sauckel : « En accord avec le chef de la police de sécurité et du S.D., les Juifs qui travaillent encore en usine doivent être désormais évacués du territoire du Reich et remplacés par des Polonais en provenance du Gouvernement général. Les ouvriers juifs prétendument " hautement qualifiés " seront maintenus dans les entreprises jusqu'à ce que leurs remplaçants polonais aient été suffisamment initiés aux méthodes de travail, au cours de stages d'apprentissage dont la durée est à déterminer selon les cas. Cette mesure a pour but de garantir une réduction minimale des déficits de production dans chacune des entreprises [17]. » De par l'étendue des pleins pouvoirs dont il jouissait, ainsi que ses hommes, il s'ensuivit que Sauckel restait seul juge pour établir le moment où le remplaçant en question pouvait être considéré comme parfaitement au point. Nous n'avons, moi et mes services, cessé de critiquer cet état de choses, parce que des hommes étrangers à la production intervenaient dans un domaine dans lequel ils n'avaient aucune compétence.

Une note consignée dans le journal de guerre du commandement de l'Armement de Berlin, en date du 9 novembre, montre que les départs imminents étaient connus deux semaines à l'avance : « Les non-Aryens, ainsi que les travailleurs juifs occupés dans des usines d'armement, vont être évacués prochainement de la capitale. Cette mesure va toucher quelques entreprises et, en particulier, la branche de la mécanique de précision qui occupe un nombre assez important d'ouvrières juives. Les Juifs évacués doivent être remplacés par des Polonais.[18] »

Mais, chose curieuse, plus de trois mois s'écoulèrent encore sans qu'il se passât rien. Puis à la fin de février 1943, Goebbels m'appela au téléphone et déclara d'un air extrêmement résolu que pas un Juif ne resterait plus longtemps à Berlin ; Sauckel venait de lui donner la promesse définitive d'embaucher des Polonais pour remplacer ces travailleurs juifs. Il en avait assez, plus qu'assez, d'entendre les directeurs d'entreprises annoncer une baisse de rendement si cette mesure était appliquée. On pouvait se fier à la parole de Sauckel, vétéran du Parti ; il tiendrait sa promesse.

Pourtant, sur d'autres points, je m'entendais bien avec Goebbels. Il s'efforçait, justement à cette époque-là, de faire comprendre à la population l'importance de la production de l'armement, par la radio, les actualités cinématographiques et des reportages de presse. Cette opération de propagande s'était avérée également positive pour mon crédit personnel. Le public me considéra comme l'un des collaborateurs les plus importants de Hitler dans les affaires de la guerre. J'eus la faiblesse de déclarer à Goebbels que, dans ces conditions, je n'avais plus aucune objection à faire valoir.

Quelques jours plus tard, le 27 février, eut lieu l'évacuation que Sauckel commenta ensuite, le 26 mars 1943, dans une circulaire. Au cours du procès de Nuremberg, Jackson me fit des remontrances au sujet de ce texte : « En accord avec moi et monsieur le Ministre de l'Armement et des Munitions, et pour des raisons de sécurité nationale, le *Reichsführer* S.S. a retiré, fin février, de leurs lieux de travail, les Juifs qui travaillaient jusque-là librement et non pas comme prisonniers enfermés dans des camps ; il les a rassemblés soit en groupes de travail, soit aux fins d'évacuation[19]. »

Le conseiller Bücher, président du comité de direction de la firme A.E.G., avait combattu avec une opiniâtreté toute particulière, au cours de ces deux dernières années, pour obtenir que le plus grand nombre possible de Juifs travaillant dans ses usines soit soustrait à ces convois d'évacuation. Nous éprouvions, Bücher et moi, une sympathie réciproque datant de l'époque où j'étais architecte en chef à Berlin, et pouvions ainsi nous permettre des entretiens intimes. C'est pourquoi, aussitôt après ma conversation avec Goebbels, je pris rendez-vous avec lui. Il fut bouleversé des nouvelles que je lui apportai, et ne cessa de répéter à voix basse : « On ne nous le pardonnera jamais. Un jour viendra où nous paierons très cher cette faute. » J'essayai de lui faire comprendre qu'il m'avait été impossible de protester contre cette mesure, mais en vain. Bücher me quitta, profondément déçu de ma complaisance. Après le 20 juillet, il fut établi que le conseiller Bücher avait eu des entretiens avec d'autres industriels sur l'avenir de l'Allemagne « après Hitler ». Néanmoins, sur mon intervention auprès de Kaltenbrunner, on cessa toute poursuite à son endroit.

Pendant plus de trois ans, ces Juifs avaient trouvé du travail dans des usines de Berlin, et en particulier dans l'industrie électrique, ce qui leur avait assuré ainsi qu'à leurs familles une certaine sécurité et leur avait même permis de conserver leurs logements. Et voilà que maintenant aussi leur heure avait sonné.

Le commandant de l'Armement à Berlin consigna ce jour-là la note suivante : « Le 27 février, subitement et à la surprise générale, eut lieu le départ de tous les Juifs, environ 11 000, qui travaillaient encore dans le secteur de l'armement. Comme ils étaient en général groupés dans des ateliers fermés et attachés à des programmes importants, il fallut essayer par tous les moyens de les remplacer au pied levé. Pour cela, on fit venir tous les travailleurs occidentaux arrivés durant la première quinzaine de mars, sans exception ; on y affecta aussi le personnel devenu disponible, en particulier par les mesures de fermeture d'usines, ainsi que celui du service obligatoire du travail. L'on put éviter ainsi que certaines fabriques ne soient obligées de fermer leurs portes, et l'on nota seulement quelques interruptions conditionnées par le temps d'apprentissage de la nouvelle main-d'œuvre[20]. » Ainsi Sauckel n'avait pas tenu sa promesse, le personnel de remplacement hautement qualifié qu'il avait formellement promis ne fut jamais envoyé ; il fallut combler les lacunes en faisant venir des ouvriers affectés à d'autres fabrications. Malgré notre situation de détresse, Sauckel ne tint pas compte non plus des délais prévus dans le décret ; il n'attendit pas la fin des stages de formation de la main-d'œuvre de remplacement pour procéder à l'évacuation des Juifs.

En janvier 1942, Himmler avait prévu l'embauche de 150 000 Juifs sur le territoire du Reich, et en septembre de la même année, il avait tout de même encore parlé de 50 000. Et voilà qu'un an plus tard, nous avions perdu nos derniers 20 000 travailleurs spécialisés[21].

Malgré cela, Goebbels n'était pas satisfait. Furieux, il écrivit quelques jours plus tard dans son journal : « Les Juifs de Berlin ont été rassemblés subitement samedi dernier et seront refoulés vers l'Est dans les plus brefs délais. Malheureusement, une fois de plus, on a pu constater que certains milieux considérés comme assez fidèles, et en particulier les intellectuels, ne comprennent pas notre politique antisémite. Nombre d'entre eux prennent le parti des Juifs. En conséquence, notre opération a été divulguée prématurément, de sorte qu'un grand nombre d'entre eux nous ont glissé des mains.

Mais nous arriverons bien à les rattraper. De toute façon, je n'aurai de cesse que la capitale du Reich au moins soit nettoyée entièrement de tout ce qui est juif. » Peu de temps après, il renouvela ses doléances : « Nous voulions que tous les Juifs soient arrêtés en bloc le même jour, mais cela a été un coup d'épée dans l'eau, par suite de l'attitude bornée de certains industriels qui les ont avertis à temps. Il y en a 4000 en tout qui nous ont échappé[22]. »

Effectivement, le journal de guerre du commandement de l'Armement à Berlin nous révèle que, sur les 11 000 Juifs travaillant encore dans le secteur de l'armement, 4000, donc plus d'un tiers, ont pu échapper à la rafle parce qu'ils avaient été prévenus à temps. Beaucoup purent se cacher et être hébergés par des amis jusqu'à la fin de la guerre. Assez nombreux furent ceux qui survécurent, comme par exemple le Dr Ernst Ludwig Ehrlich, aujourd'hui directeur de l'organisation juive B'nai B'reth. Il me raconta que, à l'époque, des laissez-passer avaient été délivrés par mon ministère à de nombreux Juifs en danger ; or, seuls mes collaborateurs les plus étroits y avaient droit. Ce papier ordonnait à l'armée, à la police et aux S.S. de laisser passer librement son porteur. C'est avec ce laissez-passer que le Dr Ehrlich avait pu atteindre sans encombre la frontière suisse et se réfugier de l'autre côté[23]. Il ne m'a plus été possible de retrouver l'identité de l'homme qui avait eu le courage de monter toute cette conspiration de sa propre initiative dans mon ministère.

La réaction de la population civile choqua le Parti. Dès la fin de l'année 1941, en ma présence, Goebbels s'était plaint auprès de Hitler et des Berlinois surtout. « L'instauration de l'étoile jaune a eu l'effet exactement opposé à celui que nous en attendions, mon Führer ! Nous voulions écarter les Juifs de la communauté du peuple. Mais les gens simples ne les évitent pas, bien au contraire ! Ils manifestent partout de la sympathie à leur égard. Ce peuple n'est pas encore mûr, voilà tout ; il rêvasse et fait du sentimentalisme à bon marché[24] ! »

Les notes consignées par Goebbels dans ses journaux montrent à l'évidence que les rigueurs de la guerre avaient plutôt encore accru la répugnance éprouvée par la population à l'égard des mesures antijuives. Les milieux considérés comme assez fidèles, et en particulier les intellectuels, n'étaient pas les seuls à ne pas comprendre notre politique antisémite et à prendre parti pour les Juifs, comme l'avait dit Goebbels. Le discours prononcé à Posen par Himmler devant les *Gruppenführer* S.S., le 4 octobre, traduit la même idée avec autant de netteté. Avec cet humour sarcastique qui était souvent chez lui l'expression de la fureur, il déclara : « Et alors, les voilà qui arrivent tous, ces 80 millions de braves Allemands, avec chacun son petit Juif, un Juif " comme il faut ", celui-là ! C'est l'évidence même, les autres sont tous des porcs, mais celui-là, ah ! c'est un Juif " au poil "[25]. » Deux jours plus tard, Hitler s'attaqua une fois encore aux dispositions projuives du peuple allemand : « Pensez donc un peu au nombre de ceux qui, même parmi les membres du Parti, nous ont adressé leur fameuse requête, à moi ou à un service quelconque, pour déclarer que tous les Juifs, cela va de soi, étaient des porcs, sauf un tel ou un tel ; celui-là, c'est un Juif " comme il faut ", à qui on ne doit pas faire de mal. J'ose affirmer que, d'après le nombre de requêtes écrites et de protestations verbales, il y a eu en Allemagne plus de Juifs " comme il faut " que de Juifs tout court. En Allemagne en effet, nous avons tellement de millions de personnes recommandant leur Juif, bien connu pour son intégrité, que ce nombre est supérieur à celui des Juifs eux-mêmes[26]. »

Mais tout cela ne changea rien à l'affaire. Le 9 mars 1943, dix jours après l'arrestation des Juifs berlinois, Goebbels écrivit dans son journal : « Dans la question juive, il (Hitler) approuve mon initiative ; il me donne explicitement pour mission de libérer entièrement Berlin de tout ce qui est juif. » Et la semaine suivante : « On ne rencontre plus un seul Juif. Une fois de plus, j'insiste auprès du Führer ; à mes yeux, il est indispensable de débarrasser le plus rapidement possible des Juifs tout le territoire du Reich. Il partage mon avis et m'ordonne de ne pas prendre de repos avant que le Reich allemand ne soit libéré du dernier Juif[27]. »

Quand je songe au sort des Juifs de Berlin, je me sens envahi par le sentiment implacable d'avoir échoué par faiblesse de caractère. En faisant tous les jours le trajet pour rejoindre mon bureau d'architecte et, à partir de février 1942, mon ministère, j'ai souvent aperçu des foules humaines rassemblées sur le quai de la gare de Nikolassee, proche du boulevard. Il devait s'agir de l'évacuation des Juifs de Berlin, et je le savais. Certes, pendant cet instant où je passais en voiture, je ressentais un certain serrement de cœur, dicté sans doute par la conscience du sombre avenir qui les attendait. Mais j'étais tellement attaché aux principes du régime que, aujourd'hui encore, j'ai du mal à le comprendre. Des slogans comme par exemple : « Commande, Führer, nous obéissons ! » ou « Le Führer a toujours raison ! » avaient un contenu hypnotique. Sur nous aussi, précisément, qui vivions dans l'entourage immédiat de Hitler.

Quand vous êtes accablé par des soucis, vous préférez leur tourner le dos. Si nous nous plongions aussi totalement dans le travail, c'était peut-être aussi pour essayer d'engourdir notre conscience. Cet engloutissement dans le travail avait quelque chose de névrotique.

Durant la bataille de Stalingrad et, par la suite, de plus en plus souvent, Hitler nous répétait, avec une nuance sombre dans la voix qui en disait long : « Il ne faut plus se faire d'illusions. Nous ne pouvons qu'aller de l'avant. Derrière nous, les ponts sont coupés. Il n'y a plus de retour en arrière pour nous, messieurs. » Nous nous doutions tous qu'il se passait des atrocités et que nous ne pouvions plus faire marche arrière. Nous n'en avons jamais parlé ; pas même entre amis.

Absurdité et résistance en Pologne

Heydrich était un homme froid qui se contrôlait toujours et formulait ses idées avec une rigueur d'intellectuel. Le 4 octobre 1941, trois mois après l'invasion de la Russie, il eut un entretien avec le représentant de Rosenberg au ministère de l'Est, le *Gauleiter* Meyer. Le point de départ de son exposé était l'attitude projuive des industriels allemands. Cela rappelait les soupçons de Goebbels et de Himmler : l'économie allemande sabotait la politique juive du Reich.

« On risque très souvent, déclara Heydrich, de voir, dans les pays occupés de l'Est, les Juifs réclamés par l'économie comme personnel indispensable ; et personne ne s'efforcera de chercher une autre main-d'œuvre pour les remplacer. Mais cela réduirait à néant nos perspectives de débarrasser de tous les Juifs les pays occupés par nous [1]. » Ainsi donc, plusieurs mois avant la conférence de Wannsee, Heydrich traitait déjà l'« évacuation totale des Juifs » comme un fait irrévocable. On évitait le terme « extermination », pour rester fidèle aux règles de style. Mais le sens ne laissait place à aucune équivoque. Où auraient-ils pu être évacués, si même les pays les plus orientaux placés sous la domination allemande devaient « être débarrassés de tous les Juifs » ?

Quelques mois auparavant, Göring avait déclaré dans une lettre : « Il faut utiliser la main-d'œuvre juive pour les durs travaux manuels. (...) Il faut s'arranger pour se servir des Juifs uniquement dans les unités de fabrication qui ne risqueraient pas de subir d'interruption notable si cette main-d'œuvre venait à lui manquer brusquement. (...) De toute façon, il faut éviter que des travailleurs juifs deviennent irremplaçables dans les unités de fabrication importantes[2]. »

Néanmoins on continua à envisager de faire marcher les usines d'armement avec des travailleurs juifs. Les directives se contredisaient presque tous les jours. Ainsi, durant cette période-là justement, l'inspecteur du Gouvernement général à l'Armement, le général Schindler, s'employait imperturbablement à faire remplacer, à partir du mois de mai 1942, les travailleurs spécialisés polonais et ukrainiens des entreprises de la Wehrmacht par 100 000 travailleurs spécialisés juifs[3]. Cette initiative concordait parfaitement avec les desseins que nous poursuivions, moi et mes collaborateurs, non seulement avec Himmler, mais aussi avec le *Gruppenführer* Pohl à la même époque. Le 20 juin 1942, Schindler annonça aussi son intention de négocier directement avec Pohl pour transférer certaines fabriques de vêtements et de chaussures du Reich dans le Gouvernement général et les faire tourner avec de la main-d'œuvre juive[4].

Mais, depuis très longtemps, il n'y avait plus de véritable ligne de conduite. Le 21 juin 1942, le lendemain même de la démarche de Schindler auprès de Pohl, une fabrique de carton bitumé à Tarnov annonça l'arrêt de sa production faute de personnel : les ouvriers juifs avaient été évacués[5]. Au début, ce ne fut qu'un cas isolé, mais Himmler donna l'ordre décisif le 19 juillet. Il informa l'*Obergruppenführer* Krüger, son représentant au Gouvernement général, que toute la population juive de ce secteur devait être évacuée avant le 31 décembre de la même année ; à partir de cette date, il ne devait plus se trouver une seule personne d'origine juive sur le territoire du Gouvernement général — sauf celles qui avaient été rassemblées dans les camps de Varsovie, de Cracovie, de Tchenstochau, de Radom ou de Lublin. « Toutes les autres entreprises qui occupent de la main-d'œuvre juive doivent en avoir terminé d'ici là, ou, au cas où cela leur serait impossible, elles doivent être transférées dans un des camps de rassemblement. (...) Ceux qui ne pensent pas pouvoir respecter ce délai doivent me prévenir à temps, pour que je puisse trouver assez tôt un remède à la situation. Toutes les demandes de changement et demandes d'exception présentées par d'autres services doivent m'être adressées à moi personnellement[6]. »

Certes, ce mois-là, la direction de l'Armement de Varsovie « s'efforça inlassablement, avec le chef des S.S., de la police et d'autres services, de résoudre les difficultés amenées par cette mesure, et de mettre en sécurité la main-d'œuvre juive nécessaire à la fabrication. On espérait également obtenir une autorisation de séjour pour les proches parents des ouvriers juifs. (...) Dans le ghetto même, [il règne] une grande inquiétude, et la foule excitée se rassemble en masse dans les rues. (...) Pour ramener l'ordre nécessaire, il fallut employer la force ». Un succès partiel semblait se faire jour, car « la direction de l'Armement détermina très précisément avec la police et d'autres services civils les entreprises qui, dans l'intérêt de l'économie, devaient continuer à fonctionner dans le ghetto avec de la main-d'œuvre juive[7]. »

La méfiance de Himmler était justifiée. Son ordre provoqua les mois suivants des protestations véhémentes de la part de la Wehrmacht, qui était frappée dans de nombreuses unités de production importantes ; tout se termina deux mois et demi plus tard, lorsque, sous la pression de Himmler, le général Gienanth, haut commandant militaire du Gouvernement général, fut relevé de ses fonctions.

Avant de me tourner de nouveau vers les affaires générales, je voudrais citer ici un cas isolé, l'exemple de Przemysl, pour montrer comment se présentaient, au niveau inférieur, les problèmes soulevés par l'ordre de Himmler. Une note consignée dans un dossier par le *Hauptsturmführer* Follenz, le 27 juillet 1942, révèle qu' « un nouvel ordre de l'*Obergruppenführer* et général de la police Krüger, chef suprême des S.S. et de la police de l'Est, fixa entre seize et trente-cinq ans la classe d'âge des Juifs autorisés à rester parce que faisant partie du contingent des travailleurs ». Il faut « tenir compte au maximum des intérêts des Chemins de fer de l'Est et de la Wehrmacht ». C'est pourquoi lui, Fillenz, en tant que commandant S.S. pour le district de Cracovie, a autorisé, « dans des cas vraiment exceptionnels, des Juifs, travailleurs hautement qualifiés, maîtres d'œuvre dans une branche spéciale par exemple, à rester provisoirement, bien qu'ils aient dépassé la limite d'âge. De même d'après les dispositions en vigueur, l'autorisation de séjour de l'homme entraîne l'autorisation de séjour de sa femme et de ses enfants[8]. » On trouve ici, comme à Berlin, cette étonnante mesure de bienveillance concernant les autres membres de la famille.

Il semble que cet aménagement du décret initial ait voulu adapter l'ordre de Himmler aux conditions locales. Le commandant de la place de Przemysl, Lietke, avait déjà fait de mauvaises expériences avec des autorisations de ce genre données par les S.S. Voici en effet ce que rapporta, ce même 27 juillet, le commandant de la police de sûreté à Przemysl, l'*Untersturmführer* Benthin : « Lietke avait appris qu'une évacuation imminente menaçait 95 pour 100 environ de ses travailleurs juifs. [Il] allégua les ouvrages militaires urgents qu'il avait à exécuter. Le commandant de la place signala en particulier que les principaux camps d'approvisionnement pour les armées du Sud se trouvaient à Przemysl et qu'il avait donc un besoin urgent de main-d'œuvre. Si l'on ne trouvait pas de réglementation spéciale, il irait se plaindre auprès du commandant en chef du Gouvernement général (le général Gienanth). » En même temps, l'état-major local de l'armée à Przemysl signala à l'*Untersturmführer* Benthin un ordre qui se trouvait en contradiction flagrante avec les directives des S.S. : non seulement cet ordre avait été adressé à tous les états-majors locaux, mais il avait même été porté par des courriers spéciaux du commandant en chef de l'armée : « Objet : emploi de la main-d'œuvre juive. Comme les officiers d'ordonnance l'ont déjà communiqué de vive voix, désormais les ouvriers juifs doivent être immédiatement enfermés dans des casernes et surveillés militairement, pour éviter des troubles dans le ravitaillement vers le front et dans les travaux urgents. De plus, il est expressément demandé que le maximum de travailleurs juifs soient mis en disponibilité, car sur l'ordre de l'intendant du commandant en chef de l'armée dans le Gouvernement général, un nouveau programme de construction doit être entrepris immédiatement à Przemysl ; et l'Office du bâtiment de l'armée, ainsi que d'autres services encore, ont déposé des demandes afin d'obtenir un plus grand contingent d'ouvriers[9]. »

Autrement dit, les chefs de canton, donc les services civils locaux, ne devaient plus avoir aucun droit sur les Juifs de l'armée. A la place du salaire payé jusque-là, ils devront être entretenus par la Wehrmacht. La Wehrmacht doit déterminer ses propres contingents de Juifs. Ce traitement spécial doit empêcher, à l'avenir, les services civils — donc aussi les S.S. — de s'arroger de nouveau des droits sur les Juifs de la Wehrmacht. L'*Untersturmführer* Benthin, chef du bureau S.S. à Przemysl, envoya immédiatement un rapport à ses supérieurs à propos de ces directives manifestement dirigées contre les S.S., et il leur communiqua des détails que le commandant de la place, Lietke, lui avait donnés de vive voix, détails effectivement assez explosifs. « Les Juifs de l'armée vont être logés tous ensemble à l'intérieur du ghetto actuel. Ils seront placés *sous protection militaire* (souligné dans le rapport de Benthin). Le commandant local déclara mot pour mot que, dans le cadre de sa compétence, il allait édifier une communauté juive qui sera un modèle du genre. Pour commencer, il veut engager une compagnie de soldats pour la surveillance, mais selon toute vraisemblance, ceci ne sera pas exécuté [10]. »

Avec une grande arrogance qui illustre bien la position de force des S.S., même au niveau le plus bas, Benthin déclare qu'il ne tiendra pas compte des dispositions prises par l'armée. « Libre au commandant local de se plaindre. Mais les exceptions ne seront accordées que sur la base des dispositions présentes, s'il s'agit par exemple de travailleurs de qualité exceptionnelle et irremplaçables. Évidemment, poursuit Benthin, ces projets d'amélioration de la condition sociale des Juifs de la Wehrmacht sont violemment critiqués dans les milieux nazis. La manière dont est traitée la question juive en Allemagne illustre bien la discorde qui règne dans ce pays. Les Juifs ne vont pas tarder à penser avec nostalgie à l'époque où ils se trouvaient encore sous la protection de l'armée allemande. » A propos de ces incidents, un Ukrainien aurait remarqué que « la mise des Juifs à la disposition de l'armée était bien la preuve que les Allemands non plus ne peuvent pas se tirer d'affaire sans eux. A maintes reprises déjà, au cours de leur histoire, ils ont tenté de les *exterminer*, mais cela n'a jamais réussi totalement. Ceux qui sont restés sont toujours devenus par la suite des fossoyeurs de leurs poursuivants [33] ». Ce langage ouvert dans un rapport officiel donne une indication très claire sur l'extermination des Juifs qui se préparait.

Le commandant du district de Przemysl jugea aussi qu'il devait intervenir dans l'affaire. Le 24 août 1942, il fit une déclaration sur la question « de l'emploi de la main-d'œuvre aryenne en remplacement des Juifs à Przemysl, et sur le remplacement progressif par des Aryens de tous les Juifs occupés dans la Wehrmacht ». Il n'avait besoin que « des pleins pouvoirs lui permettant d'appréhender la main-d'œuvre encore improductive. Pour cela, il se servirait du Bureau des affectés spéciaux et de l'évêque ukrainien de Przemysl ». Il prendrait en outre « des dispositions à l'avance pour que les travailleurs soient nourris et vêtus correctement. En disant cela, il pense que puisque les Polonais et les Ukrainiens travailleront pour la Wehrmacht, ils pourront profiter des mesures sociales destinées par l'armée aux Juifs[12] ». Cela n'est qu'un exemple des nombreuses propositions présentées par des organes subalternes de peu de poids, uniquement pour attirer sur eux l'attention de services plus haut placés, en faisant la preuve de leur logique et de leur zèle. Bien entendu, il s'agissait là de paroles en l'air. La Pologne, pays insondable doté d'une administration traditionnellement désorganisée, n'avait pas les organes nécessaires pour faire exécuter ces mesures administratives ; et penser que l'évêque pourrait se charger de telles fonctions, c'était grotesque, et en même temps, c'était méconnaître totalement la situation.

En réalité, l'ordre du jour des S.S. passa sous silence toutes les directives du commandant en chef militaire. Le 3 août 1942, une semaine après cette rébellion de l'armée contre les projets S.S. d'évacuation des Juifs, le haut commandement de Varsovie annonça que la police commençait déjà à mettre en route les convois de Juifs et, deux jours plus tard, ce fut le haut commandement de Radom qui envoya un rapport analogue[13]. Il devenait impossible désormais d'exécuter les travaux importants pour l'approvisionnement de l'armée ; ainsi, par exemple, le ravitaillement en vivres des troupes du front était déjà menacé[14]. Devant une situation qui allait atteindre son paroxysme, le général Gienanth jugea utile de faire intervenir l'Inspection de l'armement, qui dépendait de mon ressort. Ce faisant, il esquivait son supérieur hiérarchique, le maréchal Keitel, dont il n'avait du reste à attendre aucun soutien.

Sur ce eut lieu, le 15 août à Cracovie, un entretien entre représentants de l'Inspection de l'armement du Gouvernement général et représentants des S.S., mais cet entretien ne donna aucun résultat. D'après le procès-verbal rédigé par l'Inspection de l'armement, « les représentants des S.S. déclarèrent que, de l'avis du maréchal du Reich, tous ces incidents montrent que le Juif est indispensable. Or ni l'Inspection de l'armement ni les autres services du Gouvernement général ne conserveront les Juifs jusqu'à la fin de la guerre. Les ordres publiés sont clairs et rigoureux. Ils ne sont pas valables seulement pour le Gouvernement général, mais pour tous les pays d'occupation. Les raisons qui les ont motivés doivent être de nature exceptionnelle ». Ces sombres paroles font une fois de plus état de l'holocauste. « Dans ces conditions, il n'est pas rentable de former les Juifs pour en faire des ouvriers qualifiés. En face de cela, le capitaine Gartzke souligne que l'Inspection de l'armement a besoin de Juifs parce que les commandes augmentent. Ainsi, par exemple, après les dommages subis par l'usine Heinkel de Rostock, une usine Heinkel a été transférée à Budzin. Il insiste sur le fait qu'il est impossible de remplacer du jour au lendemain les Juifs qui occupent des postes d'ouvriers qualifiés dans les entreprises de l'Inspection de l'armement. »

A la fin, on aboutit à un compromis valable d'abord pour le ghetto de Varsovie, qui représentait le chantier le plus important : « Les Juifs travaillant dans les entreprises ou l'Inspection de l'armement seront (en tant que fraction de l'ensemble du ghetto) rassemblés dans un ghetto spécial pour l'économie et l'armement ; ils ne seront donc plus en contact avec les autres Juifs. Au début, on ne les triera pas suivant leur classe d'âge, pour ne pas porter préjudice au rendement des usines qui est d'une importance capitale pour la campagne d'hiver. » A la suite de cette séance, « l'évacuation du ghetto de Varsovie mit 21 000 travailleurs juifs en réserve pour la production d'armement et l'industrie de guerre, jusqu'à la fin de l'année [15] ».

Cependant, cet accord ne correspondait pas aux intentions de Himmler, car il laissait une certaine indépendance aux entreprises de l'armée. Aussi sa légitimité se limita-t-elle à deux jours seulement. Dès le 17 août 1942, l'*Obergruppenführer* Krüger vint avertir le général Schindler, en présence de quelques fonctionnaires du Gouvernement général, que le ghetto de Varsovie serait entièrement supprimé et que tous les accords passés jusqu'à ce jour devaient être considérés comme nuls et non avenus. A l'avenir, toute la main-d'œuvre juive serait prise en charge par les S.S., et seulement ensuite mise à la disposition de l'armement — ce qui correspondait tout à fait au dessein de Pohl : réaliser ses projets de konzern en se servant des Juifs. L'Inspection de l'armement, dépossédée de tout pouvoir, devait, il est vrai, monter elle-même les baraques [16], nouveau gaspillage économique puisque jusque-là, les Juifs logeaient dans des maisons qui désormais seraient vides. En outre, étant donné le manque de baraques, cette exigence était pratiquement irréalisable.

De toute façon, tout cela entraîna une interruption de la production qui s'étala sur plusieurs mois, car les usines durent déménager ; avant de les remettre en marche, il fallut construire de nouveaux locaux industriels et monter les machines-outils — ce qui ne causa pas la moindre difficulté aux S.S. comme les exemples de Buchenwald et de Neuengamme le montraient avec évidence.

Himmler, au moins, avait promis le maintien des Juifs travaillant déjà pour l'armement, mais le maréchal Keitel lui dama le pion, comme si, de tout temps, cela avait été son affaire à lui. Depuis que les Inspections de l'armement m'avaient été confiées, en mars 1942 [17], Keitel n'avait plus rien à voir avec l'armement, ce qui ne l'empêcha pas de passer un ordre au commandant militaire, le général von Gienanth. « Dans le Gouvernement général, les Juifs embauchés par la Wehrmacht dans les services auxiliaires et par l'économie de guerre doivent être immédiatement remplacés par des Polonais, autrement dit par des non-Juifs. Prière de m'envoyer un rapport sur l'exécution de cet ordre [18]. » Évidemment, Keitel savait fort bien que son ordonnance allait soulever les plus grandes difficultés, car il était impossible de remplacer la main-d'œuvre juive par des Polonais. Il ne s'agit ici que d'une de ces « circulaires alibis », tristement célèbres, par lesquelles Keitel avait l'habitude de se défendre à l'avance contre d'éventuels reproches d'Hitler.

Au cas où Himmler mobiliserait le Führer contre l'obstruction des services de l'armée dans les questions juives, il pouvait, lui Keitel, comme il en avait l'habitude dans ces cas-là, brandir sa circulaire, dont le contenu même était un gage d'inutilité, et s'assurer ainsi un mot de félicitation de la part de Hitler.

Quatre jours plus tard, le 9 septembre 1942, fort d'avoir ainsi protégé ses arrières, Himmler eut une communication téléphonique avec l'*Obergruppenführer* Wolff, qui se trouvait au quartier général, pour lui intimer l'ordre, sans la moindre paraphrase, de « révoquer le commandant militaire du Gouvernement général[19] ». De très nombreux rapports analogues à celui du chef S.S. local Benthin avaient sans doute atterri sur le bureau de Himmler. Après ce prologue, il pouvait être certain que Keitel s'inclinerait devant son ordre et ferait révoquer le général récalcitrant.

Néanmoins, neuf jours plus tard, le 18 septembre 1942, le général Gienanth se défendit très ouvertement contre l'ordonnance de son propre chef militaire suprême ; malgré l'ordre de Keitel[20], il refusa de livrer aussitôt les Juifs aux S.S. Dans une longue lettre, et avec une objectivité qui frisait la témérité, il attira l'attention de l'organe supérieur de Keitel, autrement dit l'état-major suprême de l'armée, sur les pertes de production qui surviendraient inévitablement si les Juifs étaient retirés des usines de la Wehrmacht. Naturellement, Keitel fut informé du contenu de cette lettre. Devait s'ensuivre la révocation immédiate de Gienanth, même en dehors de tout ordre lancé par Himmler dans ce sens, d'autant plus que Gienanth n'avait même pas pris la peine de modérer son langage.

En lutte à égalité cette fois contre Himmler et Keitel, Gienanth, imperturbable, donna quelques précisions très nettes : « Jusque-là, il a été ordonné au Gouvernement général de remplacer par des Juifs les ouvriers polonais et ukrainiens, afin de les mettre à la disposition du Reich. L'exploitation de la main-d'œuvre juive pour les besoins de la guerre a amené la création d'entreprises ou d'ateliers purement juifs et l'organisation de camps de Juifs auprès des usines. D'après les archives du Gouvernement — Département central du travail — le nombre total des travailleurs embauchés (dans le Gouvernement général) s'élève à un peu plus d'un million, parmi lesquels 300 000 Juifs environ. Sur ces 300 000 Juifs, 100 000 sont des ouvriers spécialisés. Dans les entreprises travaillant pour la Wehrmacht, le nombre des ouvriers spécialisés juifs oscille entre 25 et 100 pour 100 ; il s'élève à 100 pour 100 dans les usines textiles fabriquant des vêtements d'hiver. Dans d'autres usines, par exemple les importantes fabriques de véhicules, du type " Fuhrmann " et " Pleskau ", les charrons, autrement dit la main-d'œuvre clé de l'entreprise, sont en grande partie des Juifs. A de rares exceptions près, tous les selliers sont juifs. Pour la remise en état des uniformes, 22 700 ouvriers travaillent en ce moment dans des entreprises privées, dont 22 000, soit 97 pour 100, sont juifs et, parmi ceux-ci, 16 000 environ sont des ouvriers spécialisés du textile et du cuir. Une entreprise purement juive, comprenant 168 ouvriers, fabrique des fermoirs de harnais, dont dépend toute la fabrication de harnais dans le Gouvernement général, en Ukraine, et en partie dans le Reich. »

L'évacuation des Juifs, qui se faisait le plus souvent sans avertissement préalable des services de la Wehrmacht, a provoqué « de grandes difficultés dans l'approvisionnement et des retards dans la production de guerre. Pour les travaux de la plus haute urgence, ceux de l'opération " hiver ", il est impossible de respecter les délais. Le départ immédiat des Juifs aurait pour conséquences une compression notable du potentiel de guerre du Reich et le ralentissement momentané du ravitaillement du front ainsi que des troupes stationnées dans le Gouvernement général. L'industrie de l'armement subirait de sérieux arrêts dans la production, soit entre 25 et 100 pour 100, les ateliers de réparation des engins motorisés une baisse de 25 pour 100 environ, autrement dit une baisse de 2500 véhicules par mois en moyenne. On a constaté que des commandes importantes pour la guerre, et d'une extrême urgence, étaient en cours de fabrication dans le Gouvernement général, à l'insu de l'Inspection de l'armement et du chef de l'Économie de défense de l'état-major ; elles ont été envoyées par les services les plus divers de la Wehrmacht, pour couvrir surtout les besoins de l'hiver. L'évacuation des Juifs rend impossible l'achèvement de ces travaux dans les délais prévus[21] ».

Le directeur du Bureau central du travail de Varsovie, convoqué par son chef supérieur, le *Gauleiter* Sauckel, confirma qu'il était impossible d'exécuter l'ordre de Keitel. Au cours d'un entretien qui eut lieu le 15 septembre, le directeur déclara qu'il n'était pas en mesure de fournir le moindre Polonais en remplacement des Juifs[22]. Le chef de la filiale du Bureau du travail à Przemysl donna également son avis sur ce problème : « Un retrait de la main-d'œuvre juive apte au travail équivaudrait à l'échec du recrutement » d'autres Polonais pour l'économie allemande[23].

Si l'on veut amortir, ne serait-ce que partiellement, l'effondrement catastrophique de la fabrication d'armement dans le Gouvernement général provoqué par le retrait des Juifs, le plénipotentiaire chargé de l'emploi, autrement dit Sauckel, devra « renoncer à la livraison de 140000 Polonais au Reich, prévue avant la fin de cette année », écrivit le général Gienanth à l'état-major central de la Wehrmacht. Dans le meilleur des cas, on ne pourrait remplacer la main-d'œuvre qualifiée juive par des travailleurs polonais sans spécialité en provenance de l'agriculture qu'au bout d'un an d'apprentissage[24].

Mes collaborateurs et moi, nous avons été informés de ces tractations, et par conséquent des menaces qui pesaient sur la production, par l'Office de l'armement de mon ministère, organe de rassemblement de toutes les Inspections de l'armement. De son côté, le Bureau central du travail du Gouvernement général, qui lui était subordonné, a sans doute informé

Sauckel des conséquences des mesures d'évacuation projetées par Himmler et Keitel.

Étant donné ce conflit aigu, une conférence sur l'armement, à laquelle, sur ma proposition, Sauckel fut également convoqué, eut lieu chez Hitler le 22 septembre 1942. Sauckel prit ouvertement mon parti, en utilisant tout comme moi les arguments de nos services. Placé devant la nécessité de renoncer soit à d'importantes productions dans le secteur de l'approvisionnement, soit à 140 000 Polonais indispensables à l'économie rurale allemande, Hitler décida en quelques mots brefs : « Le Führer approuve la proposition du *Gauleiter* Sauckel : il faut que les ouvriers spécialisés juifs restent dans le Gouvernement général[25]. » Il cédait à la contrainte économique ; Keitel avait rédigé sa « circulaire alibi » trop tôt, Hitler avait pris une décision opposée à son ordre prématuré. Le même jour, à 22 h 30, Himmler enregistra une conversation téléphonique avec l'*Obergruppenführer* Wolff ; celui-ci lui déclara que « Speer (Saur) souhaitait garder les Juifs dans les usines d'armement[26] ».

Himmler avait sans doute eu l'impression d'être berné par cette décision d'Hitler en faveur du projet de Sauckel. Fidèle à sa nature, il la transforma en un souhait émis par moi, ce qui ne lui donnait plus qu'une valeur relative. Certes, dix jours plus tard, le 9 octobre 1942, Himmler modifia son ordonnance du 19 juillet selon laquelle l'évacuation de toute la population juive du Gouvernement général devait être terminée avant le 31 décembre 1942 ; mais, par ailleurs, il s'en tint obstinément à ses objectifs économiques. Il ordonna une fois de plus « que toute la main-d'œuvre employée dans l'armement, comprenant uniquement des ouvriers qui travaillaient dans les ateliers de couture, de pelleterie et de cordonnerie, soit rassemblée par les *Obergruppenführer* Krüger et Pohl sur place, autrement dit à Varsovie ou à Lublin, dans des camps de concentration ». « C'est à nous que la Wehrmacht doit envoyer ses commandes, et nous lui garantissons la livraison des pièces d'habillement qu'elle désire », ce qui était une garantie sans garant. Cette immixtion dans ses activités le mettait hors de lui, et sa fureur éclata dans la suite de sa circulaire : « Néanmoins, j'ai donné des directives pour que des mesures rigoureuses soient prises contre tous ceux qui croient devoir objecter de prétendus intérêts dans le secteur de l'armement, mais qui, en réalité, veulent uniquement soutenir les Juifs et leurs affaires. » Cela était une menace qui, sans le moindre doute, devait intimider aussi l'état-major de l'Inspection de l'armement.

Comme si l'on pouvait transporter de-ci, de-là des usines comme des unités militaires, Himmler ordonna d'éliminer progressivement les Juifs qui travaillaient dans de véritables usines d'armement, autrement dit dans des ateliers d'armes, de voitures, etc. Premier stade de l'opération, les rassembler tous dans des locaux réservés à eux ; deuxième stade de l'opération, rassembler tous ces groupes dans des usines spéciales, en procédant si possible par échanges « de sorte que nous n'ayons plus, dans le Gouvernement général, que quelques entreprises dépendant des camps de concentration », lesquelles évidemment, devaient être, à cette occasion, incorporées aux konzerns économiques des S.S.

Mais cela ne faisait qu'ajourner le but final, l'extermination radicale des Juifs polonais. « Nous allons ensuite nous efforcer de remplacer cette main-d'œuvre juive par des Polonais et de grouper la majorité des entreprises dépendant de camps de concentration juifs en quelques grandes usines, si possible dans la partie orientale du Gouvernement général. Mais, là aussi, *selon le vœu du Führer*[27], les Juifs doivent disparaître un jour ou l'autre[28]. » Cette expression montre que Hitler avait non seulement approuvé, mais lui-même ordonné l'assassinat de tous les Juifs. En général, la hiérarchie considérait le « vœu du Führer » comme un ordre déguisé sous une forme aimable.

La veille, le 8 octobre 1942 donc, à propos de cette situation, le général Schindler m'avait signalé à Berlin « la résignation de l'inspecteur de l'armement du Gouvernement général ». Il me déclara que, malgré sa compétence en la matière, en tant que général, il lui était « impossible de faire obstacle à l'ordre d'évacuation de Himmler ». Le ministre désirait, poursuit la chronique de mon ministère, que ses « intérêts soient représentés par une personne énergique, face au gouvernement en place en Pologne[29] ». Mais cette exigence était déraisonnable et, étant donné la hiérarchie du pouvoir, elle devait rester pure théorie. La lutte interne entre Himmler et Franck était terminée, et la décision était prise depuis longtemps déjà : dans la question juive, Himmler était seul à pouvoir donner des ordres, même dans le Gouvernement général[30].

Quelques jours plus tard, le 4 octobre 1942, le général Gienanth fut révoqué. La volte-face de Hitler n'avait eu aucun effet. Le 10 octobre, le successeur de Gienanth, le général Haenicke, membre de l'état-major suprême de la Wehrmacht, donc du secteur direct de Keitel, reçut le message suivant : « Le commandement supérieur de la Wehrmacht, en accord avec le *Reichsführer* S.S., maintient fermement le principe initial : tous les Juifs occupés par l'armée dans les services auxiliaires et dans l'armement doivent être remplacés immédiatement par de la main-d'œuvre aryenne[31]. » A cette circulaire était joint l'ordre de Himmler cité plus haut, datant de la veille, selon lequel un délai de grâce n'avait été accordé aux Juifs que pour travailler dans l'industrie de guerre. Mais Keitel décida encore une fois, ce qui était parfaitement superflu, que sa première décision continuait à être valable — exactement comme si l'entretien chez Hitler n'avait jamais eu lieu. Il savait très bien que, sous l'influence de Himmler, Hitler ne maintiendrait pas longtemps son impératif du 12 septembre. Keitel ne pensait pas le moins du monde aux conséquences techniques que son ordonnance entraînerait pour l'armement, pas plus que, dans un autre domaine, la direction de la Wehrmacht ne songeait aux milliers de soldats sacrifiés chaque fois qu'elle donnait des ordres pour transmettre, aux fins d'exécution, les directives absurdes du Führer.

La révocation de Gienanth, l'ordre de Himmler et la nouvelle circulaire de Keitel ne pouvaient que déprimer le général Schindler. Dans son rapport d'activités du dernier trimestre 1942, il parla aussi de la possibilité de remplacer par des Polonais ces 50 000 Juifs encore employés dans les usines de l'Inspection de l'armement, dans un délai assez limité [32]. De même, dans la séance de la commission à l'Armement du 4 octobre 1942, Schindler était persuadé que « ces 50 000 Juifs allaient quitter les usines dès le début de l'année 1943 et seraient remplacés par une autre main-d'œuvre [33] ». Cependant, comme nous le verrons plus loin, il n'en fut rien.

Le 4 décembre 1942, le gouverneur général Frank s'était plaint avec véhémence, selon sa manière, des mesures absurdes prises par les S.S. « On nous a pris de la main-d'œuvre importante dans nos juiveries éprouvées par une longue expérience. Il est difficile de faire marcher une usine quand, en plein travail, nous arrive l'ordre d'envoyer tous les Juifs à l'extermination, c'est l'évidence même. Ce n'est pas le chef du Gouvernement général qui en porte la responsabilité. Les ordres d'extermination des Juifs viennent d'en haut [34]. » Ici aussi, on retrouve le caractère de principe de la décision d'« exterminer les Juifs », comme l'écrit Frank en renonçant exprès aux règles habituelles du style.

Au fond, en tant que *Reichsleiter,* Frank était au même niveau que Himmler dans la hiérarchie du Parti ; il pouvait faire valoir que, à l'époque où il était avocat de Hitler, il avait rendu bien des services au Parti durant la première année de combat, plus que Himmler avec sa mission subalterne dans la Sécurité. Dans le domaine étatique, Frank était gouverneur général, et à ce titre, il se situait même au-dessus de Himmler, car il exerçait en réalité les fonctions d'un chef d'État. Aussi, en parlant d'« ordres venus d'en haut », ne pouvait-il penser qu'à Hitler lui-même. Frank n'a jamais contesté l'authenticité de son journal, qu'il remit aux Américains lors de son arrestation. Toutes ses notes consignées par écrit étaient écrasantes pour leur auteur sur le plan moral, et, sur le plan juridique, elles servaient de pièces à conviction. Nous, les accusés du procès de Nuremberg, nous avons été profondément consternés en les écoutant ; la critique se borna à parler de la bêtise qu'il y avait eu à livrer ce journal compromettant à l'ennemi.

Malgré la victoire qu'il venait de remporter, Himmler considérait presque comme des saboteurs qui contrecarraient ses ordres les officiers de l'Inspection de l'armement relevant du général Schindler. Quatre mois plus tard, il fit venir un certain colonel Freter, « le représentant local de l'Inspection de l'armement à Varsovie », comme il le déclara au chef S.S. du Gouvernement général, Krüger. « 40 000 Juifs environ se trouvaient encore à Varsovie, expliqua-t-il à Freter. Parmi eux, 24 110 travaillent dans des usines textiles et de pelleterie. J'ai donné au colonel Freter l'ordre de faire savoir à l'Inspecteur de l'armement, le général Schindler, que je suis surpris de voir que mes directives concernant les Juifs n'ont pas été suivies. Aussi ai-je fixé un nouveau délai, le 15 février 1943, pour exécuter les consignes suivantes :

« 1. Mise hors circuit immédiate des firmes privées. Il est absolument indispensable que tout soit mis en œuvre pour que ces propriétaires en sursis d'appel soient mobilisés le plus vite possible et envoyés au front.

« 2. Je charge l'Office central de sécurité du Reich de vérifier une fois pour toutes, très minutieusement, avec l'aide de comptables, les livres et les bénéfices de la firme Walter O. Többens de Varsovie. Si je ne me trompe, un homme sans ressources à l'origine est devenu riche propriétaire, en l'espace de trois ans — voire millionnaire —, et cela uniquement parce que nous, l'État, nous lui avons fourni de la main-d'œuvre juive à bon marché.

« 3. L'envoi immédiat des 16000 Juifs[35] dans un camp de concentration, si possible à Lublin.

« Garantie est donnée à l'Inspection de l'armement que seront produits et fournis les mêmes articles dans les mêmes quantités et les mêmes délais que précédemment. Je crois même que nous pourrons peut-être leur accorder des prix plus intéressants. » Manifestement, Himmler voulait jouer de cette production vis-à-vis de Pohl[36].

Le premier rapport d'exécution ne se fit pas attendre longtemps. Le 2 février 1943, l'*Oberführer* S.S. chargé de Varsovie écrivit : « Les préparatifs de transfert de toutes les entreprises textiles employant de la main-d'œuvre juive battent leur plein. (...) Au total, 8 usines et environ 20000 ouvriers Juifs seront transportés dans le camp de concentration de Lublin[37]. »

L'*Oberführer* a, semble-t-il, annoncé un peu trop tôt son succès, car deux semaines plus tard, si l'on en croit le journal de l'Inspection de l'armement du Gouvernement général, seule « la firme Schultz et Cie de Varsovie commence à déménager pour s'installer à Trawinka avec les 350 premiers travailleurs juifs, et une partie de l'atelier de pelleterie de la Paviastrasse[38] ».

Finalement, lorsque, 18 mois plus tard, devant l'avance des armées soviétiques, il fallut évacuer Varsovie, un tribunal établi par le commandant militaire de la capitale polonaise, le *Gruppenführer* Stroop, avait engagé une procédure contre le colonel Freter, pour avoir quitté la ville et dirigé toutes les opérations d'évacuation de l'extérieur. Le 15 septembre, je protestai contre la condamnation de Freter, car au contraire, il s'était acquis de grands mérites en faisant transporter vers l'arrière 2000 wagons chargés de machines et de matériel de guerre en provenance de la ville en cours d'évacuation ; et d'ailleurs, il était allé tous les jours à Varsovie[39].

Il n'est plus possible aujourd'hui de vérifier si les préparatifs de Himmler pour l'évacuation des Juifs de Varsovie ont provoqué le soulèvement du ghetto. En tout cas, l'échec de cette rébellion accéléra de la manière la plus brutale le transfert des entreprises du ghetto ordonné par Himmier. Le 21 avril 1943, on peut lire cette remarque lapidaire dans le journal de guerre de l'Inspection de l'armement : « Par suite de troubles croissants à l'intérieur du ghetto de Varsovie, transfert de toute la main-d'œuvre juive des ateliers d'habillement et de réparation qui s'y trouvent[40]. » Quelques jours plus tard, le 26 avril 1943, la direction de l'Armement de Varsovie annonce par message radio que « la situation s'est aggravée dans le ghetto de Varsovie et que tous les moyens seront mis en œuvre incessamment pour lutter contre tous les nids de résistance[41] ». Le 2 mai 1943, on annonce que « les Juifs ont été enlevés aux ateliers des firmes Transavia et Döring de Varsovie et installés dans le ghetto[42] ». Deux jours plus tard : « Évacuation des Juifs restant dans les ateliers de la Wehrmacht (par opposition aux ateliers de l'Armement) dans la nuit du 3 au 4 mai 1943[43]. » Et le lendemain, 5 mai 1943 : « Les ateliers du ghetto doivent être vidés de toutes leurs installations sous trois jours, car on va les faire sauter[44]. »

Le rapport de l'Inspection de l'armement du deuxième trimestre 1943 donna un résumé de la situation : « L'évacuation du ghetto de Varsovie au début du trimestre entraîna des déficits importants, en particulier dans la production des ateliers installés dans le ghetto. Des rapports détaillés sur la situation ont été envoyés régulièrement à M. le ministre de l'Armement et des Munitions. Des rapports identiques ont été transmis également à M. le gouverneur général[45]. »

En même temps, dans d'autres parties du Gouvernement général, des mesures radicales furent prises par les S.S. Le 30 avril 1943, la direction de l'Armement de Lemberg annonce que, « suivant la note du chef de la police S.S. en date du 27 avril 1943, toute la main-d'œuvre juive ainsi que les machines et les appareils appartenant à des Juifs ont été enlevés à la firme Schwarz et Cie de Lemberg, à cause de diverses irrégularités dont elle a été le théâtre. Toute l'affaire est prise en charge par les usines allemandes d'armement de Lemberg (une entreprise appartenant à Pohl) avec les commandes en cours et les commandes nouvellement rentrées[46] ». Comme toujours dans ces cas-là, ils annexèrent à leurs propres usines le butin en matériel ainsi que le potentiel humain.

Un mois plus tard, le 31 mai 1943, Frank déclara dans une séance de travail de son gouvernement qu' « il venait de recevoir tout récemment un nouvel ordre d'évacuation des Juifs dans un délai très bref. On avait été obligé aussi de retirer les Juifs des usines de l'armement et de l'industrie de guerre, sauf ceux qui étaient affectés aux besoins prioritaires de la guerre. Puis, les Juifs avaient été rassemblés dans de vastes camps, et de là, ils furent livrés à ces usines d'armement comme main-d'œuvre courante. Mais le *Reichsführer* souhaite en finir aussi avec l'emploi de ces Juifs. Il (Frank) avait discuté longtemps de cette question avec le général Schindler et pense que, en définitive, il sera sans doute impossible de satisfaire le vœu du *Reichsführer*. Parmi la main-d'oeuvre juive, il y a des ouvriers spécialisés, des mécaniciens de précision et autres artisans qualifiés qu'on ne peut pas remplacer si facilement par des Polonais en ce moment. C'est pourquoi je prie l'*Obergruppenführer* Dr Kaltenbrunner (ici présent) d'expliquer la situation au *Reichsführer* et de lui demander de renoncer à faire partir ces travailleurs juifs (et donc à les emprisonner dans ses propres camps S.S.[47]) ».

Ce n'était pas la première fois que Frank manifestait ouvertement sa tendance à protéger ses usines, comme le montre ce discours, les archives en font foi. A l'époque, j'étais mal renseigné et je voyais en lui un adversaire. Je ne savais pas que, en réalité, le gouverneur général était mon allié dans la lutte que nous menions pour conserver intacts les effectifs de main-d'œuvre juive dans nos fabriques.

Frank aussi, en fin de compte, avait les mains liées. Malgré sa démarche auprès de Kaltenbrunner, l'ordre de Himmler fut exécuté ; et tous, nous nous trouvions réduits à l'impuissance. Même si Hitler avait consenti à une nouvelle mesure d'exception, la révolte du ghetto de Varsovie aurait signifié la fin des ateliers qui y étaient installés. Car le danger devenait de plus en plus grand de voir des Juifs évadés se joindre au mouvement des partisans, source de troubles catastrophiques dans l'approvisionnement allemand depuis longtemps.

Mais les officiers de la Wehrmacht ne cédèrent toujours pas. Le 31 juillet 1943, le lieutenant-colonel Mathes, de l'Inspection de l'armement, alla rendre visite au chef suprême des S.S. et de la police pour les pays de l'Est, Krüger, pour obtenir « des mesures contre le retrait des Juifs qui gênait le fonctionnement des usines d'armement et des raffineries de pétrole. Il n'obtint un résultat positif que dans les usines de pétrole ; ainsi peut-on lire dans le journal de guerre, à la date du 27 août 1943 : « Début du retrait des ouvriers juifs des usines importantes pour la guerre, excepté les raffineries de pétrole, dans le district de Galicie[48]. » Fin août 1943, la direction de l'armement de Lemberg annonça : « Les ouvriers juifs ont été retirés subitement en août des usines de l'armée (usines de l'économie de guerre de l'Inspection de l'armement), ainsi que de toutes les entreprises industrielles importantes pour la guerre et des entreprises qui travaillent pour les besoins des militaires, ou plutôt pour le commandant en chef de district de l'armée. » (*Cf.* annexe XVIII.) « Seule la firme Metrawatt a conservé 12 horlogers juifs, absolument irremplaçables par des ouvriers aryens du Gouvernement général. Or il est inadmissible de les laisser continuer à travailler dans l'usine elle-même. On est en train de rechercher, en accord avec le chef des S.S. et de la police de Galicie, une solution qui ne portera pas trop préjudice au rendement de Metrawatt[49]. » Ces ouvriers semblaient jouer un rôle tellement important que, du 16 au 18 septembre 1943, des entretiens eurent lieu à Berlin entre le service de l'armement de mon ministère et l'Office central du S.D.[50] « sur le maintien d'ouvriers spécialisés juifs dans la firme Metrawatt à Lemberg[51] ».

Mais, dans l'ensemble, on ne tint pas compte des baisses de production. A cette époque, on signala que, du 30 août au 5 septembre 1943, « le retrait des Juifs ordonné par les S.S. dans la firme Emmanuel Wachs et Cie, fabrique de lampes et d'articles métalliques, avait porté un grave préjudice à l'exécution de la commande de 600 000 brûleurs de lampes à acétylène passée par l'armée, qui serait retardée quelque temps [52] ». De même, le 4 septembre 1943, « dans le district de Cracovie, toutes les femmes juives travaillant dans les ateliers de confection avaient été transportées dans des camps S.S. De ce fait, quelques usines avaient perdu leur main-d'œuvre spécialisée [53] ». C'était de l'autodestruction pure et simple, alors que, depuis longtemps déjà, l'armement était durement frappé par les bombardements aériens.

En fin de compte, il fallut bien que les autorités de l'Armement prennent leur parti de cette situation nouvelle. Dans le rapport d'activité de juillet 1943 rédigé par l'officier de l'intendance militaire du Gouvernement général, on peut lire ceci : « Afin de mieux exploiter la main-d'œuvre juive établie dans les grands camps de Szebnie, l'officier de l'intendance militaire engage des pourparlers avec la direction du camp sur le transfert d'une partie de la production Daimler-Benz dans le camp juif. Les discussions ne sont pas encore terminées, car il reste des difficultés techniques à surmonter, posées par ce transfert [54]. »

Du 5 au 8 août 1943, le journal de guerre de l'Inspection de l'armement du Gouvernement général signale ceci : « Pourparlers du chef du département administratif avec le chef des S.S. et de la police de Lublin, pour voir si les installations existantes et les effectifs des camps de travail forcé de Poniatowa, Prawnika et Blizyn peuvent être utilisés pour l'industrie, et dans quelle proportion [55]. » On ne sait rien sur le résultat de ces efforts. Une chose est certaine, les Juifs de ces camps S.S. n'atteignirent qu'une fraction du rendement qu'ils obtenaient auparavant, quand ils travaillaient dans des entreprises indépendantes.

100 000 survivants sur 3 millions

Dans deux discours fondamentaux, Himmler avait parlé de la liquidation de tous les Juifs qui se trouvaient sous la domination allemande. Le 14 octobre 1943, il déclara à Posen, devant les *Gruppenführer* S.S. : « Je vais aborder devant vous en toute franchise un chapitre très difficile. (...) Je veux parler de l'évacuation des Juifs. » Il utilisait encore le mot conventionnel que démentirent les paroles suivantes : « L'extermination du peuple juif[1]. » Deux jours plus tard, Himmler s'expliqua plus en détail devant les *Gauleiter* et *Reichsleiter* réunis également à Posen : « Rien de plus facile à prononcer que cette phrase, messieurs, avec ces quelques mots seulement : il faut exterminer les Juifs. Mais pour celui qui doit la mettre à exécution, il n'y a rien de plus difficile et de plus important. Une question se pose aussitôt à nous : que faire des femmes et des enfants ? Ici aussi, ma décision lui donne une réponse sans équivoque. En effet, je ne me crois pas autorisé à exterminer les hommes — autrement dit à les tuer ou à les faire tuer — tout en laissant grandir les artisans de la vengeance, leurs enfants et petits-enfants. (...) Dans les pays d'occupation, la question juive sera liquidée d'ici la fin de cette année. Il ne restera que quelques individus isolés qui auront réussi à se cacher[2]. » Ces deux discours s'adressaient à des fonctionnaires du Parti ; Himmler ne sortait donc pas du cercle de ses alliés politiques prêts à soutenir, du moins pouvait-il le présumer, la forme la plus rigoureuse de l'antisémitisme.

Toutefois, à partir de l'année 1944, il a dû se sentir obligé de mettre franchement les généraux au courant des détails. Le 28 janvier 1944, aux généraux commandant les troupes du front, réunis en congrès à Posen, il déclara que « la question juive était résolue et que les Juifs ne se vengeraient pas sur nos enfants[3] ». En mai 1944, Himmler déclara encore une fois devant des généraux que « l'extermination des Juifs était achevée dans l'ensemble de l'Allemagne et dans les pays d'occupation[4] ». Trois semaines plus tard, Himmler expliqua à un autre groupe de généraux que « la question juive, conformément aux ordres reçus..., avait été résolue sans le moindre compromis[5] ». Et fin juin 1944, devant des généraux rassemblés à Sonthofen : « Nous avons eu la fermeté d'exterminer les Juifs sur notre territoire, c'est très bien[6]. »

Himmler n'aurait certainement pas pu prononcer ses deux discours de Posen du 4 et du 6 octobre 1943, avec leurs révélations concernant l'anéantissement des Juifs, sans l'accord explicite de Hitler. De même, les généraux convoqués à Posen et à Sonthofen entre janvier et juin 1944 n'auraient sûrement pas été autorisés à prendre connaissance de ces faits à l'insu de Hitler. Ainsi moi, ministre de l'Armement, je n'aurais pas pu, dans un congrès de *Gauleiter,* donner par exemple quelques chiffres relatifs à la production de matériel de guerre, informations qui devaient être tenues rigoureusement secrètes, sans l'autorisation préalable de Hitler. Même Goebbels devait s'incliner devant ces restrictions. C'est Bormann qui exerçait une sorte de surveillance sur l'application de ces lignes de conduite dans chaque district par l'intermédiaire des organes qui lui étaient subordonnés, *Gauleiter* et *Reichsleiter* ou conseillers économiques de district. Il n'aurait jamais manqué d'attirer l'attention de Hitler sur des révélations non autorisées, surtout s'il s'agissait de Himmler, son ami et concurrent le plus acharné dans la lutte pour le pouvoir.

D'autre part, le 6 octobre 1943, Himmler aurait-il pu parler de mesures que Hitler ignorait devant ces membres du Parti ? Il devrait s'attendre à ce que, dès le lendemain, quelqu'un mentionnât ses indiscrétions au quartier général, Goebbels peut-être, Ley, ou les intimes de Hitler, ceux des débuts du Parti comme les *Reichsleiter* Schwarz et Amann ?

Je serais plutôt enclin à croire que Himmler avait reçu de Hitler l'ordre de ne rien cacher sur les applications de « la politique juive », pour faire comprendre aux dirigeants du pays que leur situation personnelle, à eux aussi, était sans issue. Dans un certain sens, Hitler le chargeait ainsi d'illustrer ce qu'il avait appelé « les ponts coupés ».

Outre l'assassinat des Juifs, point capital de ses exposés, Himmler avait abordé un autre sujet important à ses yeux. Ses diverses déclarations des mois précédents en avaient déjà fait état. Voici ce qu'il déclara aux *Reichsleiter* et aux *Gauleiter,* à Posen : « Vous me croirez certainement si je vous dis que de nombreux secteurs économiques m'ont causé de grandes difficultés. Le ghetto de Varsovie fabrique des manteaux de fourrure, des vêtements et autres articles du même genre. Quand on voulait y jeter un coup d'œil, jadis, on s'entendait aussitôt interpeller : “ Halte ! Vous gênez l'économie de guerre ! Halte ! Ici, ateliers d'armement ! ” Bien entendu, cela n'a rien à voir avec les amis de Speer. Ils n'y peuvent rien. Speer et moi-même, nous voulons nettoyer ensemble, dans les semaines et les mois à venir, ces prétendus ateliers d'armement. Et nous le ferons avec la plus grande rigueur ; dans la cinquième année de la guerre, la place n'est plus au sentiment, on doit agir de tout son cœur pour l'Allemagne[7]. »

Deux jours auparavant, le 4 octobre 1943, dans son discours aux

Gruppenführer S.S., Himmler avait déjà donné son avis sur l'opposition latente de la population allemande : « Jadis, quand on fermait un atelier juif ou qu'on ramassait un Juif, il se trouvait souvent un certain commissaire Untel pour intervenir : comment, vous voulez saper la force de résistance du peuple allemand ? Vous sabotez l'économie de guerre... En réalité, le commissaire avait reçu du Juif un joli petit manteau de fourrure en cadeau. Aujourd'hui, quand on enlève 800 ouvriers juifs à une entreprise, il arrive encore un M. Untel, qui vient juste de s'y faire faire une paire de bottes flambant neuves, pour déclarer : « Je me vois dans l'obligation de signaler que vous avez beaucoup perturbé la production de guerre[8]. » En spéculant sur la fabrication des fourrures, Himmler oubliait intentionnellement de mentionner qu'il s'était agi de la fabrication de peaux de mouton pour les soldats. Par ailleurs, c'était l'intendance générale de l'armée qui déterminait la nature et le volume des commandes, ainsi que le lieu où elles étaient exécutées, et non le ministre de l'Armement.

S'il s'était agi de « décisions communes », comme avait dit Himmler, concernant l'évacuation d'ateliers d'armement, on en aurait certainement trouvé trace dans les journaux et rapports de l'Inspection de l'armement du Gouvernement général, confiés intégralement aux archives, ou dans les dossiers du *Reichsführer* S.S. ; mais ces conférences ne sont mentionnées nulle part, pas même dans les archives de mon ministère. Quant aux extraits des dossiers S.S., l'on n'y trouve pas précisément la preuve que Himmler ait eu besoin de mon aide pour exécuter ses mesures draconiennes. Lui et ses organes ne craignaient pas de paralyser la production en décidant l'évacuation brutale vers un camp de concentration d'ouvriers juifs travaillant dans les usines de guerre, sans pourparlers préalables avec l'Inspection de l'armement. Ceci se passa même à l'encontre des dispositions prises par le général Schindler et contre la volonté du Gouvernement général, les procès-verbaux du gouverneur Frank en font foi.

D'ailleurs cette polémique effrénée de Himmler contre les gros industriels était analogue à l'attitude qui déterminait les S.S. dans d'autres domaines. Dès le 4 octobre 1941, Heydrich avait attaqué très ouvertement les gros industriels ; entre-temps, les choses en étaient arrivées au point que l'on taxait indifféremment les industriels de déloyauté, de corruption — ou même d'hostilité à la nation. La puissance des S.S. s'accrut de mois en mois, au cours de la campagne de Russie.

Ainsi Himmler avait déclaré sans ambages devant les *Gauleiter :* « La question des Juifs dans les pays d'occupation sera liquidée d'ici la fin de cette année. » Et si l'on se réfère à ses précédentes déclarations, il ne fait aucun doute qu'en disant cela il songeait à un assassinat en masse[9].

Or sur ce point Himmler trompait volontairement la hiérarchie du Parti. Les documents de l'époque nous révèlent que, même après le 31 décembre 1943, il chercha à « mettre en réserve » des Juifs pour ses projets économiques, autrement dit pour l'élaboration de son empire industriel. Les ordres de Hitler s'opposaient à ses desseins, et c'est sans doute pour cette raison qu'il a préféré ne pas dévoiler cet aspect de la vérité aux *Gauleiter* et ne leur exposer que l'autre face de son activité. A ce propos, une simple phrase prononcée par Höss au cours d'un exposé me revient en mémoire ; Höss parla « d'une autre autorité du Reich qui travaillait à l'encontre des objectifs proprement dits de Himmler. L'on se souviendra aussi que le 26 janvier 1942, donc six jours après la conférence de Wannssee, Himmler désirait encore faire travailler 150 000 Juifs dans l'armement [10].

De toute façon, en clamant qu'il voulait avoir exterminé tous les Juifs polonais avant la fin de la guerre, Himmler ne pensait pas ce qu'il disait. Dans son livre *Anatomie de l'État S.S.*, au chapitre intitulé « La Chasse aux Juifs », Helmut Krausnick déclare, preuves à l'appui, que le 7 septembre 1943, donc un mois avant le discours de Posen, les quelque dix camps de travail placés sous le contrôle du chef des S.S. et de la police du district de Lublin avaient été pris en charge par l'Office supérieur de l'administration de l'économie S.S. Cela devait se généraliser par la suite « à tous les camps de travail implantés dans le Gouvernement général ». Dans le même ouvrage, Martin Broszat fit paraître un rapport sur les camps de concentration, étayé par de très nombreux documents ; il explique notamment que Pohl était le chef de ce service et qu'à ce titre il avait veillé à préserver l'état de cette main-d'œuvre, en améliorant ses conditions de vie [11], afin de pouvoir l'utiliser dans son konzern. Récemment, les milieux d'extrême-droite ont voulu faire passer pour une de leurs trouvailles ces efforts de Pohl et de Himmler en vue d'améliorer les conditions de vie et de travail des ouvriers juifs et des autres déportés, et par là même mettre l'accent sur le peu de crédit que l'on pouvait accorder à l'historiographie ; mais c'est tout à fait faux.

Après avoir accompli sa mission d'extermination, Globocnik lui-même signala ce fait dans son rapport final du 4 novembre 1943 destiné à Himmler : « Mais d'un autre côté, j'ai essayé de donner un tableau de l'emploi de la main-d'œuvre, qui fait ressortir l'effectif total des ouvriers et le nombre de sujets allemands ; il montre donc comment une opération de grande envergure a pu réussir avec très peu d'Allemands. Aujourd'hui elle a pris une telle extension que des industries très connues s'y intéressent. Entre-temps, j'ai transmis ces camps de travail à l'*Obergruppenführer* Pohl. »

En outre, d'après cette lettre, le 19 octobre 1943, donc moins de deux semaines après le discours de Posen, et vraisemblablement sur les directives de Himmler, Globocnik « en a terminé avec l'opération Reinhardt menée par lui dans le Gouvernement général, et il a liquidé tous les camps d'extermination [12] ».

Le 19 octobre 1943, dans une séance de travail, le Gouvernement général chargea le chef de l'Inspection de l'armement, le général Schindler, l'*Oberführer* Bierkamp et le général Grünwald d' « examiner minutieusement les listes de camps juifs dans le Gouvernement général et de déterminer le nombre de déportés employés au travail ». A l'opposé du discours de Posen, on acceptait donc l'idée de maintenir l'effectif de la main-d'œuvre en place. « Quant aux autres, déclara encore Frank, il fallait les expulser du Gouvernement général », autrement dit les tuer. Il n'est question nulle part, en revanche, d'un examen des entreprises de l'armement effectué en commun par Himmler et moi, ou par nos organes respectifs [13], comme l'avait annoncé le *Reichsführer* dans son discours de Posen.

Deux tendances avaient donc dû s'opposer à l'époque chez les S.S., même dans le Gouvernement général [14]. La veille du jour où Globocnik signa son rapport final, d'autres chefs S.S. avaient décidé de riposter, à coup sûr contre les principes exposés dans la circulaire de Globocnik dont ils ont dû avoir connaissance. Une chose est significative, c'est la lettre que m'adressa Schieber le 7 mai 1944 et dans laquelle il parlait de l'édification des ateliers des camps de concentration dans les entreprises de l'armement et des nombreuses frictions qu'elle suscitait, frictions qui, à son avis, « étaient généralement provoquées par la jalousie des organes subalternes S.S. [15] ». Mais cela n'explique certainement pas le fait que, le 3 novembre 1943, entre 6 heures du matin et 17 heures, soit en l'espace de onze heures, les S.S. aient fusillé 17 000 Juifs par groupes de 10 [16] ; ils appartenaient aux usines S.S. de l' « industrie de l'Est », qui rassemblait toutes les entreprises juives confisquées. Cette opération contrecarrait les projets de Pohl, comme le déclara avec désespoir le sous-directeur, le Dr Max Horn, parce qu' « elle a rendu totalement inutiles les travaux de construction et d'aménagement ». En revanche, après cette opération d'extermination, le chef des S.S. et de la police de Varsovie, qui faisait partie de l'opposition, déclara à un collaborateur de Pohl d'un air méprisant : « L'industrie de l'Est ! Rien qu'à entendre le mot " Industrie " j'en ai la nausée [17] ! » On est vraiment bouleversé devant cette manière dont fut décidée la mort de 17 000 Juifs.

Il y avait effectivement dans les hautes sphères S.S. deux orientations opposées en présence : les uns voulaient ménager les déportés, pour faire progresser les objectifs industriels de Himmler en exploitant leur travail ; les autres voulaient, dans le meilleur cas, les faire travailler « jusqu'à ce qu'ils crèvent », mais en fait, les liquider purement et simplement pour satisfaire l'idéologie. Voici comment Höss a décrit cette divergence de conceptions : « Pour l'Office supérieur de la sûreté du Reich, tout nouveau camp de travail, tout nouveau millier d'individus aptes au travail représentaient un danger : celui de la libération et de la survie, par suite de n'importe quelle circonstance. Pohl semblait pourtant plus fort car il était soutenu par le *Reichsführer* S.S. qui insistait de plus en plus pour obtenir du personnel en provenance des camps de concentration [18]. » Un ordre donné par Himmler le 15 janvier 1943 à l'Office supérieur de la sûreté du Reich souligne ces déclarations du commandant du camp, Höss, encore que pour un autre motif : « J'ai pris des engagements importants, dans l'intérêt général de l'armement. C'est là, dans les camps de concentration, que doit se trouver la main-d'œuvre[19]. » Ainsi Himmler se sentait tenu de faire une mise au point et de se défendre vis-à-vis de l'Office supérieur de la sûreté du Reich.

Voici venu le moment de rappeler une fois de plus la remarque de Höss à propos des autorités haut placées qui s'attaquaient à la politique de Himmler et de Pohl. Le 18 janvier 1944, Globocnik avait écrit ouvertement à Himmler : « J'ai dirigé moi-même " Osti " et les usines d'armement allemandes. (...) Ces entreprises fonctionnaient parfaitement bien à mon départ... » Mais « le 3 novembre 1943, on a retiré (tué) les ouvriers des camps et stoppé les usines. Les chefs de camp n'ont pas été prévenus de cette opération, bien qu'ils en portent la responsabilité. Je n'ai donc pas pu assurer la surveillance comme je le devais. (...) La veille de cette liquidation, le général Schindler, de l'Inspection de l'armement de Cracovie, s'appuyant sur la parole de l'*Obergruppenführer* S.S. Krüger, avait convenu avec les chefs de camp que, à l'avenir, les commandes d'armement seraient dirigées sur le camp d'Osti[20] ».

Mais on aurait pu croire que tout le monde était pétrifié. Malgré la gravité de cette intervention dans les droits souverains d'un Globocnik, personne ne souleva le moindre reproche, personne n'exigea une enquête sur cet incident. Comment expliquer pourquoi Himmler laisserait détruire ainsi une entreprise industrielle, si Bormann et donc Hitler lui-même n'étaient pas à l'arrière-plan ?

L'opération exterminatrice du 3 novembre 1943 avait paralysé « l'industrie de l'Est » ; on en trouve également le reflet dans les rapports des Services de l'armement. Dans la séance de la commission de l'Armement en date du 10 novembre 1943, Schindler déclara : « Nous rencontrons actuellement de grandes difficultés dans l'emploi des Juifs, dues aux nombreux départs dont Lublin a été récemment le théâtre. Ces retraits se sont faits brusquement et sans avis préalable à la Société de l'industrie de l'Est ; ils sont surtout sensibles dans le secteur de l'habillement et de l'équipement[21]. » Le journal de la section centrale de l'Inspection de l'armement mentionnait aussi l'opération, à la date du 11 novembre ; mais il décrivait les processus d'extermination avec des périphrases prudentes, de même que tous les autres rapports des Services de l'armement : « Retrait total et inattendu de la main-d'œuvre juive dans les ateliers de fabrication Walter C. Többins à Poniatowa, et Schultz et Cie à Trawniki[22]. » Le journal de guerre du département administratif enregistra ce même jour une déclaration de la direction de l'Armement de Varsovie ; d'après cette déclaration, « le retrait définitif des ouvriers juifs a obligé les deux firmes à stopper la fabrication[23] ».

Le chef de l'intendance militaire, subordonnée au haut commandement de la Wehrmacht, fit une déclaration encore plus limpide : « Importants retards de livraison dans diverses usines textiles du secteur de Lublin, causés par le départ des ouvriers juifs, suite à des mesures policières exécutées par le S.D.[24]. »

Les usines de l'Industrie de l'Est ne furent pas les seules à être frappées par ces opérations d'extermination ; les « Usines allemandes d'équipement », soumises à l'autorité de Pohl, le furent aussi. « Déplacement officiel du département V à Lemberg dans le but d'engager des pourparlers sur le placement ou la reprise de commandes aux Usines allemandes d'équipement », peut-on lire dans le journal de guerre de l'Inspection de l'armement du 19 au 26 novembre 1943[25].

Voici ce que Schindler déclara pour résumer ces événements à la séance de la commission de l'Armement du 29 décembre 1943 : « Les transferts juifs (*sic !*) dans le secteur de Lublin ont entraîné la fermeture de toute une série d'usines. L'arrêt des Usines de l'industrie de l'Est a été effectué en accord avec le chef supérieur des S.S. et de la police, tandis que les usines allemandes d'équipement continuèrent à tourner[26]. » Et pourtant, le compte rendu officiel de l'inspecteur de l'Armement sur le quatrième trimestre, envoyé au ministère de l'Armement à Berlin, ne mentionne même pas ces événements[27], ce qui montre jusqu'à quel point leur secret fut respecté. Les rapports officiels envoyés tous les mois par l'officier de l'intendance de l'armée n'en parlent ni en octobre, ni en novembre, ni en décembre 1943[28].

Il a dû régner dans les hautes sphères des S.S. des orientations contradictoires et l'arbitraire devait y faire la loi ; cet exemple le montre bien, et il n'est pas le seul. Depuis longtemps, l'*Obersturmführer* Maurer avait été embauché par Pohl pour veiller à ce que soient augmentés les effectifs de déportés engagés dans l'armement. Il dirigeait le service D II du groupe « camps de concentration » et, à ce titre, le 14 septembre 1943, il rédigea de sa propre initiative une circulaire qui montre à quel point il était peu au courant de ce qui se passait réellement. Deux mois avant la suppression des 17 000 ouvriers en Pologne, il s'adressa à l'*Obersturmbannführer* Höss, commandant du camp de concentration d'Auschwitz : « Le 25 août 1943, j'ai dit à l'*Hauptsturmführer* Schwarz que j'avais besoin de connaître le nombre de Juifs aptes au travail, car j'avais l'intention d'en retirer une certaine quantité du camp de concentration pour les envoyer travailler à l'armement dans le Reich. Le 26 août 1943, j'ai répété une fois encore ce message par téléscripteur. D'après le message du 29 août 1943, sur les 25 000 Juifs qui occupent le camp, 3 580 seulement sont aptes au travail. Mais ceux-ci sont déjà tous engagés dans des usines d'armement, et on ne peut les en retirer. Que font les 21 500 Juifs restants ? Il y a forcément quelque chose qui cloche ici ! Prière de réexaminer le cas et de me tenir au courant[29]. »

Voilà un document étonnant qui, en quelque sorte, complète les tableaux mortuaires de juillet à décembre 1942. Même un chef de service du groupe « camps de concentration » ignorait ce qui se passait réellement.

Un autre document souligne le côté énigmatique de l'assassinat des

17 000 ouvriers juifs. Le 4 novembre 1943, donc le lendemain de cette exécution massive, l'*Obergruppenführer* Krüger, responsable suprême S.S. pour le Gouvernement général, promit [30] de mettre très prochainement 5 000 Juifs à la disposition de l'industrie de l'armement. Krüger renouvela cette promesse en face du général Schindler, le 10 novembre 1943, et il ajouta que « 5 000 autres Juifs allaient suivre au cours des six mois à venir. Il s'agit là surtout des Juifs rassemblés dans le camp de Plaszow. Ainsi, signala Schindler, l'industrie de l'armement compterait environ 33 000 Juifs, autrement dit à peu près 20 pour 100 de l'effectif complet. Mais il est très possible que ces Juifs-là tombent également sous le coup d'une brusque mesure d'évacuation ; aussi le président (Schindler) doit-il s'adresser dès aujourd'hui au Département central du travail (du Gouvernement général) pour lui demander de prendre des mesures préventives afin de parer à cette éventualité [31] ». Démarche utile, étant donné les événements précédents.

La première phase de cette promesse fut rapidement réalisée. D'après un rapport de l'Inspection de l'armement en date du 16 novembre 1943, un « convoi de 2 500 ouvriers juifs en provenance du camp de travaux forcés de Plaszow » est arrivé à Skarzysko-Kamienat ; les détenus ont été placés dans la société Hugo-Schneider, Leipzig, qui fabrique des munitions [32]. Le 18 novembre 1943, un nouveau « convoi de 1 500 travailleurs juifs en provenance du camp de travaux forcés de Plaszow a été dirigé sur Kielce, Tschenstochau, Pionki, Ostrowice et Starachowice, au profit d'usines d'armement [33] ».

A l'époque, Krüger ne dirigeait plus les affaires que pour la forme, et à titre provisoire. Car quelques mois auparavant, vers la mi-octobre, donc avant les liquidations massives, il avait été remplacé par l'*Obergruppenführer* S.S. Koppe. Le 27 octobre 1943, Frank déclara à ses collaborateurs les plus étroits : « On m'a assuré que l'*Obergruppenführer* Koppe avait reçu des directives précises, en totale opposition avec la situation actuelle, et que désormais il faut rechercher le moyen de parvenir à une collaboration positive [34]. »

Schindler vint à Berlin pour discuter de la nouvelle situation créée par la nomination de Koppe. Car Frank avait, sans autre forme de procès, nommé secrétaire d'État le nouveau chef S.S. ; il lui avait donc accordé des fonctions gouvernementales dans son secteur. Voici ce que la chronique du 17 novembre 1943 relate à propos de la visite de Schindler : « L'indépendance dont fait preuve le gouverneur Frank vient de créer une situation particulièrement difficile pour l'inspecteur local de l'Armement, le général Schindler. Le ministre discute avec Schindler et son principal adjoint, Saur, pour trouver une solution à ces difficultés. Il propose de nommer le nouveau chef S.S., l'*Obergruppenführer* Koppe, délégué (du ministre) auprès du gouvernement pour les affaires de l'Armement. Cette solution lui paraît devoir apporter un soutien à l'inspecteur de l'armement dans son travail. Le général Schindler approuve cette solution[35]. »

Le 8 décembre, de retour de son voyage à Berlin, Schindler se félicita devant la commission de l'Armement de « cette nomination ; l'*Obergruppenführer* Koppe dispose déjà du pouvoir exécutif en tant que chef supérieur S.S. et chef de la police ; en outre il devient secrétaire d'État au gouvernement de la Pologne et, à ce titre, il peut représenter avec beaucoup plus d'efficacité les intérêts de l'armement dans son secteur que s'il était président de la commission de l'Armement. Il ne faudrait pas voir dans ces changements de dispositions une marque de défaveur à l'égard des services de l'armement ou de toute autre organisation liée à l'armement, ce serait une erreur. Grâce à ces nouveaux arrangements, les intérêts de l'Armement bénéficieront d'un soutien important. L'affectation de 4 000 Juifs, qui sera suivie de 500 autres dans le mois en cours, nous a beaucoup soulagés. Et nous recevrons encore d'autres affectations de Juifs dans les quatre prochains mois[36] ».

Si l'on suit l'évolution des chiffres de production, on n'y trouve nullement la preuve d'une augmentation sensible du nombre des travailleurs dans la seconde moitié de l'année 1943 ; pour commencer, il a fallu compenser la perte des 17 000 travailleurs qualifiés. D'après une note de l'Inspection de l'armement, la moyenne mensuelle de la production de la première moitié de l'année 1943 se montait à 46 millions de Reichsmarks ; elle a atteint 58 millions en octobre, 59 millions en novembre et 60 millions en décembre[37]. Du reste, ces quotas de rendement du Gouvernement général sont très bas si on les compare avec ceux de toute la production allemande. Face aux 60 millions de Reichsmarks qu'a atteints la production polonaise du mois de décembre 1943, on trouve 2,3 milliards de Reichsmarks pour tout le territoire placé sous domination allemande. Autrement dit, la participation du Gouvernement général à l'industrie allemande de l'armement ne dépassait pas la proportion de 1/4 pour 1000.

« On n'a pas encore réussi, il est vrai, à réglementer l'entretien des Juifs », lit-on dans un rapport de la commission de l'Armement en date du 12 janvier 1944[38]. Malgré cela, au cours de la réunion de la commission de l'Armement du 8 mars 1944, Koppe refusa de faire intervenir son autorité pour régler cette question : « L'entretien de la main-d'œuvre de l'Armement, déclara-t-il, problème qui revient sans cesse au premier plan de toutes les discussions, est l'affaire du service central compétent[39]. » C'est pourquoi, cinq jours plus tard, Schindler alla trouver « le Service central du ravitaillement et de l'agriculture pour l'entretien des Juifs dans les usines de l'Armement[40] ». Aucun résultat n'a été enregistré.

On trouve un texte écrit dans les dossiers, sans doute en relation avec une autre discussion de Schindler : « Jusqu'à présent, le Service central du ravitaillement et de l'agriculture du Gouvernement général, peut-on y lire, a attribué aux Juifs des camps de concentration des rations beaucoup plus élevées qu'aux Juifs travaillant en usine. » De cette phrase, on peut également déduire que, à l'encontre des directives données par Himmler, d'importants effectifs de Juifs continuaient à travailler à l'extérieur des camps. « Les Juifs des camps de concentration reçoivent, par l'intermédiaire des intendants S.S., des rations de vivres sensiblement égales à celles qui sont accordées par le ministre du Ravitaillement dans le Reich[41]. Le Service central du ravitaillement et de l'agriculture refuse d'accorder aux Juifs travaillant en usine des rations supérieures à celles des ouvriers polonais de l'armement. Étant donné l'état d'extrême faiblesse des Juifs embauchés dans l'industrie lourde, ce rationnement ne serait pas suffisant, car, contrairement aux Polonais, les Juifs enfermés dans des camps n'ont ni la possibilité de se procurer des vivres supplémentaires, ni le droit de bénéficier du complément de rations versé par l'usine[42]. »

Dans le cadre de leurs compétences, les Services de l'armement en étaient réduits à attirer l'attention sur la situation catastrophique du ravitaillement par des revendications. Mais, dans le Gouvernement général, cette situation n'a pas dû être tout de même aussi désespérée pour les Juifs que sur le territoire du Reich. En effet, dans son livre *Die Sonnenblume* (*Le Tournesol*), Simon Wiesenthal parle de sa déportation dans un camp de concentration du Gouvernement général et il écrit ceci : « Dans les Chemins de fer de l'Est, nous étions relativement bien. Nous avions des contacts avec le monde extérieur et recevions aussi des rations supplémentaires. »

Les seules statistiques complètes sur les variations des effectifs de Juifs soumis au travail forcé sont celles de l'officier de l'Intendance du Gouvernement général ; elles ne recensaient, il est vrai, que ceux des Juifs qui, pour les besoins généraux de l'armée, travaillaient à la production des accessoires nécessaires aux troupes du front, comme l'habillement, les fourrures, la cordonnerie, les traîneaux, etc. Malgré tout, l'évolution de ces chiffres ne manque pas d'intérêt, car elle reflète sans doute une tendance générale. D'après ces statistiques, le nombre des Juifs soumis au travail dans ce secteur passa de 15 090 en janvier 1943 à plus de 15 500 en avril et à 21 600 en juillet 1943. Même à la fin du mois d'octobre, il n'avait pas diminué du tout ; au contraire, par rapport à juillet, il s'était élevé de 800 et atteignait 22 444 individus. Les chiffres continuèrent à monter : fin janvier 1944, ils avaient augmenté de 3 852, donc de 17 pour 100 ; pour atteindre 26 296 ; en avril, de 8 pour 100 encore, et ils s'élevaient à 28 537. Puis les statistiques manifestent un certain recul : en mai 1944, le nombre des Juifs n'atteignait plus que 27 439. Parallèlement à ce phénomène, d'ailleurs, le nombre total des ouvriers travaillant dans l'armement avait baissé aussi, passant de 179 000 à 172 000. Le pourcentage de ce recul est quasi égal dans les deux cas. Il est dû à la suppression des usines de Galicie, qui se trouvèrent dans le secteur du front à partir de fin mai 1944[43].

Mais que signifiaient ces chiffres en face des millions de Juifs qui vivaient jadis en Pologne ?

Dans son rapport d'avril 1944 sur la situation, l'officier de l'intendance du Gouvernement général parla « des exigences élevées de l'armée du front qui réclamait des artisans, du personnel d'entretien et de la main-d'œuvre sans qualification, en particulier pour les hôpitaux de campagne, et avait besoin de travaux de consolidation », car le front se rapprochait du territoire polonais. Il ajouta : « On va recruter une partie de cette main-d'œuvre parmi les Juifs hongrois[44]. A cette époque, cette main-d'œuvre fut amenée de Hongrie vers Auschwitz sur l'ordre de Hitler. Dans son rapport de mai 1944, force fut à l'officier de l'intendance d'avouer la faillite de ses espérances du mois précédent : « Il serait nécessaire et urgent d'engager des travailleurs juifs dans les usines d'armement, mais c'est impossible en ce moment, car il est interdit de faire sortir des Juifs du Gouvernement général (il pensait certainement faire entrer des Juifs dans le Gouvernement général[45]). »

Un mois plus tard encore, le 7 juin 1944, pendant la réunion de la commission de l'Armement, on déclara ceci : « On réclame partout à grands cris un très grand nombre de Juifs, mais la réserve en est bientôt épuisée. Pour le moment, il en faut environ 5 000[46]. » Le 5 juillet 1944, nouvelle déclaration devant la même commission : « L'engagement de Juifs dans les usines nous soulagerait beaucoup. Nous avons essayé d'en faire venir 2 000 de Litzmannstadt dans le Gouvernement général, mais malheureusement ces tentatives se heurtent à la résistance du *Reichsführer*[47]. »

Si l'on en croit le texte de cette note, on constate que, entre-temps, le grand réservoir humain du Gouvernement général s'était pratiquement vidé. Aussi proposait-on maintenant d'importer de la main-d'œuvre juive de Hongrie ou de Lodz, ce qui était une réaction grotesque.

D'après le rapport du général Gienanth à l'état-major supérieur de la *Wehrmacht*, à la date du 18 septembre 1942, en automne 1942, 300 000 Juifs travaillent pour l'armement et l'approvisionnement de l'armée dans le Gouvernement général. Parmi eux, on comptait 100 000 travailleurs spécialisés[48]. Or Frank constatait, le 25 janvier 1944, qu'il y avait encore 100 000 Juifs environ dans tout le pays. Ce nombre pourrait donc être celui des rescapés, d'autant plus qu'il correspond aux 100 000 travailleurs spécialisés cités par Gienanth.

Sur combien de Juifs l'engagement au travail pouvait-il compter en 1942 ? Et combien disparurent ensuite dans les camps d'extermination ? Le rapport de la section emploi du Département supérieur du travail dans le Gouvernement général pour le mois de décembre 1943 nous révèle que, en 1942, 1 426 495 ouvriers juifs furent soumis au travail forcé, parmi lesquels « il est vrai, environ 980 000 furent arrêtés très rapidement[50]. Ainsi 450 000 Juifs, parmi lesquels les 300 000 cités par Gienanth, travaillaient encore en 1942 comme main-d'œuvre à part entière dans l'industrie du Gouvernement général, et servaient donc directement les intérêts de guerre allemands. Presque un million étaient en réserve.

Il suffit de cette unique phrase du chef du Département supérieur du travail pour nous révéler le nombre des travailleurs juifs avant la vague d'assassinats ; mais, à la fin de l'année 1943, il ajouta sur un ton laconique qu'il ne pouvait pas engager d'autres ouvriers car « il fallait tenir compte aussi des lacunes inhérentes à l'emploi des Juifs [51] ».

Si ces 1 500 000 travailleurs juifs comprenaient les femmes, les enfants de plus de quinze ans, ainsi que les générations de moins de soixante-cinq ans, le nombre total des Juifs vivant dans le Gouvernement général, à l'époque, d'après la pyramide des âges, est certainement beaucoup plus élevé, cela va de soi. Les jeunes de moins de quinze ans forment en moyenne 33 pour 100 de la population totale, et les individus au-dessus de soixante-cinq ans, 5 pour 100. « Le nombre de 1 426 000 Juifs soumis au travail forcé correspond donc à un nombre total de 2 300 000 Juifs, pour toutes les classes d'âge [52]. »

En quel mois de l'année 1942 cette main-d'œuvre juive était-elle encore en vie ? Le rapport du département supérieur du travail ne le précise pas. Or, selon « l'inspecteur S.S. de la Statistique », Korheer [53], 1 274 166 Juifs vivant dans le Gouvernement général (y compris Lemberg) avaient été « évacués », autrement dit envoyés dans les camps d'extermination au 31 décembre 1942 ; il est donc très vraisemblable que le rapport du Département supérieur du travail fait état d'un chiffre datant du début de l'année 1942. Une remarque du collaborateur le plus proche du gouverneur général, Hans Frank, au secrétaire d'État Bühler, vient étayer cette thèse. Il déclara, le 20 janvier 1942, à la conférence de Wannsee qu'il restait encore 2,5 millions de Juifs dans le Gouvernement général [54]. Ces deux documents sont donc d'accord sur le nombre des Juifs polonais immatriculés au printemps 1942. Leur sort ne fait aucun doute, car nous avons lu dans les documents de l'Inspection de l'armement de Varsovie que, deux ans plus tard, en été 1944, il était devenu impossible de mobiliser de la main-d'œuvre juive dans le Gouvernement général, les réservoirs étaient épuisés.

Le chiffre, cité par le Département supérieur du travail, et le chiffre total, établi par le secrétaire d'État Bühler, des Juifs vivant dans le Gouvernement général n'englobaient pas tous les Juifs polonais, c'est l'évidence même. Il y manquait ceux qui s'étaient établis dans la partie occidentale de la Pologne, séparée du reste du pays pour former le Wartheland et placée sous l'autorité de Greiser, de même que ceux de la haute Silésie. En outre, il ne faut pas oublier la confusion totale de l'administration polonaise ; nombreux devaient être ceux qui n'avaient pas été immatriculés, parce qu'ils préféraient certainement être inscrits sur les registres allemands.

En conclusion, si l'on rapproche les indications données par le rapport du Département supérieur du travail des autres informations, le nombre des Juifs polonais exécutés par les S.S., cité par le général Reitlinger, à savoir entre 2 350 000 et 2 600 000, serait trop faible ; il approcherait plutôt des 3 millions cités par Roal Hilberg.

Les archives des Inspections de l'armement de l'Est ne donnent aucune précision sur le destin des Juifs échappés au massacre. L'avance des troupes soviétiques a progressivement détaché ces pays du Reich allemand, et les inspections se sont dissoutes. Il existe seulement quelques témoignages isolés tendant à prouver qu'une partie des Juifs travaillant en Pologne a été transférée en Allemagne. Simon Wiesenthal raconte dans son livre que son groupe et lui, affectés aux Chemins de fer de l'Est, échouèrent à Mauthausen. D'après Eugen Kogon, 5 745 Juifs polonais débarquèrent à Buchenwald en janvier 1945.

Les Juifs dans le Reich

Pour ce qui est de la politique juive, deux régions annexées en 1939 après la division de la Pologne furent dissociées du Reich allemand : la Warthegau, avec sa capitale Posen, placée sous le commandement du *Gauleiter* Greiser, et la haute Silésie sous le commandement de Bracht. Ces deux districts étaient d'anciens territoires du Reich, et à ce titre, ils avaient été séparés de la Pologne. Leurs usines d'armement eurent le droit d'utiliser de la main-d'œuvre juive. Étant donné le pourcentage élevé de la population polonaise, Goebbels ne sembla pas se formaliser de leur présence.

Pourtant, à Breslau, l'Inspection de l'armement de la haute Silésie annonça le 9 novembre 1942 que « les travailleurs juifs employés dans les usines de l'armement seraient évacués très prochainement [1]. » Cette mesure allait poser de graves problèmes, « car 41 000 ouvriers juifs environ travaillaient dans l'industrie de l'armement ainsi que dans le secteur de la construction, et les offices du travail ne pourraient pas leur trouver de remplaçants. L'industrie textile à elle seule emploie 10 à 12 000 Juifs dont le départ remettrait en question la poursuite normale de la production [2]. A la même époque, Schindler aussi s'attendait à ce que 50 000 Juifs soient retirés aux usines du Gouvernement général.

Néanmoins, ces craintes ne se sont pas réalisées. Fin décembre 1942, le rapport trimestriel de l'Inspection de l'armement de Breslau annonce que « le nombre des femmes juives engagées dans le secteur de l'Inspection s'est encore un peu accru depuis le précédent rapport (celui de fin septembre [3]). » Fin juin 1943, le rapport se plaignait encore : « Le retrait des travailleurs juifs a entraîné une grande pénurie d'ouvriers du bâtiment [4] ». Mais, si l'on en croit une note datant de fin décembre 1943, de cette même Inspection, dont le siège avait été transféré entre-temps à Kattowice, là aussi les mesures d'extermination annoncées à Posen par Himmler aux *Reichsleiter* et aux *Gauleiter* avaient été ajournées ou n'existaient que sur le papier : « Le départ des Juifs, que l'on appréhende ici, n'a pas encore eu lieu, car des directives contraires ont été données à temps en haut lieu [5]. »

Les S.S. insistaient pour envoyer aussi en camps de concentration les

Juifs de haute Silésie, comme ceux du Gouvernement général. C'est pourquoi le rapport poursuit : « L'administration des camps de concentration va prendre en charge les camps de Juifs, mais elle va rencontrer beaucoup de difficultés sur le plan de l'effectif. En effet, on exige au moins mille femmes juives dans ces camps ; or la majorité des firmes ne pourra pas installer des camps de cette importance ni faire travailler mille ouvrières au moins. Si la section Travail D de l'Office supérieur de l'administration de l'économie s'obstine à ne vouloir construire que des camps de plus de mille détenues, certaines firmes, telles que les usines textiles Gunschwitz de Neusalz, Methner und Frahme de Landeshut ou Leinag de Landeshut aussi, verront leur production tomber de 30 à 40 pour 100. Il est impossible de déménager ces ateliers[6].

A la suite de ce revirement de la politique juive, l'inspecteur de l'Armement de Kattowice me demanda d'intervenir auprès de Himmler. Je lui écrivis le 15 décembre 1943 : « L'inspecteur de l'Armement VIII b de Kattowice m'annonce que 40 000 déportés du camp de concentration d'Auschwitz peuvent être mis à la disposition de l'industrie de l'armement » — et on peut présumer que parmi ces 40 000 déportés, il y avait un pourcentage élevé de Juifs. « L'inspecteur de l'Armement, le colonel Hüter, peut engager immédiatement 10 000 personnes dans les usines Blechhammer, Heydebreck et Auschwitz. (...) Inutile de préciser combien l'apport de 40 000 ouvriers, ou même de 10 000 seulement pour commencer, aiderait l'industrie de l'armement[7] ». Cette lettre n'eut aucun résultat. On se rappellera peut-être que Maurer avait espéré quelques mois auparavant recevoir aussi 21 500 Juifs en provenance d'Auschwitz pour combler la pénurie de main-d'œuvre de l'armement.

Devant l'inertie de Himmler, je lui écrivis une nouvelle lettre le 23 février 1944, lui rappelant la précédente, celle de décembre, et le priai d'« apporter une plus grande aide encore que par le passé à l'armement en affectant des déportés à des postes de toute première urgence ». Je fis également remarquer à Himmler dans cette missive que « les contingents de travailleurs (déportés envoyés par Sauckel) en provenance de l'étranger avaient considérablement diminué depuis quelque temps ». Aussi, ajoutai-je, « faut-il recourir à tous les moyens dont dispose encore l'Allemagne pour se procurer de la main-d'œuvre. Autrement dit, tout le personnel disponible et susceptible d'être engagé peut être dirigé sur l'armement[8] ». Or c'était justement la période où des centaines de milliers de travailleurs juifs étaient liquidés dans les camps de concentration, mais je n'en avais pas la moindre idée. Sinon je n'aurais sans doute pas demandé avec autant de timidité l'affectation de 40 000 déportés, ou à défaut de 10 000 !

Dans le secteur de Posen lui-même, les mesures de liquidation proclamées par Himmler le 6 octobre 1943 dans son discours n'ont pas non plus été exécutées. Le journal de guerre de l'Inspection de l'armement de Posen relate, à la date du 22 octobre 1943 : « Entretien de l'administration du ghetto de Litzmannstadt et du directeur de la fabrication de l'usine Wa J Rü (Mun 4/V) de Berlin[9] sur la livraison mensuelle de 20 millions de balles perforantes à l'infanterie. (...) Puis on a parlé d'une commande de 500 000 manchons à grenades de 2 cm avec balles traçantes. Le haut commandement de l'armée est prêt à mettre à la disposition du ghetto les machines spéciales pour ces deux commandes[10] afin d'exploiter son énorme réserve de main-d'œuvre[11]. »

Une semaine plus tard, le directeur Weissker, représentant du gouvernement de la Warthegan, se montra plus sceptique dans ses déclarations : « Il faut s'attendre à des modifications d'effectifs au ghetto de Litzmannstadt. Néanmoins, il semble que la liquidation du ghetto soit provisoirement ajournée dans l'intérêt de l'armement. Le directeur gouvernemental Weissker va plaider la cause de la production de guerre auprès du *Gauleiter* (Greiser) pour qu'elle ne soit pas mise en péril dans le ghetto[12]. »

Cette remarque donne à entendre que la menace de meurtre massif annoncé par Himmler vingt-quatre jours auparavant continuait à peser sur le ghetto. Un mois plus tard, le 30 novembre 1943, la situation s'aggrava ; cela, à vrai dire, était en contradiction avec l'évolution des choses dans le Gouvernement général et la haute Silésie, où, justement à cette époque-là, on pouvait enregistrer une certaine tendance à faire machine arrière. Ce fut sans doute sous l'influence du *Gauleiter* Greiser, antisémite farouche, que les choses ont pris ici une orientation rigoureuse. « Il semble que l'ordre de liquidation du ghetto de Litzmannstadt soit irrévocable », lit-on dans le rapport de la commission de l'Armement du 30 novembre 1943. « La date n'en est pas encore fixée. Le ghetto n'accepte plus les nouvelles commandes. » Le président de la commission chargé de l'étude de ce problème fit tout de même noter entre parenthèses à ce propos : « Le Département de l'armée de terre (section de l'Inspection de l'armement de Posen) et le service administratif n'ont jamais entendu parler d'arrêter les commandes en cours de la Wehrmacht[13]. »

Il avait raison. A cette date, le Gouvernement général envoya même des commandes à Lodz, ville rebaptisée Litzmannstadt par Hitler, du nom du général de la Première Guerre mondiale. On trouve dans le journal de guerre de l'Inspection de l'armement du Gouvernement général la note suivante datée du 10 décembre 1943 : « Discussion avec l'administration du ghetto de Litzmannstadt sur la fabrication de sacs portatifs pour les bêches des fantassins[14]. » Le 13 février 1944, à l'occasion d'une visite à Posen, Himmler décida la poursuite de la fabrication. Greiser en parla à Pohl le lendemain : « L'effectif du ghetto de Lodz, lui écrivit-il, est réduit au minimum ; il ne reste que les Juifs nécessaires à l'industrie de guerre. » Et il ajoute ceci : « Le ghetto ne doit plus être transformé en camp de concentration. »

En fait, dans l'esprit de Himmler, ce n'était qu'une mesure provisoire qui tenait compte des intérêts momentanés de l'armement. Sans fixer une date précise, Himmler ne s'en tenait pas moins à la solution définitive ; et Greiser ne s'en cache pas, dans sa lettre : « Après le départ de tous les Juifs et la dissolution du ghetto, la totalité du terrain qu'il occupait doit revenir à la ville de Litzmannstadt [15]. »

Pohl visait aussi à contrôler entièrement la production des ateliers d'armement de Lodz, qui fonctionnaient à merveille, mais c'est vraisemblablement cette décision-là qui fit échouer ses desseins. Visiblement déçu, il répondit que, puisque Himmler s'était prononcé contre la transformation du ghetto en camp de concentration, « l'Office central de l'administration de l'économie n'avait plus rien à voir avec cette affaire ». Le paragraphe suivant donne une idée du ton de cette correspondance, qui frise le grotesque : « A propos de votre participation à notre contingent de vin français, je vous écrirai spécialement un de ces jours prochains [16]. »

Himmler ne toléra pas plus de quatre mois les importantes fabrications industrielles de Lodz. Un jour, l'inspecteur de l'Armement annonça à mon ministère à Berlin la liquidation imminente du ghetto. A la suite de cela, mon ministère a dû donner des ordres qui incitèrent le *Gauleiter* Greiser à écrire à Himmler le 9 juin 1944 : « Monsieur le *Reichsführer !* Bien que vous ayez ordonné la liquidation du ghetto de Litzmannstadt, l'Inspection de l'armement contre-attaque avec force. Dans la nuit du 5 au 6 juin, le ministre Speer a réclamé diverses informations sur le ghetto, par l'intermédiaire de l'officier de service de l'Inspection de l'armement : le nombre de personnes travaillant dans chaque atelier, leur nombre d'heures de travail hebdomadaire ainsi que la production hebdomadaire de chaque branche de fabrication, pour les présenter sans doute au Führer. Or j'en ai terminé avec les préparatifs de la liquidation du ghetto et ai commencé les premières évacuations. J'attire donc votre attention, comme il est de mon devoir, sur cette entrave à l'exécution de vos ordres. *Heil* Hitler ! [17] ». Himmler répondit le lendemain : « Cher Greiser, merci beaucoup de votre message du 9 juin. Je vous prie de poursuivre l'affaire comme par le passé [18]. »

L'intervention de Greiser était une dénonciation pure et simple. Il est possible que la vieille animosité des hauts fonctionnaires du Parti contre moi ait eu un rôle à jouer dans cette affaire : ils m'avaient toujours considéré comme un parvenu dont les travaux d'architecture avaient ensorcelé Hitler et qui s'était glissé ainsi sans aucun droit dans le cercle de ses intimes. Mais, à cette époque-là, Greiser savait que l'Allemagne s'effritait sous les bombardements intensifs et allait à la ruine. Il était assez intelligent pour comprendre les avantages du travail des Juifs pour notre stratégie. Même si, comparés à la capacité totale de l'industrie de l'armement, les résultats de Lodz n'étaient pas très importants, il devait pourtant bien comprendre que, dans la situation tragique où nous nous trouvions, la moindre parcelle de production comptait, d'autant plus que cette région était encore relativement peu touchée par les attaques aériennes, ce printemps-là.

Écrire une lettre pour laisser entendre qu'il n'était pas souhaitable de révéler le rendement important des Juifs et qu'il se devait de mettre Himmler en garde contre ce genre d'indiscrétions, voilà qui témoigne d'une situation vraiment bizarre, et malgré son côté tragique, d'une situation grotesque. L'antisémitisme fanatique de Greiser, sa propre haine et sa soumission étouffaient toute considération rationnelle. Il acceptait de détruire l'industrie elle-même en détruisant les Juifs.

Deux jours après cet appel téléphonique reçu en pleine nuit par l'inspecteur de l'Armement de Lodz, le 7 juin, j'eus une assez longue conversation avec Hitler. Même si l'affaire de Lodz n'est pas mentionnée dans le procès-verbal, il y a tout lieu de supposer que j'ai attiré l'attention du Führer sur les perspectives de baisses dans la production. En tous cas, l'ordre de Himmler ne fut pas exécuté. Dix jours plus tard, le 17 juin 1944, le journal de guerre de la direction de l'Armemement de Litzmannstadt note ceci : « Visite des ingénieurs Mayer et Mielke de la commission des Munitions (du ministère de l'Armement) à l'administration du ghetto. La commande de 20 millions de balles par mois va être doublée. (...) Comme le maintien de la main-d'œuvre est assuré et que la place ne manque pas, l'administration du ghetto va aussi se charger d'une grande partie de la réparation des machines à munitions pour l'infanterie [19]. »

Finalement, en septembre 1944, les armées offensives soviétiques s'approchèrent de Lodz. Or un rapport du S.D. en date du 20 septembre 1944 nous apprend que le transport vers l'arrière des unités industrielles de Lodz était déjà décidé [20]. Donc, jusque-là, le ghetto de Lodz avait continué à travailler pour l'armement, sans tenir compte des proclamations de Himmler.

L'architecte londonien Roman Halter déclare aussi avoir quitté le ghetto de Lodz en septembre 1944. Voici ce qu'il me communiqua vingt-sept ans plus tard : « En 1944, je travaillais dans une usine métallurgique à l'intérieur du ghetto de Lodz. Au moment de la liquidation du ghetto, le groupe des *hommes, femmes et enfants* (ces trois mots sont soulignés par l'auteur de la lettre) qui travaillaient dans cette usine reçut une lettre qui fut remise soit par M. Bibow, soit par M. Schernula à M. Chomowicz, le chef de notre groupe. Notre convoi était prévu pour aboutir aux chambres à gaz d'Auschwitz. Lorsque nous arrivâmes à Auschwitz, M. Chomowicz s'approcha du chef S.S. de la Sélection à qui il remit la lettre. On nous fit attendre pendant une heure environ sur le quai de la gare afin de vérifier l'authenticité de ce document. Au bout de cette heure d'attente, on nous emmena au camp, et non aux chambres à gaz ; puis on nous fit passer par un autre camp de concentration, Schtutholl, et on nous débarqua enfin à Dresde où nous avons travaillé dans une fabrique de munitions qui occupait une partie des locaux de la fabrique de cigarettes Reemtsma. On a dit que cette lettre, qui a sauvé la vie à 500 d'entre nous, avait été écrite par vous. Cela se passait en septembre 1944. J'avais alors quinze ans. »

Comment penser qu'il ait pu s'agir d'une lettre écrite par moi personnellement ? C'était sans doute une lettre d'accompagnement de l'Inspection de l'armement de Posen, portant la mention « en provenance du ministère Speer », selon le style de l'époque [21].

Hitler lui-même abolit, en avril 1944, les principes fondamentaux de la politique juive qu'il avait fixés dans une ordonnance à Sauckel, le 22 septembre 1942. Désormais il ne fallait plus éloigner d'Allemagne tous les Juifs, mais au contraire en ramener le plus possible sur le territoire du Reich. Durant ma maladie et mes trois mois d'absence, Hitler avait pris une décision qui est transcrite par le directeur ministériel Xaver Dorsch, chef de la Centrale de l'organisation Todt, dans son procès-verbal du 6-7 avril 1944 : « Je vais intervenir personnellement auprès du *Reichsführer* S.S., a déclaré Hitler, pour lui demander de faire venir de Hongrie des contingents de Juifs afin de réunir les 100 000 personnes nécessaires à la main-d'œuvre. Le Führer signale avec sévérité l'échec de l'organisation du bâtiment (de mon ministère [22]), mais il exige que l'organisation Todt se charge exclusivement de la construction, et le *Reichsführer* du recrutement de la main-d'œuvre [23]. » Il s'agissait de la construction immédiate de six grands blockhaus sur le territoire allemand, ayant chacun une superficie de 100 000 m^2. Une semaine plus tard, Hitler ordonna de commencer immédiatement les travaux et Dorsch promit de les terminer pour le mois de novembre suivant [24].

Je repris mes fonctions au ministère le 1er mai 1944. Le 9 mai, au cours d'un de mes premiers entretiens avec lui, Hitler avait ordonné que « 10 000 soldats allemands, en provenance de la Crimée, soient affectés à la surveillance des travailleurs, Juifs hongrois, déportés, etc. J'ai transmis l'ordre par téléscripteur au maréchal Keitel. Le *Reischführer* exige que les équipes de surveillance viennent le trouver pour qu'il puisse organiser correctement les convois en provenance de Hongrie, etc., et j'ai également transmis cela au maréchal Keitel [25] ».

Deux semaines plus tard, dans un discours prononcé à Sonthofen devant des généraux, Himmler se vanta de la manière suivante : « Nous sommes en train de faire venir de Hongrie un premier contingent de 100 000 Juifs de sexe masculin, et plus tard un deuxième contingent de 100 000 que nous mettrons en camps de concentration. Ils nous serviront à construire des usines souterraines. Mais pas un seul de ces détenus ne doit être vu ou aperçu de la population allemande [26]. » Mi-juin 1944, le « plénipotentiaire du Reich pour la Hongrie », Edmund Veesemayer, envoie un télégramme avec la mention « strictement confidentiel » : « Évacuation des Juifs en provenance des Carpates et des Siebenbürgen (zones I et II) achevée le 7 juin 1944 : le convoi comprend au total 289 357 Juifs répartis en 92 trains de 45 wagons chacun. Le chiffre total de déportés fixé à l'origine — 310 000 — n'a pas pu être atteint ; ce qui s'explique par l'incorporation de Juifs hongrois dans le Service du travail (Honved) de l'armée. » Le 17 juin, la zone III était liquidée ; 50 805 Juifs, puis encore une fois 41 499, le 30 juin 1944, furent transportés à Auschwitz[27]. En 23 jours, les S.S. amenèrent donc 387 660 Juifs dans les camps d'extermination.

Le 7 juin 1944, le jour où Veesemayer avait terminé son opération d'évacuation, je transmis à Keitel les renseignements que l'on m'avait donnés : « Sur tous les Juifs amenés en Allemagne, il n'y en a que 50 à 60 000 qui sont en état de travailler. Le reste de l'effectif se compose de vieillards, d'enfants, de malades, etc., dont on ne peut rien faire[28]. » A cette date, d'après les statistiques de Veesemayer, une grande partie des 290 000 Juifs hongrois de la zone I et de la zone II devait déjà être arrivée. Si j'avais connu ce chiffre, j'aurais eu peine à croire que 50 à 60 000 d'entre eux seulement pouvaient servir à quelque chose. Nous avons rencontré aussi des ambiguïtés de ce genre dans la correspondance entre Maurer et Höss.

Nous espérions aussi de la main-d'œuvre juive pour assurer l'approvisionnement en armement, mais « nous n'avons pas vu un seul de ces Juifs (hongrois). D'après l'ordre donné par Hitler, ils doivent d'abord être utilisés pour la construction des grands blockhaus[29] ». « Les rapports sur la main-d'œuvre employée dans le Reich », publiés par mon service de planification, confirment ce fait. Fin mai 1944, il n'y avait pas plus de 8 938 Juifs qui travaillaient sur le territoire du Reich, dont 6 319 hommes et 2 619 femmes[30].

Des difficultés politiques s'opposaient aussi à l'emploi d'un plus grand nombre de Juifs. La lettre de Schieber en date du 7 mai 1944 atteste que « 200 à 300 Juives travaillaient à la fabrication de tubes fluorescents pour l'éclairage, dans une usine creusée dans le rocher à Dresde, parfaitement équipée sur le plan de l'aération, du chauffage et de la lumière et dotée d'une grande cantine. Suivant les directives de Pohl, et vraisemblablement sur la proposition des *Gauleiter* Sauckel et Mutschmann, on les a fait partir pour les diriger vers une usine S.S. établie dans un camp de concentration ». Néanmoins ces difficultés semblèrent aplanies au bout de quelques mois dans le district de la Saxe. Voici ce que dit le paragraphe 7 du procès-verbal de la séance de la commission de l'Armement IV de Dresde, en date du 18 juillet 1944 : « Emploi des Juifs et des déportés. Contrôlé par la direction S.S. Des femmes et des jeunes filles allemandes embauchées comme personnel d'encadrement. Encore à l'état de rodage. Solution réalisable dans certains camps seulement[32]. » Comme on prévoyait un personnel de surveillance féminin, il s'agissait encore une fois de l'emploi de femmes juives.

Ainsi donc, contrairement à ce que je faisais remarquer à Keitel le 7 juin, le nombre des Juifs hongrois disponibles a dû être plus élevé. Car le 7 août 1944, le général Waeger, chef du Service de l'armement, me fit parvenir une note disant que « le *Gauleiter* Sauckel avait interdit la mise au travail de Juifs hongrois dans le district de Thuringe. Il faut annuler immédiatement cet ordre, car sinon d'autres *Gauleiter* pourraient l'imiter, ce qui rendrait impossible l'emploi des Juifs hongrois dans le Reich. Les Juifs hongrois sont traités comme des détenus ; ils ne pourront donc blesser ni la sensibilité de la population ni causer des malheurs[33] ». (*cf.* annexe XIX.)

Je ne sais plus si j'ai discuté ce problème avec le Dr Goebbels lui-même ou si j'ai donné à mon chef de cabinet, le bourgmestre Willi Liebel, l'ordre de l'examiner avec le secrétaire d'État de Goebbels, Naumann. La chronique du ministère ne parle pas d'un entretien personnel avec Goebbels et moi à cette date, mais seulement de débats entre lui et moi, sur un plan très général. Cependant l'inspecteur de l'armement IX de Kassel note à la date du 6 septembre 1944 : « Embauche des Juives. Jusqu'à maintenant 2 000 Juives sont arrivées dans le district, parmi lesquelles 850 n'ont pas encore pu être engagées[34]. » La querelle a donc dû se régler dans mon sens.

Il n'existe pas de statistiques complètes sur le nombre de Juifs qui ont travaillé en camps de concentration dans le Reich jusqu'à la fin de la guerre. Tuvia Friedman déclara, en 1970, que 200 000 avaient survécu aux misères de l'esclavage[35].

Robert H. Jackson, le principal accusateur américain au procès de Nuremberg, déclara au cours de mon interrogatoire : « Si je vous comprends bien, votre action (à l'égard des Juifs) visait à obtenir suffisamment de main-d'œuvre pour l'industrie de guerre en vue de la victoire de l'Allemagne. L'antisémitisme qui régnait dans votre pays était tel que vous en avez perdu vos techniciens spécialisés et la possibilité d'exécuter vos commandes. Vous aviez pour mission de fabriquer des armes afin que l'Allemagne puisse gagner la guerre. Cet antisémitisme forcené de quelques-uns de vos coaccusés ne vous a pas facilité la tâche. » J'ai répondu à Jackson : « Il est certain que si les Juifs évacués avaient pu continuer à travailler dans mon secteur, c'eût été tout avantage pour moi[36]. »

Jackson avait parfaitement raison. On comptait parmi les Juifs allemands des cadres irremplaçables et perdus pour notre économie de guerre à cause de cet antisémitisme fanatique. Je pense par exemple aux physiciens atomiques qui, par la suite, allèrent construire la bombe atomique aux États-Unis. Cette situation se trouva être exactement le contraire de ce qui s'est passé durant la Première Guerre mondiale, lorsqu'on accorda à un Walther Rathenau ou un Hugo Ballin des fonctions importantes dans l'économie de guerre. Mais sans parler du cerveau, étant donné notre pénurie de main-d'œuvre, il était absurde de tuer plusieurs millions de travailleurs au lieu de les affecter à la production. Et des Juifs précisément, qui, étant donné leur remarquable intelligence, auraient pu être formés rapidement et devenir des ouvriers spécialisés. Nous en avons eu une preuve flagrante en 1943, lorsqu'il a fallu remplacer les Juifs de Berlin par des femmes polonaises et russes. Pour avoir refusé la main-d'œuvre juive, nous avons dû supporter des périodes d'apprentissage interminables et des retards dans la livraison des marchandises allant jusqu'à plusieurs mois. L'histoire de l'Inspection de l'armement de Berlin constate en effet ceci, à la fin de l'année 1944 : « Le rendement (des Juifs) est excellent dans diverses branches comme par exemple l'industrie chimique, l'industrie textile et surtout l'industrie électrique où les Juives se révèlent des ouvrières très adroites[37]... » Un an plus tard, le journal de guerre de l'Inspection de l'armement de Berlin déclare expressément que « les Juifs sont appréciés par tous les directeurs d'entreprise comme une main-d'œuvre excellente ; on peut les assimiler aux travailleurs spécialisés. Les chefs d'entreprise ont peur de devoir engager deux Polonais pour remplacer un Juif s'ils veulent maintenir leur rendement[38] ». On trouve également dans le rapport trimestriel de l'Inspection de l'armement de Breslau, fin décembre 1942, la remarque suivante : « Le travail des femmes juives continue à donner entière satisfaction ; du reste quelques-unes des firmes qui emploient déjà de la main-d'œuvre juive multiplient les démarches pour obtenir de nouvelles affectations[39]. »

Les rapports des Inspections de l'armement du Gouvernement général, de Posen, de Kattowice ou du territoire allemand, montrent que les services de mon ministère se sont efforcés d'employer le plus grand nombre possible de Juifs ; et, en même temps, nous mettions tout en œuvre pour améliorer leurs conditions de vie, peu importe les raisons de cette clémence. Je n'ai pourtant retrouvé aucune preuve d'une intervention directe de ma part. J'ai fait nombre de démarches moins spectaculaires pour améliorer les conditions de travail des déportés, et cela a sans doute été reconnu par le tribunal, dans le jugement de Nuremberg, mais je ne me rappelle pas avoir apporté des arguments fondamentaux autres que ceux à caractère technique. J'ai chargé de temps en temps le général Waeger ou le chef du bureau central Liebel d'intervenir auprès de Pohl ou d'autres chefs S.S. Si l'on en croit les rapports des Inspections de l'armement, mes services ont même enregistré assez souvent des succès. Mais il s'agissait toujours d'objectifs utilitaires. Est-ce que, au-delà de ces considérations techniques, j'envisageais le côté humain de la tragédie juive ? Comment aurais-je réagi si j'avais appris ce qui se cachait derrière le « convoi » ? Est-ce que je me serais désisté de mes fonctions de ministre ? Jusqu'à l'automne 1944, j'ai fait partie de ceux qui refoulaient tous les doutes quand les exigences de la guerre le réclamaient. J'étais aussi tellement acquis à Hitler qu'il me suffisait de lire sur sa physionomie une expression de désapprobation pour que je taise immédiatement toute objection.

Mais, d'un autre côté, combien de fois Hitler avait-il menacé les Juifs d'extermination ? Pour moi, les dizaines de milliers de personnes enfouies dans les ghettos étaient perdues pour le marché du travail. Certes, on disait bien à l'occasion qu'ils fabriquaient du matériel de guerre pour l'armée, en Pologne, et je savais, de par mes activités, que cela arrivait parfois en effet.

Mais cette réponse suffisait-elle à expliquer le problème du destin de ces gens[40] ? Aujourd'hui, quarante ans plus tard ou presque, je n'arrive pas à comprendre que j'aie pu attacher plus d'importance au nombre de tanks fabriqués qu'à celui des victimes du racisme.

Sombre « victoire finale »

Toutes les espérances étaient réunies dans ces deux mots : « victoire finale ». Chose étrange, ils ne perdirent même pas leur pouvoir de séduction magique au cours de l'hiver 1941-1942, où il devint évident que nous avions sous-estimé les forces armées soviétiques. C'est l'époque où l'excellent équipement et la discipline de l'Armée rouge commencèrent à nous causer des soucis et à nous effrayer.

Pour Himmler aussi, la « victoire finale » était le mot clé de tout ce qu'il organisait pour le temps de paix, après la victoire, en sa qualité de « commissaire du Reich pour la consolidation du folklore allemand ». Hitler lui avait confié cette fonction dès le 7 octobre 1939, à l'époque où s'achevait la campagne de Pologne. Fort de cette mission, Himmler revendiqua, au cours des années suivantes, l'exclusivité de toutes les questions de décolonisation et de recolonisation du « territoire de l'Est », qui englobait des millions de personnes. Il estima de son devoir de planifier et d'organiser ces immenses migrations de foules humaines dont les intéressés n'avaient guère évalué la portée. En écrivant cela, je ne pense pas seulement au destin des vaincus, mais aussi à celui des Tyroliens du Sud, par exemple, qui avaient réussi à proclamer leur germanisme contre toutes les tentatives d'italianisation du fascisme et qui, à présent, de par la volonté de Hitler et de Himmler, allaient devoir coloniser la Crimée.

Après avoir été attaché au ministère de l'Aviation, Kammler devint progressivement un personnage de premier plan et, finalement, à la fin de la guerre, le bras droit de Hitler, même pour l'armement aérien. Dès les premiers combats de l'est, en automne 1941, il était passé chez Himmler. C'est lui qui dirigea alors le ministère responsable de toutes les constructions S.S. et, en cette nouvelle qualité, une de ses premières activités fut de tracer les grandes lignes du « programme provisoire de paix du *Reichsführer* S.S. ». A ce moment-là, Pohl était encore son supérieur hiérarchique et, à ce titre, il remit cette proposition à Himmler le 14 décembre 1941, à une époque donc où la catastrophe de l'hiver paralysait le potentiel combatif des unités allemande à l'Est. A l'aide de cartes géographiques, Kammler dressa un programme de construction dont le budget s'élevait à 13 milliards de Reichsmarks. Il prévoyait des constructions immenses réparties sur deux grandes régions, le futur Reich allemand et le nouveau territoire de l'Est. Sous le vocable « Reich allemand », il fallait entendre une Allemagne agrandie par l'adoption de quelques pays mentionnés dans le mémorandum. Ce programme de construction révèle que toute la Pologne, la Tchécoslovaquie, la Scandinavie (et pas seulement la Norvège), ainsi que les Pays-Bas, devaient être incorporés au Reich allemand. En revanche, bien que Hitler en ait souvent exprimé l'intention, ce document ne parlait pas d'annexer aussi la Bourgogne, l'Alsace, la Lorraine, la Belgique et la région des houillères située autour de Lille. Manifestement, Kammler en déduisit que tout ce qui existait déjà dans ces pays au développement culturel très avancé satisfaisait les prétentions de Himmler, et qu'il suffirait de procéder à des confiscations pures et simples.

« Le budget de ces vastes projets de construction de la police allemande, comprenant aussi les logements des Waffen S.S. pour l'après-guerre, dans le Gouvernement général et le Protectorat, en Scandinavie et dans les Pays-Bas, se montera approximativement à 7 milliards de Reichsmarks. » Kammler avait calculé en plus « 6 milliards de Reichsmarks supplémentaires environ pour des bâtiments réservés aux Waffen S.S. et aux S.S., ainsi que des bases policières dans le nouveau territoire de l'Est ». On devait donner à ce territoire de l'Est un caractère de colonie qui s'étendrait jusqu'à l'Oural sur la Volga, et jusqu'à Bakou sur la mer Caspienne. Comme « ces projets de construction se répartissent sur cinq ans, il en résulterait pour le Reich un budget annuel de 1,4 milliard, et pour le territoire de l'Est de 1,2 milliard de Reichsmarks », résuma le mémorandum [1]. « Il est nécessaire, déclara Pohl pour compléter le projet de son subordonné, de faire déjà reconnaître maintenant, pendant la guerre (...), nos propres droits à la construction. » Ces droits furent accordés aux S.S. par le ministre de l'Intérieur en juillet 1943.

Les S.S. préparaient donc leur affaire très longtemps à l'avance et d'une manière bien planifiée. Déjà, quelques mois plus tôt, le 4 octobre 1941, l'*Obergruppenführer* S.S. Heydrich avait rencontré le secrétaire d'État de Rosenberg, le *Gauleiter* Meyer, en vue d'obtenir l'accord des instances en question. « L'*Obergruppenführer* S.S. Heydrich déclara qu'il était nécessaire pour les S.S. de mettre leurs entreprises en sécurité (dans les régions soviétiques occupées) pour trois raisons :

1. à cause de la création de bases S.S. et policières ;

2. à cause de la production de matériel brut servant à édifier des zones d'habitation ;

3. à cause de la mission spéciale de Speer dont les grandes constructions nécessitent une quantité importante de matériel (à Berlin et à Nuremberg).

Le *Gauleiter* Meyer déclara qu'il comprenait le principe et la nécessité de la mise en sécurité de ces entreprises, mais que néanmoins la section économique du ministère des pays de l'Est a été quelque peu étonnée de recevoir une liste portant sur plus de 60 usines. (...) Il fut convenu (...) qu'un ordre de priorité serait décrété en commun, que l'administration de l'Économie civile satisferait la plupart des besoins des S.S. et que l'organisation interne des S.S. se présenterait en face de l'administration de l'Economie comme une administration spéciale. » Mais une clause allait dissimuler cet accord inhabituel dans l'administration du ministère de l'Est : « Cependant, pour l'extérieur, et en particulier pour la Wehrmacht, les directeurs d'entreprise ou les agents fiduciaires doivent apparaître uniquement comme des délégués de l'administration civile de l'Économie[2]. »

Durant cette période, Kammler avait justement à s'occuper de la construction de fours crématoires et de camps d'extermination, ainsi que de l'extension des camps de concentration ; ses projets d'envergure gigantesque semblent avoir été un défi à son pouvoir d'organisation. S'il arrivait à accomplir convenablement cette mission, il pourrait être certain de devenir après la guerre un des personnages les plus puissants du Reich dans le domaine de l'architecture. Que représentait en effet mon budget de 550 millions de Reichsmarks au titre d'inspecteur général de la construction pour la capitale du Reich, à côté de ces 2,6 milliards de Reichsmarks par an ?

Et pourtant, Himmler n'était pas content du tout. Dans sa réponse du 31 janvier 1942, il mit en garde le nouveau ministre : « Le budget de vos projets ne comprend même pas les énormes constructions destinées aux Waffen S.S., aux S.S. en général et à la police[3]. » Certes, dans sa lettre, Himmler utilisait une tournure de style assez vague, mais cette remarque laissait présager une somme totale notablement plus élevée que les 2,6 milliards de Reichsmarks par an.

Comment se présentaient ces projets pour les territoires soviétiques conquis ou encore à conquérir ? Un entretien qui eut lieu en août 1942 au quartier général du Führer nous en donne une idée. Sujet de la discussion : les lotissements à l'Est. Assistaient à cet entretien Himmler et le chef du bureau central S.S., Gottlob Berger, ainsi que des représentants du ministère de l'Intérieur et du ministère de l'Est. Hitler lui-même n'y était pas. Pour commencer, fut-il décidé à cette occasion, sur le territoire soviétique, les États baltes devaient être colonisés « en tenant compte de la capacité de germanisation des Esthoniens. Dans ce but, le *Gruppenführer* Greisfelt reçut des directives pour l'organisation du transfert de la minorité allemande de Transnistrie (Les *Volksdeutschen*[4]) ». Mais la fertile Ukraine devait être « germanisée » également.

Au début, il s'agissait là aussi de mesures urgentes : « 45 000 Allemands (*Volksdeutsche*) vivent en Ukraine. Il faut les rassembler en une centaine de villages. On installera 10 000 Allemands (*Volksdeutsche*) dans le secteur de Shitomir, après la fin de la moisson », poursuit le procès-verbal de l'entretien. A l'exécution de ces objectifs aussi urgents, les autorités allemandes opposèrent la force de l'inertie, car « à la suite d'un questionnaire déposé auprès du commissaire général de Shitomir, il s'avéra qu'il n'existait là-bas ni plans d'occupation des sols ni informations sur les débouchés professionnels et sur la situation économique et familiale des *Volksdeutschen*. « Il faut établir immédiatement les plans de répartition de la terre, prévint Greifelt, et chercher les artisans nécessaires à l'édification de cette colonie. (...) Suivant les ordres du Führer, plusieurs secteurs de l'Ukraine seront entièrement occupés par des Allemands au cours des vingt prochaines années[5]. »

Cela, Hitler l'avait déjà décidé l'année précédente. Car la force motrice qui actionnait ce projet démesuré n'était pas Himmler, mais Hitler lui-même. « Il faut que cette région, nous dit-il un soir en comité restreint, perde son caractère de steppe asiatique et s'européanise ! (...) L' "architecte du Reich" habitera dans des résidences de toute beauté. Les fonctionnaires et autorités allemands auront de magnifiques logements, les gouverneurs, des palais. On installera autour des bureaux tout ce qui sert au maintien de la vie. Et une ceinture de jolis villages s'établira autour de la ville jusqu'à 30 et 40 km. (...) Pour cela, nous construirons dès maintenant les grandes voies de communication à la pointe sud de la Crimée, vers le Caucase. Les villes allemandes s'aligneront le long de ces voies de communication comme des perles dans un collier, et autour d'elles, la colonie allemande. Car il ne nous suffit pas de pénétrer dans les anciens patelins russes pour nous ouvrir l'espace vital. Il faut que, sur le simple plan de l'environnement, l'Allemand se situe à un niveau élevé[6]. »

Cependant les experts de Himmler n'étaient pas d'accord pour commencer immédiatement la réalisation de ce projet. « Le début de la colonisation se règle sur les voies de communication principales ouest-est et nord-sud, sur les autoroutes à tracer et sur les grandes voies ferrées transversales à venir. (...) Cette colonie de base prévoit la création de villes de 15 à 20000 habitants aux grands carrefours et l'installation d'une population rurale purement allemande autour de ces villes[7]. » La construction d'une ville de 20000 habitants aurait englouti la somme de 2 milliards de Reichsmarks environ[8].

Pendant son séjour à Winniza, quartier général de l'Ukraine, Hitler avait remarqué un pourcentage appréciable d'individus aux yeux bleus et aux cheveux blonds parmi la population qui vivait aux alentours de son hôtel ; pour lui, l'origine de ces gens remontait aux Goths qui avaient occupé cette contrée pendant des siècles. C'est à cela qu'il faisait allusion lorsqu'il se demanda, en août 1942 : « Il reste encore là-bas (en Ukraine) beaucoup d'individus d'origine germanique. D'où viendraient, sinon, ces enfants aux yeux bleus et aux cheveux blonds ? (...) Que sont donc devenus les derniers Goths anciens ? Le langage peut se perdre, mais le sang doit bien demeurer quelque part[9] ! »

Hitler n'était pas le seul à considérer comme un fait historique les succès allemands dans la colonisation des contrées situées à l'est de L'Elbe, au début du Moyen Age ; toutes ces régions étaient devenues depuis longtemps partie intégrante de l'Allemagne, même au sens géographique du terme.

« Les 2 ou 3 millions de personnes dont nous avons besoin (pour coloniser ce pays), poursuivit Hitler au cours de l'une de ses extases nocturnes, nous les obtiendrons plus vite que nous le pensons. Nous irons les chercher en Allemagne, dans les pays scandinaves, dans les régions occidentales et en Amérique. Je ne serai sûrement plus là pour le voir, mais dans vingt ans, cette contrée sera déjà peuplée de 20 millions d'habitants. Dans trois cents ans, ce sera un magnifique parc florissant d'une beauté exceptionnelle [10]. » Ces chiffres, Hitler ne les lançait pas au hasard ; il avait l'habitude, comme dans les problèmes de l'armement par exemple, de se servir des statistiques pour étayer tous ses chiffres. En consultant la pyramide des âges, il a dû calculer approximativement que, dans ces vingt années, la croissance naturelle de la population se monterait à 44 pour 100. Mais il partait du principe que 11 millions au moins « d'individus germaniques », venant de tous les pays cités par lui, afflueraient dans les régions colonisées de l'Est.

« L'industrie allemande du bâtiment, remarqua Himmler, ne pouvait pas réaliser des programmes de cette envergure. S'y opposaient à la fois les frais entraînés et la capacité même de cette industrie. » « Il n'y avait qu'un moyen de réduire à un minimum les prix de la construction (...) : former des déportés pour en faire des hommes de métier, plus encore, des spécialistes, spécialistes du creusage des caves, par exemple, spécialistes de la construction des caves, spécialistes du coulage d'une couverture en béton, d'autres qui élèvent les murs d'un immeuble, d'autres encore qui construisent les combles ou qui montent les chambranles des fenêtres. (...) Il faut que nous construisions nous-mêmes, avec nos propres matériaux et notre propre main-d'œuvre, 80 pour 100 d'un immeuble d'habitation ou d'un bâtiment officiel. Si nous n'y arrivons pas, poursuivit Himmler, nous n'obtiendrons ni casernes, ni écoles, ni bureaux convenables, nous n'aurons pas de logements pour nos S.S. dans le Vieux Reich, et je ne pourrai pas, moi, commissaire du Reich pour le maintien du caractère allemand national, établir les immenses colonies avec lesquelles nous germaniserons l'Est du pays [11]. »

Ainsi Himmler embauchait-il des déportés pour exécuter les travaux ; et dix jours plus tard, Kammler mit au point un plan sur la manière de concrétiser ces idées. Le 5 mars 1942, Pohl transmit à Himmler « la proposition pour la mise en place de brigades S.S. de construction » élaborée par Kammler. De cette manière, Kammler se faisait le promoteur d'une nouvelle organisation S.S. dans le domaine du bâtiment, qui aurait formé un véritable empire de la construction, homologue de l'empire industriel S.S.

Pour la construction, chaque brigade de camp de concentration devait comprendre deux régiments, et chaque régiment être divisé en trois bataillons, un pour les travaux en sous-sol, un pour la superstructure, et le troisième pour l'aménagement. Un bataillon se répartissait en quatre compagnies, et chaque compagnie se composait de 200 personnes, dont 20 pour le service intérieur. Il fallait donc 4 800 déportés pour former une brigade de 24 compagnies. Évidemment, on mit une condition expresse à ces arrangements : ces unités organisées militairement seraient recrutées parmi les déportés et les Juifs des camps de concentration, dont le travail ne coûtait pas cher à l'employeur. Comment remplir, sinon, les ordres lancés par Himmler de baisser notablement les coûts de construction ? C'est pourquoi il est nécessaire d'affecter des déportés et des Juifs à la mise en place des brigades de construction. « Avec les déportés déclara Kammler, peu importe qu'ils soient embauchés comme travailleurs spécialisés ou comme main-d'œuvre auxiliaire, on ne pourra obtenir que 50 pour 100 environ du rendement des travailleurs allemands[12]. »

La première mesure fondamentale prise par Kammler consista à charger chacun des chefs S.S. et de la police, pour son propre secteur, de mettre en place au moins une brigade de construction. Comme il fallait compter environ vingt secteurs différents, y compris les secteurs secondaires, Kammler exigea donc qu'on lui fournisse 96 000 déportés et Juifs, dont il voulait commencer par embaucher 67 500. Cette armée ne comblerait que les besoins du territoire proprement dits du Reich ; or Himmler précisa ultérieurement que ces besoins s'élevaient à moins d'un dixième de la somme totale prévue pour les pays de l'Est. Pour le Gouvernement général, Kammler réclama encore 47 500 déportés et Juifs, pour les pays de l'Est (la Russie) 60 000, donc en tout 175 000 déportés. A ces prétentions énormes, annonça Kammler avec regret le 15 décembre 1941, il n'avait à opposer que les 2 037 déportés engagés comme spécialistes du bâtiment, et les 6 763 comme main-d'œuvre auxiliaire qui travaillaient sur les chantiers des S.S.[13].

De par son activité au ministère de l'Aviation sans doute, Kammler savait que les entreprises de l'État — parmi lesquelles il fallait compter celles des camps de concentration — ne fournissaient pas un travail parfait, l'expérience était là pour le dire. C'est pourquoi il essaya d'expliquer à Himmler que ses idées étaient utopiques : on ne pouvait pas monter un programmme de construction avec 80 pour 100 de déportés et seulement 20 pour 100 de personnel d'encadrement. Car « les expériences faites sur les entreprises de l'État avaient été si mauvaises durant la guerre de 14-18 et après la guerre, que, à part quelques rares exceptions, on avait dû les dissoudre toutes au bout de peu de temps, au prix de pertes très importantes. (...) Les entreprises de l'État coûtent en effet plus cher que celles de l'industrie privée — c'est ainsi que Kammler fit la leçon à Himmler — car les comptes sont basés sur les frais réels et non sur les calculs budgétaires[14] ». Aussi, conclut Kammler en opposition avec les objectifs de Himmler, « est-il absolument indispensable d'inclure l'industrie et l'économie privées de la construction dans les projets. C'était le seul moyen de mettre à profit les conquêtes de la technologie et les mesures de rationalisation, et d'utiliser au maximum le progrès technique ».

Kammler proposa donc à Himmler « de signer des pré-contrats avec l'industrie des matériaux de construction, y compris l'industrie des éléments préfabriqués, pour assurer un minimum de production fournie par l'industrie du bâtiment en général, à côté de celle des entreprises propres aux S.S., afin de réaliser les projets des S.S. pour l'après-guerre ». Après la publication du programme provisoire de construction pour la paix, l'Office central de l'administration de l'économie des S.S. a déjà commencé à acheter des matériaux de construction bruts, et à assurer la production, autant que faire se pouvait. « Il a aussi incité à acheter de grandes quantités de machines, d'instruments spécialisés et de tracteurs dans les pays d'occupation [15]. » (...) Tout cela évidemment n'est qu'un exemple destiné à montrer comment des projets valables pour l'après-guerre provoquaient des blocages en pleine guerre et des accumulations de stocks inutiles, alors que ces matériaux et ces machines faisaient défaut ailleurs.

Kammler ne connaissait pas encore Himmler ; pour n'en avoir pas encore fait l'expérience, il ne savait pas qu'il était incapable d'apprendre quoi que ce soit. Il avait présenté le peu de rentabilité des entreprises de l'État, parmi lesquelles il comptait aussi celles des camps de concentration avec la franchise d'un novice pénétrant pour la première fois dans l'appareil de Himmler. Or Himmler tenait à ce que les quatre cinquièmes du programme de l'après-guerre soient exécutés uniquement par des déportés. Ainsi Kammler contrecarrait-il les desseins de son chef hiérarchique.

Il va de soi que Himmler s'entêta à vouloir multiplier les chantiers de construction des camps de concentration. Il protesta violemment contre le mauvais rendement de travail dont étaient taxés les déportés : « On n'accorde aux déportés qu'un rendement de travail de 50 pour 100 par rapport aux travailleurs spécialisés allemands, mais je n'accepte pas ce calcul simplet. 50 pour 100, voilà qui est sûrement très simple et très commode. Or il faut ici faire flèche de tout bois. Dans la pratique, on doit arriver, avec le temps, à ce que le manœuvre prisonnier fournisse un rendement supérieur à celui du manœuvre libre. Et pourquoi l'ouvrier spécialisé prisonnier n'aurait-il pas le même rendement que l'ouvrier spécialisé vivant en liberté ? Je me le demande. C'est là justement que se cache une immense réserve de main-d'œuvre. Le chef de l'Office central de l'administration de l'économie peut aller l'y chercher, maintenant qu'il est chargé de l'inspection des camps de concentration. »

Aux yeux de Himmler, il était indispensable « de proposer des femmes aux prisonniers zélés, en créant des bordels. De même il faut leur allouer un petit salaire forfaitaire. Une fois remplies ces deux conditions, le rendement du travail montera en flèche. Refuser ces deux conditions, et en particulier la première, c'est faire preuve d'anachronisme et manquer de réalisme [16] ».

Tout cela au contraire montre un manque de réalisme grotesque et un dilettantisme total. Himmler se refusait à admettre les conditions de travail réelles dans les camps de concentration. Il ne tenait aucun compte de la faible constitution physique des déportés, qu'il aurait été facile d'ailleurs de rétablir en améliorant le traitement et la nourriture. Néanmoins, leur état psychique désastreux ne pouvait que s'opposer à toute amélioration.

Dans sa liste du 14 décembre 1941 sur l'exécution d'un programme provisoire de construction pour la paix, Kammler présenta au point 2 une position lapidaire, pour la région du Reich proprement dite étendue à la Pologne : « Camps de concentration territoire du Reich, 550 millions de Reichsmarks[17]. » Comme je l'ai déjà expliqué plus haut, chaque baraquement, avec ses constructions annexes et ses installations, etc., coûtait 45 600 Reichsmarks. Elle devait abriter 333 déportés. 550 millions de Reichsmarks auraient permis de construire 12 061 baraques, et fournir ainsi de la place à 4 016 000 occupants[18]. Ce seul nombre, à savoir 4 millions de déportés enfermés dans ces camps de concentration, pour le seul territoire du Reich, donne une idée de l'étendue du programme d'esclavage qui était prévu pour réaliser ces objectifs, dans le domaine de la construction ; voilà comment on voulait servir la paix, voilà en quoi consistait le « programme de paix du *Reichsführer* S.S. ».

Ce seul chiffre de 4 016 000 déportés révèle une perspective horrible. C'est donc à cela que ressemblait le programme de paix du gouvernement national-socialiste : la souffrance et la misère de millions d'êtres humains devant servir de fondement à la gloire, à l'éclat et à l'opulence du IIIe Reich !

Il faut se rappeler que, à l'origine, sous Göring, les camps de concentration devaient mettre les adversaires politiques hors circuit. Après être passés aux mains des S.S., on les remplit d'éléments considérés comme « nuisibles », en provenance de l'Allemagne et de l'étranger. Juifs, adversaires politiques de tous bords, tziganes, membres du clergé et des sectes religieuses multiplièrent le nombre des pensionnaires qui devaient contribuer à équilibrer l'énorme machine de guerre de l'ennemi ou à l'écraser. Néanmoins, dans une troisième phase, Hitler se décida à faire exécuter des millions de Juifs que Himmler voulait affecter à l'industrie, dans les camps de concentration.

Mais les projets de Himmler mirent froidement au point une quatrième phase prévue pour le Reich de la Grande Paix, où il n'y aurait plus du tout d'ennemis. Pour cela, Hitler n'avait-il pas prévu de lancer régulièrement une petite campagne au-delà de l'Oural, pour démontrer l'autorité du Reich et maintenir à un haut niveau la combativité de l'armée allemande. Cette vision d'un « Reich de Paix » reposait donc sur plusieurs millions d'esclaves permanents qui n'étaient ni des ennemis politiques ni des « ennemis de race », comme on disait, mais devaient être maintenus toute leur vie durant dans des camps par simple nécessité économique — « avec des femmes dans les bordels ». Cet empire d'esclaves s'étendant jusqu'à l'Oural serait le fondement et la source énergétique de cette Europe qui devait se préparer à vaincre l'ennemi numéro un, les États-Unis d'Amérique.

Dans la marge du mémorandum de Kammler sur la mise en place des brigades de construction, Himmler nota à la main : « L'état-major suprême peut accorder ce chiffre pour les provinces allemandes de l'Est. Estimation : 80 à 120 milliards[19]. »

Dix jours plus tard, le 23 mars 1942, Himmler précisa la somme que coûteraient les constructions à réaliser sur le futur territoire du Reich allemand : « Quant à moi, j'estime à 80 milliards environ le programme de construction concernant uniquement les nouveaux districts du Reich allemand, Prusse méridionale et orientale, Prusse occidentale, Wartheland et haute Silésie. » Dans ce chiffre, Himmler comptait aussi les frais occasionnés par « la construction des villages et des villes[20]. » Il faut faire une distinction entre ce programme relatif aux nouveaux territoires du Reich allemand et celui des régions de l'Est à coloniser, désignées par Himmler comme « les provinces de l'Est », pour lesquelles, d'après sa remarque manuscrite, il prévoyait un investissement allant de 80 à 120 milliards de marks pour les seuls frais de construction.

Hitler n'avait cessé de nous parler d'un délai de vingt années ; même les documents qui ont été conservés considérèrent ce délai comme réaliste. Dans le meilleur des cas, on peut donc supposer qu'il s'agissait d'un programme s'étendant sur vingt années, encore qu'il soit parfois prévu de le réaliser en dix ans, on en trouve çà et là la mention. 80 milliards affectés à la construction dans les districts orientaux du Reich et répartis sur vingt ans, cela aurait donné la somme de 4 milliards de Reichsmarks par an. Les frais à engager pour coloniser le territoire russe, d'après les estimations de Himmler, seraient de 80 à 120 milliards de Reichsmarks, ce qui représente 4 à 6 milliards par an, donc, au total, pour la partie orientale de la Nouvelle Allemagne et les colonies de l'Est approximativement 9,4 milliards de Reichsmarks. Pour se faire une idée de ce que cela représente, on peut confronter la capacité de l'industrie allemande du bâtiment de cette année 1942 à ces sommes ; elle se montait au total à 13,2 milliards de Reichsmarks[21], autrement dit les objectifs planifiés de Himmler étaient équivalents à 68 pour 100 de toute l'industrie allemande du bâtiment.

Dans sa lettre du 23 mars 1942, Himmler est très explicite ; tout comme par le passé, il pensait faire exécuter par des déportés les quatre cinquièmes des travaux de construction évalués par lui et son état-major à 9 milliards de Reichsmarks par an. Mais le chiffre de 4 016 000 déportés avancé par Kammler concernait l'exécution à 2,6 milliards de Reichsmarks par an. Donc si l'on prend pour base la somme de 9,4 milliards de marks fixée approximativement par Himmler, le résultat obtenu se monte à 3,6 fois celui de Kammler.

Si l'on en croit le simple langage des chiffres, pour une somme 3,6 fois plus élevée que la somme prévue, il fallait aussi un effectif de main-d'œuvre

3,6 fois plus élevé. Cela signifie en clair que l'exécution de ce programme de vingt ans nécessitait la mobilisation de 4 450 000 déportés. Sur ces 14,5 millions de déportés, d'après l'expérience des S.S. à l'époque, 37 pour 100 étaient malades ou affectés aux services intérieurs ; il en restait donc 9 140 000 pour les chantiers. Mais cette main-d'œuvre ne donnait qu'un rendement de 50 pour 100. Cela signifie que le rendement de ces 14,5 millions de déportés correspondait à celui de 4 570 000 travailleurs libres. A cela s'ajoutaient encore les 20 pour 100 d'ouvriers spécialisés allemands réclamés par Himmler. La somme prévue pour la construction devait donc correspondre au rendement de 5 484 000 travailleurs.

Si l'on compare le rendement annuel de l'industrie allemande du bâtiment avec la volonté de Himmler de consacrer tous les ans 9,4 milliards de Reichsmarks à la construction, on s'aperçoit que ce projet n'était même pas irréalisable.

Le nombre de travailleurs employés dans l'industrie allemande du bâtiment, y compris l'Autriche et le territoire des Sudètes, s'élevait en juin 1939 à environ 10 056 000 hommes[22]. La somme évaluée par Himmler pour les coûts de construction exigeait 71 pour 100 de la capacité allemande de l'industrie du bâtiment, donc — 7 140 000 hommes engagés sur les chantiers de l'Est. Par conséquent, si l'on poussait jusqu'au bout les élucubrations d'avenir de Himmler, on s'apercevrait très rapidement que les effectifs de déportés à embaucher, selon les calculs de Kammler, n'auraient pas couvert les besoins.

14,5 millions d'esclaves occupés à réaliser les projets de construction de Hitler et de Himmler, aujourd'hui, avec le recul du temps, cela semble une pure utopie. Mais il ne faut pas oublier que, de 1942 à 1945, Sauckel avait réussi à déporter[23] vers l'Allemagne 7 652 000 individus en provenance des pays occupés, pour les affecter à l'économie allemande, et la majeure partie de ces détenus vivaient dans des camps de baraquements. Les archives ne permettent pas d'établir un taux de mortalité valable. Même si les conditions sanitaires, la nourriture et le service médical avaient atteint le niveau de ceux des Usines Mittelwerk par exemple, on ne peut guère escompter que la mortalité générale eût été moindre que celle de cette vaste entreprise. L'impossibilité d'envisager la fin de cette existence d'esclaves en temps de paix à elle seule aurait consumé les forces de résistance et anéanti toute volonté de vivre. Le taux de mortalité s'élevait à Mittelwerk à 0,8 pour 100 par mois ; un dixième environ du personnel était donc fauché en une année. Sur vingt ans, cela signifie que les 14,5 millions de déportés auraient dû être remplacés au bout de la première moitié de la période de travail envisagée, et que le même nombre d'individus aurait encore une fois disparu dans les dix dernières années. Et, pour aller jusqu'au bout de ce sombre calcul : le double de l'effectif d'esclaves prévu à l'origine aurait à peine suffi pour exécuter le plan de vingt ans, sans compter les pertes dues à la vieillesse. 29 millions de déportés disparus, 20 millions d'Allemands obligés de s'expatrier pour coloniser ces territoires, voilà les chiffres qui montrent ce qu'aurait coûté la paix aux peuples vaincus. Dépeuplement d'un côté, colonisation de l'autre.

Tout comme pour l'extermination des Juifs, Himmler n'aurait été que l'organisateur de cet empire d'esclaves à l'Est ; le programme en soi n'était pas dû à son cerveau, mais à celui de Hitler. Dès octobre 1941, Hitler déclara qu' « il n'y avait qu'une seule tâche à accomplir dans les territoires russes : procéder à la germanisation des provinces en faisant venir des Allemands et en considérant les indigènes comme des Indiens ». Cela signifie donc, dans la pensée de Hitler, ne pas tenir compte de leur existence, et ne pas reculer même devant leur extermination. Car Hitler citait souvent le destin des Indiens aux Etats-Unis comme une solution tout à fait applicable en cas d'annexion. « Nous n'avons pas besoin d'avoir des scrupules, disait-il. Nous n'entrons pas dans les villes russes, il faut qu'elles disparaissent complètement. » Et encore : « La réaction de la postérité devant les méthodes que j'ai été obligé d'employer m'est totalement indifférente [24]. »

Sa résolution ne fait aucun doute. Au cours d'un de ses monologues nocturnes, il s'écria : « Là aussi, je resterai de glace. Si le peuple allemand n'est pas prêt à tout mettre en œuvre pour sa propre conservation, très bien : alors, qu'il disparaisse [25] ! » Peut-on encore douter de sa folie meurtrière quand il assurait : « Ils seront nombreux à hocher la tête, je n'ai pas de peine à me l'imaginer ! Comment le Führer peut-il anéantir une ville comme Pétersbourg (Leningrad) ! Si je me rends compte que la race est en péril, tout sentiment disparaît en moi pour faire place à la froide raison : je ne vois plus que la victime à sacrifier aujourd'hui pour préserver les victimes de demain. (...) Pétersbourg disparaît. C'est le moment de rappeler les principes de l'Antiquité. La ville sera complètement détruite. Moscou est le siège de la doctrine (communiste) et, à ce titre, elle aussi sera rasée de la surface de la terre. (...) Je reste de glace en rasant Kiev, Moscou et Pétersbourg de la surface du Globe. » En face de cela, il semble presque sentimental en affirmant : « Heureusement que nous n'avons pas eu besoin de détruire Paris. Autant la destruction de Pétersbourg et de Moscou me laisserait indifférent, autant celle de Paris m'aurait fait affreusement souffrir », mais pour assurer aussitôt que « nous ne pouvons obtenir quelque chose que si nous nous montrons durs et inébranlables [26] ». Il mettait la même rigueur à supprimer impitoyablement des millions de Russes, comme le sous-entendait le programme de Himmler. La pitié n'était pas de mise ; il ne manifestait qu'un froid glacial. Car, disait Hitler, « cette centaine de millions de Slaves ridicules, nous allons les absorber ou les balayer ! Et si quelqu'un ici parle de contrôle, qu'on le jette immédiatement dans un camp de concentration [27] ».

Lorsque Hitler et Himmler discutèrent ces projets et préparèrent leur réalisation dans ses moindres détails, ils n'avaient sans doute pas encore calculé minutieusement les conséquences de ce programme, la suppression de millions de Slaves. Mais l'objectif était incontestable : il représentait un programme que Hitler considérait comme le témoignage historique de l'œuvre de sa vie pour les générations à venir.

A l'époque où Hitler et Himmler discutaient les plans d'avenir pour ce Reich de l'après-guerre, nous écoutions les récits joyeux du Führer dans son quartier général. Je l'entends encore déclarer : « Les hommes, je les aime tant ! (...) Je ne peux pas supporter qu'une voiture passe sur une flaque d'eau et éclabousse les gens sur les trottoirs. Et si ce sont des paysans dans leurs vêtements du dimanche, je trouve cela particulièrement ignoble ! En doublant un cycliste, je ne roule vite que si je vois de loin que le vent dissipe immédiatement la poussière. (...) Je ne voudrais voir souffrir personne et ne faire de mal à personne. (...) Que le Beau tienne les hommes en son pouvoir. Nous éviterons (...) tout ce qui nuit à notre prochain, autant que faire se peut. (...) Je n'ai encore jamais éprouvé de plaisir à écorcher les autres, même si je comprends qu'il n'est pas possible de s'affirmer sans la violence. (...) Je me sens bien dans la société historique où je me trouve quand c'est un Olympe. Les esprits les plus éclairés de tous les temps se trouveront dans celui où je m'engage[28]. »

Quel est donc cet homme qui pouvait prononcer le même jour des paroles aussi totalement contradictoires en apparence ? A l'époque, nous n'apercevions même pas la perversion de cet assassin sentimental. Nous en prenions à notre aise ; en présence de Hitler, nous nous sentions les maîtres du monde imaginaire créé par lui, nous avions vraiment foi en sa mission. Les monuments gigantesques que j'avais construits paraissaient être une couronne digne de lui, dans laquelle j'avais mis le meilleur de mon sens de l'esthétique. Du haut de mes monuments, il dirigerait le monde.

Quant à lui, sans la moindre ironie, il se considérait comme le bienfaiteur des Allemands, et nous, nous pensions tout simplement que l'histoire du monde était ainsi faite. Nous ne trouvions même pas absurde de l'entendre dire avec le plus grand sérieux[29] :

« C'est vrai, je suis terriblement humain. »

Annexes

Annexe I : A propos du décret de septembre 1942

Les travailleurs embauchés directement dans les entreprises d'armement virent leur situation s'améliorer avec le temps, à l'opposé des déportés affectés aux entreprises des camps de concentration des S.S. Viktor E. Frankl, le célèbre psychothérapeute, parle de ce qu'il a vécu au cours de ses années passées en camp de concentration : « Combien nous enviions ceux d'entre nous qui avaient la possibilité d'aller en usine et de travailler dans un local abrité. Une telle chance pouvait nous sauver la vie, et nous souhaitions tous très ardemment l'avoir [1]. » Voici ce que relate Bruno Bettelheim, lui aussi psychologue de renom, sur ses expériences de déporté : « Tomber sur un bon commando de travail et y rester, ce fut toujours une affaire de vie ou de mort [2]. » Et Simon Wiesenthal écrit dans son livre *Die Sonnenblume* (Le Tournesol) : « Pour les Juifs, l'installation de tant d'entreprises allemandes dans l'arrière-pays [en Pologne] fut une bonne chose. Le travail dans les commandos extérieurs au camp de concentration n'était pas particulièrement pénible. » Et Wiesenthal confirme ce point de vue un peu plus loin : « Dans les Chemins de fer de l'Est, nous étions relativement bien. Nous avions des contacts avec le monde extérieur et recevions aussi des rations supplémentaires [3] ».

Eugen Kogon raconte aussi ses souvenirs : « Quand on savait à quoi s'en tenir, on se proposait, même si on n'y connaissait presque rien, dans le travail manuel... Les travailleurs spécialisés étaient affectés aux ateliers, ce qui de toute façon équivalait à une sorte d'assurance-vie [4]. »

Elena Skrjabin, condamnée aux travaux forcés dans une usine de Rhénanie, nota dans son journal, à la date du 11 mars 1943 : « Les Juives devaient autant que possible se prévaloir d'une formation spécialisée ou de capacités manuelles, leur chuchotions-nous. La seule chose qui pouvait les sauver, c'était de se rendre utiles aux Allemands par leur travail [5]. »

La seule perspective des « Juifs, déportés d'office et déportés politiques dans les camps d'extermination était en général la mort », m'écrivit Leonhard Schwarz qui demeura longtemps en déportation. « Mais ils avaient une chance de sauver leur peau s'ils étaient affectés à une entreprise d'armement [6] ».

D'après Benjamin B. Ferencz, « il est vrai que beaucoup de déportés cherchaient à échapper aux camps de concentration, pour travailler dans la production de guerre.

Non pas parce qu'ils souhaitaient soutenir les efforts militaires de Hitler ou pour profiter des avantages de ce travail, mais parce que, sinon, ils n'avaient d'autre alternative que la chambre à gaz. » Ferencz écrit encore : « De nombreux déportés ont été sauvés par leur travail, par leur contribution à la production de guerre, c'est indéniable. Cette société, qui utilisait ainsi les déportés, ne cherchait pas à leur sauver la vie mais à les exploiter au profit de ses objectifs ou des desseins nationaux, et elle ne pouvait guère en tirer une satisfaction morale. Si l'Allemagne avait gagné la guerre, le destin des Juifs aurait été scellé. Le travail forcé des déportés ne servait donc pas à les sauver, mais à sauver l'Allemagne. La victoire de l'Allemagne signifiait la défaite pour les déportés et la mort pour les Juifs[7]. » De nombreux chefs d'entreprise, tel Heinkel par exemple, cherchèrent à compenser, si l'on peut dire, en faisant du trafic de marchandises pour procurer un supplément de nourriture aux prisonniers et aux déportés. Mais malgré tout, il faut bien reconnaître que, dans le principe, cette remarque de Ferencz est exacte.

Martin Broszat décrit tout ce processus d'exploitation dans son ouvrage *Anatomie des SS-Staates* (Anatomie de l'État S.S.) : « A partir de 1941-1942, les déportés des camps de concentration furent de plus en plus nombreux à être affectés aux travaux prioritaires de la production et de l'économie de guerre, et cela contribua dans l'ensemble à assouplir la réglementation interne du camp en vigueur jusque-là, établie sur la terreur, la répression et la discrimination[8] ».

J'avais intérêt, quant à moi, à disposer d'un effectif de travailleurs en bonne santé, cela va de soi. Il fallait compter une période de six à douze semaines pour former un ouvrier, et, même après cela, il continuait à gâcher beaucoup de marchandises pendant six mois encore. Une fois terminé l'apprentissage, le travail de l'ouvrier ne devenait vraiment rentable qu'au bout de six mois. Rien que pour cette raison, j'étais exaspéré chaque fois que j'entendais parler de la fameuse « extermination par le travail » mentionnée souvent par l'accusation au procès de Nuremberg, à propos des entreprises dont j'avais la responsabilité.

C'est pourquoi, après avoir passé de longues années dans le camp de concentration d'Auschwitz, Hermann Langbein note également dans son livre : « Il est possible que la terreur et la brutalité, des châtiments très rigoureux et tout un réseau de dénonciateurs soient contraignants pour les travailleurs et aboutissent à un plein rendement quand il s'agit de travaux en plein air, faciles à surveiller ; mais ces moyens n'ont aucun effet sur un travail de qualification. » Il poursuit : « Quand des déportés étaient embauchés comme travailleurs spécialisés et qualifiés, la direction de l'entreprise avait intérêt à maintenir leur capacité de travail. Car on ne pouvait pas les remplacer purement et simplement comme des travailleurs non qualifiés[9].

Pour éviter de longs transports ou de longues marches à pied, on construisit des camps spéciaux à proximité des usines ; ces camps n'étaient placés ni sous le contrôle du chef de l'établissement, ni sous celui de mes services ; ils étaient exclusivement subordonnés aux organes S.S. Mais pendant le travail, les déportés recevaient les directives des maîtres et des contremaîtres. « Les locaux de l'usine étaient noyautés de travailleurs civils, de contremaîtres et de maîtres », lit-on dans le rapport d'un inconnu à l'état-major personnel de Himmler, « afin de tirer des déportés affectés au travail à la chaîne un rendement égal à celui des travailleurs civils[10] ». En règle générale, dans les usines d'armement de l'industrie privée, le personnel en provenance des camps de concentration ne formait qu'une partie de l'effectif. Pour des raisons d'exploitation industrielle, il était incorporé dans le processus de production ;

aussi ne pouvait-on pas le soumettre à un régime plus dur que celui des autres ouvriers de l'usine, et pour ces mêmes raisons, il fallait donc que son temps de travail fût calqué sur celui du reste du personnel.

Hans Marsalek raconte dans *Der Widerstandskämpfer* (Le Combattant de la Résistance) : « Voici comment Eugen Thomé, déporté politique d'origine luxembourgeoise, numéro d'immatriculation 47 849, décrit le travail à la chaîne dans la salle VI de Gusen I, où les déportés fabriquent des pièces de mitraillettes pour la firme Steyr-Daimler Puch : “ La méthode de production était celle d'une entreprise moderne, le travail à la chaîne. Les pièces brutes arrivaient du dépôt central et passaient d'une machine à l'autre, suivant un plan précis de fabrication ; à la fin, il en sortait une pièce achevée. Certaines phases de travail duraient assez longtemps, et dans ces cas-là, un seul déporté s'occupait de plusieurs machines. ”[11]. »

En général, dans les entreprises concentrationnaires, on calculait que le rendement des déportés n'atteignait que 50 pour 100 du rendement normal[12]. Dans le même article, Marsalek note que, dans la production mécanisée, le taux de rendement dépassait notablement 50 pour 100 du rendement normal.

Il arrivait souvent de forcer la production de chars et de pièces d'artillerie avant les offensives ou quand la situation militaire semblait désespérée. Dans ce cas, on travaillait en moyenne de 60 à 64 heures par semaine dans ces usines, pendant 2 à 4 semaines. Mais ce chiffre ne correspondait pas à la durée moyenne du travail. Nous en avons pour témoignage une lettre de Himmler à Göring en date du 9 mars 1944 : Le temps de travail de tous les déportés, que ce soit pour l'armée de terre, pour la marine ou pour l'aviation, est de 240 heures par mois en moyenne, autrement dit 55,4 heures par semaine[13]. Cela est confirmé par la lettre de Schieber en date du 7 mai 1944 : 32 000 déportés totalisent 8 millions d'heures de travail par mois, donc une moyenne de 57,6 heures par semaine et par individu. Dans l'intérêt propre de la production, on veillait à ne pas atteindre la limite au-delà de laquelle on commençait à enregistrer des pièces ratées. Notre expérience nous a montré qu'un excès d'heures de travail pouvait amener une réduction de la production, provoquée par un accroissement des déchets.

Aux États-Unis aussi, on travaillait dur. Dans des branches industrielles importantes, comme la fabrication de turbines et de machines, l'indice s'élevait à 49,1 heures de travail par semaine[14].

Parmi toutes les entreprises affectées à l'industrie de l'armement, où travaillaient des millions d'individus, tant aux États-Unis qu'en Allemagne, toutes n'avaient pas à fournir du matériel de première urgence ; aussi, d'après Wagenführ, pour l'ensemble de l'industrie, la moyenne se montait-elle à 45,2 heures de travail par semaine aux États-Unis, et à 49,5 heures en Allemagne[15].

Annexe II : Ohlendorf parle de Himmler

Au cours de son interrogatoire du 8 octobre 1947, devant le tribunal militaire, Ohlendorf expliqua que Himmler « refusait toute situation ordonnée ; il était le représentant d'un dualisme, et en cela, il tentait d'imiter Hitler, sur une petite échelle. La politique de Hitler consistait non pas à confier les missions à des institutions, mais à des personnes, et cette politique devint vite funeste pour nous. Himmler aussi s'ingéniait à déléguer les tâches à accomplir non pas à des institutions mais à des personnes et, dans la mesure du possible, à déléguer une seule et même tâche à plusieurs personnes. Il craignait toujours de voir un des fonctionnaires le supplanter dans la hiérarchie du pouvoir, bien à tort, car il ne courait aucun risque sur ce point ; et en agissant ainsi, il croyait empêcher que, de par sa fonction, l'un de ses subordonnés devienne plus puissant que lui. Himmler était un opportuniste du moment ; il aimait confier, sans préambule, une mission à une personne, la faire monter, puis la laisser retomber. A mon avis, cela ne pouvait que détruire l'ordre dans un État, même en temps de paix, à plus forte raison en temps de guerre, et d'une guerre aussi difficile que celle que devait faire l'Allemagne. Je finis par me séparer de Himmler à cause de l'arbitraire de ses décisions ; tout chez lui était régi par l'arbitraire, qu'il répartît les tâches ou qu'il habilitât des personnes tantôt inaptes, tantôt corrompues ou tellement figées qu'elles étaient incapables de stimuler les autres. Peut-être même les nommait-il à cause de cela[16] »

Annexe III : De l'hypothèse de Eugen Kogon sur le sabotage

Ce n'est pas seulement, comme le dit Kogon, dans le sabotage qu'il faut voir la cause des rendements insuffisants des entreprises installées dans les camps de concentration tels que Buchenwald, Neuengamme ou Auschwitz, mais aussi dans la fabrication clandestine sur une grande échelle. « Dans les vastes ateliers de Buchenwald prévus pour le montage des carabines, les déportés consacraient jusqu'à la moitié de leur temps de travail à ce que l'on appelle du " carottage ", c'est-à-dire une activité illégale dans un but personnel. De grandes quantités de bois précieux, de cuivre et de bronze, d'or, d'argent et de toute sorte de fer forgé, ainsi que d'importants contingents de matériaux bruts précieux pour l'industrie de guerre furent sans arrêt détournés au profit des chefs S.S... Installations entières de salles de séjour, mobilier complet et meubles d'art, objets en métal repoussé, bustes et statues se déplaçaient ainsi sur les lieux de leur fabrication ; mais on les retrouvait aussi chez les amis et connaissances, en Allemagne et même à l'étranger[17]. »

Il ne faudrait pas exagérer les effets de cette corruption. Celle qui existait dans la répartition des vivres avait beaucoup plus d'impact, encore que la fabrication illégale fût l'une des sources de l'échec des S.S. dans le domaine de l'armement. Si j'avais eu une idée du degré de corruption qui régnait dans l'équipe de tête des S.S., le Service de la sûreté S.S. n'aurait pas été chargé, le 5 octobre 1943, de me déclarer les objets usuels très prisés qui étaient fabriqués clandestinement, comme les appareils de radio ou les réfrigérateurs. On commençait à soupçonner un peu partout que les usines d'armement avaient utilisé des matériaux bruts destinés à la fabrication des armes pour produire, en supplément, « une centaine d'appareils de radio, quelque cinquante ou cent réfrigérateurs ou objets du même genre. Ces objets servaient à pratiquer la corruption. Certes on ne les offrait pas aux notables du pays à titre de cadeaux. Mais qu'il soit livré gratuitement ou contre paiement, un objet introuvable peut servir à suborner[18] ».

Je ne reçus pas la moindre déclaration. Bientôt mes collaborateurs s'imaginèrent avoir trouvé l'explication de ce silence étonnant : les S.S. ont dû exploiter cet ordre officiel pour s'adjuger à eux-mêmes ces objets de luxe.

A l'époque, je ne savais pas tout, il est vrai. Ainsi, « l'Institut d'hygiène des Waffen S.S., département de la recherche contre la fièvre pourprée et les virus, bloc 50 de Buchenwald, avait commandé aux représentants de la firme allemande bien connue Linde's Eismaschinen (glacières) la construction d'une installation frigorifique ; il avait donné à cette commande la norme d'urgence la plus élevée, celle de l'économie de guerre ; or cette installation frigorifique était destinée au chef des S.S. et de la police, pour qu'il puisse conserver les chevreuils qu'il avait tués à la chasse. Motif : production de vaccins pour l'armée au combat [19] » !

Annexe IV : Situation juridique

Même à l'époque de Hitler, l'administration du Reich allemand continua à fonctionner selon d'anciens principes fondés sur l'expérience. Les compétences étaient soigneusement réparties, jusque dans les moindres détails. Ainsi, le ministère du Ravitaillement, avec ses différents services, était responsable de l'approvisionnement, les services ruraux du ministère de l'Économie de la répartition des vêtements et des chaussures. Les conditions de travail relevaient du ministère du Travail, et non de celui de l'Armement ; les fonctionnaires de ce ministère étaient chargés de l'affectation des ouvriers selon les besoins. Cette organisation correspond d'ailleurs aux répartitions administratives des charges en usage dans les pays occidentaux. C'est également la raison pour laquelle, le 7 mai 1942, le *Gauleiter* Fritz Sauckel, délégué plénipotentiaire à l'emploi, chargea le Front allemand du travail — organisation du Parti qui remplaçait les syndicats — de s'occuper des travailleurs étrangers embauchés dans le territoire du Reich, à l'exclusion de tout autre tâche [20]. Sauckel signa donc un accord spécial avec Ley, le chef du Front du travail, confiant à ce dernier la responsabilité directe de l'entretien des camps. Or cette tâche, au fond, n'avait rien à voir avec le véritable domaine d'activités du Front allemand du travail.

Un an plus tard, le 2 juin 1943, Sauckel et Ley créèrent ensemble l'Inspection centrale pour l'encadrement des travailleurs étrangers ; elle avait pour tâche de contrôler toutes les dispositions relatives à l'emploi des travailleurs qui n'étaient pas d'origine allemande. Voici ce que dit le décret d'exécution de Sauckel en date du 30 septembre 1943 : « A l'avenir, je transmettrai les plaintes à propos du logement et de la nourriture (...) à l'Inspection centrale, aux fins d'examen et éventuellement de correction (...) Si l'on se rend compte par exemple au cours d'un contrôle que le rendement de la main-d'œuvre étrangère est insuffisant et que cette insuffisance est due à un entretien défectueux, il faudra prévenir immédiatement les services compétents du Front allemand du travail pour qu'ils prennent des mesures en vue de pallier ces lacunes [21] ».

Dans le IIIe Reich, cette responsabilité était purement théorique, cela va de soi, dans la mesure où elle concernait les déportés. Étant donné l'autorité de Himmler et sa mainmise sur tout ce qui touchait aux camps de concentration, elle ne pouvait être exercée ni par Sauckel ni par Ley. En réalité, les déportés relevaient des S.S. et plus précisément de l'Office central de l'administration de l'économie : « Les camps de concentration étaient administrés par l'Office central de l'administration de l'économie qui en représentait l'autorité suprême, et dont la tâche était très étendue. Si l'Office central déterminait dans leurs moindres détails les salaires, la production et l'emploi des déportés, il devait aussi fournir à tous les vivres et les vêtements, jusqu'au dernier échelon de la répartition — ils devaient s'assurer que les prisonniers recevaient effectivement tout ce qui leur était nécessaire. Les vêtements ont beau être commandés ou exigés, s'ils ne sont pas distribués, ils ne protègent pas les hommes du froid[22] ».

Voici un extrait du jugement sur la responsabilité juridique des conditions de travail dans le camp de concentration d'Auschwitz, rendu par le tribunal dans le procès contre Karl Krauch et d'autres (procès de la firme IG-Farben), le 29 juillet 1948 : « Les ouvriers du bâtiment envoyés par le camp de concentration d'Auschwitz étaient des prisonniers des S.S. Ils étaient logés, nourris et gardés par les S.S., et placés sous leur surveillance totale. Durant l'été 1942, l'usine fut entourée d'une clôture. A partir de ce jour, les surveillants S.S. n'eurent plus le droit de pénétrer à l'intérieur du secteur clôturé, mais ils n'en continuaient pas moins à être responsables des déportés quand ceux-ci se trouvaient à l'extérieur de la clôture[23] ».

Himmler avait élucidé le problème de la responsabilité dans la construction des baraquements. Le 21 juillet 1943, le *Reichsführer* S.S. et chef de la police allemande au ministère de l'Intérieur décréta que, en accord avec le ministre des Finances du Reich et le ministre des Finances de la Prusse, les Services de construction du *Reichsführer* S.S. et chef de la police allemande étaient chargés d' « exécuter tous les projets de bâtiments et d'installations servant exclusivement ou principalement les objectifs de la police militaire ». La liste des constructions servant ces objectifs cite, entre autres, « les camps de concentration y compris les bâtiments de logement, et les camps de rééducation par le travail ». « Dès qu'un contrôle technique est effectué par l'instance centrale, l'affaire vient à la compétence du *Reichsführer* S.S. et chef de la police allemande — l'Office central S.S. de l'administration de l'économie[24] ».

Cela ôtait même le contrôle technique des camps de concentration au ministère de l'Intérieur et aux autorités policières des bâtiments subordonnés à ce ministère, à qui revenait de droit la responsabilité des installations sanitaires et des conditions d'hygiène. C'est pourquoi le jugement prononcé contre Oswald Pohl, entre autres, établit que le « groupe C était chargé de la construction et de l'entretien des maisons, bâtiments et édifices des S.S., de la police allemande, des camps de concentration et des stalags[25] ».

Voilà ce que je voulais préciser à propos des compétences et des responsabilités de ces pouvoirs publics avec lesquels j'avais à faire. Dans le jugement qu'il prononça contre moi, le tribunal militaire international déclara : « Sur le plan administratif, Speer n'a pas eu de responsabilité directe dans ce programme (de travail forcé). Speer occupait une position telle qu'il n'avait pas de pouvoir d'intervention directe sur le programme des travaux forcés et sur les atrocités qui marquèrent son exécution, bien qu'il ne les ignorât pas[26]. »

Annexe V : Statistiques de décès

I. Statistiques établies sur l'ordre de l'Office central de l'administration et de l'économie en date du 28 décembre 1942 (Documentation de Nuremberg 1469 PS) :

Entrées 1942

Mois	*Admissions*	*Transferts*	*Total*
Juillet	25 716	6 254	31 970
Août	25 407	2 742	28 149
Septembre	16 763	6 438	23 201
Octobre	13 873	5 345	19 218
Novembre	17 780	4 565	22 345
Totaux	99 539	25 344	124 883

Sorties 1942

Mois	*Libérations*	*Transferts*	*Décès*	*Exécutions*	*Total*
Juillet	907	4 340	8 536	477	14 260
Août	581	2 950	12 733	99	16 363
Septembre	652	6 805	22 598	144	30 199
Octobre	1 089	6 334	11 858	5 945	25 235
Novembre	809	5 514	10 805	2 359	19 478
Totaux	4 038	25 943	66 530	9 024	105 535

II. Statistiques en provenance du rapport de Pohl en date du 30 septembre 1943 sur les cas de décès dans les camps de concentration (N° 1010) :

Mois		*Effectifs*	*Décès*	*Pourcentage*
1942	Juillet	98 000	8 329	8,50
	Août	115 000	12 217	10,62
	Septembre	110 000	11 206	10,19
	Octobre	83 800	8 856	10,56
	Novembre	83 500	8 095	9,69
	Décembre	88 000	8 800	10,00
1943	Janvier	123 000	8 839	7,19
	Février	143 100	11 650	8,14
	Mars	154 200	12 112	7,85
	Avril	171 000	8 358	4,89
	Mai	203 000	5 700	2,80
	Juin	199 500	5 650	2,83

Une simple observation rapide de ces deux statistiques montre des différences surprenantes. Tandis que le rapport de Pohl à Himmler enregistre 48 703 décès entre juillet et novembre 1942, les statistiques internes de l'Office central en donnent 66 530. Tandis que, dans le tableau de Pohl, l'effectif des déportés entre juillet et novembre 1942 diminue de 10 000, d'après le tableau de l'Office central qui note 124 883 entrées et 105 535 sorties, il a dû augmenter de 19 348, si je prends pour base le nombre de décès indiqué par le même rapport.

Pour une meilleure compréhension des différences, prenons l'exemple de septembre 1942. Utilisons encore une fois les statistiques internes de l'Office central des S.S. pour expliquer le nombre des déportés manquants en septembre 1942 ; ainsi, au cours de ce mois de septembre 1942, 16 763 personnes ont été admises et 6 438 transférées. En face du nombre total des entrées s'élevant à 23 201 prisonniers, nous avons, sans compter les morts, 144 exécutions, 652 libérations et 6 805 nouveaux transferts, soit en tout un nombre de sorties s'élevant à 7 601 personnes, de sorte que le nombre net des entrées est de 15 600 individus, toujours sans compter les morts. Mais il y eut non pas 11 206 décès, comme l'a noté Pohl, mais 22 598[27] ! Cela n'explique pas encore, tant s'en faut, cette macabre gymnastique des chiffres, car les statistiques internes indiquent fatalement un nombre net d'entrées s'élevant à 15 600 prisonniers en septembre 1942. Il y a donc, entre les 24 200 entrées de septembre 1942 et les 39 800 d'octobre, une différence mystérieuse. Or, dans son rapport à Himmler, Pohl ne donne que 11 206 décès.

Annexe VI : Imposture de Himmler

Je ne me doutais pas, en juin 1944, que deux ans auparavant déjà, Himmler avait conseillé à Pohl, en faisant état de l'incorporation toute récente des camps de concentration à l'Office central de l'administration de l'économie, de « bien souligner d'une façon ou d'une autre que les problèmes du contrôle de détention ainsi que le dessein éducatif pour les sujets éducables étaient restés inchangés dans les camps (...) et indépendants de la mobilisation industrielle (...). Certains pourraient se dire que nous arrêtons des gens ou, s'ils sont déjà emprisonnés, que nous les maintenons dans les camps, par besoin de main-d'œuvre[28] ».

Quelques mois plus tard néanmoins, une autre décision vint dire le contraire, annulant cette argumentation, légale en apparence : « Pour des raisons importantes de stratégie qu'il n'y a pas lieu de développer ici, dit un décret, le *Reichsführer* S.S. et chef de la police allemande a ordonné le 14 décembre 1942 de faire enfermer en camps de concentration, avant la fin janvier 1943 au plus tard, au moins 35 000 déportés capables de travailler. Pour atteindre ce nombre, voici les mesures indispensables à prendre : 1) A partir de maintenant — et jusqu'au 1er février 1943 pour commencer — tous les ouvriers des pays de l'Est et les étrangers réfugiés ou sans contrat, à condition qu'ils n'appartiennent pas à des pays alliés, amis ou neutres (...) seront rassemblés en camps de concentration par les moyens les plus rapides. Le cas échéant, vis-à-vis des autres services, il faut présenter chacune de ces mesures comme une mesure de sécurité policière indispensable, en donnant un motif adéquat pour chaque cas, afin d'éviter les réclamations. De toute façon, toute réclamation sera rejetée[29]... »

Ces deux écrits ont un point commun : Himmler donnait l'ordre de cacher ce procédé illégal vis-à-vis des autres services.

Après un accord « avec le ministre de la Justice et le commissaire général à l'Emploi, écrivis-je à Himmler le 13 mai 1944, les détenus travaillant dans l'armement pour purger des peines de plusieurs années pourront, après leur libération, reprendre leur travail dans leur ancienne usine, dans le cadre du Service obligatoire du travail ». L'ordonnance de Sauckel, commissaire général de l'Emploi responsable de ce secteur, N° VIa 5131/32 du 11 février 1944, en fait foi. Mais jusque-là, « les détenus considérés comme asociaux étaient exclus de ce règlement, en fonction d'un accord antérieur passé entre vous-même et le camarade Dr Thierack. Après l'accomplissement de leur peine, les ouvriers sont remis à la police par les services d'exécution des peines », autrement dit aux camps de concentration[30]. J'objectai (sans que cela soit de mon ressort) que, « au bout de plusieurs années de travail dans la fabrication des armes, ces détenus aussi avaient reçu une bonne formation et étaient devenus des ouvriers spécialisés et de la main-d'œuvre qualifiée. Si on les enlève aux usines d'armement, autrement dit si on les envoie dans un camp de concentration, leur départ provoquera une perturbation sensible dans la production, étant donné la pénurie sans cesse croissante de main-d'œuvre, et risquera de porter préjudice à la fabrication du matériel de guerre, d'une extrême importance. Même si la nouvelle main-d'œuvre est employée selon ses capacités et sa qualification dans les nouvelles usines, c'est-à-dire les usines concentrationnaires, on ne remédiera pas non plus à cette perturbation et à ce préjudice de longue durée, surtout pour les fabrications offrant une certaine difficulté. Car les anciennes usines subiront des lacunes qui ne pourront être comblées que lentement, tandis qu'il faudra commencer par former les détenus appelés à travailler dans les nouvelles usines. Etant donné précisément l'aggravation de la situation aérienne, il faut éviter tout préjudice supplémentaire, lorsque faire se peut. C'est pourquoi, je vous prie, mon cher Himmler, de ne pas nous enlever les détenus asociaux et polonais travaillant pour l'armement, quand il s'agit de travailleurs spécialisés et de main-d'œuvre qualifiée[31]. »

Annexe VII : Prolongation du contrat de Kranefuss

Cette dépendance de l'*Oberführer* S.S. Kranefuss se manifesta aussi lorsqu'il eut des difficultés dans ses activités professionnelles. Les documents des archives administratives des S.S. nous apprennent que, en juillet 1942, en sa qualité de président du conseil d'administration de la Brabag, l'*Oberführer* Keppler hésita à renouveler le contrat de Kranefuss et à prolonger ses fonctions de président du comité directeur de cette société. Un détail est caractéristique : lorsque son contrat du 30 avril 1942 arriva à expiration, Kranefuss ne s'adressa pas à son chef hiérarchique suprême, le « commissaire pour le plan quadriennal » Hermann Göring, mais à Himmler. Le 14 mai, il se plaignit que Keppler ne donnât pas suite à sa prière instante mais cherchât tout prétexte pour se dérober : il allégua qu'il préférait repousser à plus tard la conclusion de l'affaire. Pour commencer, il prendrait un congé de plusieurs semaines, car la mort de sa mère l'avait beaucoup affecté.

La réaction de Himmler ne se fit pas attendre. L'*Obergruppenführer* Karl Wolff reçut de Himmler l'ordre de déclarer fermement en son nom à l'*Oberführer* Keppler : Au cas où l'on n'aurait pas l'intention de prolonger ce contrat, le *Reichsführer* est prêt à chercher pour Kranefuss une place convenable dans sa sphère d'influence[32]. Ainsi Himmler essayait d'attirer à lui des personnalités en provenance de l'industrie pour monter son propre empire économique.

Il est vraisemblable que cette intervention a permis à Kranefuss de surmonter ses difficultés avec Keppler, car dans sa lettre du 4 septembre 1942 au Dr Brandt de l'état-major personnel de Himmler, il agissait de nouveau au nom de la Brabag[33].

Annexe VIII : Les S.S. s'efforcent d'étendre leur pouvoir au ministère de l'Est

Tout comme Funk, le *Reichsleiter* Rosenberg, ministre des Territoires occupés de l'Est, était aussi un homme affaibli ; dans la pratique, son pouvoir ne correspondait plus à sa position. Rosenberg tenta, lui aussi, tout comme Funk, de reprendre de l'élan. Il avait, en principe, trois commissaires sous ses ordres, l'un pour la Russie du Nord, l'autre pour la Russie du Centre, et le troisième pour la Russie du Sud ; mais, en réalité, ces trois commissaires agissaient indépendamment de lui et étaient légalement subordonnés à Martin Bormann. En particulier le « commissaire pour l'affermissement du caractère national allemand », soumis à Himmler, s'était permis d'exercer son autorité dans la partie occupée de la Russie qui était du ressort de Rosenberg.

Le 19 janvier 1943, le chef d'état-major de Rosenberg manda à l'état-major personnel de Himmler que ces derniers temps, des « difficultés particulières » avaient surgi entre le ministre et ce commissaire. Ainsi, les services de Rosenberg autorisèrent des émigrants à se réinstaller définitivement dans « l'Est » et leur permirent d'ouvrir une entreprise. De même, il était possible aux Allemands et aux non-Allemands de contracter mariage avec l'assentiment du commissaire général du district, délégué de Rosenberg. Or cela n'était pas de son ressort. Au contraire, des décisions de cet ordre ne pouvaient être prises que par les services des S.S. Enfin, il fallait aussi lutter contre un décret officiel visant à redéfinir le concept de « juif » pour les territoires occupés de l'Est. Car sur ce point-là aussi, les commissaires généraux avaient pouvoir de trancher dans les cas litigieux. Or le « commissaire pour l'affermissement du caractère national allemand » reçut pour mission de s'arranger pour que « le traitement des questions juives soit réservé à la police (donc aux S.S.) »[35].

Pour essayer de résoudre ses difficultés, Rosenberg nomma le *Gruppenführer* Gottlob Berger, intime de Himmler, secrétaire d'État à son ministère. Ainsi s'efforça-t-il de renforcer sa propre position en mettant dans son circuit la hiérarchie S.S., stratégie qui, à de nombreux égards, ressemblait à celle dont fut le théâtre le ministère de l'Économie durant l'automne 1942. Mais, à l'époque, Himmler n'a pas dû croire opportun de soutenir le ministère de Rosenberg qui, de toute façon, était déjà affaibli, avec un de ses collaborateurs les plus importants ; et ceci d'autant moins que ce ministère dépendait déjà plus ou moins de lui. Sans se donner la peine de cacher les véritables rapports de forces, une note du « chef de liaison de la milice S.S. auprès du ministre chargé des territoires occupés de l'Est » remarque que Rosenberg, donc le ministre, « est prêt à remplir les conditions dictées par le *Gruppenführer* Berger, ou plus précisément par le *Reichsführer* S.S. ». On ne peut pas décrire avec plus de clarté l'acte de capitulation.

Le directeur de cabinet Runte, un des collaborateurs éminents de Rosenberg, se rendait bien compte, poursuivit le « chef de liaison » dans son rapport du 23 janvier 1943, que même si la nomination de Berger au poste de secrétaire d'État « ne se faisait pas, cela ne pouvait plus rien changer à la situation future du ministère de Rosenberg ». Runte dit encore que « l'emprise des S.S. sur le ministère de l'Est n'était qu'une question de temps, et la lutte se terminerait de toute façon par la victoire du *Reichsführer.* Le processus de nomination au poste de secrétaire d'État de Berger se déroulait « encore dignement pour le ministère chargé des territoires occupés de l'Est, du moins vu de l'extérieur »[36].

A la suite de ce rapport rédigé par les S.S., le chef du service du personnel au ministère de Rosenberg, Jennes, avait déclaré que, au cas où Berger serait nommé, il savait d'avance à qui l'administration et le service du personnel devaient être directement subordonnés, en plus du secteur politique ; aussitôt après, la politique mise en application serait celle des S.S. ; autrement dit tous les postes importants seraient occupés par des fonctionnaires de la milice[37].

Mais le 16 avril 1943, dans une lettre adressée à Himmler, Berger refusa la mission qu'on lui proposait, à moins que Himmler lui-même lui ordonne de l'accepter[38]. Himmler ne réagit pas, et Berger ne devint pas secrétaire d'État.

Toutefois, Himmler trouva une solution moins spectaculaire. Au cours de l'été 1943, il confia à Berger la direction de « l'état-major politique » du ministère Rosenberg, poste aussi important que l'autre.

Les choses évoluaient donc dans le sens voulu par Himmler. Dix-huit mois plus tard, le *Gauleiter* Lohse, commissaire du Reich pour les territoires de l'Est[39], nota que, « dans le ministère des Territoires occupés de l'Est, pratiquement seuls les “ noirs ” [ainsi appelait-on les S.S. à cause de la couleur de leur uniforme] avaient encore droit à la parole ». Il nota en outre que « le Führer n'était pas du tout d'accord avec la tournure que prenait la situation ; il ne souhaitait pas que les S.S. “ avalent tout ” dans l'Est »[40].

Annexe IX : Socialisme d'État contre capitalisme

Le 9 juin 1944, quelques semaines après mon discours à Essen, je demandai à Hitler de me soutenir dans cette querelle idéologique concernant le problème économique. Tout en doutant du résultat.

Le 26 juin 1944, Hitler prit aussi la parole à l'Obersalzberg devant une centaine d'industriels de l'armement. Avant son discours, je lui avais rappelé quelques points importants, et notamment ceux-ci : « Économie libre après la guerre, et refus fondamental de la nationalisation de l'industrie »[41]. Certes Hitler sut expliquer clairement sa conception négative de l'économie d'État, conséquence du socialisme d'État. Il déclara entre autres choses : « A mes yeux, l'unique moyen de parvenir à un progrès réel et même au développement futur de toute l'humanité est d'encourager l'initiative privée. Si nous sommes vainqueurs, l'initiative privée de l'économie allemande vivra sa période la plus faste ! Que n'aura-t-on pas à produire ! Ne croyez surtout pas que je me contenterai de quelques bureaux officiels pour le bâtiment ou l'économie [42]. »

Ce n'était pas la déclaration que je souhaitais, tant s'en faut, mais elle contredisait tout de même ouvertement le refus de Himmler et de Bormann d'encourager la structure capitaliste de notre économie.

Malgré mes nombreux contacts avec Himmler, je ne connaissais pas son point de vue, ce qui montrait bien à quel point les dirigeants agissaient peu en fonction les uns des autres. Même au début de ma captivité, en juillet 1945, totalement ignorant des idées de Himmler, je déclarai encore : « Himmler était le contraire du socialisme d'État [43]. Ce n'est qu'en consultant les dossiers de l'administration de Himmler que la similitude entre ses conceptions et celles de Goebbels m'apparut nettement. Celui-ci en effet nota dans son journal personnel, le 10 septembre 1943 : « Le national-socialisme doit se rénover. Nous devons nous ranger du côté du peuple dans un esprit encore plus socialiste qu'autrefois (...). La direction national-socialiste ne doit avoir aucun rapport avec l'aristocratie ou ce qu'on appelle la société [44]. »

Annexe X : Autres déclarations d'Ohlendorf

Dans un article intitulé *Bilan de politique économique,* Ohlendorf souligna encore, documents à l'appui, l'amertume qu'il ressentait devant les méthodes utilisées par l'industrie de guerre : « On vise actuellement la fabrication en série et en masse ; on tend à poursuivre la rationalisation, à produire le meilleur artisan possible, le meilleur commerce possible, la meilleure agriculture possible, la meilleure industrie possible, mais cette tendance pourrait bien aboutir à la disparition des trois quarts des entreprises actuellement indépendantes si l'on tente de résoudre les problèmes du temps de paix par la production en série. « Ne perdons pas de vue cette problématique : l'évolution sociale future est certainement l'une des questions les plus importantes que nous ayons à résoudre pour l'après-guerre [45]. »

« Les découvertes issues de cette guerre et la valeur des méthodes économiques auxquelles nous avons été contraints de recourir posent de très graves questions », dit Ohlendorf par la bouche de Hayler à la fin du mois de janvier 1945. Une fois de plus, il a laissé entendre qu'il ne fallait accorder aucune importance fondamentale aux méthodes de travail de « l'Industrie autoresponsable », donc au principe de base d'une fabrication rationnelle auquel la République fédérale d'Allemagne doit aujourd'hui son succès économique : « Le Reich sera-t-il garanti à l'avenir du volume de sa production ? Telle est la plus urgente de ces questions [46]. »

« Il y a une erreur fondamentale à éviter à tout prix, c'est de croire que les expériences de la guerre peuvent servir en temps de paix, sans avoir à subir de retouches. Les méthodes et la finalité qui sont rationnelles en temps de guerre ne le sont pas forcément à une époque normale, tant s'en faut [47]. »

Ensuite Ohlendorf va même approuver un jugement positif porté sur le rendement de notre organisation, alors que, on s'en souvient, il la fustigeait avec la plus grande violence deux ans auparavant devant Himmler : « L'introduction de la doctrine de " l'autoresponsabilité de l'industrie " fait partie des symptômes de renouveau dans l'économie allemande. Cette autonomie peut être nécessaire à une époque de grande tension comme celle que nous vivons actuellement ; elle a même certainement eu des résultats très positifs. Il faut bien se rendre compte qu'il s'agit là d'une institution de guerre qui ne doit pas être utilisée en temps normal, si nous maintenons une cloison étanche entre l'État et l'économie, et si nous tenons à mettre toujours en évidence la souveraineté de l'État. Actuellement, en temps de guerre, il s'agit de tirer le maximum de l'industrie par n'importe quel moyen », poursuit Ohlendorf — à croire que dans cette situation de détresse on aurait même pu être acculé à faire alliance avec le diable[48] ! Ohlendorf s'obstinait à proclamer ces principes d'autoresponsabilité et à souligner qu'il ne fallait rien changer à « la loi fondamentale du national-socialisme » ; c'est elle qui a présidé à sa prise du pouvoir et c'est pour elle qu'il était parti en guerre : « Permettre au peuple de s'épanouir au maximum[49] ». Or dix-huit mois auparavant, Himmler lançait encore un ultimatum pour que l'autonomie de l'industrie soit vouée aux gémonies ; et voilà que, à présent, les prétendus déboires étaient tellement insignifiants que ce n'était même pas la peine d'en parler, bien que le système lui-même fût resté strictement le même.

Il reste à faire le bilan de notre « gigantesque industrie américanisée » en temps de paix, mais ne nous faisons pas d'illusion, la conception fondamentale des S.S. n'avait pas changé même pendant la guerre. Schieber écrivait en mai 1944 : « L'opposition affirmée des S.S. contre l'idée d'autoresponsabilité de l'industrie est ici un facteur d'importance[50]. »

Ohlendorf n'avait pas encore surmonté son ressentiment au moment de son procès, quand il déclara : « ... Car les firmes en concurrence n'étaient plus disposées à se dévoiler mutuellement leurs réalisations effectives. Et aux yeux d'une grande partie de la population, l'État objectif disparaissait derrière des hyènes économiques sans lien entre elles et des monopolistes ; dans ces conditions, les oppositions entre l'économie et l'État ne pouvaient que s'amplifier[51]. »

Annexe XI : Limitation dans le progrès industriel

Dans mon ordonnance du 9 octobre 1943 sur « la concentration du développement industriel », j'avais déclaré que « le développement industriel, dans sa durée et le risque technique qu'il entraîne, doit suivre la situation militaire ou l'économie de l'armement. Une seule exception à ce principe : dans le cas où l'exploitation d'un projet de fabrication amènerait de nouvelles connaissances importantes pour la conduite de la guerre ou l'économie de l'armement. Quant autres fabrications, il faut les stopper, ou ne pas les lancer, selon les directives du président de la commission compétente[52]. »

D'après cette ordonnance, les ingénieurs devaient donc concentrer leurs efforts sur les bureaux d'études présentant des projets industriels susceptibles d'être ratifiés. Il ne faudrait surtout pas croire que des ordres de cette nature ont été strictement suivis. Comment les firmes n'auraient-elles pas cédé à la tentation d'accepter dans le plus grand secret de nouveaux projets afin de conserver leurs propres techniciens ?

C'est pourquoi, le 21 octobre 1943, je rappelai aux présidents des commissions de l'armement qu'il leur fallait « mobiliser toute la main-d'œuvre et toutes les capacités indispensables sur leur secteur de travail afin d'aboutir au meilleur résultat pour l'armement et la production de guerre, car ils sont, eux, pleinement et exclusivement responsables de cette opération... En cas de difficultés, ils ont le droit et le devoir de me mettre personnellement au courant et de proposer les mesures à prendre[53] ».

Mais cela non plus n'eut pas d'effet. Finalement, je demandai à Hitler d'user de son autorité. Sur ma demande, il signa le 19 juin 1944 une ordonnance préparée par mes soins sur « la concentration de l'armement et de la production de guerre ». Il fallait, répétait-on une fois de plus, « limiter les projets industriels en cours aux besoins urgents afin de permettre la réalisation de ceux qui, de par leurs nouvelles propriétés, sont de nature à bouleverser la technique et à nous apporter des avantages importants vis-à-vis de l'ennemi[54] ».

Annexe XII : Fromm et Jüttner

Cette nomination permit à Jüttner d'exercer une activité analogue à celle qu'il avait exercée auparavant pour le compte de la milice, dans un cadre plus restreint. A ce titre, il travailla en étroite collaboration avec Fromm, avant le putsch du 20 juillet 1944. Avec le temps, Jüttner s'était arrangé pour entretenir de bonnes relations avec Fromm dont tous les fonctionnaires du Parti et de la milice se méfiaient. Après l'arrestation de Fromm, Jüttner, de son côté, prit sa défense, du moins au début ; par la suite, il se rétracta en voyant Himmler et Goebbels considérer le cas de Fromm d'un œil particulièrement critique.

Peu de temps après le 20 juillet, mon ministère et l'Office de l'armement militaire, placé sous l'autorité de Fromm, commencèrent à se démarquer l'un de l'autre, malgré notre étroite collaboration passée : « L'*Obergruppenführer* Jüttner représente le *Reichsführer,* et à ce titre, il occupe le poste de Fromm. Fromm a été arrêté, on n'en sait pas davantage », signale la chronique à la date du 24 août 1944. « Jüttner veille, poursuit-elle, pour que rien ne lui échappe de ses nouvelles fonctions. Aussi est-il moins enclin que son prédécesseur à faire des concessions. Ainsi l'Office de l'armement dépendait à la fois du chef de l'armement militaire et du ministre de l'Armement et de la Production de guerre. Jusque-là seuls des accords personnels entre le général Fromm et le ministre lui avaient permis de supporter cette double subordination.

« Le ministre avait toujours refusé de fixer clairement et par écrit les frontières des attributions et des responsabilités respectives. Les deux services se sentaient pleinement responsables de la tâche commune. Les vœux du ministre étaient d'ailleurs toujours respectés par le chef de l'armement militaire et l'Office de l'armement. Jüttner bénéficie du cerveau et du soutien du *Reichsführer,* ce que n'avait pas son prédécesseur[55]. »

La milice S.S. était tellement puissante qu'elle aurait pu se permettre un conflit avec moi, alors que, moi, je devais l'éviter. Jüttner voulait amoindrir l'influence de l'industrie ; comme tous les hauts fonctionnaires S.S., il était contre l'indépendance des commissions de l'industrie, fruit de la doctrine de l' « autoresponsabilité de l'industrie ». Sur ce point, il s'apparentait à Ohlendorf, Berger et Himmler. Il me fallait donc continuer à maintenir un contact étroit entre l'Office de l'armement d'une part, les comités supérieurs pour la fabrication et les commissions de développement réunissant les représentants de l'industrie d'autre part. Mon système était édifié sur cette collaboration, et sans elle, il se serait effondré.

Annexe XIII : Le canal de Grosswind

Fin janvier 1945, l'*Obergruppenführer* S.S. Rösener annonça que le directeur du centre de recherches pour l'aviation de Munich, Herbert Luckow, était venu le voir pour lui faire part de ses soucis à propos de la construction du canal de Grosswind, dans la vallée de l'Ötz. Rösener invita le chef de l'état-major personnel de Himmler « à parler également au *Reichsführer* de cette affaire et à lui demander d'intervenir lui aussi pour que ce projet soit achevé le plus rapidement possible [56] ».

Le rapport de Luckow démontrait que le canal de Grosswind « était indispensable à la poursuite des travaux sur l'aviation rapide ». « De l'avis d'éminents ingénieurs allemands, l'Allemagne ne pourra maintenir sa petite avance dans le secteur de l'aviation rapide que si elle peut bénéficier d'installations de ce genre. (...) Le canal pourrait être terminé à la fin de l'automne 1945 à plusieurs conditions :

1. l'embauche d'un contingent supplémentaire de mille ouvriers — le cas échéant, des déportés (il y a possibilité de les loger) ;
2. la livraison de 1100 t de tôles d'acier d'épaisseur diverse ;
3. la fourniture de 10000 t de ciment pour la construction des digues [57]. »

Ces modestes conditions étaient déjà irréalisables à cette époque de la guerre. Le 10 février 1945, Brandt adressa un message téléscripté à l'*Obergruppenführer* Wolff, chef suprême des S.S. et de la police en Italie, ainsi libellé : « Je vous serais reconnaissant de me faire savoir si M. Hubert Luckow s'est adressé à vous à propos de la construction du canal de Grosswind dans la vallée de l'Ötz, et au besoin de m'indiquer ce que vous avez décidé de faire [58]. » Mais entre-temps, Herbert Luckow était devenu introuvable.

Annexe XIV : Diktat sur l'armement en Hongrie

En 1944, étant donné la violence des attaques aériennes contre les installations industrielles du territoire du Reich, les industries des autres pays comme la Hongrie, la Tchécoslovaquie ou la Pologne présentaient un grand intérêt. Depuis le 19 février 1944, nous entretenions une « commission industrielle allemande en Hongrie », la *Diko (Deutsche Industriekommission)*, chargée de prendre en main « nos intérêts dans le domaine de l'armement et de la production de guerre, et ayant son siège à

Budapest ». Mais nous ne pouvions que conseiller, stimuler, émettre des souhaits ; les décisions étaient encore prises par les Hongrois eux-mêmes[59].

La situation se modifia le 19 mars 1944. La Hongrie fut occupée par les troupes allemandes, et à partir de cette date, un gouvernement fantoche, présidé par le Premier ministre Sztoja, conduisit les affaires au nom du gouvernement allemand.

Le 29 mars, Kehrl fit une déclaration devant les fonctionnaires du Service de la planification et du Bureau des matières premières : « Le changement de la situation en Hongrie nous donne la possibilité de mobiliser toute la main-d'œuvre locale pour l'économie de guerre. Des démarches ont déjà été faites dans ce sens[60]. »

Des négociations sur l'exploitation des capacités d'armes hongroises ont été menées par la commission allemande à l'Armement les 7 et 8 août 1944 au ministère du Honvéd (ministère de la Défense en Hongrie) ; elles ont permis de constater que la production de guerre hongroise était très restreinte par rapport à celle de l'Allemagne. Il s'agissait très précisément de 718 pièces de canons antiaériens 7,5, dont la fabrication prendrait encore une année ; des tubes de remplacement pour les canons de défense aérienne 8,5 allaient être terminés avant mars 1947 ; en outre, on était sur le point d'accepter une commande portant sur 580 obusiers de 105 et 78 obusiers de 150. La commission allemande souhaitait aussi la construction de 6 mortiers 18 complets de 210. On allait stopper la production du char blindé Turan et du canon d'assaut Zrinyi avant le début de l'année 1945, au profit d'une reconversion sur les véhicules allemands[61].

Il fallait que l'industrie hongroise soit directement subordonnée à la *Diko* et que l'Allemagne puisse utiliser les réserves hongroises. D'après le procès-verbal des 6 et 7 avril 1944, Hitler donna son accord à ces propositions. Il se montra également d'accord pour que les entreprises industrielles allemandes conseillent les firmes hongroises ou prennent des patentes sur elles. De même l'industrie allemande pouvait passer des commandes à des entreprises hongroises. Ces mesures devaient permettre en même temps de commencer à ajuster le programme d'armement de l'armée hongroise à celui de l'armée allemande. Sans doute Hitler jugea-t-il indispensable d'avertir le ministre allemand des Affaires étrangères de ces décisions, mais il insista sur le fait qu'il avait déjà donné expressément son accord à ces propositions. Il ne tiendrait aucun compte des éventuelles objections du ministre[62].

Étant donné que Himmler avait déjà signé un contrat de transfert de propriété avec les propriétaires du konzern Weiss sans notre accord, nous avions beau essayer de nous imposer dans l'industrie hongroise, nos efforts étaient d'avance voués à l'échec.

Annexe XV : Problème de générateurs

Le 3 novembre 1944, au cours de l'entretien qui eut lieu à Kleinberger, Himmler avait également promis au *Gauleiter* Meyer qu'on examinerait le générateur à deux zones Ruehl. Je répondis à Himmler le 10 novembre que « les essais avaient déçu nos espérances[63] ». Malgré cette conclusion négative, Meyer s'obstina ; deux mois plus tard, il écrivit : « J'ai dans mon secteur deux firmes qui sont prêtes à construire le générateur Ruehl et qui peuvent être reconverties immédiatement. Ces deux firmes ont déjà une grande expérience dans le domaine de la construction des générateurs. Les usines peuvent sortir 600 générateurs par mois. De même, presque toutes les pièces détachées et les accessoires peuvent être fabriqués dans mon secteur lui-même. Je vous prie, Monsieur le Maréchal du Reich, de me dire le plus rapidement possible quand je pourrai compter sur l'envoi des contingents[64]. »

En fait, le ministère chargé de la répartition des contingents était le mien, et le *Gauleiter* Meyer ne l'ignorait pas ; mais il considérait sans doute que Himmler était suffisamment puissant pour me donner des directives en ce sens.

J'avais décidé de transmettre à mon collaborateur Saur, devenu personnage tabou grâce à la faveur de Hitler, la responsabilité de la production des générateurs, et j'avais communiqué ma décision à Hitler dès le 10 novembre 1944, en précisant que je voulais ainsi « assurer à l'exécution de ce programme de générateurs le maximum d'élan, car nous sommes tout à fait conscients de son importance ». D'après les projets de Saur, « le nombre total des générateurs [devait] s'élever à 40 000 par mois. Malheureusement, deux grandes usines spécialisées dans la construction de ces appareils viennent d'être sérieusement endommagées par les attaques aériennes, de sorte que, pour l'instant, nous avons un peu de retard sur notre planning[65] ».

Pas plus les efforts de Jüttner que ceux de Saur ne furent couronnés de succès. 10 000 générateurs avaient été construits en juillet ; la production du mois d'août, dont Schieber était encore responsable, s'est élevée à 11 700. Saur la fit monter à 14 000 générateurs en septembre, mais ce résultat était dû aux travaux préliminaires effectués par Schieber. A partir de là, les chiffres ne firent que dégringoler à un rythme plus rapide que celui de l'ensemble de l'armement. L'indice de l'armement s'éleva même entre août et septembre de 297 à 301 ; il n'était inférieur que de 6 pour 100 à l'indice le plus élevé jamais atteint, celui de juillet 1944 (322). Mais la production de générateurs, placée sous le contrôle de Saur, tomba de 14 000 à 6 900 entre septembre et octobre, soit une chute de 51 pour 100, pour ne plus jamais se relever ensuite. A partir de décembre, l'armement s'était définitivement effondré[66], sans espoir d'assister à la reprise que Meyer prévoyait en janvier 1945. Encore heureux que nous ayons pu monter un nombre limité d'armes en utilisant les pièces détachées en stock.

Annexe XVI : Les pleins pouvoirs de Kammler

Ainsi, d'après un décret de Himmler en date du 31 décembre 1944, Kammler était chargé de prendre toutes décisions dans les questions fondamentales du programme A4 : « L'Office des armes a la responsabilité pleine et entière de la fabrication de toutes les armes à autopropulsion à longue distance, appareils, véhicules et carburants. » Depuis le 20 juillet 1944, cet Office des armes était placé sous les ordres de Himmler, « à la demande [de Kammler] »[67].

Le 6 février 1945, un décret de Kammler étendit son champ d'activités : « Étant donné les pleins pouvoirs qui m'ont été conférés par le maréchal du Grand Reich allemand le 26 janvier 1945, par le *Reichsführer* S.S. le 31 décembre 1944, par le ministre de l'Armement et de la Production de guerre le 13 novembre 1944, je décide par la présente que [toutes les fusées de combat à longue distance et les fusées de défense aérienne] ainsi que les engins téléguidés pour la défense au sol seront désormais de mon ressort. » Kammler déterminait dans son ordonnance les appareils qu'il fallait continuer à développer et ceux qu'il fallait « stopper immédiatement ». Il décida que « la main-d'œuvre rendue libre par l'arrêt des unités de fabrication [serait] affectée au programme industriel restant en vigueur. L'état-major Dornberger attaché au ministre de l'Armement et de la Production de guerre, et en même temps à la réalisation de la tâche qui m'a été confiée, veillera à l'exécution de toutes les mesures d'expérimentation et de réalisation du programme dans son ensemble. La commission spéciale auprès du ministre de l'Armement et de la Production de guerre dirigera la production de tous les appareils prêts à être mis en chantier et des appareils en cours de fabrication ; elle se chargera d'établir les programmes en accord avec moi [68] ».

Le lendemain du jour où Himmler avait publié son ordonnance, donc le 7 février 1945, Kammler décréta qu'il était responsable devant le *Reichsführer* S.S. « du développement, de l'expérimentation et de la fabrication de tous les appareils de défense aérienne et de toutes les armes de combat à longue distance, ainsi que de toutes les affaires militaires et civiles dans le secteur de Mittelbau ». Kammler entretiendrait « les relations les plus étroites avec les mandataires du ministre de l'Armement et de la Production de guerre en ce qui concernait le développement, l'expérimentation et la fabrication industriels, pour l'exécution de ses tâches ». Afin de souligner encore une fois sa responsabilité, Kammler choisit le « *Standartenführer* Dr Wagner, directeur ministériel et chef de l'Office du logement de Mittelbau, comme délégué pour toutes les tâches d'administration civile, et le *Sturmbannführer* Feissen, chef de l'Inspection spéciale S.S. II, comme délégué pour les affaires concernant la construction [69]. »

Ces dernières ordonnances tenaient encore compte, sur le plan formel, du ministère de l'Armement ; mais dans son décret, Kammler désigna encore une fois l'état-major Dornberger, du haut commandement de l'armée, comme lui appartenant, et il décida que la commission spéciale A 4 de mon ministère ne pouvait exécuter aucune mesure sans son accord, tout en calculant bien que cette commission A 4 — et moi avec elle — resterait par la suite sous sa responsabilité.

Annexe XVII : Les excès de zèle de Kammler

Cette remarque réglait un incident que j'ai raconté en octobre 1952, alors qu'il était encore relativement frais dans ma mémoire : « Kammler et Saur me parlèrent sur un ton violent du retard apporté au transfert de B.M.W. dans les ateliers souterrains d'Alsace. En même temps, Kammler m'apprit que le directeur de B.M.W., Zipprich, avait été expédié dans un camp de concentration deux jours plus tôt, pour cause de négligence. Ils croyaient certainement l'un et l'autre que j'allais applaudir à cette nouvelle, mais je n'en fis rien, bien au contraire. Je fus pris d'un accès de fureur, ce qui m'arrivait très rarement, et déclarai à Kammler, au paroxysme de la colère, que cette affaire ne le regardait pas et qu'il fallait remettre immédiatement cet homme en liberté [70]. »

Par la suite ma secrétaire, Annemarie Kempf, me conseilla de détruire le procès-verbal de cet esclandre, ou du moins de ne pas le joindre au dossier, car mes remarques concernant Kammler n'étaient pas de nature à être divulguées à des tierces personnes.

Une autre fois, j'ai été forcé de mettre Kammler sérieusement en garde : « J'ai appris par M. Geilenberg et par le Dr Ganzenmüller que vous alliez, de votre côté, prendre des mesures pour faire fonctionner les huit usines retenues par nous pour la fabrication des " Walther " (marque de fusils). Il faut bien que le *Reichsführer* vous ait donné son accord pour que vous vous ingériez ainsi dans ces choses. Pour autant que j'estime votre travail, comme vous le savez, il m'est impossible de vous laisser vous occuper d'affaires qui ne peuvent être déterminées et dirigées que par mon ministère, même avec l'accord de M. Geilenberg ou du Dr Ganzenmüller.

« Mes mandataires sont les seuls accrédités à régler les transports du personnel pour chaque usine ainsi que la mise en état et le fonctionnement de ces usines. Nous en avons suffisamment. Je ne souhaite nullement la création de nouveaux services et l'instauration de nouvelles compétences. C'est pourquoi je vous prie d'annuler toutes les mesures que vous avez prises. » Dans un post-scriptum que j'ajoutai à ma lettre à Kammler, je priai Dorsch et Geilenberg « de me faire savoir dans les trois jours ce qu'il en était de cette main-d'œuvre embauchée par Kammler et de m'avertir du jour où ses états-majors auraient disparu des chantiers[71] ». De telles protestations ne servaient pas à grand-chose.

Annexe XVIII : Chiffres relatifs aux effectifs de travailleurs juifs

Les entreprises tenues de fournir des rapports se divisaient en trois catégories différentes ; et leurs statistiques n'étaient pas synchronisées. Ces renseignements partiels ne permettent pas d'obtenir de renseignements précis sur le nombre de Juifs embauchés dans les usines d'armement du Gouvernement général.

D'une part, le Gouvernement général faisait partie de « l'arrière de l'armée de l'Est ». On pouvait utiliser l'économie et l'industrie de ce territoire pour répondre aux besoins immédiats de l'armée, et leur envoyer directement toutes commandes relatives aux troupes du front, sans faire intervenir d'autres services. D'autre part les usines qui servaient directement l'armement, et leurs annexes, étaient subordonnées à l'Inspection de l'armement. Troisièmement, l'armée avait aussi ses entreprises qui ne dépendaient pas de l'Inspection de l'armement.

La complexité de ce système explique aussi la variété des chiffres cités à propos des Juifs mobilisés dans la production, car ils étaient fonction du secteur qui effectuait le recensement. Ainsi, le 18 septembre 1942, le général Gienanth cita le chiffre de 300 000 Juifs au total travaillant pour l'économie et l'industrie du Gouvernement général, tandis que le général Schindler, pour son secteur de l'armement, donna le chiffre de 50 000 Juifs le 24 octobre 1942. Un rapport adressé à Himmler à la fin de l'année 1942 fait état de 200 000 Juifs soumis au travail forcé, autrement dit en camp de concentration[72]. Mais ce chiffre ne comprenait même pas les ouvriers juifs qui étaient restés dans les usines d'armement encore en activité.

D'un autre côté, en janvier 1943, les statistiques de l'officier de l'Intendance militaire, dont la compétence se limitait aux seules usines d'approvisionnement de l'armée, donnèrent le chiffre de 15 091 Juifs, pour une totalité de 105 000 ouvriers. Himmler, à son tour, déclara le 9 janvier 1943 que Varsovie à elle seule comptait encore 32 000 Juifs dans les fameuses usines d'armement ; parmi eux, 24 000 travaillaient dans les ateliers de textile et de fourrure, qui d'ailleurs n'étaient pas à proprement parler des ateliers d'armement, mais fabriquaient des articles devant couvrir les besoins des soldats.

Les chiffres de Himmler ont sans doute été fortement gonflés, car ils ne correspondent pas, pour Varsovie, au rapport mensuel du 21 août 1942 fourni par le haut commandement militaire local. D'après ce rapport, « en dehors des usines de l'armement, les services de la Wehrmacht employaient à Varsovie, en juillet 1942 : *a*) à l'intérieur du ghetto, 8 100 Juifs environ, répartis en six ateliers et un camp ; *b*) à l'extérieur du ghetto, 1 850 Juifs partagés en 80 ateliers et 3 camps, donc au total 9 950 Juifs environ. » Ainsi le chiffre des Juifs embauchés dans les ateliers de textile et de fourrure à Varsovie variait de 24 000 selon Himmler à 9 950 selon les services compétents de l'armée.

Ces indications paraissent encore plus déroutantes si l'on songe que, en même temps — à quelques jours près —, l'Office de l'économie du haut commandement militaire de Varsovie déclarait que 6 000 travailleurs juifs étaient « sous la protection de la Wehrmacht les 18 et 19 août 1942 [73] ».

Ainsi, dans cette phase de la campagne de Russie, l'armée pouvait encore se permettre de parler très ouvertement de « la protection exercée par la Wehrmacht sur les Juifs ».

Annexe XIX : Une réplique

A cette note de Waeger en date du 7 août 1944 [74] était joint le projet d'une lettre à Goebbels, plénipotentiaire du Reich pour la guerre totale.

Ce brouillon de lettre dit ceci : « Suite à une décision du Führer, un grand nombre de Juifs hongrois ont été embauchés dans l'industrie de guerre allemande durant ces dernières semaines et détenus en camps de concentration. Jusqu'à présent les expériences sont très positives. Aussi je tiens beaucoup à ce que les autres Juifs hongrois soient mis le plus rapidement possible à la disposition de l'Armement. La grave situation actuelle nous oblige à prendre tous les moyens, jusqu'au dernier, susceptibles d'alléger les difficultés de l'emploi. »

Ce qui suit répète la teneur de la note qui m'avait été adressée : « Je viens d'apprendre que le *Gauleiter* Sauckel a formellement interdit l'embauche de Juifs hongrois dans son secteur de la Thuringe. A mon avis, il ne faut en aucun cas maintenir cette interdiction. Sinon, d'autres *Gauleiter* pourraient en faire autant. Ce qui rendrait caduque toute la mobilisation des Juifs hongrois. Évidemment, le fait de faire travailler des Juifs hongrois dans les districts allemands me répugne à moi aussi. Cependant, pour le moment, il ne faut à aucun prix renoncer à cette mesure inspirée par la seule nécessité. Par ailleurs, ces Juifs sont détenus en camps de concentration, ce qui nous garantit qu'ils ne pourront pas blesser la sensibilité de la population allemande, ni causer un malheur quelconque [75] »

Dans la nomenclature américaine des microfilms, les deux pages de ce brouillon de lettre portent les numéros 60 et 61, tandis que la note de Waeger porte le numéro suivant : 62. Ces deux notes sont aussi déposées dans cet ordre aux Archives nationales, ce qui permet également de croire qu'il s'agit d'un brouillon rédigé par le chef de l'Office de l'armement.

Chaque fois qu'on expédiait une lettre signée par moi, on avait l'habitude d'y porter la date, ainsi que le numéro d'enregistrement. La date et le numéro manquent sur ce brouillon, ainsi que l'authentification de ma signature par le tampon *Signé :* SPEER. De même, par inadvertance, la secrétaire du groupe Engagement au travail a indiqué la mention *Bureau de poste Berlin NW 7,* à l'adresse de l'expéditeur, qu'elle a rectifiée après coup : *Bureau de poste W 8,* celui de mon ministère. Ce détail aussi prouve que ce brouillon de lettre fut écrit par un membre de Engagement au travail.

Des centaines de copies de lettres en provenance de mon ministère et conservées dans les Archives nationales montrent l'aspect habituel d'une lettre chez nous. Par exemple, ma lettre au Dr Goebbels du 26 juillet 1944 porte le numéro de référence M 2415/44 g, et le tampon *Signé :* SPEER.

Lucy S. Dawidowicz pense que ce brouillon a été envoyé par moi non pas à Goebbels, mais à Hitler lui-même ; elle se trompe. Elle croit prouver ainsi que je peux être convaincu d'antisémitisme, alors qu'on n'en trouve aucun symptôme dans mes discours et ma correspondance [77].

En fait, presque tous les discours, presque tous les articles contenaient des attaques blessantes contre les Juifs, c'était devenu une habitude. Même des architectes jouissant d'une grande considération et n'ayant aucune attache avec le Parti, tel Schulte-Frohlinde, conseiller à la construction à Nuremberg, et devenu plus tard chef du Département de la construction du Front allemand du travail, jugeaient à propos de parler de l'influence pernicieuse des Juifs même dans des articles sur la construction allemande. Mais on pouvait aussi s'abstenir de prononcer des remarques antisémites, ce qui avait été mon cas.

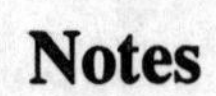

Notes

Première Partie
S.S. et industrie autoresponsable

Le dossier

1. Ces notes ne sont pas publiées dans *Spandauer Tagebücher,* [Journal de Spandau], d'Albert SPEER, Berlin, 1975.
2. Cf. *Morgenthau-Tagebücher,* tomes I et II, édités par le Congrès des États-Unis, 1967.
3. Hermann LANGBEIN : *Menschen in Auschwitz,* Vienne, 1972.
4. *Cf.* aussi Fabian VON SCHLABRENDORF, *Begegnungen in fünf Jahreszeiten,* Tübingen, 1979.
5. Tiré de Christian STREIT, *Keine Kameraden,* Stuttgart, 1979.

Des idées euphoriques

1. A l'époque, fin janvier 1942, on était pessimiste sur l'évolution des opérations en Russie. Il n'était pas question de glorieux succès, comme ce fut le cas après l'offensive du printemps 1942.
2. Lettre de Himmler au chef de l'Inspection centrale des camps de concentration, 26 janvier 1942 (Ba collection Schumacher/329).
3. Décret de Hitler du 10 janvier 1942.
4. Rudolf HÖSS : *Kommandant in Auschwitz,* autobiographie, édité par Martin Broszat, Documents, Munich, 1963, p. 179.
5. Rudolf HÖSS : *Krakauer Aufzeichnungen,* non édité, photocopié à l'Institut d'histoire contemporaine.
6. *Ibid.*
7. Ordonnance du chef de la direction suprême des S.S. en date du 16 mars 1942 (Ba collection Schumacher/329).
8. Jugement prononcé contre Oswald Pohl et d'autres le 3 novembre 1947 (Ba Proc. gén. 1 XLI W4, p. 37).
9. *Ibid.* p. 83.
10. *Ibid.* p. 36.
11. *Ibid.* p. 57 a.

12. Jugement complémentaire prononcé contre Pohl et d'autres le 11 août 1948 (Ba Proc. gén. 1 XLI W5, p. 28).
13. Tiré de l'étude sur « Les contextes politiques » achevée à Kransberg en juillet 1945, A II, p. 4.
14. Lettre confidentielle de Schieber à Himmler du 17 juin 1941 (Ba NS 19/nouveau 755).
15. Lettre de Schieber à Himmler en date du 31 juillet 1941, et lettre de Brandt, chef de l'état-major personnel de Himmler, à Heydrich, en date du 4 août 1941 (Ba NS 19/nouveau 755).
16. Lettre de Kammler à Pohl en date du 8 octobre 1941, et lettre de Pohl à Wolff, du 9 octobre 1941 (Ba NS 19/nouveau 755).
17. Compte rendu d'un entretien dans le bureau de Saur le 16 mars 1942 (Ba NS 19/nouveau 755).
18. Note de Schieber du 17 mars 1942 (Ba NS 19/nouveau 755).
19. Note prise par Himmler au cours d'une conférence chez le Führer le 17 mars 1942 (Ba NS 19/nouveau 1447).
20. Procès-verbal d'un entretien avec Hitler le 19 mars 1942, paragraphe 30 (Ba R 3/1503).
21. Télégramme de Wolff à Schieber en date du 18 mars 1942 (Ba NS 19/nouveau 755).
22. Lettre manuscrite de Gottlob Berger à Himmler du 22 avril 1942 (Ba NS 19/nouveau 755).
23. Lettre de Brandt à Berger du 28 avril 1942, et communication de l'*Obergruppenführer* S.S. Schmidt, chef du Bureau central du personnel des S.S., en date du 4 mai 1942 (Ba NS 19/nouveau 755).
24. Lettre du chef du Bureau central du personnel des S.S. à l'Office central de l'administration de l'économie S.S., en date du 23 juin 1942 (Ba NS 19/nouveau 755).
25. Note de Schieber du 17 mars 1942 (Ba NS 19/nouveau 755).
26. Lettre de Pohl à Himmler du 11 juillet 1942 (Ba NS 19/ancien 290).
27. Lettre de Himmler à Sauckel du 17 juillet 1942 (Ba NS 19/ancien 290).
28. Lettre de Himmler à Pohl du 7 juillet 1942 (Ba NS 19/ancien 290).
29. Note prise par Himmler au cours d'une conférence chez le Führer le 11 mai 1942, à 19 h 30 (Ba NS 19/nouveau 1447).
30. Communication téléphonique de Himmler en date du 13 mai 1942 (Ba NS 19/nouveau 1440).
31. Procès-verbal du Führer du 6 au 8 juillet 1944, paragraphe 21 (Ba R 3/1510).
32. Discours prononcé par Speer à Posen devant les *Reichsleiter* et les *Gauleiter,* le 3 août 1944 (Ba R 3/1553).
33. Communications téléphoniques du *Reichsführer* le 9 septembre 1942 : 15 h 10, avec le ministre Speer, Wehrwolf (quartier général d'Hitler) : « Vastes tâches en matière d'armement. Entretien avec Pohl. » (Ba NS 19/nouveau 1440).
34. Rapport de Pohl à Himmler du 16 septembre 1942 (Ba NS 19/nouveau), qui reproduit la réponse « au message téléscripté de Hegewald n° 93515, du 9 septembre 1942, la note personnelle de Himmler du 9 septembre 1942 et la lettre personnelle de Himmler du 9 septembre 1942 ».
35. Chronique du 15 septembre 1942 (Ba R 3/1735).
36. Lettre de Pohl à Himmler du 16 septembre 1942 (Ba NS 19/nouveau 14).
37. Lettre de Saur à Pohl en date du 19 septembre 1942 (Ba NS 19/nouveau 1542).
38. D'après les statistiques de l'Office central de l'administration de l'économie en date du 28 décembre 1942 (Documentation de Nuremberg 1469 PS), et du rapport de Pohl à Himmler à la date du 30 septembre 1943 (Documentation de Nuremberg NO-1010).
39. Selon la Chronique, j'ai eu, ces jours-là, des entretiens avec Hermann Röchling, directeur du konzern de la Sarre, et en même temps chef de l'Association de l'acier, avec le chef de la commission centrale pour les munitions, avec celui de la commission pour les chars et celui de la commission pour les véhicules à moteurs.
40. Lettre de Speer à Himmler du 25 mars 1943 (Ba NS 19/ancien 290).
41. Chronique du 18 septembre 1942, p. 72 (Ba R 3/1736).
42. Note de Pohl à Himmler en date du 16 septembre 1942 (Ba NS 19/nouveau 14).

43. *Cf.* aussi le texte du procès-verbal d'un entretien avec Hitler du 20 au 22 septembre 1942, paragraphe 39 (Ba R 3/1505).
44. *Cf.* le texte de l'entretien avec Hitler du 20 au 22 septembre 1942, paragraphe 44 (Ba R 3/1505).
45. Joseph GOEBBELS, *Tagebücher aus den Jahren 1942/43,* (Carnets des années 1942/43) Zurich 1948, extrait du 12 mai 1942, p. 198.
46. Procès-verbal d'un entretien entre Speer et Hitler du 20 au 22 septembre 1942, paragraphe 36 (Ba R 3/1505).
47. Car, comme le note Kersten, Himmler cherchait « à entretenir de bonnes relations avec les favoris de Hitler, même s'il ne pouvait pas les sentir ». *In* Achim BESGEN, *Der stille Befehl* (L'ordre silencieux), Munich 1960, p. 398. (Carnets de Kersten.)

Menaces au lieu de réalisations

1. L'*Obersturmbannführer* S.S. Maurer était le chef du groupe D (camps de concentration) de l'Office central de l'administration de l'économie.
2. Lettre de Schieber à Speer du 7 mai 1944 (Ba R 3/1631).
3. *Ibid.*
4. Ces détails s'appuient sur des notes que j'ai réunies durant les premières semaines de ma captivité sous le titre « Les contextes politiques » (« Politische Zusammenhänge »), Kransberg, juillet 1945, pour les autorités militaires américaines.
5. Achim BESGEN, *op. cit.* p. 72.
6. Lettre de Himmler à Speer en date du 5 mars 1943 (Ba NS 19/ancien 290).
7. Lettre de Speer à Himmler du 25 mars 1943 (Ba NS 19/ancien 290).
8. Lettre de Himmler à Speer en date du 24 avril 1943 (Ba NS 19/ancien 290).
9. On trouvera la protestation de Sauckel dans le message téléscripté de Himmler à Sauckel daté du 2 avril 1943 (Ba NS 19/ancien 284).
10. Message téléscripté de Himmler à Pister et Sauckel du 14 avril 1943 (Ba NS 19/ancien 284).
11. Eugen KOGON, *Der S.S.-Staat* (L'État S.S.), Francfort-sur-le-Main, 1946, p. 276.
12. Procès-verbal d'un entretien entre Hitler et Speer le 6 mars 1943 (Ba R 3/1507).
13. Message téléscripté de Pister au Dr Brandt, poste de commandement du *Reichsführer* S.S., daté du 14 juillet 1943 (Ba NS 19/ancien 290).
14. Message téléscripté de Pister à Brandt du 17 juillet 1943 (Ba NS 19/ancien 290).
15. Deux messages téléscriptés de Pister à l'état-major personnel du *Reichsführer* S.S., à l'attention du Dr Brandt, en date du 16 août 1943 (Ba NS 19/ancien 290).
16. Brouillon d'un message téléscripté de Himmler à Speer du 17 août 1943, envoyé à Pohl pour information, et portant la mention suivante manuscrite : « Message téléscripté non expédié » (Ba 19/ancien 290).
17. Message téléscripté de Himmler à Pohl du 17 août 1943 (Ba NS 19/ancien 290).
18. Eugen KOGON, *op. cit.*
19. Pour supplément d'informations, *cf.* mes *Mémoires,* Berlin, 1969. *Cf.* également le procès-verbal du Führer, du 19 au 22 août 1943, paragraphe 24 (Ba R 3/1508).
20. Tiré du rapport de l'Inspection de l'armement de Kassel, qui était sous mon contrôle (Ba RW 20/9/19). Les chiffres donnés diffèrent de ceux des S.S., transmis par KOGON dans l'ouvrage cité à la page 279 : Pertes des S.S. : 80 tués, 65 disparus, 238 blessés ; déportés : 384 tués, 1 462 grièvement ou légèrement blessés. Qui a fourni un faux rapport ?
21. Procès-verbal d'un entretien avec Hitler le 12 octobre 1944, paragraphe 9 (Ba R 3/1510).
22. Appelé K 43 à partir de novembre 1944.
23. Lettre de Pohl à Schieber du 26 février 1944 (Ba NS 19/ancien 278).
24. Lettre de Pohl à Himmler du 28 février 1944 (Ba NS 19/ancien 278).
25. Himmler à Pohl le 7 mars 1944 (Ba NS 19/ancien 278).
26. Note de Brandt à Suchanek en date du 7 mars 1944 (Ba NS 19/ancien 278).

27. Message téléscripté de Brandt à Behr en date du 16 mars 1944 (Ba NS 19/ancien 278).
28. Lettre de Pohl à Himmler en date du 17 mars 1944 (Ba NS 19/ancien 278).
29. Message téléscripté de Himmler à Schieber du 21 mars 1944 (Ba NS 19/ancien 278).
30. Message téléscripté de Schieber à Himmler du 23 mars 1944 (Ba NS 19/ancien 278).
31. Lettre de Pohl à Brandt du 18 juillet 1944 (Ba NS 19/ancien 278).
32. Tableau de rendement du Bureau technique (Ba R 3/1729).
33. Notes prises par Himmler, conférence chez le Führer du 17 avril 1943 (Ba NS 19/nouveau 1447).
34. Rapport de Pohl à Himmler du 30 septembre 1943 (NO-1010).
35. Il s'agit ici d'un pourcentage anormalement élevé. Ainsi, d'après une enquête faite en février 1944 dans les 118 entreprises industrielles les plus importantes de la basse Silésie, la moyenne des malades est de 6 pour 100. Il est vrai que certaines usines atteignent une proportion de malades plus élevée, 17,8 pour 100, 18 pour 100, 21,5 pour 100 et 22 pour 100. (Etat du nombre des malades dans les entreprises industrielles de la basse Silésie, février 1944, Ba R 3/813.)
36. Brouillon rédigé par Pohl le 9 juin 1944 d'une lettre de Himmler à Speer (Ba NS 19/nouveau 542).
37. Discours prononcé par Himmler à Posen le 6 octobre 1943 devant les *Reichsleiter* et les *Gauleiter* (Ba NS 19 H R 10).
38. Lettre de Schieber à Speer du 7 mai 1944 (Ba R 3/1631). Schieber avait constaté que les 32 000 déportés totalisaient 8 millions d'heures de travail.
39. Discours prononcé par Himmler le 21 juin 1944 à Sonthofen, devant des généraux, *in* Heinrich HIMMLER, *Geheimreden* (Discours secrets), Berlin, 1974, p. 199.
40. Tiré des statistiques du Bureau technique en matière d'armement, situation en janvier 1945 (Ba R 3/1751).
41. Lettre de Pohl à Himmler du 14 juin 1944 (Ba NS 19/ancien 281).
42. Tiré du mémorandum de Speer à Hitler en date du 20 juillet 1944 (Ba R 3/1522).
43. Chiffres de la fabrication d'armes allemande, situation en janvier 1945, Bureau de la planification, Département central du plan et de la statistique (BA R 3 1732).
44. La décision d'Hitler était applicable à tous les déportés qui travaillaient dans l'armement.
45. Albrecht WACKER cite ce mémoire de novembre 1942 dans son essai sur la carabine K 98k, qui paraîtra vers 1982 sous le titre *Das System Adalbert* (Le système Adalbert) (BA RH 11-1/53).
46. Renseignement fourni par les éditions des Affaires militaires Bernard u. Graefe, du 20 mars 1978.
47. D'après le manuscrit de Rolf WAGENFÜHR *Rise and Fall of German War Economy 1938-1945,* publié en septembre 1945 par British Boobing Survey Unit, la production mensuelle d'armes atteignait un milliard de Reichsmarks au début de 1942. Compte tenu de la fabrication en croissance tous les mois, on peut calculer les chiffres de production d'après l'indice général cité dans le rapport du bureau de la planification pour le mois de février 1942 :

pour octobre 1942	1 540 millions de RM
novembre 1942	1 650 millions de RM
décembre 1942	1 810 millions de RM
janvier 1943	1 820 millions de RM
février 1943	2 090 millions de RM
mars 1943	2 160 millions de RM
avril 1943	2 150 millions de RM
total	13 220 millions de RM

48. D'après Enno GEORG, *Die wirtschaftlichen Unternehmen der S.S.* (Les Entreprises économiques des S.S.), Stuttgart, 1963, p. 42, 44 et 56, les ateliers concentrationnaires groupés dans les « usines allemandes d'armement » atteignirent en 1943 une production de

23 204 032 RM. Ce chiffre permet de calculer la participation des déportés travaillant dans l'industrie privée de l'armement. Elle a dû être à peu près aussi élevée que celle des détenus travaillant dans les camps de concentration.

49. *Cf.* Hans MARSALEK, *Geschichte des Konzentrationslagers Mauthausen* (Histoire du camp de concentration de Mauthausen), Vienne, 1974, p. 102.
50. On louait 6 RM par jour un ouvrier spécialisé et 4 un manœuvre. Si l'on compte deux tiers de manœuvres pour un tiers d'ouvriers spécialisés, le prix moyen de location était de 4,7 RM par jour et par homme. Ces tarifs proviennent d'un rapport non daté rédigé par un inconnu (Ba NS 19/nouveau 2302). Ces chiffres correspondent à ceux de KOGON, *op. cit.*, p. 273.
51. Tiré du brouillon d'une lettre de Pohl en date du 9 juin 1943 (Ba NS 19/nouveau 1542).

Fiction et réalité,
production et taux de mortalité

1. A cela, on pourrait opposer la déclaration faite par Goebbels le 14 septembre 1942, au cours d'une conversation avec le Dr George Thierack : « Il faut supprimer tous les Juifs et tous les Tsiganes sans exception. » Pour les Polonais et les Tchèques, ainsi que pour les Allemands condamnés à de longues peines d'incarcération, « la meilleure solution était l'extermination par le travail » (PS 682 vol. III, rouge, p. 496. *Cf.* aussi vol. V, bleu, p. 442, vol. VI, bleu, p. 379 vol. XVIII, bleu, p. 486, vol. XIX, bleu, p. 497, 55). Quatre jours plus tard, Thierack rencontra Himmler en présence de Streckenbach, pour décider l' « anéantissement par le travail » au sens propre du terme (PS 654 vol. III, vert, p. 504, vol. III, rouge, p. 468, vol. XXVI, bleu, p. 201).
   Deux vérités se font donc jour ici, comme c'est souvent le cas. Pour ma part, je pense que Himmler voulait se réserver les détenus pour réaliser ses ambitieux projets économiques, mais, d'un autre côté, il tenait à garder son image de marque de chasseur impitoyable de tous les ennemis de la nation, et surtout vis-à-vis du ministre de la Justice, Thierack.
2. Lettre de Himmler à Pohl du 23 mars 1942 (Ba NS 19/nouveau 2065).
3. Ordre donné par Pohl le 30 avril 1942 (Ba NS 19/nouveau 1542).
4. Lettre de Himmler à Pohl du 15 décembre 1942 (Ba NS 19/nouveau 1542).
5. Décret de Pohl du 26 octobre 1943, tiré de la *Nationalzeitung* (Gazette nationale), novembre 1977.
6. Hans MARSALEK, *op. cit.*, p. 43. Hermann LANGBEIN donne les mêmes renseignements dans son ouvrage cité plus haut, p. 43, 160, 350, 351. De même Eugen KOGON, *op. cit.*, p. 116, 119, 128, 300, 301.
7. Circulaire du chef de la cinquième section, Arthur Nebe, à tous les services de la police criminelle du Reich, en date du 4 juillet 1944 (Ba R 58/240).
8. Eugen KOGON, *op. cit.*, p. 358 et suiv. Heinz HÖHNE, *Der Orden unter dem Totenkopf* (Le ruban de la tête de mort), Gütersloh 1967, p. 354 et suiv. Ces témoignages laissent entendre que l'adjoint de Pohl s'opposait violemment à la curiosité des enquêteurs.
9. Tiré du discours prononcé par Himmler à Posen le 4 octobre 1944 devant les *Gruppenführer* S.S. (Documentation de Nuremberg 1918 PS).
10. Carnets de Goebbels 1945, note du 28 mars 1945, p. 433, Hambourg, 1977.
11. Ordre de l'Office central de l'administration de l'économie S.S. du 28 décembre 1942 sur l' « Activité médicale dans les camps de concentration », référence 14 h (KL) 12.42.Lg/Wy (Documentation de Nuremberg 1469 PS).
12. Ce décret de Himmler est resté introuvable. Le texte provient de l'ordre de l'Office central de l'administration de l'économie S.S. du 28 décembre 1942, sur l' « Activité médicale dans les camps de concentration » (Documentation de Nuremberg 1469 PS).
13. Ordre de l'Office central de l'administration de l'économie du 28 décembre 1942, relatif à l' « Activité médicale dans les camps de concentration », signé par un *Brigadeführer* S.S., nom illisible (Documentation de Nuremberg 1469 PS).

14. Les divers médecins des camps dépendaient du médecin-chef d'Auschwitz.
15. Rapport de Pohl à Himmler du 30 septembre 1943 sur les décès dans les camps de concentration (Documentation de Nuremberg NO-1010).
16. La chronique du ministère de l'Armement (Ba R 3/1737) se contente de relater que j'étais allé visiter les « usines du Reich Hermann Göring » à Linz, le 30 mars 1943. La visite à Mauthausen a sans doute eu lieu le même jour.
17. Ces détails viennent à la suite de ma déposition, en tant que témoin, devant le tribunal militaire international de Nuremberg ; ils sont cités par Adelbert REIF dans son ouvrage *Albert Speer,* Munich 1978, p. 38. Indirectement, Pohl confirme que je n'avais pas visité jusque-là d'autre camp de concentration, puisqu'il regrettait le 9 juin 1943 que j'aie « limité l'inspection des lieux de détention à un seul des 16 camps qui ont été construits » (Brouillon d'une lettre de Himmler rédigée par Pohl, mais non expédiée, en date du 9 juin 1943, en réponse à la lettre de Speer du 15 avril 1943) (Ba NS 19/nouveau 1542).
18. Déposition de Blaha appelé à témoigner devant le tribunal militaire international de Nuremberg le 14 janvier 1946.
19. Hans MARSALEK, *op. cit.,* p. 186.
20. Eugen KOGON, *op. cit.,* p. 137, 287.
21. Edmund Richard STANTKE, *Mordhausen, Bericht eines Augenzeugen über Mauthausen* (Mordhausen, récit d'un témoin oculaire sur Mauthausen), éditions Adolf Gross, Munich (vers 1947), p. 20 et suiv.
22. HÖSS, *op. cit.,* p. 174.
23. Lettre de Speer à Himmler du 5 avril 1943 (Ba NS 19/nouveau 1542). Remarque de Pohl dans sa lettre à Himmler du 19 avril 1943 (Ba NS 19/nouveau 1542) : « D'après les références, l'auteur de cette lettre est l'inspecteur Schwefel. Tout commentaire superflu. »
24. Cette interprétation donnée par Fried est également contredite par un passage de ma lettre à Himmler du 10 juin 1943 (Ba NS 19/nouveau 1542). Car je reconnais ouvertement que « dans les camps de concentration que j'ai visités, en général on avait bien compris ma volonté d'aboutir à un rendement maximum en utilisant les moyens les plus primitifs dans le secteur de la construction ». Dans le brouillon de la lettre de Himmler à Speer en date du 9 juin 1943 (Ba NS 19/nouveau 1542), Pohl désigna comme techniques primitives « ... en particulier les méthodes d'irrigation et de drainage de l'ancien camp de prisonniers d'Auschwitz, qui avait été construit durant l'été 1941.
25. *Die Regelung der Bauwirtschaft* (Les Règles de l'industrie du bâtiment). Publié par le plénipotentiaire délégué à la réglementation de la construction, numéro de mars 1943, p. 12, 14 et suiv. Le plénipotentiaire pour la réglementation de la construction était un organe de mon ministère (BA RD 77/3).
26. Lettre de Pohl à Himmler du 19 avril 1943 (Ba NS 19/nouveau 1542).
27. Il est possible de retrouver la date approximative de cette tournée d'inspection. Le 14 mai, Himmler écrit qu' « il va encore attendre le résultat de l'inspection du *Brigadeführer* S.S. Dr Kammler avec les délégués du ministre Speer. Le 30 mai, à la suite de cette inspection, il y eut des attributions supplémentaires de fer.
On ne trouve aucune mention du résultat de cette tournée d'inspection dans les dossiers du ministère de l'Armement. Et la chronique du ministère ne parle pas davantage d'une discussion qui aurait eu lieu chez moi à propos de cette affaire.
28. Les allocations de fer étaient jusque-là de 335 tonnes par mois.
29. Lettre de Speer à Himmler du 30 mai 1943 (Ba NS 19/nouveau 994).
30. *Ibid.*
31. Brouillon de lettre de Pohl en date du 9 juin 1943 (Ba NS 19/nouveau 1542).
32. Lettre de Himmler à Speer du 15 juin 1943 (Ba NS 19/nouveau 994).
33. Lettre de Pohl à Himmler — à l'état-major personnel de Himmler — datée du 30 juin 1943 (Ba NS 19/nouveau 1542).
34. Nous n'avons pas de renseignements précis sur les quantités mensuelles de fer attribuées aux S.S. et à la police pour leurs besoins, au cours du troisième trimestre 1943. Mais ces

allocations ne variaient pas ; pour le premier et le deuxième trimestre 1944, ils ont reçu 6400 t de fer par mois. On peut retrouver les contingents d'attribution dans les documents portant la référence Ba R3 :1983.

35. Rapport secret de statistiques sur la production de guerre (Ba R 3/1730).
36. Lettre de Göring à Speer du 2 mai 1944, réapparue récemment en Amérique au cours d'une vente aux enchères.
37. Lettre de Pohl à Himmler en date du 30 septembre 1943, à laquelle était joint un tableau de la mortalité dans ces camps de concentration (Ba NS 19/nouveau 1542).
38. Lettre de Pohl à Himmler du 30 septembre 1943, et lettre de Himmler à Pohl du 8 octobre 1943 (Ba NS 19/nouveau 1542).
39. Hermann LANGBEIN, *op. cit.*, p. 74 et suiv. L'auteur attribue cette diminution du nombre des décès aux efforts du nouveau commandant de l'ensemble des camps d'Auschwitz, Liebehenschel ; or celui-ci n'a remplacé l'ancien commandant, Höss, que le 11 novembre 1943.
40. Brouillon d'une lettre de Himmler à Speer, rédigé par Pohl, à la date du 9 juin 1943 (Ba NS 19/nouveau 1542).
41. Tiré du rapport secret de Pohl à Himmler daté du 16 septembre 1942 (Ba NS 19/nouveau 14). John H.E. Fried, qui a fait partie de l'accusation au procès de Nuremberg, affirma dans le *New York Times* du 4 octobre 1970 que j'avais donné mon consentement à Himmler. Cela est totalement faux. Si j'avais vraiment autorisé le versement d'une somme quatre fois plus élevée que celle que je proposais, Pohl n'aurait pas manqué de transmettre sur-le-champ mon accord à son chef. Or on ne trouve aucune trace d'une démarche de ce genre dans les dossiers.
42. Additif à la lettre de Speer à Himmler du 5 avril 1943 (Ba NS 19/nouveau 1542).
En ma qualité de plénipotentiaire pour toutes les affaires relatives à la construction, j'ai donné des directives générales à des experts requis par moi pour l'homologation de toutes les constructions d'Allemagne.
43. Martin BROSZAT, « Les camps de concentration », *in Anatomie des S.S.-Staates,* p. 118. D'après lui, 200000 déportés devaient loger dans 600 baraques, donc 333 personnes par baraque. Dans son ouvrage : *The informed Heart,* Glencoe/illinois, 1943, p. 117, Bruno BETTELHEIM raconte que, en 1938, les baraques dans lesquelles il avait dormi contenaient toutes entre 200 et 300 prisonniers. Cependant, ce chiffre passa plus tard à 400, comme nous l'apprend une note de Pohl à Himmler datée du 16 septembre 1942 (Ba NS 19/nouveau 14). Selon ce même rapport de Pohl, la construction de 300 baraquements, y compris les installations annexes, revenait à 13,7 millions de Reichsmarks. On peut donc évaluer à 45600 RM le prix de construction d'un baraquement, compte tenu de l'aménagement du terrain.
44. Lettre de Speer à Himmler du 5 avril 1943 (Ba NS 19/nouveau 1542).
45. Lettre de Speer à Himmler du 16 avril 1943 (Ba NS 19/nouveau 1542). Un rapport du Pr Rolf Wagenführ (*cf. op. cit.* p. 13) montre à quel point l'évolution de la situation dans l'industrie du bois a été désastreuse. La production nette se montait en 1940 à 1 milliard 50 millions de Reichsmarks pour s'élever en 1941 à 1 milliard 124 millions de Reichsmarks et retomber en 1942 à 1 milliard 100 millions de Reichsmarks. Un rapport de la commission de l'armement du Wartheland en date du 30 octobre 1943 (Rw 20-21/7) donne des détails sur ces variations : « Il n'y a plus de bois dans les scieries et dans le commerce de gros. Les besoins des fabriques d'armes s'élèvent à 40 000 M^3 pour les trois mois à venir, mais la livraison ne dépassera pas le quart de cette commande. Même une firme de Carinthie qui au début de la Seconde Guerre mondiale fabriquait 30 à 50 baraquements par mois verra son chiffre tomber à 15 à partir de l'automne 1943, par manque de bois (renseignement fourni par un exposé de Stefan Karner : « L'Industrie de l'armement en Carinthie de 1938 à 1945 », Graz, 1976).
46. Documentation de Nuremberg n° 399.
47. Ba, collection Schuhmacher 329.

48. Hans MARSALEK, *op. cit.*, p. 103, liste originale avec un total de 643 290 déportés.
49. Eugen KOGON, *op. cit.*, p. 191 et suiv.
50. Hermann LANGBEIN, *op. cit.*, p. 73 et suiv.
51. Simon WIESENTHAL, *op. cit.*, p. 66.
52. Rapport de Pohl à la date du 30 septembre 1943 (Documentation de Nuremberg NO-1010).
53. Heinz HÖHNE, *op. cit.*, p. 402.
54. Rudolf Höss, *op. cit.* p. 175.
55. Lettre de Kranefuss à Brandt du 21 janvier 1944 (Ba NS 19/nouveau 1677).
56. Lettre de Schieber à Speer du 7 mai 1944 (Ba R 3/1631).
57. Procès-verbal du Führer du 3 au 5 juillet 1944, paragraphe 22 (Ba R 3/1510).
58. Cette affaire aurait dû être réglée par le plénipotentiaire pour l'Engagement au travail, donc par Sauckel. Lui seul aurait pu, avec ses différents bureaux du travail, surveiller cette répartition.
59. Voici ce que m'a raconté, en 1950, Mr. Belson, gardien anglais à Spandau : Un certain M. Siebenhaar a appris que j'étais allé chercher environ 40 travailleurs étrangers dans le camp de concentration pour les aider à rentrer dans leur pays. De nombreux ouvriers berlinois pouvaient confirmer ce fait. C'était là sans doute un résultat immédiat de ma démarche auprès de Himmler, faite par l'intermédiaire de Hitler.

Une intrigue modèle

1. Ce rapport est introuvable dans les archives. C'était un document important, car A. Meines demanda à l'*Obersturmführer* Waringhoff, de l'état-major personnel de Himmler, le 31 août 1942 (Ba NS 19/nouveau 755), de « le joindre au courrier du *Reichsführer* pour qu'il puisse le lire dans l'avion ».
2. L'état-major personnel du *Reichsführer* S.S. faisait partie des organes principaux de l'organisation S.S. C'est dire l'importance qu'on lui attribuait.
3. Une des plus grandes fabriques allemandes de fibranne à base de bois, construite par Schieber, et qui de nos jours encore est un élément important de l'industrie autrichienne.
4. Kaltenbrunner se trompait lorsqu'il pensait qu'un chef d'entreprise ne pouvait être nommé sans l'accord du *Gauleiter*.
5. Lettre de Kaltenbrunner à Wolff en date du 16 septembre 1942 (Ba NS 19/nouveau 2039). On ne retrouve aucune réaction aux attaques violentes de Kaltenbrunner dans les dossiers de Himmler.
6. Lettre de l'état-major personnel du *Reichsführer* S.S. au *Hauptsturmführer* S.S. Fälschlein, datée du 25 septembre 1942 (Ba NS 19/nouveau 2039).
7. Lettre de Himmler à Ohlendorf du 5 octobre 1942, considérée comme « affaire secrète » (Ba NS 1&/2039).
8. Willi A. BOELCKE, *Deutschlands Rüstung im Zweiten Weltkrieg* [L'armement allemand dans la Seconde Guerre mondiale], Francfort, 1969, p. 22.
9. La chronique du ministère reproduit cette lettre adressée à Hitler, en page 62 (Ba R 3/1737).
10. Message téléscripté de Himmler à Schieber daté du 21 septembre 1943 (Ba NS 19/nouveau 2039).
11. De Suisse et de Suède nous importions des roulements à billes dont nous avions un besoin impérieux.
12. Lettre de Speer à Hanke, en date du 21 juin 1944 (Ba R 3/1582).
13. Hermann GIESSLER, *Ein anderer Hitler* [Un autre Hitler], Starnberg, 1977, p. 434.
14. On n'a retrouvé ni la lettre ni la copie. Mais on trouve ce fait mentionné dans une lettre de Bormann à Himmler, datée du 7 mars 1944 (Ba NS 19/nouveau 258).
15. Lettre de Bormann à Himmler du 7 mars 1944 (Ba NS 19/nouveau 2058). A peu près à l'époque où Hanke envoyait son rapport à Himmler, je le proposai à Hitler pour prendre la direction de l'état-major de l'aviation de chasse, de création toute récente. De plus, fin avril

1945, je lui ai envoyé un télégramme débordant d'enthousiasme pour le féliciter de sa participation à la défense de Breslau. Ces deux faits montrent bien que je ne me doutais de rien.

16. *Cf.* aussi mes Mémoires, p. 339 et 352. Il est significatif que cette attaque perfide ait eu lieu pendant mon absence, à l'époque où une grave maladie m'avait tenu éloigné de mon poste pendant deux mois et demi. Cette intrigue s'intègre parfaitement dans le réseau tissé par Himmler, Bormann, Göring et d'anciens membres de l'organisation Todt, durant cette même période, pour me discréditer.
17. Lettre de Bormann à Himmler datée du 8 mai 1944 (Ba NS 19/nouveau 755).
18. Lettre de Schieber à Speer du 7 mai 1944 (Ba R 3/1631). *Cf.* également *Erinnerungen* (*Mémoires*) de SPEER, p. 384 et *Anmerkungen* p. 573, n° 22, 23. Étant donné le système d'espionnage universel de la S.D., on peut présumer que la direction des S.S. eut connaissance de cette lettre confidentielle sans tarder.
19. On n'a pas retrouvé ce mémoire dans les dossiers.
20. Il s'agit de la société Zellstoff Alphalind.
21. Lettre de Speer au *Gauleiter* Albert Hoffmann, en date du 26 mai 1944, qui a donné les détails concernant le mémoire introuvable (Ba R 3/1599).
22. Lettre de Schieber à Himmler en date du 6 juillet 1944 (Ba R 3/1631).
23. Lettre de Speer à Kaltenbrunner du 21 juillet 1944 (Ba R 3/1585).
24. Note 3 D 4-6 Kr./Ka, du 27 juillet 1944, portant la mention « Dossier Speer », de l'Office central de la Sûreté du Reich (Ba R 3/1631).
25. Message téléscripté de Speer à Himmler, daté du 3 octobre 1944 (Ba NS 19/nouveau 2058). La teneur du rapport de Kaltenbrunner est tirée de ce message à Himmler.
26. Note de Liebel à mon intention, en date du 12 octobre 1944 (Ba R 3/1631), d'où il ressort que Hitler, « après en avoir conféré avec Bormann, avait pris cette décision ».
27. Lettre de Speer à Bormann du 29 octobre 1944 (Ba R 3/1573).
28. Lettre de Speer à Himmler datée du 26 octobre 1944 (Ba NS 19/nouveau 2058). Ces deux lettres ont été dictées le même jour, cela ne fait aucun doute. Mais la lettre adressée à Himmler quitta le ministère dès le 26 octobre, tandis que celle de Bormann ne fut expédiée que le 29.
29. Texte tiré du message téléscripté de l'*Obergruppenführer* Berger, chef du bureau central des S.S. à Berlin, à Himmler, en date du 31 octobre 1944, 21 heures (Ba NS 19/2058). Ce texte transcrit mon entretien avec Schieber, mais il est quelque peu obscur. Je n'ai pas pu donner à Schieber d'autre motif de renvoi que celui avancé par Bormann. Tout détail complémentaire tombait dans le domaine strict du secret d'État.
30. Lettre manuscrite de Schieber à Speer datée du 31 octobre 1944 (Ba R 3/1631).
31. Bien qu'ayant souvent fait l'objet d'attaques de la part des milieux S.S., Hettlage demeura à son poste ; en échange, le général Waeger fut obligé de partir.
32. Tiré du message téléscripté de Berger à Himmler, à la date du 31 octobre 1944 (Ba NS 19/nouveau 2058).
33. Message téléscripté de Himmler à Berger du 1er novembre 1944 (Ba NS 19/nouveau 2058).
34. Rapport confidentiel du service de presse à Ohlendorf, signé de Lorch, et daté du 8 décembre 1944 (Ba R 7/2014).
35. Décret de Speer du 12 novembre 1944 sur les « Changements au sein du ministère de l'Armement et de la Production de guerre » (Ba R 43 II/1157 a).
36. Ma lettre du 10 août 1944 à Jüttner montre que j'ai été obligé de me défendre contre le « général S.S. Jüttner » parce qu'un décret sur la « Concentration de la production d'armes et de matériel de guerre », signé par Hitler le 19 juin 1944 sur ma proposition, n'avait été publié que le 22 juillet 1944. On soupçonna alors le général Waeger d'être au courant des préparatifs de l'attentat du 20 juillet et d'avoir donc jugé inutile la publication de ce décret.
37. Lettre du 8 novembre de Himmler à Speer (Ba NS 19/nouveau 2058).
38. Lettre de Speer à Himmler en date du 10 novembre 1944 (Ba NS 19/nouveau 2058).
39. Lettre de Speer à Schieber du 10 novembre 1944 (Ba NS 19/nouveau 2058).

40. Lettre de Speer à Himmler datée du 24 novembre 1944 (Ba NS 19/nouveau 258).
41. Walter Schieber, ingénieur chimiste, avait réussi, au bout de plusieurs années de tâtonnements, à produire de la fibranne à partir de fanes de pommes de terre. Malgré son pouvoir calorifique minime, cette découverte lui avait valu la considération de Hitler.
42. Procès-verbal du Führer en date du 28 novembre 1944, paragraphe 20 (Ba R 3/1511).
43. Remarques manuscrites portées sur les lettres de Speer à Himmler datées des 10 et 24 novembre 1944 (Ba NS 19/nouveau 2058).
44. Lettre du *Standartenführer* Brandt au *Brigadeführer* Kranefuss, 22 décembre 1944 (Ba NS 19/nouveau 2058).

Les ambitions illusoires de Himmler au ministère de l'Économie

1. Note du rapporteur personnel en date du 7 juillet 1944 (Ba NS 19/nouveau 1704).
2. *Cf.* Heinz HÖHNE, *op. cit.*, p. 379, correspondance entre Himmler et Reeder datée du 16 février 1943 (film *Reichsführer S.S.* n° 56).
3. Lettre de Kranefuss à Karl Wolff en date du 24 juillet 1942 (Ba NS 19/nouveau 2220).
4. A l'époque, il arrivait souvent que l'on détachât des chefs d'entreprise à mon ministère. Ils n'étaient pas payés mais continuaient à toucher leurs traitements d'industriels, qui étaient très élevés.
5. Lettre de l'*Oberführer* Fritz Kranefuss à l'*Oberführer* Karl Wolff, datée du 21 juin 1942, ainsi qu'une pièce jointe du 2 juin 1942 (Ba NS 19/nouveau 2220).
6. Lettre de Kranefuss à Wolff du 24 juillet 1942 (Ba NS 19/nouveau 2220).
7. Extrait des pièces jointes d'une lettre que Kranefuss avait adressée à l'*Obergruppenführer* Wolff le 21 juin 1942. Les pièces jointes sont datées du 2 juin 1942 (Ba NS 19/nouveau 2220).
8. Lettre de Kranefuss à Wolff du 18 septembre 1942 (Ba NS 19/nouveau 2220).
9. Lettre d'Ohlendorf à Himmler en date du 26 août 1942 (Ba NS 19/nouveau 2039).
10. Extrait de l'interrogatoire d'Ohlendorf par son avocat, Me Aschenauer, le 6 octobre 1947, devant le tribunal militaire de Nuremberg IIa cas IX (Ba proc. gén. 1, XXVII A/5, 6).
11. *Cf.* SPEER *Erinnerungen* (*Mémoires*) p. 223-225.
12. Lettre de Himmler à Ohlendorf datée du 5 octobre 1942 (Ba NS 19/nouveau 2039).
13. Lettre d'Ohlendorf à Himmler datée du 16 octobre 1942 (Ba NS 19/nouveau 2039).
14. Otto WAGENER, *Hitler aus nächster Nähe,* rapport édité par H. A. Turner (Berlin, 1978, p. 390). Otto Wagener, confident et conseiller économique de Hitler, raconte une anecdote relative à Funk : une nuit, en 1932, alors qu'il était déjà délégué de Hitler aux affaires économiques, à l'encontre de toutes les doctrines racistes, Funk s'afficha dans un bar de Munich avec deux femmes noires, et en prit une dans ses bras pour l'embrasser.
15. Chiffres donnés par l'industrie allemande de l'armement (Ba R 3/1732).
16. Sur le plan financier, pour la période citée, la production de munitions fut de 29 pour 100 par rapport à celle de l'ensemble de l'armement de la Wehrmacht. C'est pourquoi cette augmentation considérable de la production de munitions eut une répercussion importante sur l'indice total de l'armement.
17. Conversation entre Himmler et le *Brigadeführer* Ohlendorf, à Berlin, le 21 octobre 1942. « Interdiction d'accepter un poste au ministère de l'Économie. »
18. Note de Himmler datée du 21 octobre 1942 (Ba NS 19/nouveau 2039)
19. *Ibid.*
20. *Ibid.*
21. Remarque de Himmler datée du 21 octobre 1942 sur une conversation téléphonique avec Wolff (Ba NS 19/nouveau 1439).
22. Lettre de Kranefuss à Himmler en date du 30 octobre 1942 (Ba NS 19/nouveau 2220).
23. Feuillet de l'agenda de Himmler aux 25 et 26 mars 1943 (Ba NS 19/nouveau 1444).

24. Procès-verbal du Führer des 7 et 8 novembre 1942, paragraphe 33 (Ba R 3/1506).
25. Pour les détails de ces intrigues, *cf.* les *Mémoires* d'Albert Speer, p. 287 et suiv.
26. Note portée par Himmler sur son agenda à la date du 20 août 1943 : « 16 h à 16 h 30 ministre Funk, 16 h 30 à 17 h secrétaire d'État Landfried » (Ba NS 19/nouveau 1444).
27. Note portée par Himmler sur son agenda à la date du 21 août 1943 : « 20 h dîner avec Lammers et Funk » (Ba NS 19/nouveau 1444).
28. D'après la Chronique en date du 19 septembre 1943, Hayler était déjà secrétaire d'État (Ba R 3/1740).
29. SPEER, *Erinnerungen,* p. 237 et suiv.
30. *Ibid.,* p. 287 et suiv.
31. Ces renseignements sont tirés de la « Proposition pour la nomination à la fonction de secrétaire d'État du directeur du groupe représentant le commerce du Reich », non datée (Ba 43 II/1141 b).
32. Ces renseignements sont tirés de la « Proposition pour la nomination à la fonction de directeur ministériel du général de la police Otto Ohlendorf, avec le titre officiel de sous-secrétaire d'État », non datée (Ba R 43 II/1141 b).
    Malgré la recommandation de Himmler, Funk ne réussit pas à convaincre Lammers d'accorder à Ohlendorf le titre de sous-secrétaire d'État. Lettre de Funk à Lammers en date du 15 janvier 1944, et note de Lammers du 25 janvier 1944 (BA R 43 II/1141 b).
33. Chronique du 19 septembre 1944, P. 257 (Ba R 3/1740).
34. Rapport confidentiel du rapporteur de la presse au ministère de l'Économie, Lorch, à Ohlendorf, à la date du 8 décembre 1944 (Ba R 7/2014).
35. Comme me le communiqua Theo Hupfauer, docteur en droit, le 10 mars 1977, Hayler ne faisait pas systématiquement siennes les idées d'Ohlendorf. J'avais quant à moi l'impression qu'il fallait considérer Ohlendorf, et non Hayler, comme l'autorité agissante. Et cela confirma mon impression.
36. Lettre du chef du bureau central, Liebel, au secrétaire d'État Dr Hayler, en date du 11 septembre 1944 (Ba R 3/1582).
37. Une partie de ces projets proviennent des études que j'ai rédigées à Kransberg en juillet 1945 et qui sont parues sous le titre « Politische Zusammenhänge » (« les Contextes politiques »), A 9, pages 3 et 4.
38. *Cf.* p. 518 de l'audience du tribunal militaire n° II-A cas IX du 8 octobre 1947. Interrogatoire d'Otto Ohlendorf par son avocat, Me Aschenauer (Ba proc. gén. 1, XXVII A/5, 6).
39. David Irving a eu l'amabilité de me donner une photocopie de cette note.

L'idéologie des S.S. en matière économique

1. Des éditions H. A. Turner, *Hitler aus nächster Nähe* (*Dans l'intimité de Hitler*), p. 267 et suiv.
2. Ces conseillers économiques régionaux étaient directement subordonnés à Martin Bormann, ce qui permettait à ce dernier d'avoir de l'influence sur les problèmes économiques.
3. Extrait du discours prononcé par Ohlendorf le 15 juin 1944 devant les conseillers économiques régionaux du Parti, à la chancellerie (Ba R 7/2017).
4. Discours prononcé par Speer à Essen le 9 juin 1944, devant les industriels de l'armement (Ba R 3/1550).
5. Extrait du discours prononcé par Ohlendorf le 15 juin 1944 à la chancellerie, devant les conseillers économiques du Parti (Ba R 7/2017).
6. Article d'Ohlendorf « Bilan économique », daté du 28 décembre 1944 (Ba R 7/2018).
7. Texte tiré des documents rassemblés par Ohlendorf pour le discours du secrétaire d'État Hayler à Feldafing, fin janvier 1945 (Ba 7/2006).
8. Mot souligné dans le texte

9. Texte tiré des documents rassemblés par Ohlendorf pour le discours du secrétaire d'État Hayler à Feldafing, fin janvier 1945 (Ba R 7/2006). Mots soulignés dans le texte.
10. Extrait du discours prononcé par Ohlendorf le 15 juin 1944 à la chancellerie, devant les conseillers économiques régionaux du Parti (Ba R 7/2017).
11. Conférence du *Brigadeführer* Ohlendorf sur « L'Économie sociale et ses problèmes », dans la commission pour les questions sociologiques du ministère de l'Economie du Reich, 1er décembre 1944 (Ba R 7/2024).
12. On pourrait mettre Arthur Nebe, lui aussi haut fonctionnaire S.S., en parallèle avec Ohlendorf. Toutefois, Nebe chercha à se faire bien voir de Himmler et de la direction S.S. en multipliant ses renseignements sur les victimes. *Cf.* aussi Fabian von Schlabrendorf, *op. cit.* p. 174, 180 et suiv., 220.
13. Brouillon rédigé par Ohlendorf pour un discours de Hayler, le 22 janvier 1945 (Ba R 7/2006).
14. Extrait de *Adolph Hitlers Monologe im Führerhauptquartier, 1941 bis 1944* (Monologues de Adolf Hitler au quartier général du Füher, 1941 à 1944), Hambourg, 1980. Citation des 21-22 novembre 1941 (p. 101 et 102), ainsi que des 26-27 novembre 1941 (p. 110). Ces édifices sont reproduits dans un ouvrage illustré d'Albert SPEER *Architektur* (Architecture), Berlin, 1978.
15. Cette phrase a été soulignée par l'auteur.
16. Extrait du discours prononcé par Ohlendorf le 15 juin 1944 à la chancellerie, devant les conseillers économiques régionaux (Ba R 7/2017). Dans le langage de l'époque, le terme « zivilisatorisch » (civilisation matérielle) avait un second sens, donnant une idée de dépréciation et de décadence.
17. Cette réflexion n'a pas été recopiée dans les *Spandauer Tagebücher* (Carnets de Spandau), Berlin, 1975.

Deuxième Partie
Menaces et intrigues

Querelles de compétences dans le Protectorat

1. Cela ressort d'une lettre du directeur général Voss à Himmler en date du 30 mars 1942 (Ba NS 19/nouveau 1935).
2. Procès-verbal du Führer à la date du 16 mars 1942, paragraphe 4 (Ba R 3/1503).
3. Lettre du directeur général Voss à Himmler en date du 30 mars 1942 (Ba NS 19/nouveau 1935).
4. Lettre de Himmler au *Standartenführer* Voss datée du 8 mai 1942 (Ba NS 19/nouveau 1935).
5. Il s'agissait de l'état-major de liaison auprès des usines Skoda et des fabriques d'armes de Brünn pour les Waffen S.S., subordonné à Voss personnellement.
6. Lettre de Voss à Himmler du 11 mai 1942 (Ba NS 19/nouveau 1935).
7. Lettre de Voss à Himmler du 4 juin 1942 (Ba NS 19/nouveau 1935).
8. Lettre de Voss à Himmler du 10 juillet 1942 (Ba NS 19/nouveau 1935).
9. Procès-verbal du Führer du 6-7 mai 1942, paragraphe 40 (Ba R 3/1504).
10. Procès-verbal du Führer du 13 mai 1952, paragraphe 31 (Ba R 3/1504).
11. Procès-verbal du Führer du 4 au 9 septembre 1942, paragraphe 18 (Ba R 3/1505).
12. Procès-verbal du Führer du 18 janvier 1943, paragraphe 21 (Ba R 3/1507).
13. Procès-verbal du Führer des 6 et 7 février 1943, paragraphe 7 (Ba R 3/1507).
14. Procès-verbal du Führer du 8 juillet 1943, paragraphe 4 (Ba R 3/1508).

15. Lettre de Speer à Jüttner en date du 12 avril 1943 (Ba NS 19/ancien 338).
16. Procès-verbal du Führer du 13 au 15 novembre 1943, paragraphe 8 (Ba R 3/1508).
17. Procès-verbal du Führer du 22 au 25 mai 1944, paragraphe 11 (Ba R 3/1509). Ne possédant pas de tourelle rotative avec canons encastrés, le char 38 T fut souvent classé parmi les « canons d'assaut » ou parmi les « blindés de chasse », suivant la terminologie de l'époque.
18. Ces chiffres proviennent des statistiques de l'Armement (Ba R 3/1731).
19. Sans succès, il est vrai. Cela devrait faire l'objet de mon prochain livre sur l'armement.
20. Procès-verbal du Führer des 6 et 7 avril 1944, paragraphe 13 (Ba R 3/1509). A comparer aussi avec le procès-verbal du 25 au 28 janvier 1944, paragraphe 5 (Ba R 3/1509).
21. Procès-verbal du Führer du 1er au 4 novembre 1944, paragraphe 31 (Ba R 3/1510).
22. *Ibid.* paragraphe 35 (Ba R 3/1510).
23. Lettre de Voss à Himmler du 30 mars 1942 (Ba NS 19/nouveau 1935).
24. SPEER, *Erinnerungen* (*Mémoires*), p. 486 et 488.
25. Les administrations militaires de France et de Belgique ne nous donnèrent aucune difficulté. Elles collaborèrent parfaitement avec mes services, de même qu'avec le général Fromm, chef de l'armement des armées territoriales et commandant suprême de l'armée de réserve, ou avec l'état-major de l'armée de terre.
26. Chronique du 8 octobre 1943 (Ba R 3/1738).
27. Lettre de Speer à Frank en date du 2 mars 1944 (Ba R 3/1578).
28. Brouillon d'un décret joint à la lettre envoyée à Frank le 2 mars 1944 (Ba R 3/1578).
29. Lettre de Kammler au Dr Brandt, état-major personnel du *Reichsführer* S.S. en date du 13 juin 1944 (Ba NS 19/nouveau 317).
30. Lettre de Speer à Lammers du 19 juin 1944 (Ba R 3/1768).
31. Lettre de Speer à Lammers du 15 août 1944 (Ba R 43 II 610).
32. Déposition d'Ohlendorf devant le tribunal militaire de Nuremberg le 8 octobre 1946, II cas IX, p. 499 (Ba proc. gén., 1, XXVII A 5, 6).
33. Note du Service de sécurité de la milice S.S., section de Prague, au Service central de la sécurité du Reich III D, à l'attention du *Standartenführer* S.S. Seibert. Avec double pour le service II D de l'Est. Daté de début juin 1944 (R 58/1003).
34. Lettre du chef du bureau technique, Otto Saur, à l'*Obergruppenführer* S.S. Frank à Prague, en date du 28 août 1944 (Ba R 3/1578). Les programmes imposés par la Centrale aux entreprises nécessitaient la mobilisation de toutes les forces, cela va de soi. La politique de l'exagération était le seul moyen de libérer les ultimes ressources. A ce sujet, Saur écrivit à Frank, dans la même lettre : « Pour des raisons pédagogiques, il faut que toutes les unités de fabrication de blindés atteignent l'objectif fixé, même si, en fin de compte, les véhicules ne sont pas tout à fait achevés et qu'on ne vient pas en prendre livraison. Si nous acceptions le moindre retard, nous perdrions tout moyen de pression pour obtenir une livraison urgente.
35. Rapport du service II D-Est daté du 6 novembre 1944 (Ba R 58/1003).
36. Lettre de Speer à Frank du 7 juin 1944 (Ba R 3/1578).
37. Rapport du service II D-Est du 6 novembre 1944 (Ba R 58/1003).
38. *Ibid.*
39. Compte rendu du rapporteur de la section III D-Est du Service de sécurité, en date du 6 novembre 1944, sur une tournée dans le Protectorat (Ba R 58/1003).
40. *Ibid.*
41. *Ibid.*
42. Procès-verbal du Führer du 1er au 4 novembre 1944, paragraphe 13 (Ba R 3/1510), et lettre de Speer à Bertsch du 11 novembre 1944 (Ba R 3/1572). Le Dr Walter Bertsch avait toujours été fonctionnaire ; conseiller du Gouvernement depuis 1936 au ministère de l'Économie, il était devenu ministre du Travail et de l'Économie en Tchécoslovaquie à partir de 1942. Après la guerre, il fut condamné à la réclusion perpétuelle et mourut en prison. Sa promotion dans mon ministère lui aurait sans doute évité cette triste fin.
43. J'étais, quant à moi, très marqué par les réactions des industriels. Comme ceux-ci n'avaient

jamais perdu le sens des réalités, je suis resté relativement imperméable à ces influx. On peut d'ailleurs s'en rendre compte dans mes *Mémoires,* chapitres 28 à 32.
44. D'après une communication orale de M. Fremerey, le 3 juillet 1977.
45. Lettre de Speer au Dr Bertsch, de Prague, datée du 6 janvier 1945 (Ba R E/1572).
46. *Cf.* à ce sujet Albert SPEER, *Erinnerungen* (*Mémoires*), p. 405, et la chronique du 10 et du 31 août 1944 (Ba R 3/1740).
47. Deux communications écrites du Service de sécurité, section de Prague, en date du 19 février 1945 au Service central de la sécurité du Reich, Berlin (Ba R 58/1033).
48. Joseph GOEBBELS, Tagebücher 1945 (Carnets 1945), Hambourg, 1977, notes du 18 mars 1945, p. 294.

On diffame les industriels de l'armement

1. Note de la section III D-Ouest en date du 20 septembre 1944 (Ba R 58/976). Il semblerait que le rapporteur du Service de sécurité ait été transféré dans cette section Ouest après la dissolution de la section du Service de sécurité de Litzmannstadt.
2. Rapport de la section du S.D. de Düsseldorf au Service central de la sécurité du Reich, à Berlin, en date du 11 octobre 1944 (Ba R 58/976).
3. Section du S.D. de Düsseldorf au Service central de la sécurité du Reich III D-Ouest, à Berlin, en date du 23 novembre 1944 (Ba R 58/976).
4. Rapport de la section du S.D. de Düsseldorf au Service central de la sécurité du Reich, à Berlin, en date du 11 octobre 1944 (Ba 58/976).
5. Rapport sur un « déplacement de service du rapporteur III D-Est dans le Protectorat entre les 24 et 31 octobre 1944 », daté du 6 novembre 1944 (Ba R 58/1003).
6. Lettre personnelle de Martin Bormann au chef du Service central de la sécurité du Reich, l'*Obergruppenführer* S.S. Kaltenbrunner, datée du 4 avril 1945 (Ba R 58/976).
7. *Cf.* SPEER, *Erinnerungen (Mémoires).*
8. Mémoire d'Ohlendorf au ministre du Reich, le comte Schwerin von Krosigk, Flensburg (sans mention de date, mais écrit entre le 6 et le 22 mai 1945 — Ba R 62/7).
9. D'un autre côté, si mes collaborateurs abusaient du système de confiance que j'avais établi dans mon ministère, ils risquaient des peines sévères. Un exemple : donner de fausses indications sur les stocks de matières premières importantes, ce qui privait d'armes les troupes du front.
10. Chronique du ministère en date du 26 mai 1944 (Ba R 3/1739).
11. Message téléscripté de Speer à Kaltenbrunner en date du 28 juin 1944 (Ba R 3/1585).
12. Joseph GOEBBELS, *Tagebücher 1945* (Carnets 1945), notes du 28 mars, p. 416, et du 31 mars 1945, p. 466.
13. Les « métaux NE » étaient des métaux rares, comme le chrome, le molybdène, le nickel, etc.
14. Message téléscripté du *Gruppenführer* S.S. Müller à Himmler, à la date du 25 juin 1942 (Ba NS 19/ ancien 415).
15. Message téléscripté du *Gruppenführer* S.S. Müller à Himmler, à la date du 14 juillet 1942 (Ba NS 19/ancien 415).
16. Lettre de Fritz Kranefuss au Dr Rudolf Brandt, datée du 5 décembre 1942 (Ba NS 19/nouveau 2224).
17. Lettre du Service central de la sécurité du Reich au cabinet du *Reichsführer* S.S., en date du 11 janvier 1943 (Ba NS 19/nouveau 2224).
18. Les carnets de Goebbels, du 28 février au 10 avril 1945, retracent bien la manière dont les hommes pouvaient se bercer d'illusions dans les situations désespérées, jusqu'à en être grotesques.
19. A comparer avec le rapport de Kaltenbrunner, à Bormann, en date du 12 octobre 1944, *in* Karl Heinrich PETER, *Spiegelbild einer Verschwörung* (Reflet d'une conspiration). Rapports

de Kaltenbrunner à Bormann et Hitler relatifs à l'attentat du 20 juillet 1944. Documents secrets en provenance de l'ancienne Direction centrale de la sécurité du Reich, Stuttgart, 1961.

20. *Cf.* SPEER, *op. cit.* p. 401 et 403, ainsi que p. 575.
21. *Cf.* mémorandum adressé à Hitler le 11 novembre 1944 (Ba R 3/1528), et SPEER, *op. cit.*, p. 421 et suiv.
22. Lettre de Speer au chef du service de l'information du *Reichsführer* S.S. en date du 29 décembre 1944 (expédiée le 6 janvier 1945), y compris une note marginale à l'attention de Stahl, datée du 3 janvier 1945 (Ba R 3/1768).
23. Cette citation se trouve à la p. 104 du livre de HITLER *Mein Kampf* (Mon combat), édition de 1935. Pour plus de détails sur le rôle de Lüschen au cours des dernières semaines de guerre, *cf.* SPEER, *op. cit.* p. 436 et suiv., 468, 473, 479 et suiv., 482, 487.
24. Lettre de Speer à Kaltenbrunner datée du 4 décembre 1944 (Ba R 3/1585). Le mémoire mentionné dans cette lettre n'a pas été retrouvé. Mais cette lettre en donne la teneur.
25. Message du chef de la direction S.S., l'*Obergruppenführer* Gottlob Berger, à Himmler, daté du 27 octobre 1944 (Ba NS 19/ancien 37).
26. Renseignement écrit fourni par Otto Merker le 28 juin 1973.
27. Johannes STEINHOFF, *In letzter Stunde* (A la dernière heure), Munich, 1974, p. 118 et suiv.

Dénonciations

1. *Cf.* également SPEER, *op. cit.*, p. 339 et suiv.
2. Lettre de Seeberg au Service central de la sécurité du Reich datée du 10 décembre 1943 (Ba R 3/1628).
3. Sur le déroulement de cette affaire, *cf.* SPEER, *op. cit.*, p. 347 à 355.
4. Tiré de la chronique de mon ministère, à la date du 16 août 1944 (Ba R 3/1740).
5. Lettre de Speer à Pleiger, datée du 8 août 1944 (Ba R 3/1632).
6. Tiré de la chronique du ministère, à la date du 16 août 1944 (Ba R 3/1740).
7. Lettre du *Sturmbannführer* Backhaus, rapporteur personnel du ministre du Ravitaillement Backe, au rapporteur personnel de Himmler, le *Standartenführer* S.S. Brandt, datée du 26 août 1944 (Ba NS 19/nouveau 830).
8. Lettre de Brandt à Backhaus, du 31 août 1944 (Ba NS 19/nouveau 830).
9. Note de Meines à Brandt en date du 1er septembre 1944 (Ba NS 19/nouveau 830).
10. Lettre du *Gruppenführer* Meinberg à Himmler, datée du 2 novembre 1944 (Ba NS 19/nouveau 1693).
11. Lettre de Meinberg à Sohl, datée du 19 octobre 1944 (Ba NS 19/nouveau 1693).
12. Lettre de Sohl à Meinberg, du 25 octobre 1944 (Ba NS 19/nouveau 1693).
13. Lettre de Himmler à Meinberg, en date du 22 novembre 1944 (Ba NS 19/nouveau 1693).
14. Lettre de Himmler à Speer, du 5 septembre 1944 (Ba NS 19/ancien 294).
15. Lettre du rapporteur personnel de la direction S.S., le *Standartenführer* Klumm, au *Hauptsturmführer* Meine, de l'état-major personnel du *Reichsführer* S.S., en date du 15 novembre 1944 (Ba NS 19/ancien 294).
16. Mémorandum sur le « Manque de direction dans la Luftwaffe et dans l'industrie aérienne » (non daté), pièce jointe à une lettre de Himmler à Speer datée du 5 septembre 1944 (Ba NS 19/ancien 294).
17. Pleins pouvoirs accordés par Speer au Pr Gladenbeck le 5 septembre 1944 (Ba R 3/1583).
18. Mémorandum sur le « Manque de direction dans la Luftwaffe et l'industrie aérienne », pièce jointe à une lettre de Himmler à Speer datée du 5 septembre 1944 (Ba NS 19/ancien 294).
19. Lettre de Speer à Himmler en date du 16 septembre 1944 (Ba R 3/1583).
20. Cette lettre portait en référence de tête : TA, autrement dit *Technisches Amt* [service technique], dirigé par Saur. Himmler et Kaltenbrunner connaissaient la signification de

cette abréviation, évidemment. A cette époque-là, ils attachaient plus de valeur à l'opinion de Saur qu'à la mienne.

21. Lettre de Speer à Himmler, du 8 octobre 1944 (Ba NS 19/ancien 294).
22. Lettre du chef du Service central S.S. au Dr Brandt, datée du 18 octobre 1944 (Ba NS 19/ancien 425). D'après les références de cette lettre, elle a été rédigée par le *Standartenführer* Klumm.
23. Pièce jointe à la note adressée par l'*Obersturmführer* Friedrich Klumm au chef de l'état-major personnel du *Reichsführer* le 18 octobre 1944 (Ba NS 19/ancien 425).
24. Lettre du Dr Brandt à l'*Obersturmbannführer* Klumm en date du 30 octobre 1944 (Ba NS 19/ancien 425).
25. Joseph GOEBBELS, *op. cit.*, notes des 28 et 31 mars 1945, p. 414 et 468.
26. Lettre de Himmler au général von Axthelm, commandant la défense aérienne, datée du 9 septembre 1944 (Ba NS 19/nouveau 1677).
27. Extrait de la lettre du Dr Brandt, chef d'état-major de Himmler, au *Gruppenführer* Gottlob Berger, en date du 30 avril 1942 (*cf. Reichsführer,* Munich, 1970, p. 146).
28. Lettre du *Standartenführer* Klumm au *Hauptsturmführer* Meine, de l'état-major personnel du *Reichsführer* S.S., datée du 15 novembre 1944 (Ba NS 19/ancien 294).
29. Décisions prises à la suite de la conférence de l'état-major de l'Armement, les 3 et 4 octobre 1944 (Na R 3/1761).
30. On retrouve ces indications dans SPEER, « Politische Zusammenhänge » [Les contextes politiques], Kransberg, 1945, (A VII, p. 6a/7).
31. Mémoire envoyé à Hitler par Albert Speer le 20 septembre 1944 (Ba R 3/1526).
32. *Cf.* aussi SPEER, *Erinnerungen* (*Mémoires*), p. 405 à 407.
33. Lettre de Speer à Kaltenbrunner, datée du 14 décembre 1944 (Ba R 3/1585).
34. Depuis de nombreuses années, Schaaf était directeur des usines B.M.W. à Eisenach, et il occupait encore ce poste en novembre 1944. Ses activités dans mon ministère étaient bénévoles. Le 17 novembre 1944, au cours d'une conférence réunissant l'état-major de l'Armement, Saur décida que « Schaaf devait se retirer de l'état-major de l'Armement et du service de livraison d'armes ». Conférence de l'état-major de l'Armement, en date du 17 novembre 1944 (Ba R 3/1761).
35. Les usines B.M.W. avaient une participation importante dans la fabrication des moteurs d'avions, d'où leur rôle essentiel dans l'industrie de l'armement.
36. Le grade de *Scharführer* correspondait à celui d'adjudant.
37. Note du *Scharführer* Wolf, datée du 26 décembre 1944 (Ba NS 19/488).
38. Lettre de Speer à Hille, datée du 29 décembre 1944 (Ba R 3/1583).
39. Lettre de Brandt au chef de la police de sécurité et du Service de sécurité du Reich, en date du 9 janvier 1945 (Ba NS 19/488).
40. Lettre de Bormann au *Reichsführer* S.S. Himmler, datée du 5 février 1945 (Ba NS 19/ancien 378).
41. Lettre de Himmler à Bormann datée du 15 février 1945 (Ba NS 19/ancien 378).

Gaz d'échappement, géraniums, racines de sapin et bombes atomiques

1. Correspond au grade de lieutenant.
2. Rapport de l'*Untersturmführer* Helmut Zborowski au *Gruppenführer* Pohl, en date du 5 février 1942 (Ba NS 19/ancien 1335).
3. Ces bombardiers porteurs de fusées devaient être des avions fabriqués en série destinés à transporter les bombes-fusées de 500 kg.
4. Rapport de l'*Untersturmführer* Helmut Zborowski au *Gruppenführer* Pohl daté du 5 février 1942 (Ba NS 19/ancien 1335).
5. Lettre de Zborowski à Himmler, datée du 26 février 1943 (Ba NS 19/ancien 338).

6. *Cf.* SPEER, *Erinnerungen* (*Mémoires*), p. 286.
7. Lettre du Dr Brandt datée de mars 1943 à Zborowski (Ba NS 19/ancien 338).
8. Dans la lettre du 26 février 1943, Thedsen est encore capitaine de vaisseau.
9. Lettre de Zborowski à Himmler, datée du 11 avril 1943 (Ba NS 19/ancien 338).
10. Notes de Himmler relatives à des conversations téléphoniques du 4 janvier 1943 (Ba NS 19/nouveau 1439).
11. Notes prises par Himmler au cours de l'entretien qu'il eut avec Hitler le 17 avril 1943 (Ba NS 19/nouveau 1447).
12. Indication portée par Himmler sur son agenda, à la date du 14 mai 1943 (Ba NS 19/nouveau 1444).
13. Page d'agenda à la date du 27 janvier 1943 : « 17 heures à 17 h 30, Dr Flettner » (Ba NS 19/nouveau 1444).
14. Procès-verbal du Führer du 19 au 22 août 1943, paragraphe 28 (Ba R 3/1508).
15. Extrait du procès-verbal d'un entretien qui eut lieu chez le chef du Service de l'armement de l'armée de terre le 21 janvier 1944. Cette citation est extraite de l'ouvrage de Willi A. BOELCKE, *Deutschlands Rüstung im Zweiten Weltkrieg* (L'Armement allemand dans la Seconde Guerre mondiale), Francfort, 1969, p. 292.
16. Procès-verbal du Führer, du 3 au 5 janvier 1943, paragraphe 44 (Ba R 3/1507).
17. Lettre de Himmler à l'Office central de l'administration de l'économie des S.S. et à la direction centrale des S.S., sans mention de jour, mais seulement « juin 1943 » (Ba NS 19/nouveau 768).
18. Lettre de Himmler à Jüttner, datée du 12 juin 1943 (Ba NS 19/nouveau 768).
19. *Cf.* SPEER, *Erinnerungen,* p. 238.
20. Lettre de Himmler à Kammler, datée du 15 juin 1943 (Ba NS 19/nouveau 768).
21. Lettre de Jüttner à Himmler, du 25 juin 1943 (Ba NS 19/nouveau 768).
22. Rapport de la direction centrale des S.S., bureau X, portant la signature de l'*Untersturmführer* Reichauer, daté du 18 juin 1943 (Ba NS 19/nouveau 768).
23. Lettre de Kammler à Himmler, datée de juin 1943 (Ba NS 19/nouveau 768).
24. Lettre du conseiller d'Etat le Dr H. Pendl (ingénieur) à Himmler, datée du 7 janvier 1944 (Ba NS 19/nouveau 2057).
25. Message téléscripté de Himmler à Kloth daté du 30 avril 1944 (Ba NS 19/ancien 294).
26. Lettre de Himmler au *Standartenführer* Frosch, en date du 30 avril 1944 (Ba NS 19/ancien 294).
27. Message téléscripté de Himmler à Pohl, daté du 30 avril 1944 (Ba NS 19/ancien 294).
28. Note portée sur l'agenda de Himmler au 6 mai 1944 : « 11 h 30 à 12 h 30 : fabrique Wankel. » (Ba NS 19/nouveau 1445.)
29. Message téléscripté de Brandt à Frosch, daté du 19 juin 1944 (Ba NS 19/ancien 294).
30. Lettre de Wilhelm Keppler à Himmler, en date du 19 juillet 1944 (Ba NS 19/ancien 461) ;
31. Extrait de la lettre de Frosch à Himmler, du 5 août 1944 (Ba NS 19/ancien 294).
32. Lettre de Frosch du 5 août 1944.
33. Cela ressort d'une lettre du 3 août 1944 par laquelle les ateliers d'essais des usines Wankel ont appris cette décision prise par mon service « Inventions » (colonel Geist). (Ba NS 19/ancien 294.)
34. Note de Himmler à la date du 8 août 1944 (Ba NS 19/ancien 294).
35. Note prise par un *Sturmbannführer* de l'état-major de Himmler le 12 mars 1945 (Ba NS 19/ancien 294).
36. Rapport de l'*Oberführer* Dr Schwab, de la commission des Munitions, daté du 24 novembre 1942 (Ba NS 19/ancien 425).
37. Rapport du *Brigadeführer* Dr Schwab, de la commission des blindés, daté du 3 août 1944 (Ba NS 19/ancien 425).
38. Lettre de Speer à l'*Obergruppenführer* Jüttner, en date du 10 août 1944 (Ba R 3/1768).
39. « Situation grave dans le développement », deuxième ordonnance du 21 juillet 1944, signée

Speer, additif au décret du Führer sur la « Concentration de l'armement et de la production de guerre », du 19 juin 1944 (Ba R 3/1768).

40. La Wasag était une des grandes fabriques d'explosifs de l'Allemagne.
41. Lettre du D[r] von Holt au chef de l'état-major personnel du *Reichsführer* S.S., en date du 25 septembre 1944. Cette lettre reproduit également la déclaration de Himmler (Ba NS 19/ancien 1530).
42. Proposition de la Elemag (Société de construction d'appareils électro-mécaniques, S.A.R.L.) en date du 28 octobre 1944 (Ba NS 19/ancien 199).
43. Lettre de Lauterbacher à Himmler, datée du 13 novembre 1944 (Ba NS 19/ancien 199).
44. Lettre du bureau VI au Dr R. Brandt, datée du 8 janvier 1945 (Ba NS 19/ancien 199).
45. Lettre du Pr Werner Osenberg (ingénieur) au Dr Brandt, en date du 7 février 1945 (Ba NS 19/ancien 199).
46. Expertise de la proposition d'Elemag faite par le Dr Badstein le 6 février 1945 (Ba NS 19/ancien 199).
47. Appréciation du Pr A. Meissner à la date du 27 janvier 1945, et note complémentaire du 1er février 1945 (Ba NS 19/ancien 199).
48. Lorsque, en janvier 1945 également, le Dr Robert Ley m'annonça qu'il avait soi-disant inventé des rayons mortels et me demanda de l'aider à réaliser cette invention, je réagis beaucoup plus catégoriquement. *Cf.* Speer, *Erinnerungen* (*Mémoires*), p. 467.
49. Lettre de Himmler à Pohl datée du 13 mai 1942 (tirée de *Reichsführer !,* p. 147).
50. *Ibid,* à la date du 17 octobre 1942.
51. Lettre de Grohmann au *Sturmbannführer* S.S. le Dr Joachim Caesar, département agriculture du camp de concentration d'Auschwitz, en date du 1er avril 1943 (tirée de : *Reichsführer !,* p. 263).
52. Transocean-Europe, service I, rapport Tokyo, daté du 28 décembre 1944 (Ba NS 19/nouveau 756).
53. Lettre du Dr Brandt à Wagner, datée du 9 janvier 1945 (Ba NS 19/nouveau 758).
54. Message téléscripté de l'état-major personnel de Himmler, le Dr Brandt, en date du 5 janvier 1945 (Ba NS 19/nouveau 758).
55. Message téléscripté du Dr Brandt à Pohl, en date du 18 janvier 1945 (Ba NS 19/nouveau 758).
56. Message téléscripté de Brandt à la direction centrale des S.S., en date du 18 janvier 1945 (Ba NS 19/nouveau 758).
57. Lettre de Pohl à Brandt datée du 23 janvier 1945 (Ba NS 19/nouveau 758).
58. Lettre du « *Reichsführer* S.S., état-major personnel », sans date et sans signature. Le texte est raturé (Ba NS 19/nouveau 758).
59. Lettre de Lipinsky au Dr Brandt, datée du 1er février 1945 (Ba NS 19/nouveau 758).
60. Télégramme de Brandt à Lipinsky en date du 28 janvier 1945 (Ba NS 19/nouveau 758).
61. Rapport du *Gauleiter* Wilhelm Murr, chef suprême des S.S. et de la police pour le Sud-Ouest, Stuttgart, et du *Gauleiter* Robert Wagner, Strasbourg, sur un entretien avec Himmler qui eut lieu le 22 juin 1944 en Alsace (Ba NS 19/nouveau 371).
62. *Cf.* SPEER, *op. cit.*, p. 241.
63. Lettre de Speer à Himmler, datée du 23 septembre 1944 (Ba NS R 3/1583). Réponse à une lettre de Himmler qui n'a pas été conservée.
64. Lettre de Speer à Göring, datée du 12 septembre 1944 (Ba R 3/1580).
65. Lettre de Speer au *Gruppenführer* Ohlendorf, datée du 29 janvier 1945. (Ba R 3/1593). La lettre d'Ohlendorf n'a pas été conservée.
66. Lettre de Speer au Pr Gerlach, en date du 19 décembre 1944 (Ba R 3/1579).

Des infiltrations par émissaires spéciaux

1. Lettre de Pohl à Himmler, du 28 novembre 1942 (Ba NS 19/ancien 278). Ces services étaient

des organes officiels de surveillance. Schulze-Fielitz était secrétaire d'Etat de mon ministère.

2. Lettre de l'état-major personnel du *Reichsführer* S.S. à Pohl datée du 6 décembre 1942 (Ba NS 19/ancien 278).
3. A vrai dire, les groupements économiques de l'Union industrielle étaient souvent identiques aux organisations du Reich.
4. Lettre de Funk à Pohl, datée du 28 novembre 1942 (Ba NS 19/ancien 278).
5. Projet envoyé par Pohl à Himmler le 2 décembre 1942 sur l' « Organisation des services du ravitaillement » (Ba NS 19/ancien 278). Mots soulignés sur le texte original.
6. Lettre de Pohl à Himmler, en date du 8 janvier 1943 (Ba NS 19/ancien 278).
7. Lettre de Himmler à Pohl datée du 16 janvier 1943 (Ba NS 19/ancien 278).
8. *Cf.* Speer, *Erinnerungen* (*Mémoires*), p. 265 à 276, en particulier sur l'impuissance de cet organe, et sur les efforts de Goebbels pour lancer la guerre totale à sa manière.
9. Lettre de Pohl à Himmler, datée du 13 avril 1944 (Ba NS 19/nouveau 1752).
10. Extrait du rapport de Frank en date du 21 avril 1944 (Ba NS 19/nouveau 1752).
11. Lettre de Pohl à Himmler, datée du 24 avril 1944 (Ba NS 19/nouveau 1752).
12. Rapport de Frank sur la première séance de la commission qui s'est tenue le vendredi 21 avril 1944, pièce jointe à la lettre de Pohl à Himmler, du 24 avril 1944 (Ba NS 19/nouveau 1752).
13. Lettre de Pohl à Himmler, du 24 avril 1944 (Ba NS 19/nouveau 1752).
14. Himmler avait raison de s'inquiéter. Korherr lui envoya le détail de ses calculs, en concluant qu' « il pouvait retirer sur-le-champ trois divisions de guerre sans léser le moins du monde le travail administratif ». Heinz HÖHNE, *op. cit.*, p. 402.
15. Lettre de Himmler à Pohl, du 15 mai 1944 (Ba NS 19/nouveau 1752).
16. Tiré de la chronique du ministère à la date du 23 août 1944 (Ba R 3/1740).
17. Lettre de Speer à Himmler datée du 9 juin 1943 (Ba NS 19/nouveau 372).
18. Lettre de Himmler à Speer du 19 juin 1943 (Ba NS 19/nouveau 372).
19. Lettre du *Standartenführer* With au chef de l'état-major du *Reichsführer* S.S., le *Standartenführer* Rhode, datée du 17 juillet 1943 (Ba NS 19/nouveau 372).
20. Lettre de Berger au Dr Brandt, datée du 6 août 1943 (Ba NS 19/nouveau 372).
21. Lettre de Brandt à Berger datée du 13 octobre 1943 (Ba NS 19/nouveau 372).
22. Lettre de Berger au Dr Brandt (état-major personnel du *Reichsführer* S.S.), datée du 4 décembre 1943 (Ba NS 19/nouveau 372).
23. Lettre du Dr Brandt à Berger, du 26 février 1944 (Ba NS 19/nouveau 372).
24. Mémorandum de Speer pour Hitler à la date du 20 juillet 1944 (Ba R 3/1522).
25. *Cf.* également SPEER, *op. cit.*, p. 283.
26. J'ai appris par le livre de Heinz HÖHNE, *op. cit.*, qu'il s'agissait là d'un plan mûrement réfléchi pour faire tomber Hitler avec l'aide de Himmler et de ses S.S.
27. *Cf.* SPEER, *op. cit.*, p. 401.
28. Lettre de Berger à Naumann, chef de cabinet au ministère de la Propagande, datée du 16 août 1944 (Ba NS 19/ancien 284).
29. Lettre de Brandt à Berger du 21 août 1944 (Ba NS 19/ancien 284).
30. *Cf.* SPEER, *op. cit.*, p. 405 et suiv., 575.
31. Lettre de Berger à Naumann, chef de cabinet au ministère de la Propagande, datée du 16 août 1944 (Ba NS 19/ancien 284).
32. Extrait du rapport de statistique sur la production de guerre (Ba R 3/1730).
33. Extrait des indices de la fabrication d'armes allemandes (Ba R 3/1732).
34. SPEER, *op. cit.*, p. 223, 225.
35. Lettre de Berger au secrétaire d'État Naumann, chef de cabinet au ministère de la Propagande, datée du 16 août 1944 (Ba NS 19/ancien 284).
36. Circulaire envoyée par Speer à tous les chefs de service de son ministère le 13 mars 1944 (Ba R 4311/668 b).

37. Le texte de l'ordonnance de Hitler n'a pas été retrouvé. Celui-ci est tiré du décret d'application de Himmler, en date du 5 août 1944.
38. Décret de Himmler daté du 5 août 1944 (Ba NS 19/nouveau 1707).
39. Brouillon d'une lettre écrite par Pohl et datée du 29 janvier 1945, que Himmler devait me faire parvenir (Ba NS 19/nouveau 1707).
40. Message téléscripté de Speer à Himmler en date du 8 janvier 1945 (Ba R E/1768).
41. Après l'attentat du 20 juillet, Himmler fut chargé de toutes les fonctions occupées précédemment par Pohl. Il va de soi qu'il plaça à la tête de tous les services importants de ce département les hauts fonctionnaires de son état-major. L'un d'eux était l'*Obergruppenführer* Frank.
42. Message téléscripté de Himmler à Speer daté du 12 janvier 1945 (Ba R 3/1768).
43. Lettre de Speer à Himmler du 17 janvier 1945 (Ba R 3/1768).
44. Buhle fit un rapport sur les nouvelles productions d'armes et de munitions, et Hitler répartit sur-le-champ ces pièces d'armement disponibles entre de nouvelles divisions en cours de formation, sans faire appel aux experts qui étaient seuls capables de procéder à une répartition judicieuse.
45. Tiré de l'analyse que j'ai faite à Kransberg sur ces questions dans « Politische Zusammenhänge » (Contextes politiques) (A II) en date du 2 juillet 1945.

Troisième Partie
Échec de l'empire économique

Le konzern chaotique

1. Procès-verbal du Führer du 3 au 5 juin 1944, paragraphe 21 (Ba R 3/1509).
2. Lettre de Pohl à Himmler, du 2 décembre 1943 (Ba NS 19/ancien 778).
3. Extrait du procès-verbal du tribunal militaire n° II-A, cas IX : Procès contre Ohlendorf (Ba proc. gén., 1, XXVII, a/5, 6).
4. Chronique du 4 avril 1944 (Ba R 3/1739).
5. Compte rendu sur « Quelques problèmes en provenance du bureau de Himmler », sans mention de date (Ba NS 19/ancien 184).
6. Décret de Hitler du 11 janvier 1942 (Ba NS 19/ancien 281).
7. Lettre de Speer à l'usine Volkswagen, en date du 23 mars 1942 (Ba NS 19/nouveau 1955).
8. Lettre de Pohl à Himmler en date du 8 avril 1942 (Ba NS 19/nouveau 1955).
9. Lettre de Pohl à Himmler du 28 avril 1942 (Ba NS 19/nouveau 1955).
10. Rapport de Pohl à Himmler daté du 16 septembre 1942 (Ba NS 19/nouveau 14).
11. Lettre de Pohl à Himmler du 7 juillet 1942 (Ba NS 19/ancien 415).
12. Note de l'état-major personnel du *Reichsführer* S.S. en date du 18 juillet 1942 (Ba NS 19/ancien 415).
13. Lettre de Himmler à l'*Obergruppenführer* Jüttner, chef de la direction centrale des S.S., en date du 8 février 1944 (Ba NS 19/nouveau 1542).
14. Lettre de Himmler à Pohl du 9 septembre 1942 (Ba NS 19/nouveau 14).
15. Communication téléphonique prioritaire entre Himmler et Pohl le 4 mars 1944 (Ba NS 19/nouveau 768).
16. Lettre de Kammler au Dr Brandt, datée du 19 juin 1944 (Ba NS 19/nouveau 768).
17. D'après I. BENTLEY et F. PORSCHE, *Porsche,* Düsseldorf, Vienne, 1978, p. 223 et suiv. En 1944, on aurait confié à Porsche la mise au point d'une bombe volante du type V 1, d'un modèle plus rapide et de plus longue portée. Mais, ajoute l'auteur, « la guerre prit fin avant que nous n'ayons terminé les études préliminaires ».
18. Lettre de Himmler à Jüttner, datée du 1er août 1944 (Ba NS 19/nouveau 296).

19. Il y avait 95 700 générateurs en service au mois de juillet 1944, et ce mois-là, il en sortit 10 400 des usines. Renseignement tiré du rapport de statistique sur la production de guerre (Ba R 3/1730).
20. Lettre de Himmler à Pohl datée du 12 août 1944 (Ba NS 19/nouveau 296).
21. Lettre de Pohl à Himmler du 14 octobre 1944 (Ba NS 19/nouveau 296).
22. Lettre de Brandt à Pohl en date du 7 octobre 1944 (Ba NS 19/nouveau 296).
23. Mémoire envoyé par Speer à Hitler le 11 novembre 1944 (Ba R 3/1528).
24. Mémoire envoyé par Speer à Bormann le 6 novembre 1944 (Ba R 3/1573).
25. Message téléscripté de Himmler à Speer daté du 3 novembre 1944, 3 h 15 du matin (Ba NS 19/nouveau 296).
26. Message téléscripté de Himmler à Speer daté du 3 novembre 1944, 16 h 30 (Ba NS 19/nouveau 296).
27. Message téléscripté de Berger à Himmler, daté du 6 novembre 1944 (Ba NS 19/nouveau 296).
28. Message téléscripté de Brandt à Berger daté du 8 novembre 1944 (Ba NS 19/nouveau 296).
29. Message téléscripté de Himmler à Speer daté du 3 novembre 1944, 16 h 30 (Ba NS 19/nouveau 296).
30. Lettre de Speer à Himmler du 10 novembre 1944 (Ba R 3/1583).
31. Lettre envoyée le 10 décembre 1944 au *Gauleiter* Hoffmann, à Bochum, et transmise également aux *Gauleiter* Schlessmann, à Essen, Dr Meyer, à Münster, Florian, à Düsseldorf et Grohé, à Cologne. Cette fragmentation administrative de l'industrie rhéno-westphalienne ne cessa de susciter des difficultés de taille, parce que je n'avais aucun moyen de forcer des hauts fonctionnaires nazis, de type égocentrique, à unifier leur action dans le domaine économique.
32. Lettre de Speer à Himmler datée du 10 novembre 1944 (Ba R 3/1583).
33. Lettre de Himmler à Speer datée du 21 novembre 1944 (Ba NS 19/nouveau 296).
34. Télégramme du *Gauleiter* Meyer à Himmler, daté du 4 novembre 1944 (Ba NS 19/nouveau 296). Ce télégramme, envoyé de Warendorf, mit deux jours pour parvenir à Berlin. Ce détail prouve que le réseau allemand de transmissions commençait à être désorganisé par les bombardements aériens.
35. Lettre de Brandt à Kloth, datée du 25 novembre 1944 (Ba NS 19/nouveau 296).
36. Lettre de Kloth à Brandt datée du 27 décembre 1944 (Ba NS 19/nouveau 296).

Pierres fines, gaz toxique et dent-de-lion

1. Lettre du Service technique du ministère de l'Air à Milch, en date du 2 avril 1942 (Ba NS 19/ancien 1532).
2. Lettre de Speer à Himmler, datée du 20 avril 1942 (Ba NS 19/ancien 1532).
3. Lettre de Pohl à Himmler, datée du 9 juin 1942 (Ba NS 19/ancien 1532).
4. Lettre de Brandt, de l'état-major personnel de Himmler, au *Gruppenführer* Sachs, en date du 1er juin 1942 (Ba NS 19/ancien 1532).
5. Entretien chez Göring le 29 juin 1942, article 6 (Ba R 3/1504).
6. Lettre de Pohl à Himmler, datée du 14 juillet 1942 (Ba NS 19/ancien 1532).
7. Lettre de Himmler à Speer en date du 15 juillet 1942 (Ba NS 19/ancien 1532).
8. Message téléscripté de Brandt à Pohl, daté du 25 juillet 1942 (Ba NS 19/ancien 1532).
9. Lettre de Himmler à Pohl, datée du 25 août 1942 (Ba NS 19/ancien 1532).
10. Lettre de Himmler à Erich Koch, datée du 26 août 1942, tirée de *Reichsführer!*, p. 177.
11. Lettre de Pohl à Himmler, du 5 septembre 1942 (Ba NS 19/ancien 1532).
12. Message téléscripté du commandement suprême de la Wehrmacht à l'état-major du *Reichsführer* S.S., daté du 18 mars 1943 (Ba NS 19/nouveau 1706).
13. Lettre du *Gruppenführer* S.S. Paul Hennicke à l'*Obergruppenführer* Karl Wolff, datée du 2 juillet 1940 (Ba NS 19/nouveau 755).

14. Lettre de Himmler au *Sturmbannführer* Vogel, en date du 29 mars 1941, tirée de *Reichsführer!* p. 104.
15. Procès-verbal du Führer, en date du 23 juin 1942, paragraphe 22 (Ba R 3/1504).
16. Rapport de Pohl à Himmler, daté du 12 février 1943 (Ba NS 19/ancien 415 a). Le 13 octobre 1941, Hitler parla d'une superficie de 40000 hectares. *Cf. Adolf Hitler, Monologe im Führerhauptquartier* (Monologues au quartier général du Führer), Hambourg, 1980, p. 78.
17. *Cf.* aussi W. TREUE « Gummi in Deutschland zwischen 1933 und 1945 » (Le Caoutchouc en Allemagne entre 1933 et 1945), in *Wehrwirtschaftliche Rundschau* (Revue sur l'économie de défense), 1955, p. 184 et suiv., ainsi que Helmut HEIBER, *Hitlers Lagebesprechungen* (Conférences de Hitler sur la situation), Stuttgart, 1962, p. 150.
18. Ordre de Himmler aux chefs suprêmes des S.S. et de la police des territoires de l'Est, des pays de l'Est, de la Vistule, du Wartheland, de la Russie centrale et de l'Ukraine, en date du 23 juillet 1943 (Ba 26 IV par. 33).
19. Notes portées par Himmler sur son agenda, en dates du 15 avril, du 24 juin et du 30 novembre 1943, ainsi que du 20 avril 1944 (Ba NS 19/nouveau 1444 et 1445).
20. Lettre de Kehrl au *Sturmbannführer* Dr Brandt, datée du 30 mars 1944, à laquelle est joint le rapport de la « Société pour le caoutchouc végétal et la gutta-percha », en date du 23 février 1943 (Ba R 3/1901).
21. Le salaire annuel d'un ouvrier était de 1800 Reichsmarks.
22. Rapport du Service des matières premières du ministère de l'Armement et de la Production de guerre, en date du 14 avril 1944 (Ba R 3/1901).
23. *Cf.* Speer, *Erinnerungen* (*Mémoires*), p. 328.
24. Procès-verbal du Führer à la date du 16-17 décembre 1943, paragraphe 1 (Ba R 3/1508).
25. Extrait d'un entretien chez le gouverneur général Frank, à la date du 8 mai 1944 (Ba R 52 II/216).
26. Rapport de Keppler à Himmler, en date du 29 juin 1944 Ba NS 19/ancien 461). Keppler déclara ensuite à Himmler qu'il aimerait bien faire un exposé oral sur les problèmes du gisement de manganèse qui se trouvait à la pointe sud-est du Gouvernement général.
27. Rapport de l'entretien entre Himmler et Frank, les 18 et 19 mai 1944 (Ba R 52 II/217).
28. Rapport sur l'entretien qui eut lieu le 3 juin 1944 chez le gouverneur général Frank (Ba R 52 II/218).
29. Procès-verbal du Führer en date du 29 mars 1943, paragraphe 13 (Ba R 3/1507).
30. Noté sur l'agenda de Himmler à la date du 29 mars 1943 : « 12 h à 14 h ministre du Reich Speer. 14 h à 15 h déjeuner avec Speer. » (Ba NS 19/nouveau 1444.)
31. Procès-verbal du Führer en date du 30 mai 1943, paragraphe 30 (Ba R 3/1507).
32. Dans d'autres districts aussi, comme par exemple en Thuringe, district de Sauckel, s'établirent de grandes unités industrielles appartenant au Parti et dont les bénéfices devaient aller à la caisse du district, par conséquent au *Gauleiter* (*Gau* : « district ». [N. d. T.]).
33. Lettre de Greiser à Himmler, en date du 6 octobre 1944 (Ba NS 19/ancien 198).
34. Lettre de Himmler à Greiser, en date du 22 octobre 1944 (Ba NS 19/ancien 198).
35. Message téléscripté urgent de Himmler à Pleiger, en date du 4 août 1944 (Ba NS 19/ancien 198).
36. Message téléscripté de Pleiger, du 6 août 1944, à l'état-major personnel du *Reichsführer* S.S. (Ba NS 19/ancien 198).
37. Note prise par un *Hauptsturmführer* S.S. (nom illisible) le 15 août 1944 (Ba NS 19/ancien 198).
38. Tiré d'un article de Hans MARSALEK dans *Die Tat* (Le Fait), paru le 4 décembre 1971 à Vienne.
39. Message téléscripté urgent de Himmler à Pleiger, en date du 13 août 1944 (Ba NS 19/ancien 198).
40. Message téléscripté de Pleiger à Himmler, en date du 16 août 1944 (Ba NS 19/ancien 198).
41. Message téléscripté de Pleiger à Himmler, en date du 12 septembre, du 21 septembre, du

26 septembre, du 12 octobre, du 26 octobre, du 8 novembre et du 15 novembre 1944 (Ba NS 19/ancien 198).

42. Message téléscripté de Himmler à Pleiger, en date du 6 janvier 1945 (Ba NS 19/ancien 198).
43. Message téléscripté de Pleiger à Himmler, en date du 13 janvier 1945 (Ba NS 19/ancien 198).
44. L'usine de Falkenhagen produisait le trilon en même temps que le gaz neurotoxique appelé sarin.
45. Le sarin est encore stocké de nos jours dans les dépôts de l'armée américaine, au titre de gaz de combat.
46. Procès-verbal du Führer, du 3 au 5 juin 1944, paragraphe 5 (Ba R 3/1509).
47. Message téléscripté de Buhle à Saur en date du 7 juillet 1944 (Ba NS 19/ancien 425).
48. Lettre de Speer à Himmler, datée du 26 juillet 1944 (Ba NS 19/ancien 425). En mai 1944, dans un rapport sur la « Situation dans le domaine de la poudre, des explosifs, des gaz de combat, du trilon et des acides à brouillard », Schieber avait souligné qu'« une unité de fabrication de trilon allait entrer en fonctionnement à titre expérimental dans les semaines à venir » (Ba R 3/1857).
49. Procès-verbal du Führer, du 1er au 4 novembre 1944, paragraphe 10 (Ba R 3/1509).
50. Note prise par Schieber sur l'entretien relatif au gaz de combat, qui eut lieu le 2 novembre 1944 (Ba R 3/1894).
51. Lettre de Speer à Keitel datée du 11 octobre 1944 (Ba R 3/1586, p. 113 et suiv.).

Himmler se charge du programme des engins à autopropulsion

1. Lettre du chef de la direction centrale des S.S., Gottlob Berger, à Himmler, en date du 16 décembre 1942 (Ba NS 19/ancien 335).
2. « Conférence chez le Führer le 23 janvier 1943, paragraphe 8. » (Ba NS 19/nouveau 1474.)
3. Lettre de Stegmaier à Berger, en date du 26 janvier 1943, commençant par ces mots : « Mon cher ami Berger. » (Ba NS 19/ancien 415 a.)
4. Lettre de Berger à Himmler datée du 1er février 1943 (Ba NS 19/ancien 415).
5. « Conférence chez le Führer le 10 février 1943, paragraphe 18. Le colonel Dornberger au Führer. » (Ba NS 19/nouveau 1474.)
6. « Conférence chez le Führer le 17 avril 1943, paragraphe 3, Peenemünde. » (Ba NS 19/nouveau 1474.)
7. Lettre de Himmler à Berger, datée du 10 avril 1943 (Ba NS 19/ancien 415 a).
8. Lettre de Kaltenbrunner à Himmler datée du 12 juillet 1943 (Ba NS 19/ancien 415 a).
9. Procès-verbal du Führer, en date du 8 juillet 1943, paragraphes 18, 19 et 20 (Ba R 3/1507).
10. Entre-temps, Dornberger était monté en grade.
11. Lettre de Himmler au lieutenant-colonel Engel, en date du 14 juillet 1943 (Ba NS 19/nouveau 949).
12. Décret de Hitler du 25 juillet 1943, extrait de David IRVING, *The Mare's Nest,* Boston, p. 89 et suiv.
13. Note écrite par Himmler sur son agenda : « 19 août 1943, 19 h 30 au Wolfsschanze (quartier général de Hitler. [N.d.T.]) — 20 h 30 dîner chez Bormann — 21 h 30 situation chez le Führer. » (Ba NS 19/nouveau 1447.)
14. D'après la note trouvée sur l'agenda de Himmler à la date du 20 août 1943, Saur et moi, nous sommes restés chez lui de 15 heures à 16 heures (Ba NS 19/nouveau 1444).
15. Gehrard Degenkolb réussit à faire monter la production de locomotives de 1918 à 5 243 entre 1941 et 1943. Début janvier 1943, je confiai à Degenkolb la fabrication des A 4. D'après son programme, 3 180 A 4 (V 2) devaient être construits en 1943.
16. *Cf.* SPEER, *op. cit.*, p. 216 et suiv.
17. Procès-verbal du Führer en date du 19 mars 1942, paragraphe 28 (Ba R 3/1506).

18. Je repris cet argument dans le discours que je prononçai le 6 octobre 1943 à Posen devant les *Reichsleiter* et les *Gauleiter* du Parti : « Je voudrais comparer les essais qui viennent de se terminer sur les A 4 aux premiers essais positifs effectués sur une voiture de course. Cette voiture de course a été réalisée à la pièce, par des spécialistes de très haute valeur, et, à présent, il nous faut la fabriquer en série comme une automobile ordinaire, tout en lui conservant toutes ses performances de voiture de course. Ce passage d'un travail de qualité à un montage en série ne manquera sans doute pas de présenter quelques difficultés. » (Ba R 3/1548.)
19. Procès-verbal du Führer, du 19 au 22 août 1943, paragraphe 24 (Ba R 3/1507).
20. Agenda de Himmler à la date du 21 août 1943 (Ba NS 19/Nouveau 1444).
21. Lettre de Himmler à Speer, datée du 21 août 1943 (Ba R 3 1583).
22. Notes prises par Himmler pour son discours du 4 octobre à Posen devant les *Gruppenführer* (p. 13, Documentation de Nuremberg, 1919 PS 129).
23. Discours prononcé par Himmler le 4 octobre 1943 à Posen devant les *Gruppenführer* (Documentation de Nuremberg 1919 PS).
24. E. GEORG, *Die wirtschaftlichen Unternehmungen der S.S.* (Les Entreprises économiques des S.S.), Stuttgart, 1963, p. 38.
25. Dans son ouvrage *The Mare's Nest,* Boston, 1965, p. 122, David IRVING écrivit que la méthode de Himmler avait le charme de la simplicité. « Les S.S. intervenaient partout où apparaissait une carence ; ils offraient alors leur aide pour y remédier. Une fois qu'ils étaient dans la place, ils ne tardaient pas à s'incruster de plus en plus jusqu'à prendre en main toute l'affaire. Pour la mise en souterrain du programme des armes secrètes, Himmler choisit un ingénieur de quarante-deux ans qui avait à son actif la construction des camps de concentration en général, et des chambres à gaz d'Auschwitz en particulier, le Dr Hans Kammler. Kammler allait faire une carrière exceptionnelle : initialement chargé de diriger des travaux de construction relativement modestes, en rapport avec le programme A 4, il finit par devenir le commandant suprême de toutes les armes secrètes allemandes, y compris des chasseurs à réaction Me 262. La progression de sa carrière pourrait servir d'exemple à un manuel d'enseignement sur l'infiltration contrôlée. »
26. Message téléscripté de Kammler au Dr Brandt, en date du 16 octobre 1943 (Ba Ns 19/ancien 273).
27. Ordre du commandement suprême de l'armée de terre, chef de l'armement et haut commandant de l'armée de réserve, en date du 19 octobre 1943.
28. Message téléscripté de Kammler au Dr Brandt à l'intention de Himmler pour information, daté du 20 octobre 1943, 20 h 15 (Ba NS 19/ancien 273).
29. Communication écrite du Dr Porschmann, datée du 13 février 1978.
30. Chronique du 10 décembre 1943 (Ba R 3/1738).
31. Chronique du 13 janvier 1944, p. 8 (Ba R 3/1739).
32. Chronique du 14 janvier 1944, p. 11 (Ba R 3/1739).
33. Jean MICHEL, *Dora,* Paris, 1975, p. 175.
34. Il s'agissait d'une opération d'assez grande envergure, qui devait profiter aussi aux travailleurs forcés de Sauckel.
35. Communication écrite du Dr A. Porschmann, à l'auteur, datée du 13 février 1978.
36. Lettre de Speer à Brandt, datée du 5 août 1944 (Ba R 3/1574).
37. Selon le rapport de l'Office central de l'administration de l'économie, service D III, en date du 22 septembre 1943 (NO 1010), on avait réussi, en août 1944, à abaisser le taux moyen de mortalité pour tous les camps de concentration à 2,09 pour 100 du nombre total des déportés. 5,7 pour 100 était donc un taux anormalement élevé.
38. D'après un rapport du Pr Walter Bartel, de l'université Humboldt (Berlin-Est), in *Der Widerstandskämpfer* (Le Combattant de la Résistance), Vienne, 1969.
39. D'après un tableau de la production qui se trouve dans l'ouvrage de David IRVING, *Die Geheimwaffen des Dritten Reiches* (Les Armes secrètes du IIIe Reich), Londres, 1964.
40. Extrait du procès-verbal du Führer, à la date du 13 mai 1944 (Ba R 3/1509).

41. D'après Willi A. BOELCKE, *Deutschlands Rüstung im Zweiten Weltkrieg* (L'Armement de l'Allemagne dans la Seconde Guerre mondiale), Francfort, 1969, p. 291.
42. Lettre de Himmler à Kammler datée du 6 août 1944 (Ba NS 19/nouveau 2055). Seuls l'*Obergruppenführer* S.S. Jüttner, chef d'état-major de Himmler, et l'*Obersturmführer* S.S. Grothmann en reçurent une copie.
43. Lettre de Speer à Jüttner, datée du 11 août 1944 (Ba R 3/1768).
44. Message téléscripté de Himmler à Speer, en date du 29 septembre 1944 (Ba NS 19/nouveau 949).
45. Message téléscripté de Speer à Himmler, daté du 11 novembre 1944 (Ba R 3/1583).
46. David IRVING, *op. cit.*, p. 354.
47. Décret envoyé par Jüttner en sa qualité de chef de l'état-major de l'armement de la Wehrmacht à ses services le 31 décembre 1944 (MGFA, Do 44/119 : FE 3033).

Grottes et cavernes : conséquences des chimères

1. Procès-verbal du Führer en date du 11 avril 1943, paragraphe 4 (Ba R 3/1507).
2. Lettre de Göring à Speer, datée du 10 octobre 1943 (Ba R 3/1580).
3. Lettre de Speer à Hitler, datée du 19 avril 1944 (Ba R 3/1516).
4. Lettre du Dr Abrahamczik au Dr Brandt, rapporteur personnel, datée du 25 août 1943 (Ba NS 19/ancien 273).
5. Lettre du directeur de *Das Ahnenerbe* (Le Patrimoine ancestral), au Dr Brandt, état-major personnel du *Reichsführer* S.S., datée du 9 novembre 1943 (Ba NS 19/ancien 273).
6. Lettre du Dr Brandt à Sievers, datée du 3 décembre 1943 (Ba NS 19/ancien 273).
7. Lettre de Speer à Kammler du 17 décembre 1943 (Ba R 3/1585).
8. Lettre de Speer à Himmler, du 22 décembre 1943 (Ba R 3/1583).
9. Procès-verbal du Führer en date du 5 mars 1944, paragraphe 1 : « Le Führer prend connaissance (...) du décret de Göring sur les travaux de construction exceptionnels de Kammler » (Ba R 3/1509).
10. Message téléscripté de Himmler au chef suprême des S.S. et de la police de Cracovie, Koppe, daté du 12 décembre 1943 (Ba NS 19/nouveau 317).
11. Lettre de Brandt à Koppe datée du 26 janvier 1944 (Ba NS 19/nouveau 317).
12. Note pour Pohl jointe à la lettre ci-dessus (Ba NS 19/nouveau 317).
13. Lettre de Pohl au Dr Brandt datée du 17 février 1944 (Ba NS 19/nouveau 317).
14. Lettre de Himmler à Kammler datée du 8 mai 1944 (Ba NS 19/nouveau 228).
15. Lettres de Brandt à l'*Obersturmbannführer* Schleif et au *Gruppenführer* Kammler, en date du 18 septembre 1944 (Ba NS 19/nouveau 228).
16. Lettre de Schleif au Dr Brandt, datée du 25 septembre 1944 (Ba NS 19/nouveau 228).
17. Lettre de Brandt à Schleif datée du 4 octobre 1944 (Ba NS 19/nouveau 228).
18. Lettre de Schleif à Brandt datée du 9 octobre 1944 (Ba NS 19/nouveau 228).
19. Lettre du Dr Brandt à Schleif, datée du 23 octobre 1944 (Ba NS 19/nouveau 228).
20. Lettre de Schleif au Dr Brandt datée du 21 novembre 1944 (Ba NS 19/nouveau 228).
21. Lettre de Himmler à Pohl datée du 17 décembre 1943 (Ba NS 19/nouveau 317).
22. Lettre de Pohl à Himmler datée du 24 janvier 1944 (Ba NS 19/nouveau 317).
23. Lettre de Krauch à Himmler datée du 18 décembre 1943 (Ba NS 19/nouveau 1677).
24. Lettre du Dr Brandt, de l'état-major personnel, à l'*Oberführer* Kranefuss, datée du 29 décembre 1943 (Ba NS 19/nouveau 1677).
25. Lettre de l'*Obergruppenführer* Fritz Kranefuss, président du conseil d'administration de la Brabag, à Himmler, datée du 3 novembre 1944 (Ba NS 19/nouveau 1677).
26. Lettre du Dr Brandt à l'*Oberführer* S.S. Fritz Kranefuss datée du 7 novembre 1944 (Ba NS 19/nouveau 1677).
27. D'après les rapports de l'U.S.S.B.S. (United States Strategical Bombing Survey) rédigés par Speer (no 6, page 3), Geilenberg estima qu'on pourrait produire 90 000 tonnes de kérosène

et de propulsif sous terre en novembre 1945. En avril 1944, avant le début des bombardements en série, on avait produit 175 000 tonnes de kérosène.

28. Hermann GIESSLER, *Ein anderer Hitler* (Un autre Hitler). Starnberg, 1977, p. 434.
29. Le roi Leopold de Belgique et le directeur de l'importante usine belge Elektro-Industrielle, Danny Heinemann, propriétaire de la Sofina, faisaient partie des patients soignés par Gebhardt. Lui aussi, après 1933, il se fit traiter dans son hôpital.
30. Dr Heissmeier : rapport médical en date du 9 février 1944 (archives privées).
31. Rapport du Pr Gebhardt (archives privées).
32. Rapport du Pr Koch daté du 15 février (archives privées).
33. Remarques notées par Milch dans son journal le 26 mai 1947, donc pendant sa captivité : « A l'époque, sur la pression du Dr Brandt, le Pr Koch le (Speer) soigna également à Hohenlychen. Il raconta que Gebhardt lui avait dit alors : " A présent, il faut faire éclater les poumons de Speer. " Comme Koch s'y refusait, Gebhardt déclara qu'il avait seulement voulu le mettre à l'épreuve. » Extrait de David IRVING, *Die Tragödie der deutschen Luftwaffe* (La Tragédie de l'aviation allemande), Berlin, 1970.
34. Le Pr Friedrich Koch continua à diriger le service des maladies internes de l'hôpital de la Charité, à l'université de Berlin.
35. Extrait du procès-verbal de son entretien avec Hitler, rédigé par Dorsch, le 5 mars 1944, paragraphe 9 (Ba R 3/1509). *Cf.* également SPEER, *op. cit.*, p. 340 à 349.
36. Note portée sur l'agenda à la date du 6 mars 1944 Ba NS 19/nouveau 1445).
37. Note portée sur l'agenda à la date du 9 mars 1944 (Ba NS 19/nouveau 1445). Il est frappant de voir le grand nombre de visites que Himmler fit à Hitler en cette période critique. Voici ce que l'on trouve sur son agenda : « 15 mars 1944, entretien chez le Führer, 15 h à 16 h 30 — 16 mars 1944, 14 h déjeuner chez le Führer, 15 h à 16 h chez le Führer, 19 h 30 dîner chez le Führer — 17 mars 1944, 14 h déjeuner chez le Führer, 16 h à 17 h 30 entretien avec le Führer — 20 mars 1944, 14 h chez Bormann, 15 h à 19 h entretien avec Bormann — 3 avril 1944, 14 h déjeuner chez le Führer, promenade, thé, actualités. Retour au Bergwald » (chalet de Himmler dans les environs de Berchtesgaden). Agenda de Himmler (Ba NS 19/nouveau 1445).
38. Note de Himmler à Göring en date du 9 mars 1944, et lettre jointe de Pohl (Document américain 1584-PS, Exhibit US 221).
39. Déclaration sous serment du Pr Koch, 12 mai 1947 (archives privées).
40. *Cf.* SPEER, *op. cit.*, p. 345 et suiv.
41. Mission confiée par Himmler au *Gruppenführer* Pr Gebhardt le 20 mars 1944 (microfilm T-175 bobine 70 F : 7228).
42. Déclaration sous serment du Pr Koch, 12 mai 1947 (archives privées).
43. Lettre de Speer à Hitler en date du 19 avril 1944 (Ba R 3/1516).
44. Note portée sur l'agenda à la date du 19 avril 1944 : « 11 h *Brig.* S.S. F. Kehrl, 11 h 30 départ pour le Berghof, 14 h déjeuner chez le Führer, 15 h Bormann, 16 h 30 départ pour Berchtesgaden, 20 h 30 dîner chez le feld-maréchal Keitel, 23 h 30 Pg. Dr Desch. » Presque illisible, il pourrait s'agir de Dorsch. Le 20 avril Himmler déjeuna encore chez Hitler à 15 h au Berghof et revint à 17 h 30. (Ba NS 19/nouveau 1445.)
45. *Cf.* chronique du 20 au 22 avril 1944 (Ba R 3/1739).
46. Lettre de Speer à Himmler datée du 17 mai 1944 (Ba R 3/1583).
47. Compte rendu de la chronique : « Le 24 avril 1944, à 10 h, le ministre s'envole vers l'Obersalzberg avec Liebel, Hettlage et Fränk. A 11 h 30, entretien chez le *Reichsführer,* au Bergwald » (Ba R 3/1739).
48. Rapport de la S.D. (Service de sécurité) en date du 2 juillet 1944. Tiré de Heinz BOBERACH, *Meldungen aus dem Reich,* Neuwied, 1965.
49. Compte rendu de la chronique à la date du 24 avril 1944 : « A 17 h 30, le ministre est en conférence chez le Führer, pour la première fois depuis le début de sa maladie. Le Führer le reçoit avec beaucoup de cordialité sur le perron du chalet. L'entretien qui suit dure longtemps, il est consacré à une mise au point complète de la situation. Le Führer déclare

qu'il approuve de prime abord toutes les mesures que M. Speer croit devoir prendre dans le secteur du bâtiment. Il a suffi d'une brève conversation pour démanteler la cabale préparée depuis des mois par certains adversaires et destinée à séparer la construction de l'armement, et pour renforcer l'autorité du ministre. » (Ba R 3/1739.)

50. *Cf.* SPEER, *op. cit.*, p. 352 et suiv.
51. Chronique du 26 avril 1944 : « Au cours de cette soirée, le ministre met le point final aux efforts qu'il a fournis pour conférer à l'industrie de la construction une position responsable, analogue à celle que possèdent les industries de l'armement. En même temps, elle marque la fin de ce long combat entre l'organisation Todt et l'industrie du bâtiment, qui a été souvent mené en sous-main et n'a pas toujours été très honorable. » (Ba R 3/1739.)
52. Note portée à Himmler sur son agenda à la date du 27 avril 1944 : « 12 h 30 à 13 h, Dir. min. Dorsch. » (Ba NS 19/Nouveau 1445.)
53. Procès-verbal du Führer, en date du 13 mai 1944, paragraphe 8 (Ba R 3/1509.)
54. Procès-verbal du Führer, en date du 13 mai 1944, paragraphe 8 (Ba R 3/1509). Pour que des locaux soient propres à la construction, « il faut pouvoir y monter les machines-outils et les mettre en service, et il faut également pouvoir faire fonctionner les installations de climatisation ». Tels sont les points à considérer dans ces comptes rendus mensuels.

Kammler et ses attributions

1. Initialement le feld-maréchal Milch devait diriger l'état-major de l'aviation de chasse. Il a été évincé par Saur pendant que j'étais absent pour maladie.
2. Déclarations faites au cours du procès contre Pohl et d'autres accusés (Ba proc. gén. 1 XLI). Reprises dans une analyse du Pr Walter Bartel, de l'université Humboldt, Berlin (p. 70).
3. Rapport fait après la guerre et extrait de l'analyse du Pr Bartel.
4. Extrait de l'article de Hans Marsalek (Vienne) in *Die Tat* [Le fait] du 4 décembre 1971.
5. Jugement complémentaire contre Pohl et d'autres accusés (Ba proc. génér. 1 XLI W 5, p. 72), contenant la déposition de Hohberg. Hohberg déclare qu'il est à l'origine de la participation des S.S. au programme de l'état-major de l'aviation de chasse.
6. Tiré de *Kommandant in Auschwitz*, autobiographie de Rudof HÖSS, éditée par Martin Broszat, Munich, 1963, p. 191 de l'original.
7. Discours prononcé par Himmler le 21 juin 1944 à Sonthofen devant des généraux (tiré de HIMMLER, *Geheimreden* (Discours secrets), Berlin, 1974, p. 199).
8. Lettre de Kammler au Dr Brandt, de l'état-major personnel de Himmler, avec graphiques joints, en date du 11 janvier 1945 (Ba NS 19/ancien 378).
9. Kammler avait annoncé 425 000 m^2 de locaux industriels souterrains. La différence de chiffres vient sans doute du fait que plusieurs mois s'étaient écoulés entre l'achèvement de la construction et le début de la fabrication, laps de temps nécessaire à l'équipement industriel de ces locaux.
   Au procès de Nuremberg, j'ai déclaré pendant mon interrogatoire que, vers la fin de la guerre, « nous avions équipé 300 000 m^2 de locaux industriels souterrains, ce qui représentait une superficie insignifiante en regard de notre planification qui prévoyait 3 millions de m^2 ». Déposition de Speer devant le tribunal militaire international de Nuremberg, extraite de Adelbert REIF, *Albert Speer,* Munich, 1978, p. 37.
10. Chronique du 26 mai 1944 (Ba R 3/1739).
11. Ordonnance de Himmler au médecin-chef, *Reichsarzt* des S.S. et de la police, datée du début mars 1945. Ce titre atteste que Gebhardt était le médecin suprême des S.S.
12. Texte reproduit en fac-similé dans Hans MARSALEK, *Die Geschichte des Konzentrationslagers Mauthausen* (L'histoire du camp de concentration de Mauthausen), p. 103 et donnant même les indications par camp de concentration. Le chiffre correspond approximativement à celui indiqué par Sommer dans sa déposition devant le tribunal de Nuremberg : « A la fin de l'année 1944, 500 000 à 600 000 déportés environ ont été mis à la disposition de l'Office

central de l'administration de l'économie des S.S. pour l'engagement au travail. » Déposition sous serment de Sommer (jugement complémentaire contre Pohl et d'autres accusés — Ba proc. gén. 1 XLI, p. 5, p. 51).

13. Extrait du « Projet de simplification des principes de fonctionnement et d'administration de l'organisation Todt », 29 juin 1945 (Ba NS 19/nouveau 1707). Des statistiques datées du 30 novembre 1944 font état du nombre de personnes travaillant pour l'Organisation Todt, soit au total 1 284 200. Voici comment on les a identifiés :

— Allemands libres	260 500
— Étrangers libres (en grande partie les ressortissants du service obligatoire de Sauckel)	752 200
— Allemands prisonniers (il devait s'agir en grande partie de déportés internés en camps de concentration)	21 800
— Étrangers prisonniers	115 700
— Prisonniers de guerre	134 000

14. Eugen KOGON, *Der S.S.-Staat* (L'État S.S.), p. 45.
15. Cet effectif se trouve dans le mémoire adressé par Albert Speer à Hitler le 20 juillet 1944 (Ba R 3/1522).
16. Felix *Kersten, Totenkopf und Treue* (Tête de mort et fidélité), p. 343.
17. Manuscrit de ce discours enregistré sur bande magnétique, 16 avril 1945 (Ba R 3/1557). *Cf.* aussi SPEER, *Erinnerungen* (*Mémoires*), p. 478.
18. Joseph GOEBBELS, « Carnets », notes prises le 28 mars 1945, p. 286. Goebbels écrivait toujours son journal avec un jour de retard ; il s'agit donc ici d'une communication de Hitler en date du 27 mars 1945.
19. Mémoire rédigé par Speer le 15 mars 1945 à l'intention de Hitler (Ba R 3/1535).
20. Joseph GOEBBELS, « Carnets », note du 31 mars 1945, pp. 319-320.
21. Joseph GOEBBELS, « Carnets », note du 4 avril 1945, p. 355.
22. Message téléscripté du 3 avril 1945 envoyé par l'*Obersturmbannführer* H. Karl, chef du service Inspection de la construction pour le sud du Reich au *Standartenführer* Schleif, de l'état-major de Kammler à Berlin (Ba NS 19/ancien 1278).
23. Message radio envoyé par l'*Obersturmbannführer* Glaser, du « Centre expérimental de la Haute Bavière, Oberammergau », à Kammler, par l'intermédiaire de Karl (Ba NS 19/ancien 1278.
24. Message radio de Mataré à l'état-major de Kammler, envoyé le 8 avril 1945 à l'*Obergruppenführer* Dr Kammler, pour information (Ba NS 19/ancien 1278).
25. Message radio envoyé par l'*Obersturmbannführer* Staeding, « délégué plénipotentiaire du Führer pour les avions à réaction », au Pr Messerschmitt et au directeur Degenkolb le 14 avril 1945 (Ba NS 19/ancien 1278).
26. Message radio envoyé le 17 avril 1945 par Kammler à la direction centrale S.S., bureau II, département organisation I (Ba NS 19/ancien 1278).
27. Message radio envoyé par Kammler le 16 avril 1945 (Ba NS 19/ancien 1278). Ce message sans importance fut transmis en même temps « au ministre Pr Speer, au maréchal du Grand Reich allemand, au *Reichsführer* S.S., à l'officier de liaison entre la *Luftwaffe* et le colonel von Below, à l'officier de liaison entre le *Reichsführer* et le *Gruppenführer* et général des Waffen S.S., le général Fegelein ».
28. Message téléscripté de Kammler à Frank, usine Messerschmitt, Regensburg [Ratisbonne], en date du 16 avril 1945 (Ba NS 19/ancien 1278).
29. D'après le récit de Michel, D est un déporté qui entretint manifestement de bonnes relations avec les S.S. à partir de l'automne 1944 ; mais les déportés français ne cessèrent d'avoir des doutes sur son intégrité.
30. Jean MICHEL (ancien déporté de Mittelwerk), *Dora,* Paris 1975, p. 299 et 301.

Quatrième Partie
Le destin des Juifs

Haine et rationalité

1. Rapport de l'Inspection de l'armement III de Berlin sur la situation, en date du 15 août 1941 (Ba RW 20-3/15).
2. D'après Rudolf JORDAN, *Erlebt und erlitten* (Mes expériences et mes souffrances), Starnberg, 1971, p. 234. D'après lui, « cette mesure extrême fut prise en septembre 1941 au cours de la conférence quotidienne des ministres chez le Dr Goebbels ».
3. Extrait de *Geschichte der Rüstungsinspektion III Berlin* (Histoire de l'Inspection de l'armement III à Berlin), du 1er octobre 1940 jusqu'au 31 décembre 1941, p. 315 et suiv. (Ba RW 20-3/10).
4. Extrait du rapport de l'Inspection III de l'armement de Berlin sur la situation générale, en date du 15 novembre 1941 (Ba RW 20-3/16).
5. Robert M. W. KEMPNER, *Die Ermordung von 35 000 Berliner Juden* (L'Assassinat de 35 000 Juifs de Berlin), p. 180.
6. Extrait de *Geschichte der Rüstungsinspektion III Berlin* (*cf.* note 3), du 1er octobre 1940 au 31 décembre 1941, p. 315 et suiv. (Ba RW 20-3/10).
7. *Ibid.*
8. Extrait des *Informations du ministère de l'Armement et des Munitions,* no 1 du 31 mars 1942.
9. Joseph GOEBBELS, *Tagebücher 1945* (Carnets), notes du 12 mai 1942, p. 198.
10. Il vivait donc encore 120 000 Juifs en Allemagne en mai 1942.
11. Joseph GOEBBELS, *Tagebücher 1942 bis 1943* (Carnets de 1942 à 1943), notes du 17 mai 1942, Zurich, 1948.
12. Extrait du rapport de l'Inspection III de l'armement de Berlin sur la situation générale, en date du 15 novembre 1941 (Ba RW 20-3/16).
13. Nouvelle preuve que le fait de travailler dans l'armement était une garantie de protection pour les familles juives. La liste établie par Robert M. W. Kempner ne compte que 14 000 Juifs évacués environ, entre le 18 octobre 1941 et le 26 septembre 1942. En réalité, il a dû y avoir 35 000 Juifs déportés de Berlin dans ce laps de temps.
14. Extrait d'une note portée par Joseph Goebbels dans ses Carnets à la date du 30 septembre 1942, mais qui n'a pas été publiée, et qui nous fut transmise par David Irving, ce dont nous le remercions vivement.
15. Circulaire no 108/42 du commando de l'armement Berlin II, dépendant du ministère de l'Armement et des Munitions, en date du 6 novembre 1942 (Ba RW 21-3/2).
16. Discours prononcé par Himmler le 23 novembre 1942 devant les junkers S.S. Heinrich HIMMLER, *Geheimreden* (Discours secrets), Berlin, 1974, p. 200.
17. Circulaire de Sauckel aux présidents des bureaux du travail en date du 26 novembre 1942. (Procès Tribunal militaire international (T.M.I.), volume XXXVII, p. 495 et suiv.).
18. Journal de guerre du commando de Berlin de l'Inspection III de l'armement de Berlin, à la date du 9 novembre 1942 (Ba RW 21-3/2).
19. Lettre du délégué plénipotentiaire pour l'engagement au travail à ses bureaux du travail, datée du 26 mars 1942 (Documentation de Nuremberg L-156; exhibit RF 1522). *Cf.* Adelbert REIF, *Albert Speer,* p. 105.
    Voici ce que dit le rapport de l'Office central de la sécurité du Reich un mois plus tard : « Les Juifs qui travaillaient pour les objectifs importants de guerre sans être internés dans des camps, et qui viennent d'être libérés par le ministre de l'Armement et des Munitions, ont été exclus le 27 février 1943 du cadre de travail valable pour eux jusque-là, après accord préalable avec le délégué plénipotentiaire pour l'engagement au travail. » Rapport de l'Office central pour la sécurité du Reich en date du 28 avril 1943. Photocopie dans Robert M. W. KEMPNER *Eichmann und seine Komplizen* (Eichmann et ses complices).
20. Notes portées dans le journal de guerre du commando de l'armement de Berlin, à la date du 27 février 1943 (Ba RW 21-3/2).

21. Dans son jugement, le tribunal de Nuremberg n'en a pas conclu que j'avais participé à cette évacuation des Juifs.
22. Joseph GOEBBELS, *Tagebücher 1942-1943* (Carnets), p. 251 et suiv.
23. D'après une déclaration orale faite par le Dr Ernst Ludwig Ehrlich le 20 octobre 1978.
24. Citation extraite de Albert SPEER, *Spandauer Tagebücher (carnets de Spandau)*, note du 25 novembre 1954, Berlin, 1975. En automne 1975, pendant la Foire du livre, Gerald J. Gross, des éd. Macmillan, New York, me pria d'examiner l'authenticité des pages du journal de Goebbels qui lui avaient été offertes quelque temps auparavant par un intermédiaire. Pendant deux jours, je passai plusieurs heures à lire ces notes. Et je tombai sur un passage, daté de fin 1941, qui était, presque mot pour mot, le texte que je fixai par écrit à Spandau pour exprimer la colère du chef de la Propagande à l'égard de « ces Allemands bornés qui s'insurgeaient contre ses mots d'ordre nationaux-socialistes ».
25. Discours prononcé par Himmler le 4 octobre 1943 à Posen devant les *Gruppenführer* des S.S. (Documentation de Nuremberg 1919 P.S.).
26. Discours prononcé par Himmler le 6 octobre 1943 à Posen devant les *Reichsleiter* et les *Gauleiter* (Ba NS 19/HR/10). Au cours d'un long entretien que nous avons eu chez moi à Heidelberg en 1975, le Pr Erich Fromm me déclara que le peuple des poètes et des penseurs, celui de Goethe et de Schiller, n'avait pas sombré, même au temps du national-socialisme. Goebbels et Himmler en sont la preuve.
27. Joseph GOEBBELS, « Carnets de 1942 à 1943 », notes écrites les 9 et 15 mars 1943.

Absurdité et résistance en Pologne

1. « Compte rendu d'un entretien qui eut lieu le 4 octobre 1941 à 11 h du matin entre l'*Obergruppenführer* S.S. Heydrich et le *Gauleiter* Meyer, en présence du directeur ministériel Schlotterer, du *Reichsamtsleiter* Dr Leibbrandt, ainsi que de l'*Obersturmbannführer* Dr Ehrlich » (Ba NS 19/nouveau 1734).
2. Lettre de Göring à Heydrich en date du 31 juillet 1941 — Archives de la ville de Nuremberg.
3. T 501, film 219, Archives nationales, Washington D.C., Record Service, feuillet 346 (Dans le journal de guerre du QQu à la date du 8 mai 1942).
4. T 501, film 219, feuillet 380.
5. *Ibid.*
6. Ordre de Himmler à Krüger, en date du 19 juillet 1942 (Ba NS 19/nouveau 1757).
7. Journal de guerre du commando de l'armement de Varsovie, juillet 1942 (Ba RW 23/19).
8. Note écrite le 27 juillet 1942 par le *Hauptsturmführer* et *Stabsführer* S.S. Fellenz, qui était en même temps le délégué du chef de la milice et de la police S.S. à Cracovie (Ba NS 19/nouveau 1765).
9. Ces citations proviennent du rapport de l'*Untersturmführer* S.S. Benthin, chef du service de la police de sécurité à Przemysl, à la date du 27 juillet 1942 (Ba NS 19/nouveau 1765).
10. Extrait du rapport de l'*Untersturmführer* Benthin, chef du service de la police de sécurité à Przemysl, à la date du 27 juillet 1942 (Ba NS 19/nouveau 1765).
11. Ces citations proviennent également du rapport mentionné ci-dessus, à la date du 27 juillet 1942.
12. Rapport concernant un entretien qui eut lieu le 24 août 1942 entre le chef du district de Przemysl, Paul, et l'*Obersturmführer* With, membre de l'état-major du général Unruh (Ba NS 19/nouveau 1765). Le général Unruh était chargé par Hitler d'une mission spéciale, la mobilisation de soldats dégagés de service par une simplification dans les administrations.
13. Le haut commandement est un service administratif supérieur de l'armée, du niveau de l'Inspection de l'armement en quelque sorte, ayant à sa tête un général de corps d'armée.
14. T 501, film 216, feuillets 965 et 966, du 5 août 1942.
15. T 501, film 216, feuillets 924 et 925.

16. Tiré du journal de guerre du commando de l'armement de Varsovie, août 1942 (Ba RW 23/19).
17. Jusqu'au 7 mai 1942, le bureau de l'armement dépendait du haut commandement de la Wehrmacht, et donc du feld-maréchal Keitel. Le 7 mai 1942, un ordre de Hitler le plaça sous ma responsabilité, ainsi que les inspections de l'Allemagne, des territoires occupés et des provinces autonomes.
18. Ordre de Keitel au commandant en chef de la Wehrmacht pour le Gouvernement général, le général Gienanth (Ba NS 19/nouveau 253).
19. Conversation téléphonique de Himmler, 9 septembre 1942 (Ba NS 19/nouveau 1439).
20. Les commandants en chef des territoires occupées dépendaient du haut commandement de la Wehrmacht.
21. Lettre du commandant en chef de la Wehrmacht pour le Gouvernement général, le général Gienanth à l'état-major supérieur de la Wehrmacht, datée du 18 septembre 1942 (Ba NS 19/nouveau 353).
22. T 501, film 216, feuillets 1129 et 1130. Rapports du 16 août au 15 septembre 1942.
23. Extrait du rapport du Bureau du Travail, section locale de Przemysl, l'inspecteur chef du gouvernement Neumann, en date du 20 juillet 1942, repris par l'*Untersturmführer* S.S. Benthin, chef du service local de la police de sécurité à Przemysl, dans son rapport, daté du 27 juillet 1942 (Ba NS 19/nouveau 1765).
24. Lettre du général Gienanth, commandant en chef pour le Gouvernement général, à l'état-major supérieur de la Wehrmacht, datée du 18 septembre 1942 (Ba NS 19/nouveau 353).
25. Procès-verbal de l'entretien qui eut lieu du 20 au 22 septembre entre Speer et Hitler, paragraphe 44 (Ba R 3/105).
26. Conversation téléphonique de Himmler, 22 septembre 1942 (Ba NS 19/nouveau 1439).
27. Mots soulignés par l'auteur.
28. Ordre de Himmler, en date du 9 octobre 1942 (Ba NS 19/nouveau 352). Cet ordre fut envoyé, entre autres, à Pohl, Krüger et Globocnik.
29. Chronique de l'Inspection de l'armement, notes du 8 octobre 1942 (Ba R 3/1737).
30. *Cf.* également dans Heinz HÖHNE, *Der Orden unter dem Totenkopf* (Le Ruban de la Tête de mort) p. 293 : « L'administration des S.S. et de la police s'était détachée de l'Administration centrale du Gouvernement général et voulait régner sur le terrain de Frank. »
31. T 501, film 225, feuillets 2, et film 175, feuillet 2-527359.
32. Rapport de l'Inspection de l'armement pour le Gouvernement général, troisième trimestre 1942 (Ba RW 23/1).
33. Rapport sur la séance de la Commission de l'Armement dans le Gouvernement général, en date du 24 octobre 1942 (Ba RW 23/2). La commission de l'Armement était une commission mixte qui réunissait les représentants locaux de tous les services de mon ministère, sous la présidence du général Schindler, et ceux des services d'autres secteurs du gouvernement, comme celui de l'Engagement au travail, du Ravitaillement, des Chemins de fer.
34. Journal de Frank. Séance du 9 décembre 1942 (Ba R 52 II/243, p. 16).
35. Manifestement ces 16 000 Juifs faisaient partie des 40 000 qui viennent d'être mentionnés. D'après la déposition qu'il fit le 20 août 1964 dans le procès de Wolf et qui a été citée dans la *Süddeutsche Zeitung* du 21 août 1964, Hassler, alors capitaine, a demandé au colonel Freter, en juillet 1942, si l'extermination des Juifs était une réalité authentique. Freter avait commencé par garder le silence, puis il avait déclaré à Hassler qu'il pouvait choisir entre trois solutions : dire tout haut ce qu'il pensait, et c'en était fait de lui ; ou se faire porter malade, ou encore il pouvait rester à l'Armement et le soutenir, lui Freter, en faisant tout ce qu'il était encore possible de faire pour les Juifs.
36. Lettre de Himmler à Krüger, du 9 janvier 1943 (Ba NS 19/nouveau 352).
37. On donne ici une fois de plus un nouveau chiffre. Les S.S. eux-mêmes ne connaissaient peut-être pas le chiffre exact des travailleurs juifs.
38. Journal de guerre de l'Inspection de l'armement du Gouvernement général, en date du 15 février 1943 (Ba RW 23/3).

39. Lettre de Speer au chef du service juridique de la Luftwaffe, le général von Hammerstein, datée du 15 septembre 1944 (Ba R 3 1578). D'après cette lettre, le colonel Freter dépendait de la juridiction de la Luftwaffe ; mais cela n'excluait pas pour le commandant des forces terrestres la possibilité de faire prononcer et exécuter un jugement par les conseils de guerre locaux. D'après une communication des Archives nationales (archives militaires de Fribourg) en date du 22 juillet 1980, cette procédure fut suspendue en décembre 1944.
40. Journal de guerre de l'Inspection de l'armement du Gouvernement général (Ba RW 23/3).
41. *Ibid.*
42. *Ibid.*
43. *Ibid.*
44. *Ibid.*
45. *Ibid.*
46. *Ibid.*
47. Journal de Frank, note du 31 mai 1943 (Ba R 52 II/203, p. 45 et suiv.).
48. Journal de guerre de l'Inspection de l'armement du Gouvernement général (Ba RW 23/3).
49. Communication du commando de l'armement de Lemberg, fin août 1943 (Ba R 3/233).
50. *Ibid.* Le Service de l'armement, dirigé par le général Waeger, faisait le bilan et l'analyse des travaux des différentes inspections de l'armement.
51. Journal de guerre de l'Inspection de l'armement du Gouvernement général, section Luftwaffe, pour le troisième trimestre 1943 (Ba RW 23/3).
52. *Ibid.*
53. *Ibid.*
54. Rapport de l'officier de l'intendance militaire (qui ne dépendait pas de l'Inspection de l'armement mais du commandant en chef de l'armée) du Gouvernement général, pour le mois de juillet 1943 (Ba WJI, D 1/246).
55. Extrait du journal de guerre de l'Inspection de l'armement du Gouvernement général (Ba RW 23/3).

Cent mille survivants sur trois millions

1. Discours prononcé par Himmler le 4 octobre 1943 à Posen devant les *Gruppenführer* S.S. (Documentation de Nuremberg 1919 PS).
2. Discours prononcé par Himmler le 6 octobre 1943 à Posen devant les*Reichsleiter* et les *Gauleiter* (Ba NS 19/HR 10).
3. Discours prononcé par Himmler le 26 janvier 1944 à Posen devant les généraux du front. Extrait de Heinrich HIMMLER, *Geheimreden* (Discours secrets), Berlin, 1974, p. 201).
4. Discours prononcé par Himmler le 5 mai 1944 à Sonthofen, devant les généraux. Extrait de Heinrich HIMMLER, *op. cit.*, p. 203.
5. *Ibid.*
6. Discours prononcé par Himmler le 21 juin 1944 à Sonthofen devant des généraux. Extrait de Heinrich HIMMLER, *op. cit.*, p. 202.
7. Discours prononcé par Himmler le 6 octobre 1943 à Posen devant les*Reichsleiter* et les *Gauleiter*, p. 17, 19 et 24.

   Ce jour-là, Himmler prononça son discours entre 17 h 30 et 19 h 30 ; si l'on en croit son agenda (Ba NS 19/nouveau 1444), j'étais déjà parti pour Rastenburg, le quartier général du Führer. Ce fait a été confirmé par les dépositions du Dr Walter Rohland (ingénieur), qui était à l'époque président du conseil d'administration du plus important trust de l'acier, les Vereinigten Stahlwerke (les Aciéries réunies), ainsi que du rapporteur personnel du *Gauleiter* Greiser à Posen, Harry Siegmund ; en outre, le feld-maréchal Milch le confirma également lors d'une enquête effectuée par John Toland.
8. Discours prononcé par Himmler au cours du congrès des *Gruppenführer* S.S. le 4 octobre 1943 à Posen (Documentation de Nuremberg 1919).

9. Discours prononcé par Himmler le 6 octobre 1943 à Posen devant les *Reichsleiter* et les *Gauleiter* (Ba NS 19/HR 10).
10. Lettre de Himmler datée du 26 janvier 1942 (Documentation de Nuremberg NO-500).
11. Helmut KRAUSNICK, « Judenverfolgung » (La Chasse aux Juifs), in *Anatomie des S.S.-Staates* (Anatomie de l'État S.S.) ; *cf.* également des déclarations de Broszat dans le même ouvrage, Olten, 1965.
12. Lettre du « Chef suprême des S.S. et de la police dans la zone opérationnelle de la côte adriatique », datée du 4 novembre 1943 (Documentation de Nuremberg NO-056). L'opération d'extermination était baptisée « Opération Reinhardt ».
13. Extrait du journal de Frank. Séance de travail du 19 octobre 1943 (Ba R 52 II/207).
14. Dans son ouvrage cité plus haut, Heinz Höhne démontre que l'Office central de sécurité du Reich, dirigé par Kaltenbrunner, et l'Office central de l'administration de l'économie dirigé par Pohl étaient en conflit à propos de la politique concernant les détenus des camps de concentration. Pour des raisons de sécurité, l'Office de sécurité du Reich voulait supprimer tous les déportés, qui étaient devenus des adversaires potentiels du régime. Mais même si l'on excluait ces divergences de points de vue, il s'agissait là tout simplement de luttes d'influence entre deux grands de la direction S.S.
15. Lettre de Schieber à Speer datée du 7 mai 1943 (Ba R 3/1631).
16. Procédure Majdanek au tribunal de Düsseldorf, 319e audience, d'après publication dans *Die Welt*, en date du 21 février 1979, p. 4.
17. *Cf.* Heinz HÖHNE, *op. cit*, p. 358.
18. *Cf.* Journal de Rudolf HÖSS, *Kommandant in Auschwitz* (Commandant à Auschwitz), Stuttgart, 1958, p. 138 et suiv.
19. Ordonnance de Himmler datée du 15 Janvier 1943 à l'Office central de la sécurité du Reich à charge par lui de la transmettre à tous les hauts fonctionnaires de la milice et de la police et aux commandants de la police de sécurité (Ba NS 19/nouveau 1542).
20. Rapport fourni par le *Gruppenführer* Globocnik à Himmler, le 10 janvier 1944 (Ba proc. gén. 2 NO 1-60).
21. Séance de la commission de l'Armement du 10 novembre 1943 (Ba RW 23/3).
22. Notes portées dans le journal du département central de l'Inspection de l'armement pour le Gouvernement général, à la date du 11 novembre 1943 (Ba RW 23/3).
23. Notes portées dans le journal de guerre du département administratif à la date du 11 novembre 1943 (Ba RW 23/3).
24. Rapport du chef de l'intendance pour le Gouvernement général sur la situation en novembre 1943 (Ba WiL D 1/246).
25. Extrait du journal de guerre du service administratif de l'Inspection de l'armement pour le Gouvernement général, du 19 au 26 novembre 1943 (Ba RW 23/3).
26. Séance de la commission de l'Armement, 29 décembre 1943 (Ba RMFRUK 465 b). Ces deux entreprises n'étaient pas directement rattachées à l'Armement, et ne dépendaient pas non plus de l'Inspection de l'armement.
27. Compte rendu de l'inspecteur de l'Armement pour le Gouvernement général sur le quatrième trimestre 1943 (Ba RW 23/3).
28. Rapports mensuels de l'officier de l'intendance pour le Gouvernement général, octobre, novembre et décembre 1943 (Ba W I D 1/246).
29. Lettre de Maurer, chef du bureau D II (section D), camps de concentration, datée du 4 septembre 1943 (Ba NS 4 An 8).
30. D'après le journal de guerre de l'Inspection de l'armement de Cracovie, à la date du 4 novembre 1943 (Ba RW 23/3).
31. Rapport de la séance du 10 novembre 1943 de la commission de l'Armement (Ba RMFRUCK 465 b).
32. Rapport de la séance du 16 novembre 1943 de l'Inspection de l'armement (Ba RW 23/3).
33. Rapport de la séance du 18 novembre 1943 de l'Inspection de l'armement. Il s'agissait d'entreprises se trouvant dans les districts de Radom et Cracovie.

34. Journal de Frank, notes prises le 27 octobre 1943 (Ba R 52 II/208, p. 54 et suiv.).
35. Chronique du ministère, notes prises le 17 novembre 1943 (Ba R 3/1738). Koppe ne fut d'ailleurs pas livré à la Pologne, il n'a pas été condamné à mort ni à la réclusion perpétuelle. Il est mort entre-temps.
36. Rapport sur la séance du 8 décembre 1943 de la commission de l'Armement (Ba RMFRUCK 465 b).
37. Tiré du quatrième rapport trimestriel de l'Inspection de l'armement pour le Gouvernement général, année 1943 (Ba RW 23/3).
38. Rapport sur la séance du 12 janvier 1944 de la commission de l'Armement pour le Gouvernement général, p. 5 et 6 (Ba RW 23/4).
39. *Ibid.* sur la séance du 8 mars 1944, p. 2 et 13 (Ba RW 23/4).
40. Note prise par Schindler le 14 mars 1944 (Ba RW 23/4).
41. Comme l'on s'en souvient, ces rations attribuées par le ministre du Ravitaillement, pourtant minimes, ne parvenaient pas jusqu'aux travailleurs déportés, car des gens corrompus s'en étaient emparés auparavant.
42. Note préliminaire pour un entretien avec Schindler le 28 mars 1944 (Ba RMFRUK 465).
43. Statistiques du chef de l'intendance militaire pour le Gouvernement général (Ba WID 1/7).
44. Rapport de l'officer de l'intendance militaire du Gouvernement général sur la situation en avril 1944 (Ba WID 1/246).
45. *Ibid.* sur la situation en mai 1944 (Ba WID 1/246).
46. Compte rendu de la séance de la commission de l'Armement en date du 7 juin 1944 (Ba RMFRUK 465 b).
47. *Ibid.*, en date du 5 juillet 1944 (Ba RMFRUK 465 b).
48. Rapport du commandant en chef de l'armée pour le Gouvernement général, le général Gienanth à l'état-major suprême de la Wehrmacht, en date du 18 septembre 1942 (Ba NS 19/nouveau 353).
49. Tiré du journal de Hans Frank, gouverneur général de la Pologne, à la date du 4 décembre 1942 (Ba R 52 11/198).
50. Rapport sur l'engagement au travail du Département central du travail, dans le gouvernement de la Pologne, pour le mois de décembre 1943 (Ba R 52 IV/nouveau 13 c).
51. *Ibid.*
52. Tiré du *Grosser Brockhaus*, volume 3, Leipzig, 1939, p. 214.
53. Rapport de l'inspecteur des statistiques, Korherr, au Dr Brandt, à la date du 19 avril 1943 (Ba NS 19/nouveau 1570).
54. Documentation de Nuremberg NG 2586-G (Vol. XIII, vert, p. 210).
55. Eugen KOGON, *Der SS-Staat* (L'État S.S.), p. 215.

Les Juifs dans le Reich

1. L'Inspection VIII de l'armement, avec Breslau [Wroclaw] pour siège, comprenait la haute et la basse Silésie. Au printemps 1943, elle se divisa pour former l'Inspection VIII b, responsable de la région industrielle de haute Silésie, avec son siège à Katowice.
2. Tiré du rapport de guerre de l'Inspection de l'armement VIII à la date du 20 novembre 1942 (Ba RW 20/8-13).
3. Rapport trimestriel de l'Inspection VIII Breslau [Wroclaw], daté de fin décembre 1942 (Ba RW 20/8-13).
4. Deuxième rapport trimestriel de l'Inspection de l'armement VIII b de Katowice (Ba RW 20/8-13).
5. Tiré du quatrième rapport trimestriel de l'année 1943, Inspection de l'armement VIII b, Katowice (Ba RW 20-8/32).
6. Tiré du quatrième rapport trimestriel de l'année 1943, Inspection de l'Armement VIII b, Katowice (Ba RW 20-8/32).

7. Lettre de Speer à Himmler datée du 15 décembre 1943 (Ba R 3/1583).
8. Lettre de Speer à Himmler datée du 23 février 1944 (Ba R 3/1583). On n'a pas retrouvé la réponse de Himmler.
9. Il s'agit d'un service de l'Office de l'armement militaire, dont les commandes ne pouvaient être acheminées que par l'intermédiaire de l'Inspection de l'armement qui dépendait de mon ministère.
10. Machines-outils en provenance de fabriques appartenant sans doute à l'armée dont le transfert se fit par l'intermédiaire d'un service d'aménagement qui se trouvait dans mon ministère.
11. Tiré du rapport de guerre de l'Inspection de l'armement de Posen, à la date du 22 octobre 1943 (Ba RW 20/21-4).
12. Rapport de la séance de la Commission de l'Armement en date du 30 octobre 1943 (Ba RW 20/21-7).
13. Rapport de la commission de l'Armement en date du 30 novembre 1943 (Ba RW 20/21-7).
14. Rapport de guerre du département « Économie de l'Est » de l'Inspection de l'armement pour le Gouvernement général, en date du 10 décembre 1943 (Ba RW 23/3).
15. Lettre du *Gauleiter* Greiser à Pohl, datée du 14 février 1944, dans laquelle il relate la visite de Himmler (Ba NS 19/nouveau 82).
16. Lettre de Pohl à Greiser datée du 16 février 1944 (Ba NS 19/nouveau 82).
17. Message téléscripté du *Gauleiter* Greiser à Himmler, en date du 9 juin 1944 (Ba NS 19/nouveau 82).
18. Message téléscripté de Himmler à Greiser en date du 10 juin 1944 (Ba NS 19/nouveau 82).
19. Note tirée du journal de guerre du commando de l'armement de Litzmannstadt, à la date du 17 juin 1944 (Ba RW 20/21-9).
20. Remarque de III D-Ouest du 20 septembre 1944 (Ba R 58/976).
21. Lettre de Roman Halter à Albert Speer datée du 23 avril 1971 (archives privées). Publiée avec l'autorisation écrite de l'auteur à la date du 20 octobre 1980.
    Il a dû se passer la même chose pour le déplacement des 900 Juifs de l'usine de Cracovie-Plasznow — souvent mentionnée dans les communications de l'Inspection de l'armement du Gouvernement général —, qui furent envoyés à Brünnwitz en Tchécoslovaquie. Voici ce que disait le *Aufbau,* journal de New York, dans son édition du 14 janvier 1972 : « 300 femmes avaient été expédiées à Auschwitz pour y être exterminées. Oskar Schindler partit pour Berlin. Avec l'aide de l'armée, il réussit à obtenir de l'Office central de la sécurité du Reich que ces femmes, destinées à la mort, soient acheminées sur Brünnwitz. L'usine reconvertie pour la production de matériel de guerre ne pouvait s'en passer, a-t-on affirmé. » Il a dû s'agir d'une démarche effectuée par l'Inspection de l'armement du Gouvernement général, donc au Bureau de l'armement du ministère. Car l'armée n'avait aucune compétence dans ces affaires ; du reste, après la chute de Gienanth, elle manifesta un désintérêt total.
22. Ce n'est qu'à partir de fin avril 1944 que les Services de la construction furent confiés à l'organisation Todt, sur le territoire du Reich. Jusque-là, celle-ci n'avait droit de regard que sur la construction dans les territoires d'occupation.
23. Procès-verbal d'un entretien qui eut lieu les 6 et 7 avril 1944 entre Dorsch et Hitler (Ba R 3/1509). Pour avoir d'autres détails sur cette affaire, *cf.* SPEER, *Erinnerungen* (*Mémoires*), p. 347 à 354.
24. Tiré du compte rendu de Dorsch daté du 17 avril 1944 (Ba R 3/1509).
25. Procès-verbal de l'entretien qui eut lieu le 9 mai 1944, entre Speer et Hitler, paragraphe 3 (Ba R 3/1509).
26. Discours prononcé par Himmler le 24 mai 1944 à Sonthofen devant les généraux. Extrait de Heinrich HIMMLER, *Geheimreden* (Discours secrets), Berlin, 1974, p. 203.
27. Télégramme du délégué plénipotentiaire du Reich pour la Hongrie, le conseiller d'ambassade Edmund Veesemayer (Documentation de Nuremberg NS 5619).
28. Message téléscripté de Speer à Keitel, en date du 7 juin 1944 (Ba R 3/1586). Le brouillon de

ce message provenait du Bureau de l'armement, section Engagement au travail, comme le montre l'en-tête de la lettre. Les militaires détenus étaient les soldats italiens désarmés après la chute de Badoglio.
29. *Ibid.*
30. Rapport sur la main-d'œuvre, état de mai 1944 pour le Reich. Il est probable que ces chiffres ne tiennent pas compte des Juifs engagés au travail dans la haute et la basse Silésie et dans le Wartheland. Dans ces « communications mensuelles sur l'effectif des travailleurs dans le Reich », les travailleurs étrangers et ceux qui venaient des camps de concentration étaient généralement comptés ensemble. L'état de mai 1944 est le seul à donner le nombre des Juifs embauchés dans l'armement allemand.
31. Lettre de Speer à Schieber datée du 7 mai 1944 (Ba R 3/1631).
32. Compte rendu de la séance de la commission de l'Armement IVa de Dresde, en date du 18 juillet 1944 (Ba RW 20-4/20).
33. Note envoyée par le général Waeger à Speer le 7 août 1944 (Ba R 3/1580).
34. Note de l'Inspection de l'armement IX de Kassel, en date du 6 septembre 1944 (Ba RW 20-9/19).
35. Article de Tuvia FRIEDMAN, présidente de l' « Organisation mondiale juive des victimes du régime nazi », paru dans le *Jerusalem Post* du 19 mai 1970 (cité aussi dans Ferencz, p. 182).
36. Interrogatoire mené par Robert H. Jackson le 21 juin 1946 devant le tribunal militaire international de Nuremberg, repris par Adelbert REIF dans *Albert Speer,* p. 106.
37. Extrait de *Geschichte der Rüstungsinspektion III Berlin* (Histoire de l'Inspection de l'armement III de Berlin), pour la période du 1er octobre 1940 au 31 décembre 1941, p. 315 et suiv. (Ba RW 20-3/10).
38. Tiré du journal de guerre de l'Inspection de l'armement de Berlin pour le mois de décembre 1942 (Ba RW 21-3/1).
39. Rapport trimestriel de l'Inspection de l'armement VIII de Breslau, fin décembre 1942 (Ba R 20-8/13).
40. Même les procès-verbaux du Führer ne parlaient pas de ces « réservoirs de main-d'œuvre » ni sur un plan général, ni pour des cas particuliers.

Sombre « victoire finale »

1. Lettre de Pohl à Himmler datée du 14 décembre 1941 avec une analyse de Kammler (Ba NS 19/nouveau 2065).
2. Compte rendu d'un entretien qui eut lieu le 4 octobre 1941 à 11 heures du matin entre l'*Obergruppenführer* Heydrich et le *Gauleiter* Meyer en présence du directeur ministériel Schlotterer, du *Reichsamtsleiter* Dr Leibbrandt et de l'*Obersturmbannführer* Dr Ehrlich (Ba NS 19/nouveau 1734).
3. Lettre de Himmler à Pohl datée du 31 janvier 1942.
4. On appelait « Transnistrie » la région de l'Ukraine située entre le Dniestr et la pointe Sud, et occupée en partie par des Roumains. De 1941 à 1944, elle fut placée sous l'administration roumaine, et de nos jours elle est russe (*cf. Brockhaus* 1957).
5. Note du chef du Bureau central des S.S., G. Berger, à Himmler, datée du 17 août 1942 (Ba NS 19/nouveau 1704).
6. Citation en provenance de *Adolf Hitler — Monologe im Führerhauptquartier 1941-1944* (Monologues au quartier général du Führer), Hambourg, 1980, à la date du 8 août (p. 54) et du 17 octobre 1941 (p. 90), ainsi que du 6 août 1942 (p. 331).
7. Note du chef du Bureau central des S.S., G. Berger, à Himmler, datée du 17 août 1942 (Ba NS 19/nouveau 1704).
8. Un projet de construction pour Riyād, en Arabie Saoudite, datant de l'année 1979, et portant sur 600 appartements, y compris les infrastructures, autrement dit permettant de loger environ 3000 habitants, revient à 600 millions de rials, soit 300 millions de marks ; il

faut donc compter pour 20000 habitants environ 2 milliards de marks. Himmler ne se trompait pas tellement en prévoyant plusieurs milliards de Reichsmarks pour la colonisation de ces contrées.

9. Citation extraite des Monologues de Hitler (*cf. supra*), à la date des 6 et 8 août 1942 (p. 331 et 334).
10. *Ibid.* à la date du 17 octobre 1941 (p. 90).
11. Lettre de Himmler à Pohl, datée du 31 janvier 1942 (Ba NS 19/nouveau 2065). Le 1er juillet 1943, Kammler revint sur ce programme dans une lettre adressée au *Standartenführer* With, de l'état-major du général von Unruh : « Cependant, pour conclure, je peux vous confier une chose, pour en avoir longuement discuté avec le *Reichsführer :* celui-ci considère comme absolument indispensable que nous réalisions, après la fin de la guerre, un programme gigantesque de construction en toute autonomie. » (Ba NS 19/nouveau 2065.)
12. Dans Hans MARSALEK, *Geschichte des Konzentrationslagers Mauthausen* (Histoire du camp de concentration de Mauthausen), on trouve ceci à la page 69 : « On peut présumer que le facteur de rendement d'un détenu de Mauthausen atteignait en moyenne 50 pour 100 au moins de celui d'un travailleur civil. »
13. Analyse faite par Kammler le 10 février 1942 et que Pohl transmit à Himmler le 5 mars 1942 (Ba NS 19/nouveau 2065).
14. A ce sujet, Kammler note ceci dans son analyse : « Que l'on prenne seulement pour exemple les usines d'exploitation du bois et les scieries prussiennes de l'après-guerre. Depuis le début de la pénurie de matières premières et de main-d'œuvre, en 1938, la Luftwaffe, la marine, les forces terrestres, et surtout le Front allemand du travail ont créé leurs propres entreprises autonomes. Pour des raisons politiques et fiscales, ces efforts sont par principe rejetés par le ministère de l'Économie et le ministère des Finances du Reich, ainsi que par les différents services responsables du Parti, tel que celui du *Reichsleiter* Bormann. »
15. Analyse faite par Kammler le 10 février 1942 et jointe à la lettre adressée par Pohl à Himmler le 5 mars 1942 (Ba NS 19/nouveau 2065).
16. Lettre de Himmler à Pohl datée du 23 mars 1942 (Ba NS 19 nouveau 2065).
17. Note rédigée par Kammler et jointe à la lettre de Pohl à Himmler datée du 14 décembre 1941 (Ba NS 19/nouveau 2065).
18. Souligné par l'auteur.
19. Note prise par Himmler le 12 mars 1942 à propos de la lettre de Pohl du 5 mars 1942 à laquelle était jointe l'analyse de Kammler du 10 février 1942 (Ba NS 19/nouveau 2065).
20. Lettre de Himmler à Pohl datée du 23 mars 1942 (Ba NS 19/nouveau 2065).
21. Tiré de *Die deutsche Bauwirtschaft im Kriegseinsatz* (La Construction allemande au service de la guerre), tirage d'avril 1943, édité par le délégué plénipotentiaire pour le bâtiment. Avec ses projets dont la réalisation devait durer approximativement vingt ans, le Parti était loin du chiffre de Himmler. Fin 1941, Hitler avait fixé les 27 villes allemandes qui devaient être complètement transformées ; c'est ce que je fis savoir au chef du Service des expertises du parti national-socialiste, Franz Xaver Schwarz, dans ma lettre du 19 février 1941 (Ba R 3/1733). D'après la lettre que j'adressai à Bormann le 26 novembre 1940 (Ba R 3/1733), le montant total de ces constructions réservées au Parti — édifices, halls et forums — atteignait entre 22 et 26 milliards de Reichsmarks. La réalisation de ces projets aurait coûté entre 1,1 et 1,3 milliard par an. Il est vrai que la majeure partie des travaux devait être exécutée par l'industrie allemande du bâtiment. Ils auraient absorbé 9,1 pour 100 de la capacité totale de construction de l'Allemagne.
22. *Statistiques annuelles pour l'année 1939-1940,* Berlin, 1940. Les pages 32 et 33 donnent le nombre d'ouvriers du bâtiment en 1933, valable pour les frontières de 1933 ; la page 152, les chiffres correspondant à l'Autriche, et la page 154, celui des Sudètes. A la page 383, les enquêtes statistiques effectuées de 1933 à juin 1939 permettent de calculer l'augmentation en pourcentage des travailleurs du bâtiment et des métiers annexes, à la fin du premier semestre 1939. Cela donne un effectif de 10056000 ouvriers, chiffre qui ne comprend pas le

seul secteur du bâtiment, mais aussi l'extraction des matières premières (par le groupe « Pierres et Terres »), ainsi que les installations de plomberie, de serrurerie et de menuiserie.

23. En août 1944, il y avait 5 722 000 étrangers qui n'étaient pas tous des déportés, et 1 930 000 prisonniers de guerre, soit au total 7 652 000 personnes qui travaillaient pour l'industrie allemande (renseignements tirés de *Statistische Schnellbericht zur Kriegsproduktion* (Rapport de statistique sur la production de guerre), Ba R 3/1730).
24. Citation extraite des Monologues de Hitler, à la date du 17 octobre 1941 (p. 90 et suiv.), et du procès-verbal de mes entretiens avec Hitler, à la date du 24 mai 1942 (Ba R 3/1504).
25. Citation extraite des Monologues de Hitler, à la date du 27 janvier 1942 (p. 239). *Cf.* aussi SPEER, *Erinnerungen* (*Mémoires*), p. 446.
26. Citation tirée des Monologues de Hitler, à la date du 25 septembre 1941 (p. 71), du 8 août 1942 (p. 334), du 5 juillet 1941 (p. 39), du 17 octobre 1941 (p. 93), du 29 octobre 1941 (p. 116) ; du 3 août 1942 (p. 324). On pourrait taxer de manque d'objectivité le rapprochement de citations séparées dans le temps. Mais elles reflètent toutes la façon de voir de Hitler dans son ensemble.
27. Citation extraite des Monologues de Hitler à la date du 6 août 1942 (p. 331).
28. Citations extraites des Monologues de Hitler à la date du 16 janvier 1942 (p. 209), 24 janvier 1942 (p. 226), du 25 septembre 1941 (p. 71), du 1er décembre 1941 (p. 149), du 23 septembre 1941 (p. 67), du 27 février 1942 (p. 303).
29. Citation tirée des Monologues de Hitler, à la date du 25 janvier 1942 (p. 229).

Annexes

1. Viktor E. FRANKL, *Man's Search for Meaning,* p. 72, édition de poche.
2. Bruno BETTELHEIM, *The informed Heart,* Glencoe, Illinois, 1943.
3. Simon WIESENTHAL, *Die Sonnenblume (Le Tournesol),* Hambourg, 1970.
4. Eugen KOGON, *Der S.S.-Staat* (L'État S.S.), Francfort-sur-le-Main, 1965, p. 89.
5. Elena SKRJABIN, *Leningrader Tagebuch* (Carnets de Leningrad), Munich, 1942, p. 174.
6. Lettre du premier président du « Verband demokratischer Widerstandskämpfer und Verfolgter » [Litt : Union des résistants et des personnes recherchées de la province du Schleswig-Holstein], datée du 22 juin 1977 et adressée à l'auteur.
7. Benjamin B. FERENCZ, *Less than Slaves.* Cambridge/Massachusetts, 1979, p. 8 et 190.
8. Martin BROSZAT, *Anatomie des S.S.-Staates* (Anatomie de l'État S.S.), volume II, Olten, 1965, p. 126.
9. Hermann LANGBEIN, *Menschen in Auschwitz* [Ceux d'Auschwitz], Vienne, 1972, p. 3 et 10
10. Rapport envoyé par un inconnu à l'état-major personnel du *Reichsführer* S.S. et non daté (Ba NS 19/nouveau 2302).
11. Article de Hans Marsalek dans Der *Widerstandskämpfer* (Le Combattant de la Résistance).
12. Lettre de Himmler à Pohl datée du 23 mars 1942 (Ba NS 19/Nouveau 2065).
13. Lettre de Himmler à Göring, datée du 9 mars 1944 (Document 1584 PS Exhibit US-221).
14. D'après *Statistical Abstract of the United States,* 1946, publié par le Département commercial des États-Unis, Printing office 25 DC, p. 211.
15. Extrait de WAGENFÜHR, *Die deutsche Industrie im Kriege 1939-1945* (L'Industrie allemande durant la guerre, 1939-1945) p. 47. Le temps de travail mensuel était multiplié par 12 et divisé par 52 semaines. Ce renseignement concorde avec ceux que donne une communication datée du 31 décembre 1944 sur le nombre des travailleurs. D'après celle-ci, 5 981 000 travailleurs avaient totalisé en novembre 1944 1 milliard 122 millions d'heures de travail (Ba R 3/3009).
16. Extrait de l'interrogatoire d'Otto Ohlendorf devant le tribunal militaire n° II-A, cas IX, p. 509 (Ba proc. gén. 1, XXVII, A/5, 6).

17. KOGON, *op. cit.*, p. 292 et suiv. Hermann LANGBEIN dit à peu près la même chose dans *Menschen in Auschwitz*, p. 179 et 514.
18. Tiré de l'exposé que j'ai fait le 6 octobre 1943 à Posen, devant les *Gauleiter* (Ba R 3/1548), du moins en ce qui concerne le sens. La chronique du ministère relate que, le 5 octobre 1943, j'ai signé un décret relatif à la collaboration avec la S.D. (pp. 152 et 156).
19. KOGON, *op. cit.*, p. 294.
20. Accord passé le 7 mai 1942 entre Fritz Sauckel et Robert Ley (Documentation de Nuremberg 1913/PS).
21. Tiré du décret d'application de Sauckel, en date du 30 septembre 1942 (Documentation de Nuremberg 1913/PS).
22. Extrait du jugement contre Oswald Pohl et d'autres accusés en date du 3 novembre 1947 (Ba proc. gén. 1 X LI W 4, p. 83).
23. Jugement prononcé contre Karl Krauch et d'autres accusés le 29 juillet 1948, dans le procès contre la firme I.G.-Farben (Ba proc. gén. 1 Rep 501 IX ZCe n° 1).
24. Décret de Himmler en date du 21 juin 1943 (Ba R 43 II/1031c).
25. Jugement d'Oswald Pohl, p. 9 (Ba proc. gén. 1 X LI W4).
26. En se référant à cet attendu du jugement, la « Antifaschistische Arbeitsgemeinschaft » (Afa) (Communauté de travail antifasciste), d'orientation communiste, déclara même le 23 juin 1969 dans son service d'information : « Les ordonnances du ministre de l'Armement Speer ont contribué à garder en vie les déportés du camp de concentration de Leau. En effet, Speer avait décrété qu'il fallait nourrir convenablement les travailleurs forcés et leur créer des conditions de travail supportables, pour obtenir un bon rendement. »
27. Ordre donné le 28 décembre 1942 par l'Office central de l'administration de l'économie des S.S. sur l' « Activité médicale dans les camps de concentration » (Documentation de Nuremberg 1469 PS). Le rapport est signé d'un *Brigadeführer* S.S. La signature est illisible.
28. Lettre de Himmler à Pohl datée du 29 mai 1942, tirée de *Der Reichsführer*, p. 150.
29. Texte reproduit dans Hans Marsalek, *op. cit.*, p. 86.
30. On peut lire dans le compte rendu de la séance de la commission de l'Armement de Posen, en date du 30 novembre 1943 : « Zeiss, Herbertow, près de Sollau. Après avoir purgé une peine de plus de 6 mois (portée récemment à 1 an), les prisonniers polonais sont envoyés en camp de concentration dans le Reich, et donc perdus pour l'industrie. Il est malheureusement impossible de continuer à les faire travailler dans leur ancienne unité de production comme " détenus par mesure de sécurité ". »
31. Lettre de Speer à Himmler datée du 13 mai 1944 (R 3/1583).
32. Tiré du rapport de Kranefuss à l'*Obergruppenführer* Karl Wolff, chef de l'état-major personnel du *Reichsführer* S.S., en date du 2 juin 1942, joint à la lettre du 21 juin 1942 (Ba NS 19/nouveau 2220). Dans ce même rapport, Kranefuss s'offrit à appuyer la direction S.S. pour qu'un plus grand nombre de « croix du mérite de guerre » soit attribué à la Brabag par les services compétents. Cette affaire, insignifiante en soi, montre aussi l'ampleur de l'influence de Himmler. Pour le bon ordre des choses, Kranefuss aurait dû s'adresser à l'administration du plan quadriennal de Göring. Himmler n'était pas habilité à distribuer des distinctions dans le secteur de l'économie.
33. Lettre de Kranefuss au rapporteur personnel de Himmler, le Dr Brandt, datée du 4 septembre 1942 (Ba NS 19/nouveau 2220).
34. Les domaines d'activités des commissaires du Reich étaient divisés en commissariats généraux.
35. Message du chef de l'état-major central du commissaire du Reich pour l' « affermissement du caractère national allemand », daté du 19 janvier 1943 et adressé au *Reichsführer* S.S., état-major personnel (Ba NS 19/nouveau 1704).
36. Note du chef de liaison (des S.S.) auprès du ministre des Territoires occupés de l'Est, un *Hauptsturmführer*, au chef de la direction centrale S.S., Gottlob Berger, datée du 23 janvier 1943. Cette note fut envoyée ensuite à l'état-major personnel de Himmler (Ba NS 19/nouveau 1704).

37. *Ibid.*
38. Message de Berger à Himmler, à la date du 16 avril 1943 (Ba NS 19/nouveau 1704).
39. Le commissariat du Reich pour les pays de l'Est administrait les régions occupées de l'Union soviétique. Les commissariats généraux mentionnés plus haut lui étaient subordonnés.
40. Note du rapporteur personnel Straube auprès du « chef de l'état-major politique », service de liaison de Himmler dans le ministère de Rosenberg, adressée le 7 juillet 1944 à l'*Obergruppenführer* Berger (Ba NS 19/nouveau 1704).
41. Points particuliers signalés par Speer pour le discours prononcé par Hitler le 26 juin 1944 au Platterhof (Obersalzberg) (Ba R 3/1550). Pour détails complémentaires, *cf.* SPEER *Erinnerungen*, p. 319, 370, 372.
42. Discours prononcé par Hitler le 26 juin 1944 au Platterhof (Obersalzberg) devant les chefs d'industrie. Reproduit dans Hildegard von KOTZE et Helmut KRAUSNICK, *Es Spricht der Führer* (Le Führer parle), Gütersloh, 1966.
43. Citation extraite de Albert SPEER, « Politische Zusammenhänge » (Contextes politiques), B III, p. 1, Kransberg, juillet 1945. Les exposés du conseiller économique de Hitler, Otto Wagener, montrent combien était puissante l'aile socialiste du Parti et avec quelle ardeur elle visait la socialisation de l'économie.
44. Joseph GOEBBELS, « Carnets de 1942 à 1943 », Zurich, 1948.
45. Article tiré de *Wirtschaftspolitische Bilanz* [Bilan de la politique économique] d'Ohlendorf, en date du 28 décembre 1944 (Ba R 7/2018). A noter l'époque tardive à laquelle Ohlendorf s'absorbait dans de tels problèmes !
46. Brouillon d'un discours prononcé par Hayler le 22 Janvier 1945 (Ba R 7/2006). La lettre du service de presse du ministère de l'Économie, signée Lorch et datée du 22 janvier 1945, qui accompagnait ce projet adressé à Ohlendorf, laisse entendre que ce discours était prévu pour fin janvier. De plus, on voit bien à travers le texte que ce projet de discours, et en particulier la dernière partie citée ici, a été rédigé avec le concours d'Ohlendorf et reflète ses idées.
47. Projet de discours prononcé par Hayler le 22 janvier 1945 (Ba R 7/2006).
48. Article intitulé « État et Économie », publié par Otto Ohlendorf dans l'édition spéciale de l'organe de la Wirtschaftskammer, à l'occasion du soixante-dixième anniversaire de son président, Pietzsch, et reproduit en partie dans la *Deutsche Allgemeine Zeitung* du 8 août 1944.
49. Brouillon d'un discours prononcé par Hayler le 22 janvier 1945 (Ba R 7/2006).
50. Lettre de Schieber à Speer, datée du 7 mai 1944 (Ba R 3/1631).
51. Interrogatoire d'Ohlendorf par son avocat, Me Aschenauer. Extrait de « Séance du tribunal militaire no II-A, cas IX », en date du 8 octobre 1947 (Proc. génér. 1, XXVII A/5, 6).
52. Décret du 9 octobre 1943 sur la « Concentration de l'industrie dans le secteur de l'armement et de la production de guerre », signé de Speer (Ba R D 76/1).
53. Décret du 21 décembre 1943 sur les « Tâches des présidents de commissions », signé de Speer (Ba R D 76/1).
54. Décret de Hitler, en date du 19 juin 1944 (Ba RD 76/1).
55. Chronique du 24 août 1944 (Ba R 3/1740).
56. Lettre du chef suprême des S.S. et de la police du secteur de défense XVIII, datée du 28 janvier 1945 et adressée au *Standartenführer* Brandt (Ba NS 19/nouveau 767).
57. Rapport du directeur de la Recherche en matière d'aviation de Munich, Herbert Luckow, au chef suprême des S.S. et de la police du secteur de défense XVIII, non daté (Ba NS 19/nouveau 767).
58. Message téléscripté de Brandt à l'*Obergruppenführer* Wolff, daté du 10 février 1945 (Ba NS 19/nouveau 767).
59. Décret du ministre de l'Armement et de la Production de guerre, en date du 19 février 1944 (Ba R 43 II/11570).
60. Chronique du 29 mars 1944 (Ba R 3/1739).
61. Tiré de Willi A. BOELCKE, *Deutschlands Rüstung im Zweiten Weltkrieg* (L'armement de l'Allemagne dans la Seconde Guerre mondiale), Francfort, 1969, p. 349.

62. Procès-verbal du Führer, du 6 au 7 avril 1944, paragraphe 23 (Ba R 3/1509).
63. Lettre de Speer à Himmler, datée du 10 novembre 1944 (Ba NS 19/nouveau 296).
64. Message téléscripté de Meyer à Himmler, daté du 4 janvier 1945 (Ba NS 19/nouveau 296).
65. Lettre de Speer à Himmler datée du 10 novembre 1944 (Ba R 3/1583).
66. *Cf.* SPEER, *Erinnerungen,* p. 431.
67. Décret de Jüttner, en sa qualité de chef de l'armement des forces terrestres à ses différents services en date du 31 décembre 1944 (MGFA, DO 44/119 : FE 3033).
68. Décret du « *Reichsführer* S.S., délégué spécial Z », daté du 6 février 1945 (Ba R 26 III/52).
69. Décret de Kammler sur les compétences à Mittelwerk, en date du 7 février 1945 (Ba R 26 III/52).
70. Tiré d'une note prise à Spandau le 3 octobre 1952 (archives privées).
71. Message téléscripté de Speer à Kammler, 15 février 1945 (Ba R 3/1768).
72. Document du Centre de documentation, série 4070-4075.
73. T 501, film 219, feuillets 422, 424, 426, 434.
74. Sur l'en-tête de la feuille où a été portée cette note, en date du 7 août 1944, l'expéditeur est désigné sous le vocable « Groupe engagement au travail, Arm. A. trav. E I, 2-121 ». L'adresse est ainsi libellée : Berlin NW 7, Unter-den-Linden 36. Schmelter, le chef de ce groupe de travail, appartenait à cette fraction de fonctionnaires du ministère du Travail qui avait été aiguillée vers le *Gauleiter* Sauckel pour les questions de l'engagement au travail.
75. Brouillon d'une lettre du groupe Engagement au travail, datée du mois d'août 1944, et joint à la note adressée par le général Waeger à Speer le 7 août 1944 (Ba R 3/1580).
76. Lettre de Speer à Goebbels, datée du 26 juin 1944 (Ba R 3/1580).
77. Il s'agit de Lucy S. DAWIDOWICZ, *In Hitlers Diensten* (Au service de Hitler), New York, 1970. Récemment reproduit dans Adelbert REIF, *Albert Speer.* On ne trouve aucune trace dans les archives d'une telle lettre adressée à Hitler, comme le prétend Mme Dawidowicz.

Index

Conformément à l'édition allemande, nous n'avons fait figurer à l'index ni le nom de Himmler ni celui de Speer, qui sont cités quasiment à chaque page.

Z

Table des matières

Achevé d'imprimer le 18 février 1982
sur presse CAMERON
dans les ateliers de la S.E.P.C.
à Saint-Amand-Montrond (Cher)
pour
les éditions Robert Laffont

Dépôt légal : mars 1982.
N° d'Édition : M 522. N° d'Impression : 2622-1696